JN227079

Molecules

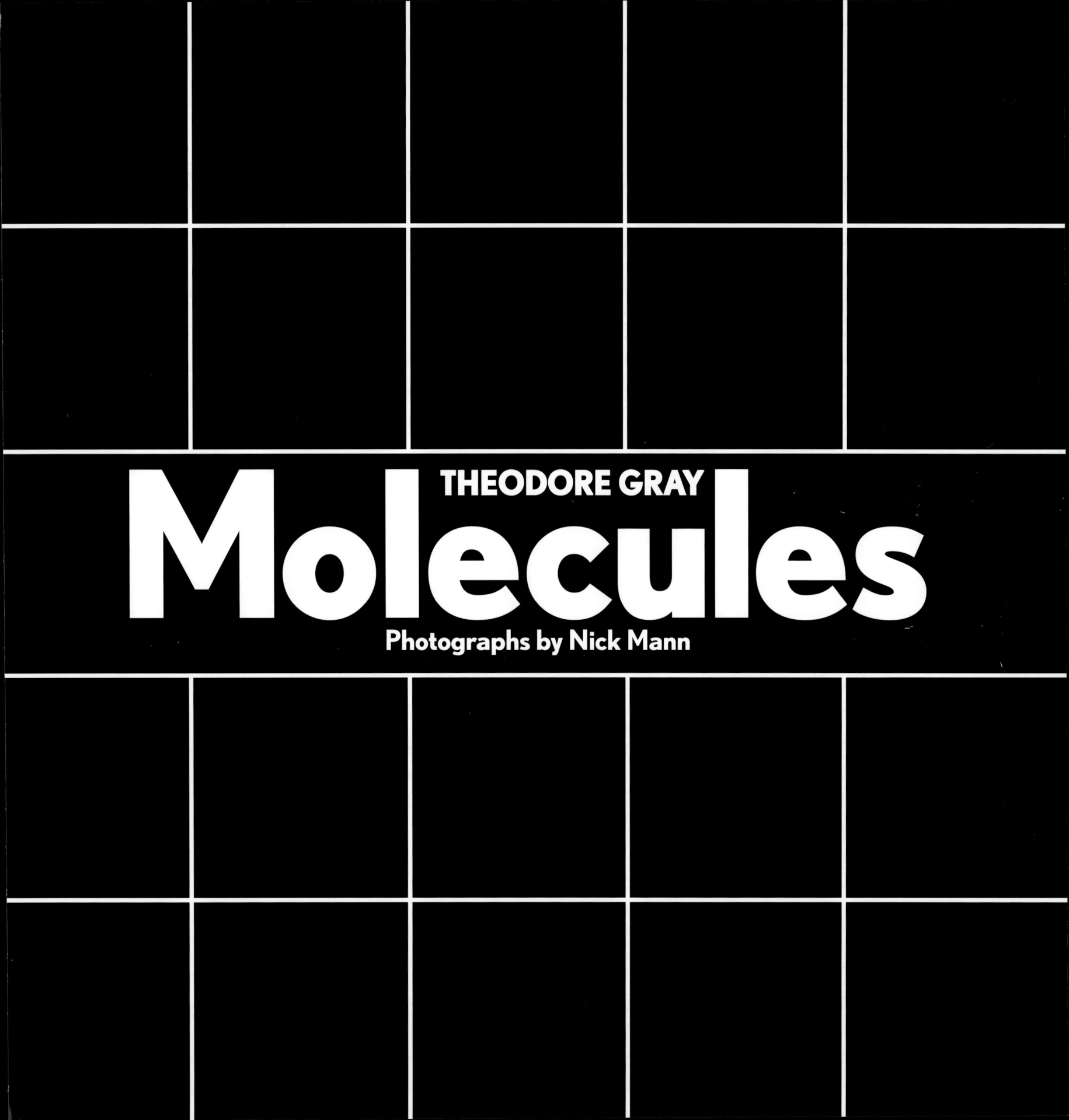

THEODORE GRAY

Photographs by Nick Mann

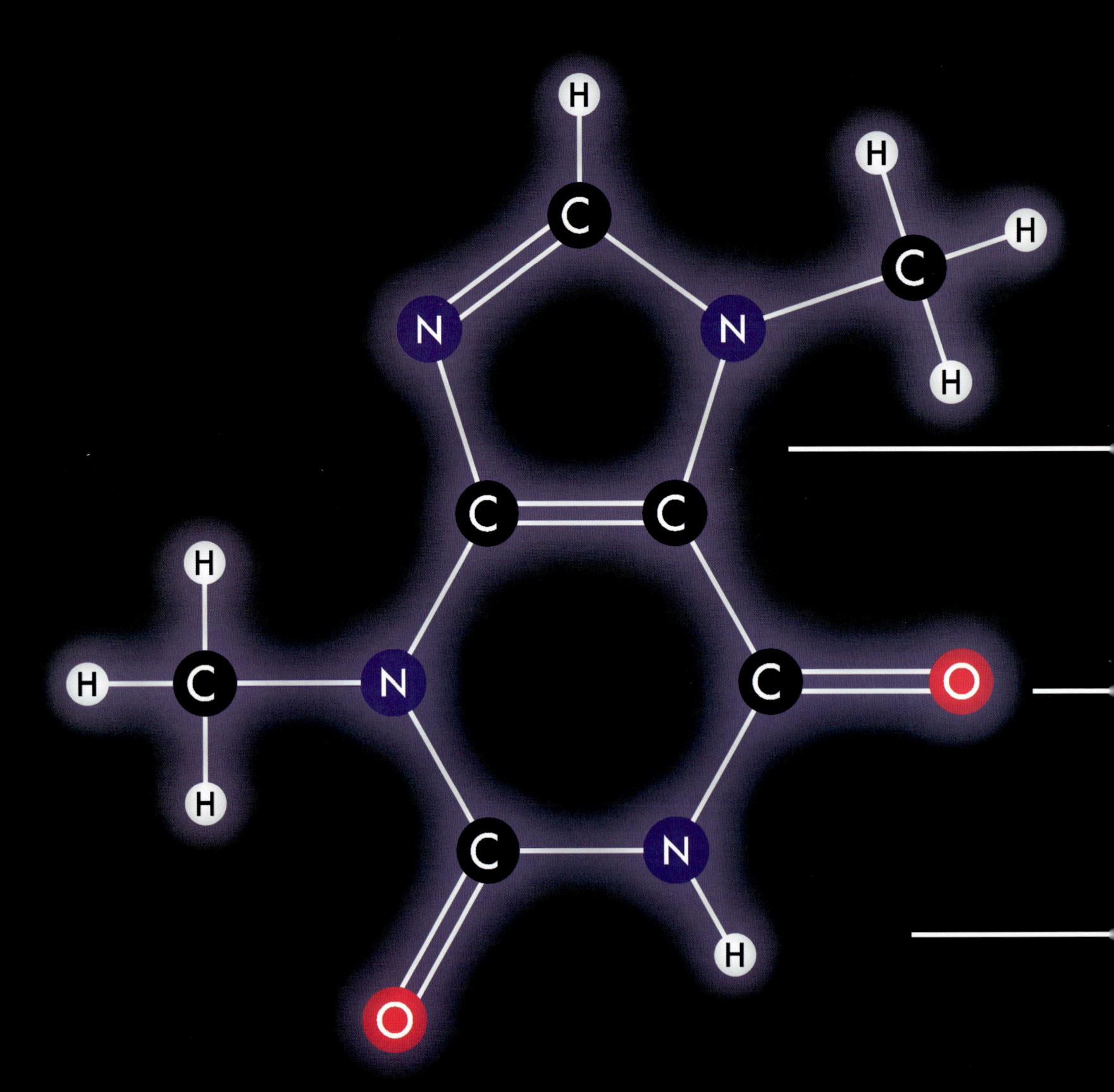

セオドア・グレイ［著］
Theodore Gray

ニック・マン［写真］
Nick Mann

世界で一番美しい
分子図鑑

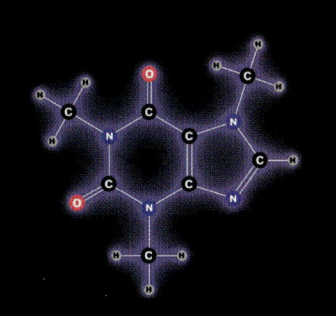

The Elements and the Architecture of Everything

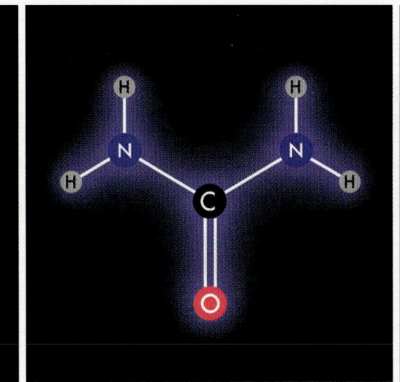

若林文高［監修］
Fumitaka Wakabayashi

武井摩利［訳］
Mari Takei

創元社

[著者] セオドア・グレイ（Theodore Gray）

イリノイ大学アーバナ・シャンペーン校で化学を学び、卒業後カリフォルニア大学バークレー校の大学院に進学。大学院を中退してスティーヴン・ウルフラムとともにウルフラム・リサーチを創業し、同社が開発した数式処理システムMathematica（マセマティカ）のユーザーインターフェースを担当した。かたわら、「ポピュラー・サイエンス」誌のコラムなどでサイエンスライターとして活躍する。元素蒐集に熱中して自ら周期表テーブル（周期表の形をした机にすべての元素またはその関連物質を収めたもの）を制作し、2002年にイグノーベル賞を受賞。2010年に執筆と自身の事業に専念するため同社を退職し、iPadやiPhone用のアプリを制作するタッチ・プレス社を立ち上げて、共同創業者兼チーフ・クリエイティブ・オフィサーとして活動している。主な著書に『世界で一番美しい元素図鑑』、『世界で一番美しい元素図鑑 デラックス版』（以上創元社）、『Mad Science ──炎と煙と轟音の科学実験54』、『Mad Science 2 ──もっと怪しい炎と劇薬と爆音の科学実験』（以上オライリージャパン）などがある。イリノイ州アーバナ在住。

[写真] ニック・マン（Nick Mann）

写真家。『世界で一番美しい元素図鑑』および本書のカメラマンとして、おそらく世界で一番多くの元素と化合物の写真を撮影した人物。普段は風景写真、スポーツ写真、イベント写真の分野において優れた技量で活躍している。イリノイ州アーバナ在住。

[監修] 若林文高（わかばやし ふみたか）

国立科学博物館理工学研究部長。専門は触媒化学、物理化学、化学教育・化学普及。博士(理学)。1955年東京生まれ。京都大学理学部化学科卒業、東京大学大学院理学系研究科修士課程修了。主な監修・訳書に、『楽しい化学の実験室Ⅰ・Ⅱ』（東京化学同人, 1993,1995）、『ノーベル賞の百年──創造性の素顔』（ユニバーサル・アカデミー・プレス, 2002）、『基礎コース 化学』（東京化学同人, 2010）、『世界で一番美しい元素図鑑』（創元社、2010）、『世界で一番美しい元素図鑑【デラックス版】』（創元社、2013）。

[訳者] 武井摩利（たけい まり）

翻訳家。東京大学教養学部教養学科卒業。主な訳書にN・スマート編『ビジュアル版世界宗教地図』（東洋書林）、B・レイヴァリ『船の歴史文化図鑑』（共訳、悠書館）、R・カプシチンスキ『黒檀』（共訳、河出書房新社）、M・D・コウ『マヤ文字解読』（創元社）、T・グレイ『世界で一番美しい元素図鑑』（同）、K・デイヴィーズ『1000ドルゲノム──10万円でわかる自分の設計図』（同）などがある。

Copyright © 2014 by Theodore W. Gray
Originally published in English by
Black Dog & Leventhal Publishers.
Japanese language translation © 2015 SOGENSHA, INC., publishers

Japanese translation rights arranged with
Black Dog & Leventhal Publishers
through Japan UNI Agency, Inc., Tokyo

世界で一番美しい分子図鑑

2015年9月20日　第1版第1刷発行
2015年10月20日　第1版第2刷発行

著　者　セオドア・グレイ
写　真　ニック・マン
監修者　若林文高
訳　者　武井摩利
発行者　矢部敬一
発行所　株式会社創元社
　〈本　　社〉〒541-0047 大阪市中央区淡路町4-3-6
　　　　　　Tel.06-6231-9010㈹　Fax.06-6233-3111
　〈東京支店〉〒162-0825 東京都新宿区神楽坂4-3 煉瓦塔ビル
　　　　　　Tel.03-3269-1051㈹
　〈ホームページ〉http://www.sogensha.co.jp/

© 2015　Printed in China　ISBN978-4-422-42006-6 C0043
〔検印廃止〕
本書の全部または一部を無断で複写・複製することを禁じます。
落丁・乱丁のときはお取り替えいたします。

JCOPY〈(社)出版者著作権管理機構 委託出版物〉
本書の無断複写は著作権法上での例外を除き禁じられています。複写される場合は、そのつど事前に、(社)出版者著作権管理機構（電話 03-3513-6969、FAX 03-3513-6979、e-mail: info@jcopy.or.jp）の許諾を得てください。

目次 CONTENTS

はじめに 6

第1章 化学——元素で作られた建物 8
原子と分子、無限にたくさんの結びつきかた

第2章 名前の力 24
正しい名前は世界をひらく

第3章 デッド・オア・アライブ 46
生物と無生物? 岩と毛? 有機とは何?

第4章 水と油 56
石鹸は仇敵の和解をもたらす

第5章 鉱物と植物 70
食べられない油と食べられる油

第6章 岩と鉱石 86
岩石、鉱物、すべての化合物の源

第7章 ロープと繊維 102
ロープは実際に細長い分子でできている

第8章 痛みと快楽 138
鎮痛剤とその親類の"家系図"

第9章 甘い、甘い、甘いものの話 156
砂糖とその他の甘味料

第10章 天然のものと人工のもの 174
自然と人間が同じ分子を作ったら?

第11章 バラとスカンク 186
いい香りの分子と悪臭の分子

第12章 いろいろな色の化学物質 198
カラフルな分子のパレット

第13章 嫌われ者の分子 216
罪なき化合物が政治に翻弄されるとき

第14章 生命の分子 228
分子らしくない分子とはどんなもの?

謝辞 232

写真提供 234

索引 235

◀ カフェイン

◀ ホウ酸

◀ サリシン

▶ テオブロミン

はじめに INTRODUCTION

　周期表は完成品です。私たちは、元素に関しては周期表に載っている100個あまりだけを気にしていればいいのを知っています。それに対して、この宇宙のすべての分子を網羅したカタログはありませんし、ありえません。6種類のチェスの駒が各1個ずつあったとして、チェス盤上でその6個を使って可能になる駒の配置をすべてリストアップしろと言われらめまいがしますよね。

　分子すべてではなく、分子のカテゴリーすべてだけでも扱う本を書こうとすれば、分子を論理的根拠に基づくグループに分けなければなりませんが、それだけでもう泥沼です。分子のカテゴリーは、分子の数と同じくらいたくさんあるのです。そこで私はそれを逆手に取って、こう解釈することにしました──自分の興味のある分子と、それから、分子同士の深い関係や分子全体を結びつけるより広い概念を体現しているものだけを、取り上げて書いてかまわないのだ、と。

　もしあなたが、化学の教科書に載っているような標準的な形式で化合物が紹介されると期待して本書を開いたら、がっかりすることでしょう。この本には酸と塩基について書かれた章はありません。もちろん酸についての記述はありますが、私が個人的にもっと面白いと思うもの──たとえば石鹸──との関係で出てきます（石鹸は強アルカリを使って弱酸である高級脂肪酸を水に溶けやすい塩にしたもので、油と水を混じり合わせる力を持っています）。

　その意味で、本書は一種の「すべての子供が持つべき化合物コレクション」、つまり化学実験セットのようなものです。いろいろなものがちょっとずつ入っていて、全体として見ると網羅的ではないけれど面白い、そういったものです。本書はみなさんに化学の世界がどんな仕組みになっているのかの手ほどきをし、みなさんがその世界の問題を詳しく見るための認識力を身につけるお手伝いをすることでしょう。

　私が本書を楽しみながら書いたのと同じくらい、みなさんが本書を楽しみながら読んで下さることを願っています。

◀ 化学実験セットは、何世代か前の方が今よりよく見かけました。年配の科学者たちは口を揃えて、今の子供は発見と学習のための適切な道具を手に入れられない、と嘆きます。現在入手できる一般的な化学実験セットで「爆発する物質」を作ろうとしてみればわかります。まるで、作るのを邪魔しようとしているかのようなのです。それでも、いくつもの「すごいこと」がもはや手の届かないところへ行ってしまい、現代社会を嘆く声がしきりに聞こえる一方で、ちょっと探してみればまだ「欲しいもの」は出てきます。それにはインターネットの中に入り込めばよいのです。たとえばこの写真は「キックスターター」というクラウドファンディングのプロジェクトで作られた化学実験セットで、過去百年のどんなセットと比べても遜色のない内容を揃え、やんちゃな悪戯心を満たす機会に満ちています。本書と同様にこのセットも、危険かもしれないからという理由で面白い化合物を避けて通ったりはしていません。そして、やはり本書と同様に、化学薬品の性質をよく理解せずに使ったり、不注意な扱い方をしたりすれば本当に危険だ、という警告をはっきり掲げたうえで送り出されています。

▲ 化合物の世界はあまりにも広大で多様性に富んでいるので、ほんの一部分だけに的を絞っても多様な化学物質セットができます。たとえばこのアンティークなセットには、鋳造と金属精錬のやりかたを学びたいと思っている人が関心を持つような単純な無機化合物だけが収められています。つまり、鉱石、合金、粘土、耐火煉瓦の材料などなどです。(鉱石については第6章を参照のこと)

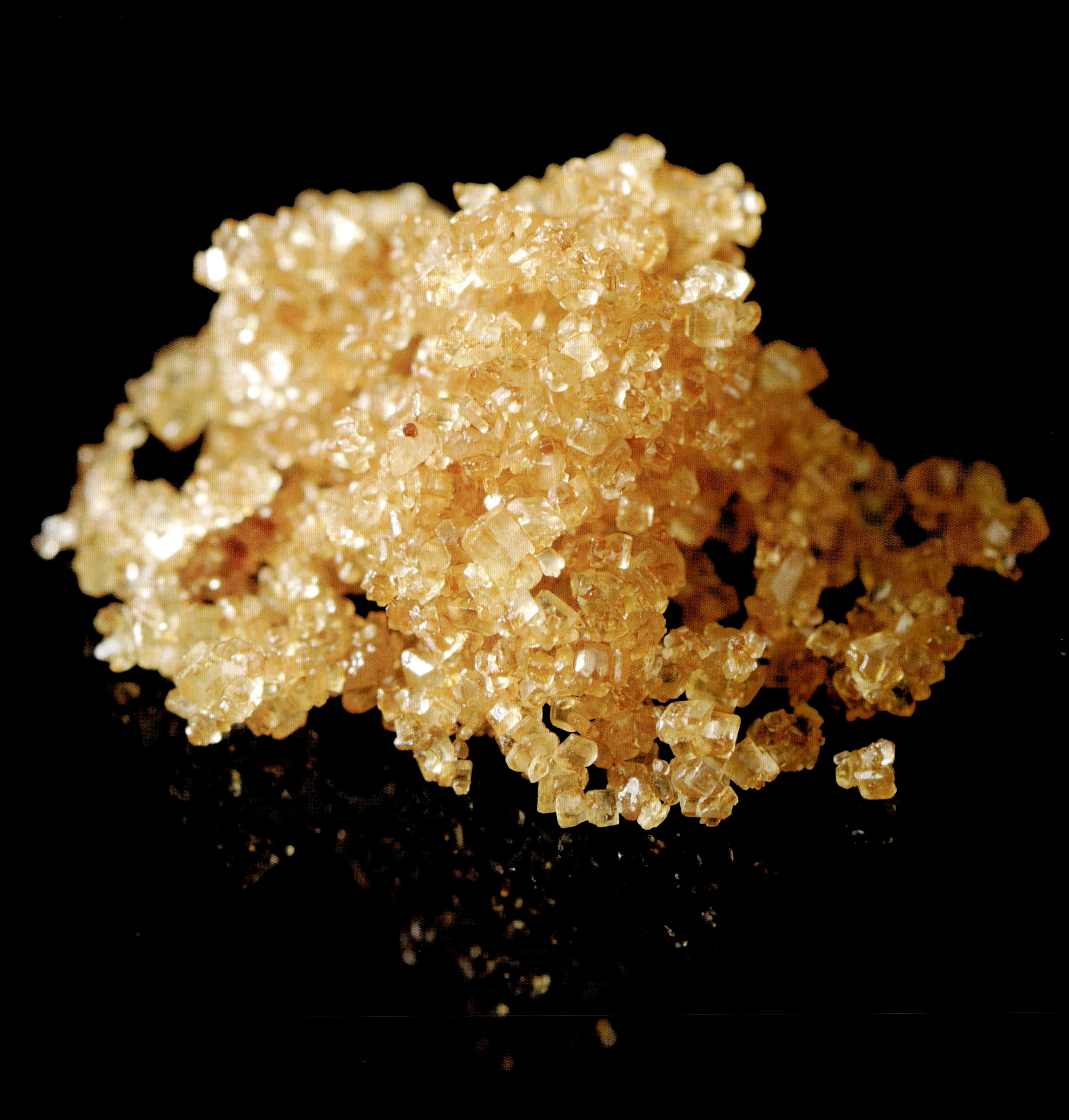

第1章 化学
元素で作られた建物

A House Built of Elements

　この世界に物理的に存在するものはすべて、周期表に載っている元素からできています。私は以前に、元素がどんなもので、どんなところにあるのかについての本を書きました。元素は、時には単体〔1種類の元素だけの集まり〕で存在します（アルミ鍋や銅線はその一例です）。しかし、通常は他の元素と組み合わさった化合物の形を取ったり（たとえば、食塩はナトリウムと塩素のイオン〔16ページ参照〕がたくさん連なって結晶格子をなしています）、分子の形になっていたりします（砂糖は炭素原子12個と水素原子22個と酸素原子11個がしっかりと結合してできています）。

　本書は、その分子と化合物を扱った本です。

　私たちは日常生活で、単体の元素よりも、はるかに多くの種類の分子と化合物に出会います（単体で見られる元素は数十種、分子と化合物は数えきれないほど多数）。なぜなら、原子同士は実に多種多様なやり方で結合できるからです。水素と炭素だけを材料にしても、炭化水素と呼ばれる一群の化合物を作ることができ、そこには油もあればグリス、溶媒、燃料、パラフィン、プラスチックもあります。酸素を追加すると、砂糖やデンプンなどの炭水化物、蠟（ろう）、脂肪、鎮痛剤、色素、別のプラスチック、その他もろもろの化合物が生まれます。さらに数種類の元素を足せば、タンパク質や酵素や、すべての生体分子の母であるDNAなど、生物を作るのに必要な化合物が全部できます。

　しかし、いったい何が、それほど多様な形で原子を結びつけているのでしょう？　また、私が「化合物と分子」と言っているのはなぜなのでしょう？　化合物と分子にどんな違いがあるのでしょう？

◀ 炭素と水素という2種類の元素だけから、炭化水素と呼ばれる膨大な数の化合物が作られています。そこに酸素を加えれば、炭水化物もできます。このブラウンシュガーは炭水化物の一例です。

◀ 周期表は、宇宙に存在する（あるいは存在しうる）すべての種類の原子を網羅した目録です。万物を作っているのはその百何種類かの元素の原子ですが、それらの原子は数えきれないほど多様なやり方で結合することができます。元素についてもっと詳しく知りたい方は、私の以前の著書『世界で一番美しい元素図鑑』をお読み下さい。

▼ 単体の塩素は通常は気体ですが、圧力をかけるとこの石英アンプルの中身のような液体になります。塩素ガスが肺に入ると急速に細胞を殺し、苦しみながら死に至ることもあります。

◀ 純粋なナトリウムは銀色に輝く金属で、水に触れると爆発します。写真の金属ナトリウムがアヒルの形をしていることに特段の理由はありません。

▲ 塩化ナトリウムは化合物で、ナトリウムのイオンと塩素のイオンが同じ数ずつ結合しています。ナトリウムも塩素も純粋な形では極めて危険な物質ですが、このようにして結びついた塩化ナトリウム（通称「食塩」）は無害です。それどころか生命に必要な物質で、人間にとっても他の動物にとっても美味しく感じられます。上の写真は、馬に十分な塩分を摂取させるためになめさせる塩の塊です。

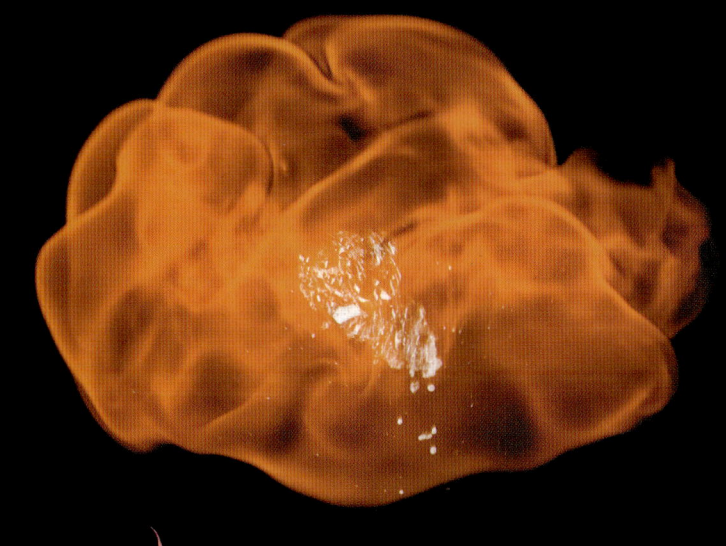

▶ 炭素と水素という2種類の元素だけから、莫大な数の化合物ができます。このふたつの元素からなる分子は10万をゆうに超える種類が研究され、命名されています。さらに、構造も名前も決まっていない分子がもっとたくさん存在します。

◀ 炭化水素には液体も多数あります。水より軽い溶媒から、あらゆる種類の油、ベトベトのクランクケース用グリスまでという幅広さです。炭化水素は、分子内で炭素原子同士の結合が強力になるほど粘性が高まり、やがて蠟のようになって、ついには硬質プラスチックになります。

▶ 薄いレジ袋から切り裂き抵抗性のある手袋までさまざまなものに使われるポリエチレンも、炭素と水素だけからできた炭化水素のひとつです。ポリエチレン分子には、結合した原子が数千～数十万個も含まれています。

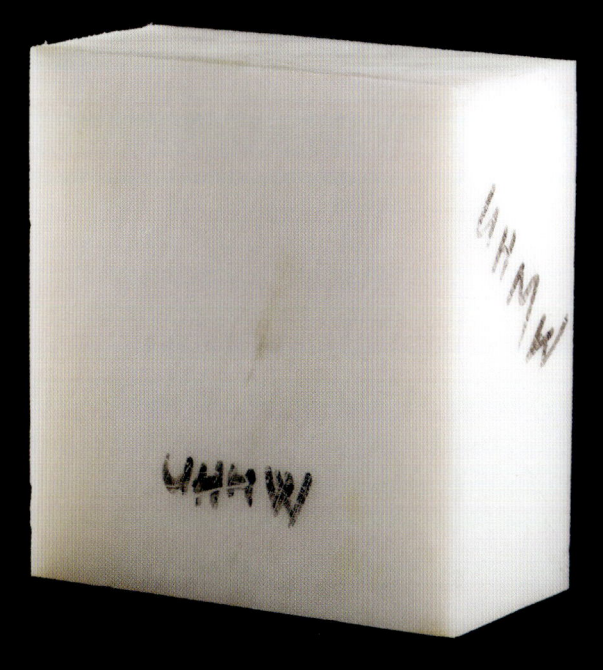

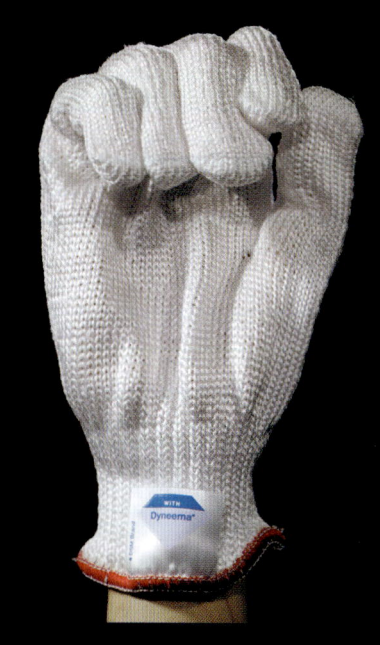

化学——元素で作られた建物　11

化学の中核にある「力」

　化合物をひとまとまりに保ち、あらゆる化学的性質の原動力になっている力は、静電力（静電気の力）です。シャツでこすった風船が壁にくっついたり、特定の素材のカーペットの上をすり足で歩いた時に髪の毛が逆立ったりするのも、同じ静電力の作用です。

　この力の説明は最初は簡単です。どんな物質も、プラスかマイナスの電荷を持つことができます。ふたつのものが同じ符号の電荷（＋と＋、－と－）を持っていれば、互いに反発します。違う符号の電荷を持っていれば、引き合います。（この性質は磁石にちょっと似ています。磁石でも、N極同士やS極同士は反発し、N極とS極は引き合います。）

　私たちは静電力の働きについて多くのことを知っています。その力がどのくらい強いか、距離が離れるにつれどれくらい急速に弱まるか、どれくらい速く空間を伝わるか、などなど。こうした詳しい知識は非常に正確に、数学的な精緻さをもって描写することが可能です。ところが、静電力の正体は、いまだにまったくの謎なのです。非常に根本的なものごとが根本的に不明なままなのは驚きです。とはいえ、実用上は問題ありません。原子同士の結合のしかたを創造的に活用するうえで必要なのは、静電力の真の理解ではなく、その力がどう働くかの知識だけですから。

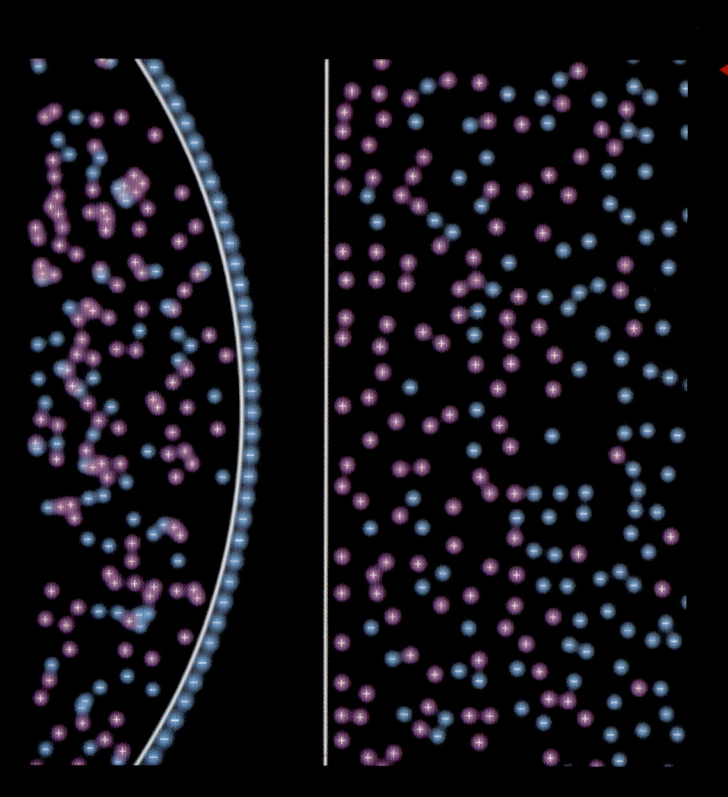

◀ 同じ符号の2個の電荷は互いに反発し、反対の符号の2個の電荷は引き合います。この力は重力と同じく逆二乗の法則に従い、電荷同士の距離を2倍にすると、両者の間に働く力は4分の1になります。

◀ 風船を別の素材（Tシャツなど）でこすると、少量の電荷が風船の表面にたまります。風船が壁の近くにあると、この電荷が壁の中にある反対の符号の電荷を引き寄せ、それらの電荷が壁の表面近くに移動してきます。それによって壁と風船が引き合い、風船は壁にくっつきます。分子について習った時にファンデルワールス力という言葉を聞いたことがありませんか？　それも同様の理屈で、違いといえば、スケールが居間の壁と風船ではなく分子レベルだというだけです。

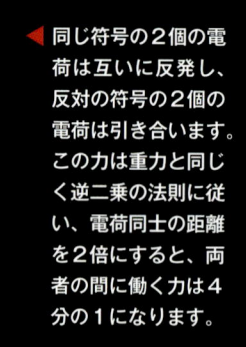

▲ バンデグラフ起電機は大量の電荷を蓄積し、楽しい実験をさせてくれます。たまった電荷が人体を通って髪の毛1本1本に流れ、同じタイプの電荷を持つ髪の毛同士が反発しあって、上の写真のように逆立つのです。

▲ マイナスの電荷（つまり、多数の電子）がこの装置の2つの部分にたまると、電子同士の反発する力で針が支持棒から遠ざかる方向へ押しやられます。針がどこまで振れたかで、どれくらいの余分な電子が入ってきたかがだいたいわかるというわけです。もっと手の込んだ装置なら、電子の数を数えてその力を正確に測定できます。

原子

　原子には、陽子と中性子からなる小さくて高密度の核があります。陽子はプラスの電荷を持ち、中性子には電荷がないので、核はそこに含まれる陽子の数と同じだけのプラスの電荷を持っています。

　核の周囲には、いくつかの電子があります。電子はマイナスの電荷を持っています。マイナスの電荷はプラスの電荷に引き寄せられますから、電子は核の近くにとどまっていて、電子を核の近くから引きはがすにはエネルギーが必要です。「電子は電荷によって核と結びついている」という言い方をします。

　1個の電子が持つ電荷は、1個の陽子の電荷と量が正確に同じで符号が反対です。そのため、原子が持っている電子と陽子の数が同じであれば、全体の電荷はゼロ、つまり電気的に中性の原子になります。

　原子核に含まれる陽子の数は原子番号と呼ばれ、どの元素の原子かを示します。たとえば、核に6個の陽子があればそれは炭素で、黒鉛（グラファイト）やダイヤモンドの材料です。核の中の陽子が11個であればナトリウムで、塩素と化合させて食塩を作ったり、湖に放り込んで水と反応させて爆発を見物したりできます〔みなさんは湖に放り込んではいけません〕。

　どの元素の原子かを決めるのは原子核ですが、その元素がどういうふるまいをするかを決めるのは、核のまわりにある電子です。化学とはつまるところ電子の挙動に関する学問なのです。

▼原子の図として、中心に小さな核があり、電子をあらわす微小な丸い玉がその周囲を回っているかのように楕円形の線が引かれているものをよく目にします。しかしその図は嘘です。小さな原子核はOKですが、電子は微小な丸い玉ではないし、「回っている」という言葉が通常意味するようなやりかたで回ってもいません。電子は、非局在化した物体──確率の雲──として存在します。つまり、ある特定の時にある1ヵ所に存在するかもしれないし存在しないかもしれないという、奇妙な量子力学的ありかたをしているのです。電子について言えるのは、特定の場所にいる確率を数学的に描写することだけです。この確率分布は「原子軌道〔原子核のまわりの電子の軌道〕」と呼ばれる美しい形を描くことがわかっています。ただし、電子はこの軌道に沿って動いてはいませんし、軌道のような形をしているわけでもありません。図の軌道は、その場所で電子が見つかる可能性をあらわしています。明るい部分ほど、もしもその場所を観測できたなら電子が見つかる確率が高いということです。観測しなければ、電子は同時にあらゆる場所に存在しどの場所にも存在しません。なんと奇妙な！　アインシュタインもあなたと同じくらいこれを好みませんでしたが、この数学的確率は、これまでに発表された他のどの理論よりもこの世界をうまく説明できます。私たちにできるのは、こうした考え方に慣れることだけです。

1s

2s　2p$_x$　2p$_y$　2p$_z$

3s　3p$_x$　3p$_y$　3p$_z$　3d$_{xy}$　3d$_{yz}$　3d$_{z^2}$　3d$_{xz}$　3d$_{x^2-y^2}$

4s　4p$_x$　4p$_y$　4p$_z$　4d$_{xy}$　4d$_{yz}$　4d$_{z^2}$　4d$_{xz}$　4d$_{x^2-y^2}$

4f$_a$　4f$_b$　4f$_c$　4f$_d$　4f$_e$　4f$_f$　4f$_g$

化学──元素で作られた建物

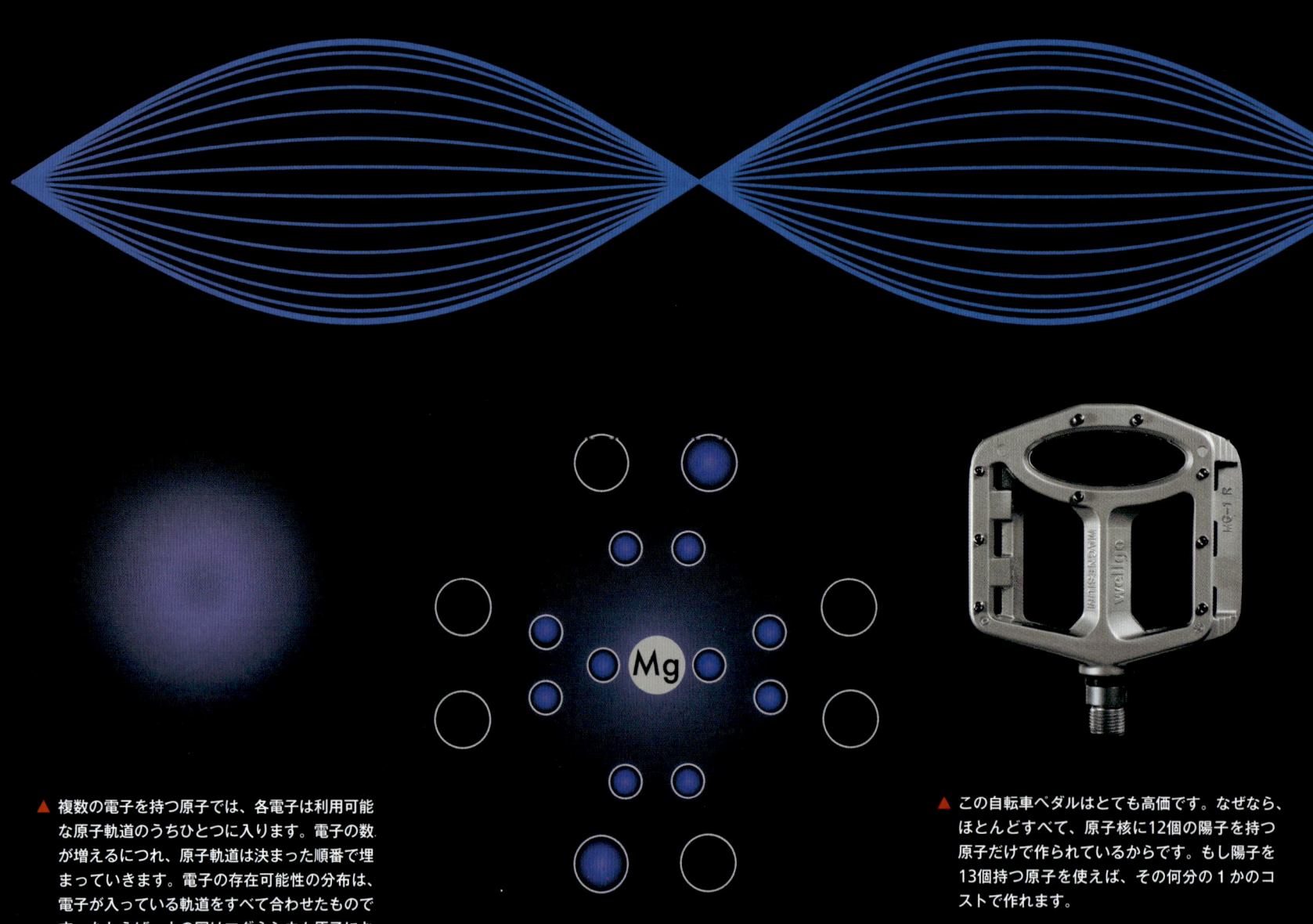

原子

▲ 複数の電子を持つ原子では、各電子は利用可能な原子軌道のうちひとつに入ります。電子の数が増えるにつれ、原子軌道は決まった順番で埋まっていきます。電子の存在可能性の分布は、電子が入っている軌道をすべて合わせたものです。たとえば、上の図はマグネシウム原子における電子の分布をあらわしています。化学の本でこういう図をほとんど見かけない理由もまた、ここから読み取れます——この原子には12個の電子がありますが、それらは互いに完全にいっしょくたになって、核の周囲に対称的で均一な可能性の密度分布を形成しているので、あなたはどの電子も識別できません。つまり私がこの図をお見せするのは、この図を見せることがいかに無意味かを知っていただくためなのです。

▲ この自転車ペダルはとても高価です。なぜなら、ほとんどすべて、原子核に12個の陽子を持つ原子だけで作られているからです。もし陽子を13個持つ原子を使えば、その何分の1かのコストで作れます。

▲ 原子核の周りを小さな丸い玉として描かれた電子が回っているこのような「よく見かける図」を載せるのは不本意ですが、実のところ電子の数を数えられる点では便利ですし、電子が核の周囲の「電子殻」に配置されていることを示すのにも役立ちます。殻ごとに、電子が入れる"席"の数が決まっています。原子核のまわりにある電子の数が増えていくと、内側の殻から順に電子が1個ずつ席を埋めていきます。本書で取り上げるほとんどすべての元素（水素とヘリウムは例外）は、一番外側の殻に電子が8個入ると安定になります。最外殻（原子価殻と呼ばれる）に実際にいくつ電子が入っているかは、元素ごとに異なります。たとえば上図のマグネシウムは、原子価殻に電子が2個入っています。この価電子（最外殻の電子）こそがマグネシウムの化学的性質を生み出すもとです。最後にもう一度。この図は実際の電子の物理的位置や大きさとはまったく関係ないことを忘れずに！　これは単に、電子がそれぞれの殻に（特に原子価殻に）いくつ入っているかを示すための方便に過ぎません。

▼電子はいったいどうやって「同時にあらゆる場所に存在し、どの場所にも存在しない」ことができるのでしょう？ 電子は他の多くの量子力学的物体と同じく、時には波のように、時には粒子のようにふるまいます。原子の周囲の空間をバイオリンの弦に似たものとして想像し、電子をその弦の振動、つまり波だと考えてみて下さい。波は弦のどこに存在するでしょう？ そう、弦のどこか特定の場所には存在せず、弦の上のすべての場所に同時に存在しています。電子が同時にあらゆる場所に存在し、どの場所にも存在しない、というのはある意味でこれに似ています。電子が観察されると、電子のふるまいはより粒子に近くなり、ある特定の場所で物質となります。すなわち、量子力学的に言えば局在化します。

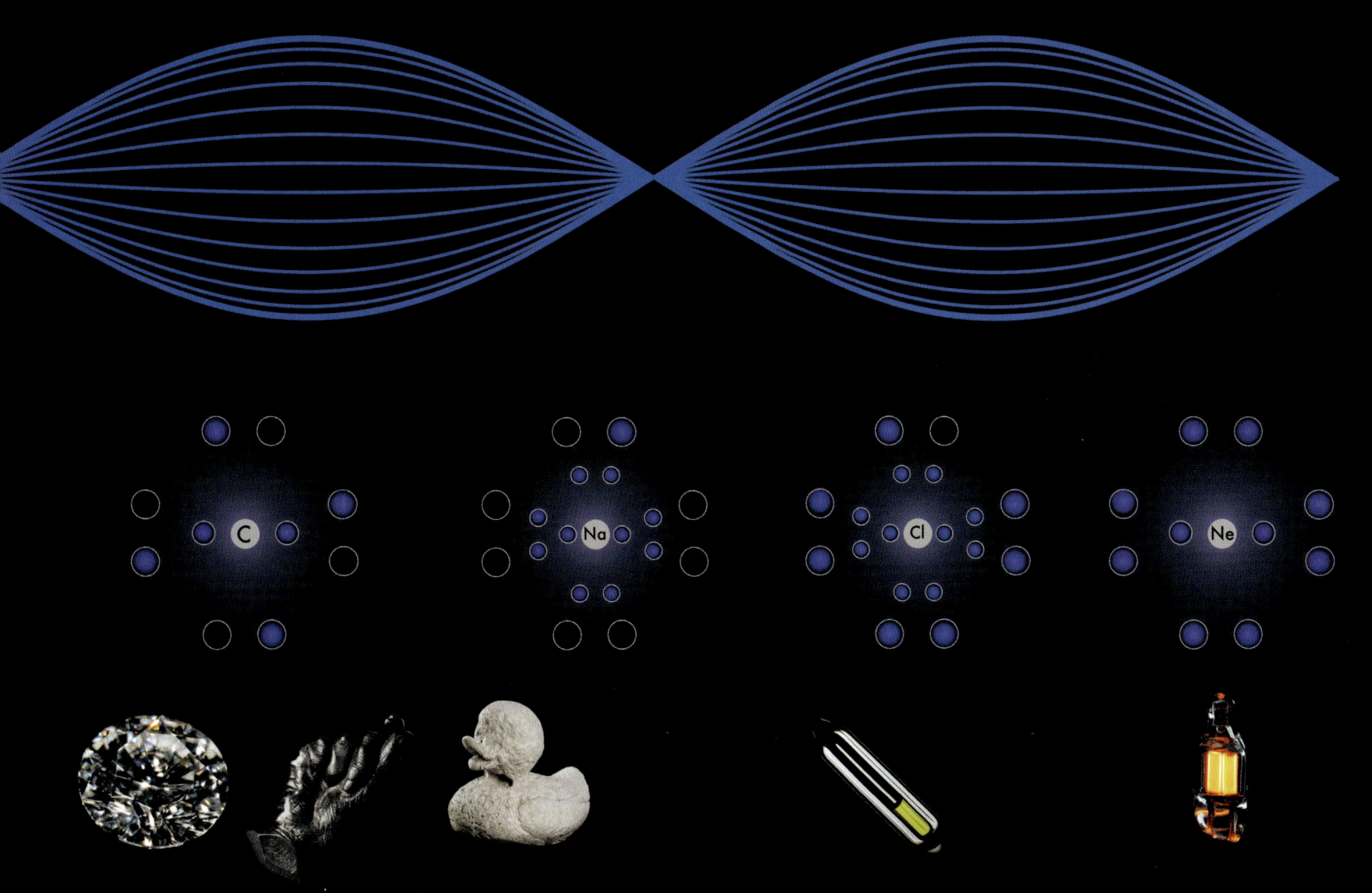

▲このダイヤモンドを見て下さい。この宝石の原子がすべて6個の陽子を持っているので、私たちはこれがダイヤモンドだとわかります。隣にある手の形の黒鉛はダイヤとはまったく別の物質のように見えますが、黒鉛の原子もすべて原子核に6個の陽子を持っています。そう、どちらも炭素からできているのです。炭素は最外殻に価電子が4個入っていて、電子のない空席が4個あります。この事実こそ、地球上の生命の存在の鍵であり、本書の内容の大部分の鍵でもあります

▲このアヒルを構成する原子のほとんどすべては、原子核に11個の陽子を持つナトリウム原子です。従って、ナトリウムダックと呼ぶことができます。アヒルの表面には、核に8個しか陽子がない原子が少数存在します。ナトリウムと化合して酸化ナトリウム（白い粉）を形成した酸素の原子です。また、アヒル全体に、その他いろいろな数の陽子を持つ原子がわずかに混じっています。これは不純物——ナトリウムダックに含まれていても用をなさない原子です。ナトリウム原子は最外殻に1個だけ電子が入っています。この事実だけで、ナトリウムの化学的挙動のほぼすべてを説明できます

▲アンプルの中の黄色い液体は、液化した塩素です。塩素の原子には陽子が17個あります。塩素原子の最外殻は、電子で全部埋まるのにあと1個だけ足りない状態です。このことだけで、塩素の化学的性質について知るべきことのほぼすべてが説明できます。

▲この表示灯に封入されたネオンガスの原子は、陽子を10個持っています。最外殻が電子で完全に埋まっていることに注目して下さい。そのためネオンは極端に反応性の低い元素です。最外殻が電子で埋まった原子は満ち足りて幸せな状態になり、何も欲しくなくなります。

化合物

　1個の原子の中で原子核と電子をひとまとまりにつないでいるのは静電力ですが、それだけでなく、化合物と分子の中で原子同士をひとつにまとめているのも静電力です。ある原子が陽子と電子を同じ数持っていれば、全体としては電荷を持ちませんから、同じく電気的に中性の他の原子との間には静電力は働きません。原子同士を結び付けるためには、たとえば片方の原子からもう片方へと電子を移動させ、双方の間に静電力を発生させる必要があります（このタイプの結合はイオン結合と呼ばれます）。

　前のページの原子模式図を見て下さい。最外殻が電子で満席の原子（ネオン）もあれば、最外殻に空席がある原子（炭素、ナトリウム、塩素）もあります。電子殻はそれぞれ、いくつ電子が入ると安定になるかという"定員"が決まっています（定員が2の殻と8の殻があります）。内側の殻が満席で、最外殻は全部埋まっていないことはよくあります。最外殻が埋まっていない原子は満ち足りた幸福状態になっていない"不満のある"原子ですから、そこには電子を取引させる絶好のチャンスが生まれるのです。

　原子は最外殻を全部埋めるためにはどんなことでもする傾向を持っています。原子全体が電気的に中性でなくなることもいといません。とはいっても、好みの違いはあります。最外殻の穴を埋めるために電子を取ってくるのが好きな原子や、最外殻のはみだし電子を放出するのが好きな原子があるのです。また、近隣の原子と電子を共有して、1個の電子で2個の原子を（少なくとも部分的に）満足させるタイプの原子もあります（このタイプの結合は共有結合と呼ばれます）。

　2個以上の原子が結合していれば、いつでもそれは「分子」と呼ばれます。その分子に少なくとも2種類の異なる元素の原子が含まれていれば、それは「化合物」とも呼ばれます。

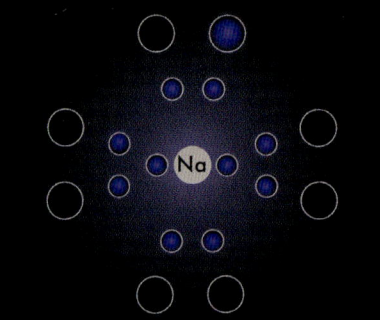

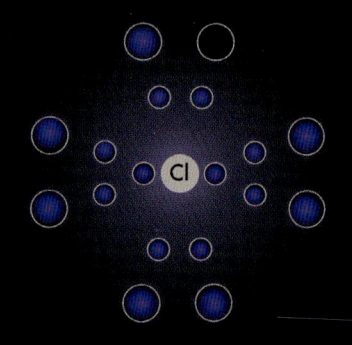

▲ 上はナトリウム（陽子11個）と塩素（陽子17個）の図で、どちらも最外殻は満席ではありません。ナトリウムは8個の席がある最外殻に1個しか電子が入っておらず、塩素は8個の席のうち1ヵ所だけが空いています。ナトリウムも塩素もこの状態を不愉快千万に思っていて、近くにあるものに乱暴に襲いかかります——つまり、とても反応性が高いのです。ナトリウムは水に触れた途端に水分子を引き裂きますし、あなたが塩素ガスを吸い込めば塩素は肺を破壊します。

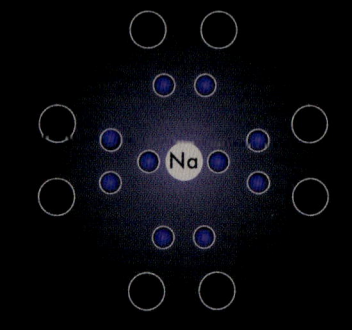

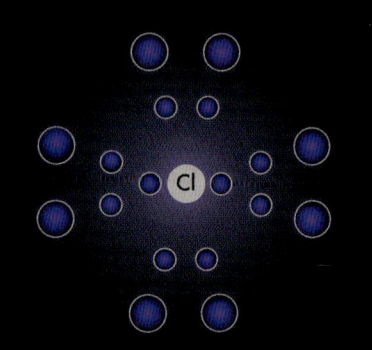

▲ ナトリウム原子から塩素原子へ電子を1個移動させれば、ともに最外殻が全部埋まった状態になり、双方の原子の抱えていた問題は解消します（ナトリウムの一番外側に全部空の殻が描かれているのは以前電子があった場所を示すためで、この場合、最外殻はその内側です）。電子が移動した後のナトリウム原子はプラス1の電荷、塩素原子はマイナス1の電荷を持っています。互いに反対の電荷を持っているので2個の原子は引き合い、くっついて化合物（塩化ナトリウム、通称食塩）を形成します。

▶ ナトリウムと塩素ガスを反応させたところ。ナトリウムと塩素の原子は幸福に電子をやりとりし、塩化ナトリウムを形成します。この文脈で「幸福に」というのは、電子が望ましい配置になる際にたくさんのエネルギーが放出されるという意味です。化学反応で放出されるエネルギーは、熱や光や音の形を取ります。結合が幸福であればあるほど（結合時に放出されるエネルギーが大きいほど）、自然状態でその元素の原子を単独で見かけることは少なくなります。ナトリウムや塩素のように反応性の高い元素は、自然界では決して単体で存在しません。純粋なナトリウムや純粋な塩素を見たら、誰かがものすごく苦労してそれらの原子を他の元素との幸福な結合から引き離したのだと考えて下さい。

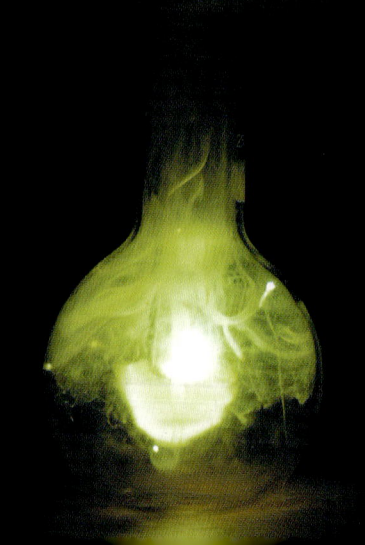

▶ 食塩の中の原子のように電荷を持っている原子は「イオン」と呼ばれます。ナトリウムイオンの電荷は＋1（マイナスの電荷を持つ電子を1個失った状態）、塩素イオンの電荷は－1です。2個のイオンの間に形成される結合をイオン結合といい、イオン結合でできた化合物はイオン性化合物と呼ばれます。塩化ナトリウムはイオン性化合物の一例です。多くの化合物がこのタイプの結合をしており、そのまた多くは「塩」と総称されます。電荷はプラスとマイナスの2種類しかないため、イオン結合だけで結びついている化合物はどれもとてもシンプルです。すべてのマイナスの電荷は近くのプラスの電荷と見境なく結合し、すべてのプラスは近くのマイナスと無差別に結合します。そのため原子は可能な限り密集して単純な反復配置を取ります。これを結晶と呼びます。右の図は塩化ナトリウムの結晶です。「分子とは互いに結合した原子のかたまり」という定義に厳密に従えば、食塩の粒全体が1個の分子になります。しかし通常はそう考えず、食塩の粒は分子ではなくイオン結晶と呼ばれます。

化学——元素で作られた建物　**17**

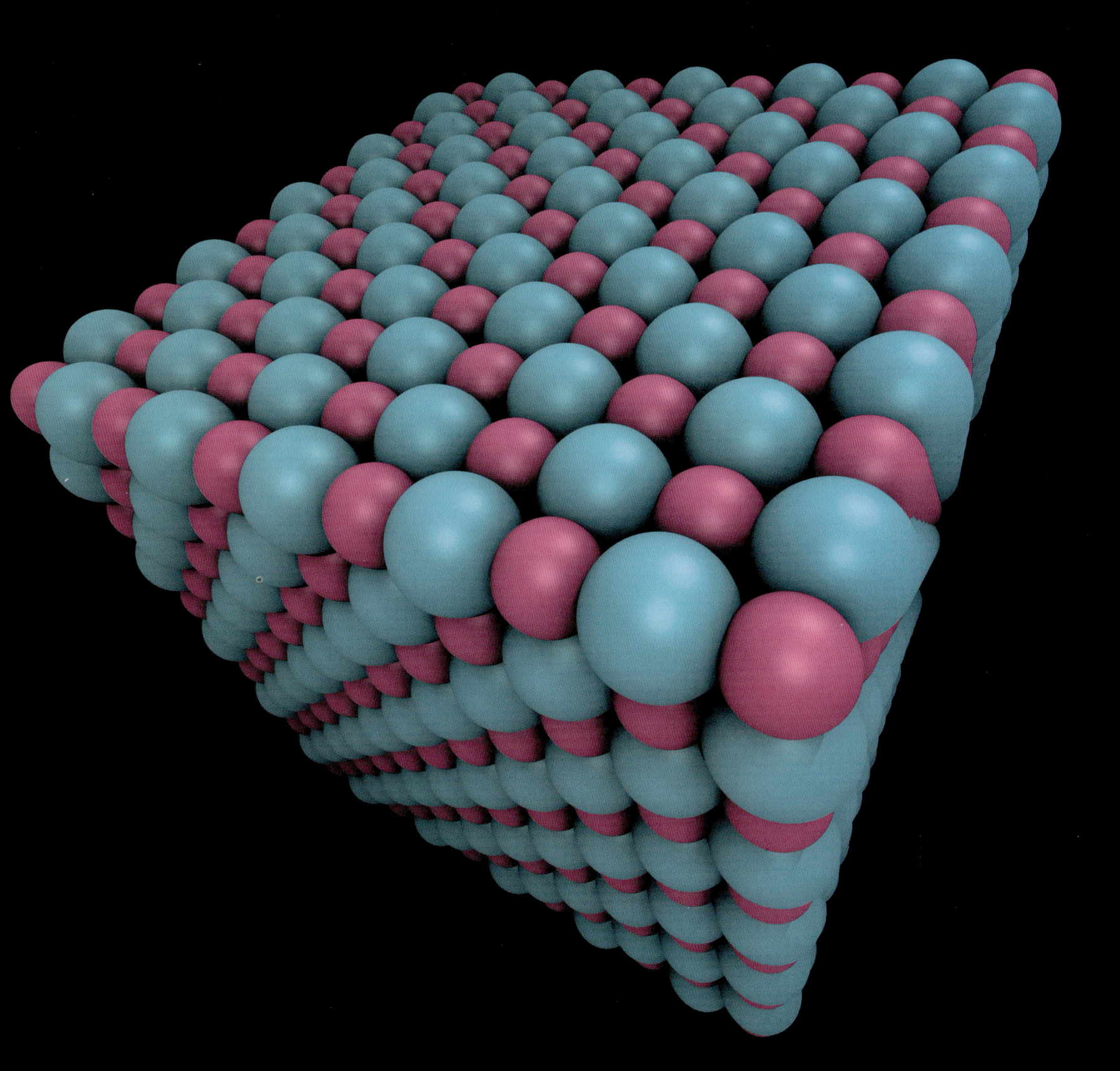

分子

ナトリウムと塩素がイオン結合をするのは、塩素は電子をあと1個どうしても欲しがっていて、一方ナトリウムはみそっかすの電子をお払い箱にできたら嬉しいと思っているからです。そこまで強固な意志を持っていない原子もたくさんあります。彼らは電子を取ったり取られたりするよりも、共有するほうを好みます。複数の原子が1個かそれ以上の電子を共有するときに形成されるのが共有結合です。

共有結合は複雑な構造を作ることを可能にします。イオン結合と違って、相手を選ぶ──特定の原子同士の間で成立する──からです。

原子の種類ごとに、近隣の原子との共有に使える電子の数が決まっています。たとえば、炭素は最外殻に4個の空席があるので、他の原子から4個の電子を共有させてもらえば8個の席が全部埋まっているふりができます。酸素は2個を共有したがっています。水素は信じられないくらい気前がよく、たった1個しかない電子を喜んで他の原子と共有します。このルールにより、ちょうどレゴ®のブロックが特定のはめ方で組み立てられるようにして、原子が結合します。その結果できたものが分子と呼ばれます。

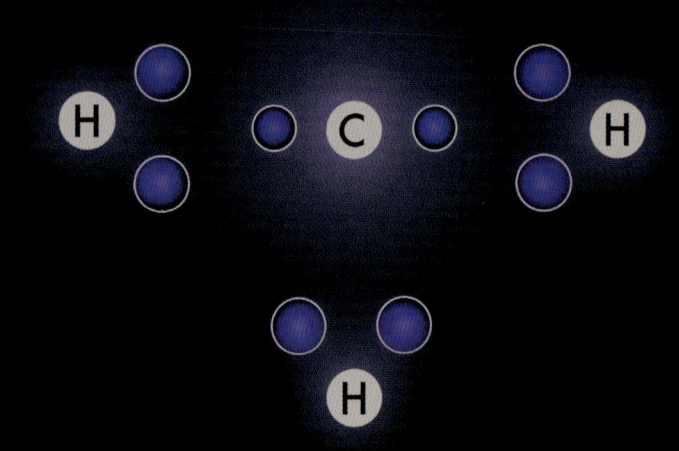

▶ **右上**：水素原子4個が炭素原子1個と結合すると、どの原子もとても幸せになります。炭素原子の最外殻は全部で8個の電子（炭素の電子4個と、4つの水素原子から各1個）で満たされています。炭素は最外殻が8席とも電子で埋まっているふりができ、水素も自分の殻が2席とも埋まっているふりができます。この配置の原子のグループはメタン分子と呼ばれます。

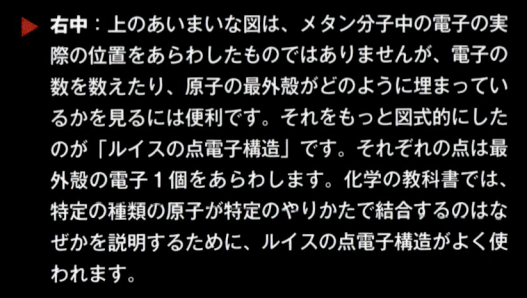

▶ **右中**：上のあいまいな図は、メタン分子中の電子の実際の位置をあらわしたものではありませんが、電子の数を数えたり、原子の最外殻がどのように埋まっているかを見るには便利です。それをもっと図式的にしたのが「ルイスの点電子構造」です。それぞれの点は最外殻の電子1個をあらわします。化学の教科書では、特定の種類の原子が特定のやりかたで結合するのはなぜかを説明するために、ルイスの点電子構造がよく使われます。

▶ **右下**：上のふたつの図は分子を構成する原子の最外殻電子を全部表示していますが、この方式は分子が複雑になるとじきに面倒になります。そこで、今後は化学の教科書で通常使われる方法で分子を描くことにします。電子が共有されているところに線を引くのです。1本の線は1対の共有電子をあらわします。線は象徴であり、実際の原子はこんな風ではないことを思い出していただくため、周囲をぼんやり光らせてあります。本物の原子同士は棒やひもでつながっているわけではなく、原子核のまわりを拡散した電子が泳ぎ回り、静電力で原子と原子を結びつけています。

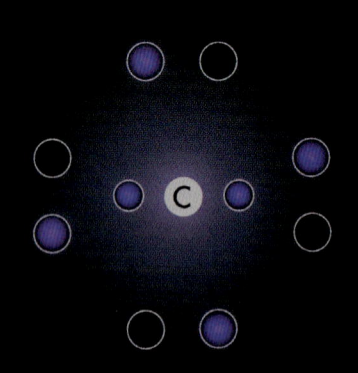

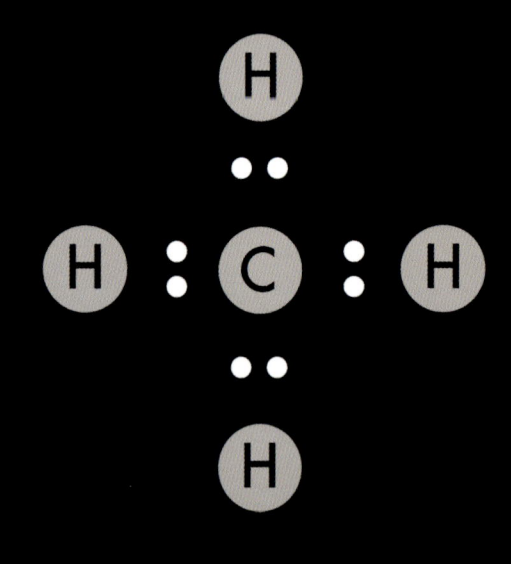

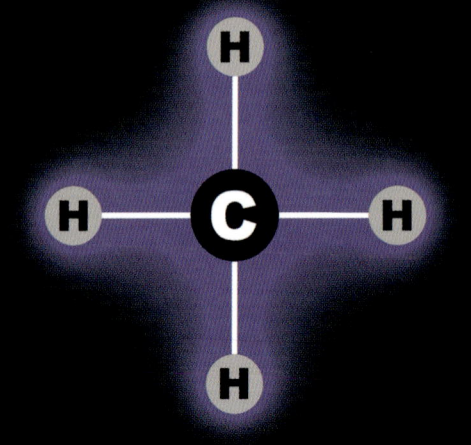

▲ 炭素は8つの席がある最外殻に4個しか電子がないので、しばしば他の4個の原子と結合しています。相手の原子1個につき1個の電子を共有して最外殻を埋めているのです。

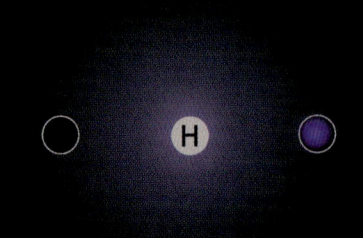

▲ 水素は、定員2の殻に1個だけ電子を持っています。そのため、他の原子1個と結合します。

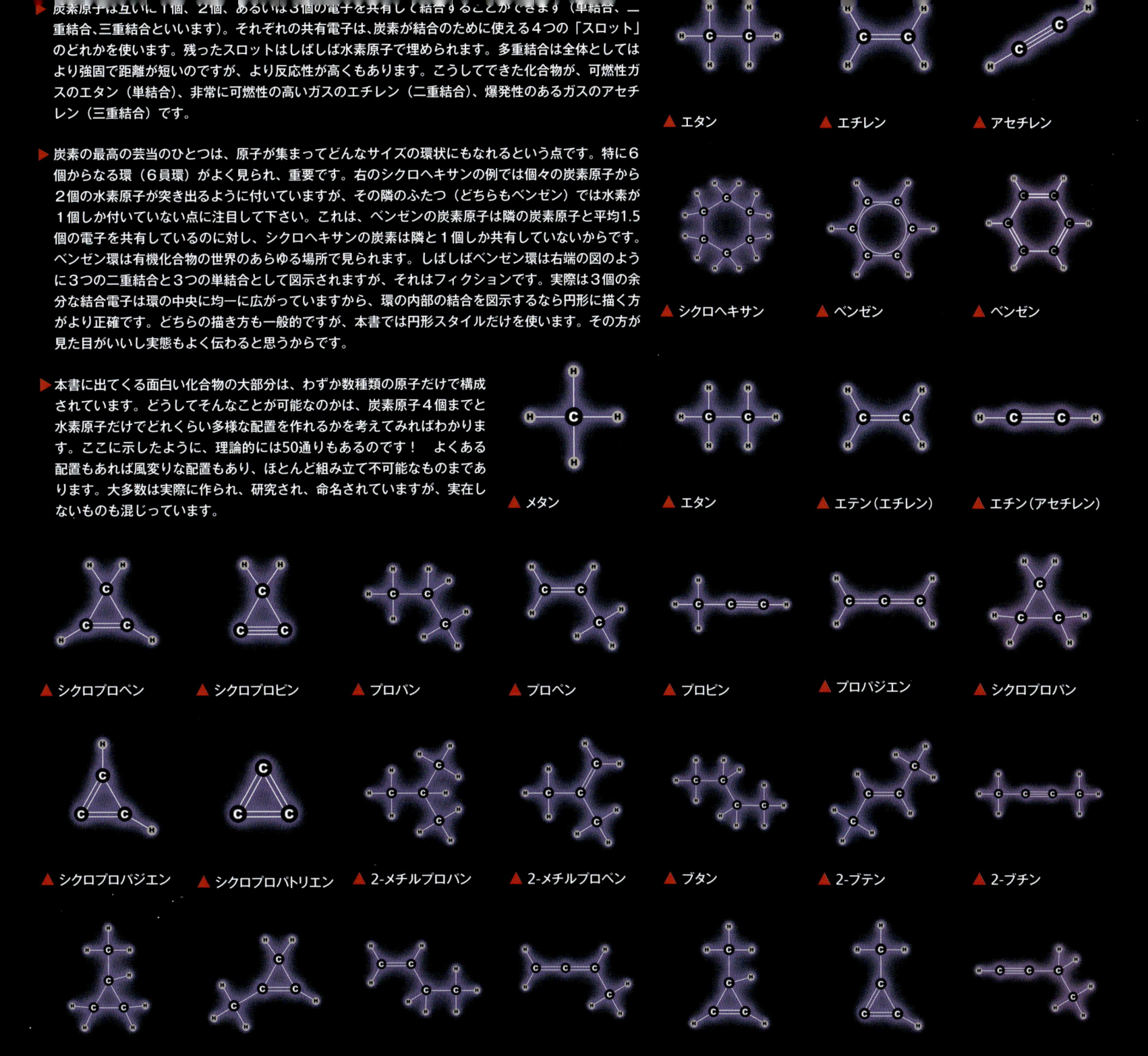

▶ 炭素原子は互いに1個、2個、あるいは3個の電子を共有して結合することができます（単結合、二重結合、三重結合といいます）。それぞれの共有電子は、炭素が結合のために使える4つの「スロット」のどれかを使います。残ったスロットはしばしば水素原子で埋められます。多重結合は全体としてはより強固で距離が短いのですが、より反応性が高くもあります。こうしてできた化合物が、可燃性ガスのエタン（単結合）、非常に可燃性の高いガスのエチレン（二重結合）、爆発性のあるガスのアセチレン（三重結合）です。

▲ エタン   ▲ エチレン   ▲ アセチレン

▶ 炭素の最高の芸当のひとつは、原子が集まってどんなサイズの環状にもなれるという点です。特に6個からなる環（6員環）がよく見られ、重要です。右のシクロヘキサンの例では個々の炭素原子から2個の水素原子が突き出るように付いていますが、その隣のふたつ（どちらもベンゼン）では水素が1個しか付いていない点に注目して下さい。これは、ベンゼンの炭素原子は隣の炭素原子と平均1.5個の電子を共有しているのに対し、シクロヘキサンの炭素は隣と1個しか共有していないからです。ベンゼン環は有機化合物の世界のあらゆる場所で見られます。しばしばベンゼン環は右端の図のように3つの二重結合と3つの単結合として図示されますが、それはフィクションです。実際は3個の余分な結合電子は環の中央に均一に広がっていますから、環の内部の結合を図示するなら円形に描く方がより正確です。どちらの描き方も一般的ですが、本書では円形スタイルだけを使います。その方が見た目がいいし実態もよく伝わると思うからです。

▲ シクロヘキサン   ▲ ベンゼン   ▲ ベンゼン

▶ 本書に出てくる面白い化合物の大部分は、わずか数種類の原子だけで構成されています。どうしてそんなことが可能なのかは、炭素原子4個までと水素原子だけでどれくらい多様な配置を作れるかを考えてみればわかります。ここに示したように、理論的には50通りもあるのです！ よくある配置もあれば風変りな配置もあり、ほとんど組み立て不可能なものまであります。大多数は実際に作られ、研究され、命名されていますが、実在しないものも混じっています。

▲ メタン   ▲ エタン   ▲ エテン（エチレン）   ▲ エチン（アセチレン）

▲ シクロプロペン   ▲ シクロプロピン   ▲ プロパン   ▲ プロペン   ▲ プロピン   ▲ プロパジエン   ▲ シクロプロパン

▲ シクロプロパジエン   ▲ シクロプロパトリエン   ▲ 2-メチルプロパン   ▲ 2-メチルプロペン   ▲ ブタン   ▲ 2-ブテン   ▲ 2-ブチン

▲ メチルシクロプロパン   ▲ 1-メチルシクロプロペン   ▲ 1-ブテン   ▲ 1,2-ブタジエン   ▲ 3-メチルシクロプロペン   ▲ メチルシクロプロパジエン   ▲ 1-ブチン

分子

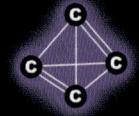

▲ シクロブタン

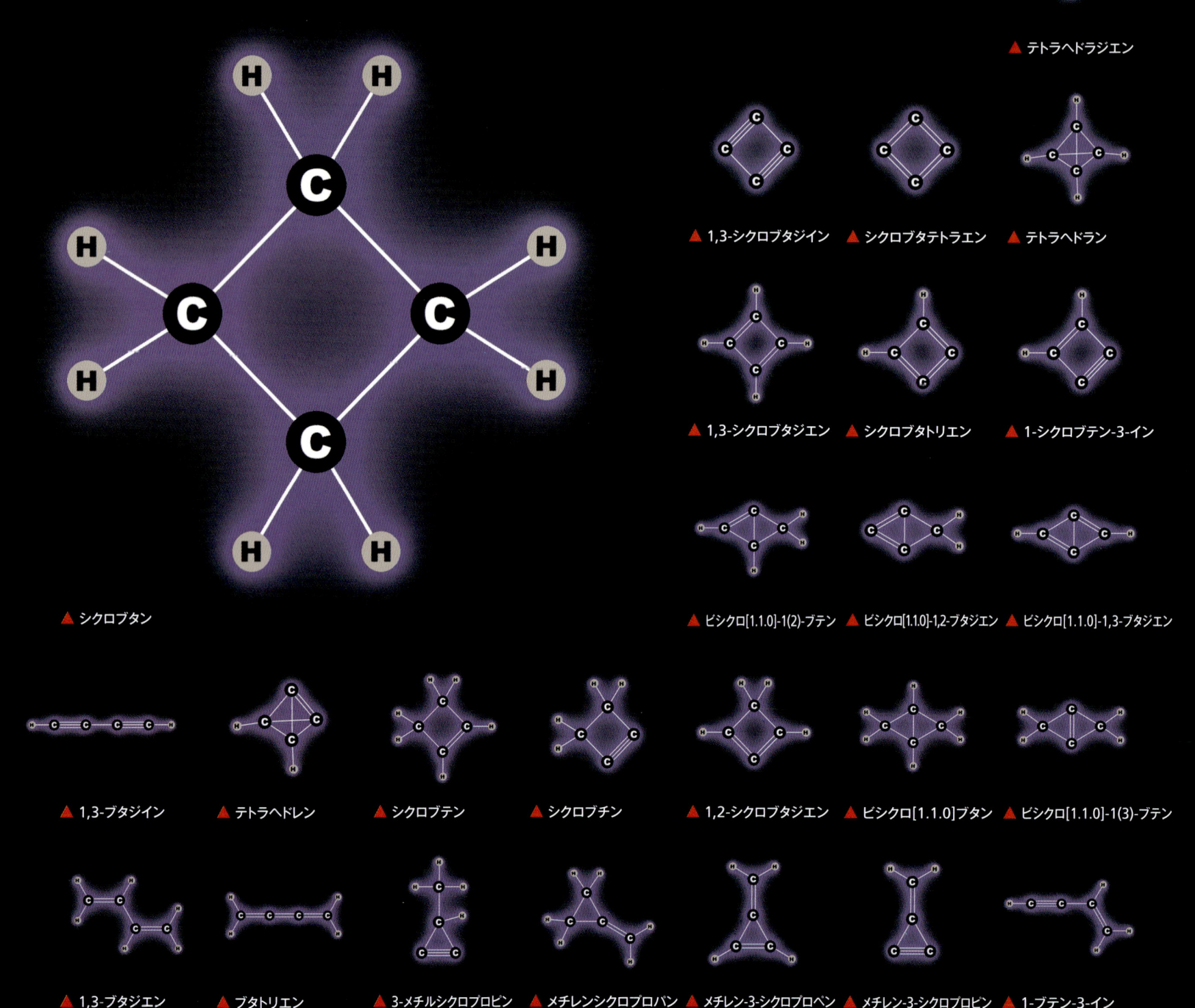

▲ テトラヘドラジエン

▲ 1,3-シクロブタジイン　▲ シクロブタテトラエン　▲ テトラヘドラン

▲ 1,3-シクロブタジエン　▲ シクロブタトリエン　▲ 1-シクロブテン-3-イン

▲ ビシクロ[1.1.0]-1(2)-ブテン　▲ ビシクロ[1.1.0]-1,2-ブタジエン　▲ ビシクロ[1.1.0]-1,3-ブタジエン

▲ 1,3-ブタジイン　▲ テトラヘドレン　▲ シクロブテン　▲ シクロブチン　▲ 1,2-シクロブタジエン　▲ ビシクロ[1.1.0]ブタン　▲ ビシクロ[1.1.0]-1(3)-ブテン

▲ 1,3-ブタジエン　▲ ブタトリエン　▲ 3-メチルシクロプロピン　▲ メチレンシクロプロパン　▲ メチレン-3-シクロプロペン　▲ メチレン-3-シクロプロピン　▲ 1-ブテン-3-イン

原子を使った建築

これまでに見てきたような分子構造図は、原子同士がどのように結合しているかを示しています。それだと分子は平らに見えまずが、実際は全然違います。分子は立体的です。しかし、分子の構造を平らに描くと、それぞれの原子が隣の原子とどう結合しているかがわかりやすくなりますから、通常は2次元的に描くのです。

立体的な模型なら分子の3次元的な形を示すことができます。コンピューターのレンダリングでも同じことができます。特に、コンピューターの画面に表示して、回転させたりズームで見たりできるのは強みです。

▶ 右はガバペンチンという神経に作用する薬剤の球棒モデル（プラスチック製）です。立体構造をかなりよく表現していますが、それも回転させて見ることができればの話で、どこか一方から見ると、必ずわかりにくい箇所があります。平板な分子構造図と同じく、棒の部分は嘘で、実際の分子には棒も硬い球もありません。

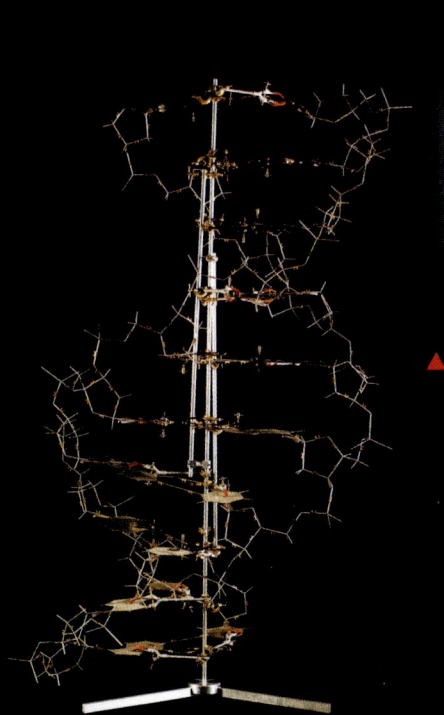

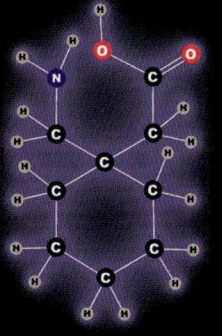

▲ 上はガバペンチンの分子の図で、原子同士がどうつながっているかを示しています。この図は、分子がどんな種類の原子からなり、それらがどう結合しているかを論理的に示す地図だといえます。しかしここからは立体構造はまったくわかりません。

▲ 化学者は、比較的小さな分子については今も立体模型を使います。コンピューターで分子の3次元画像表示が可能になる前は、巨大分子の立体模型も作られていました。上はフランシス・クリックとジェイムズ・ワトソンが作ったDNAの一部分の模型で、彼らはDNAにおいて原子が互いにどうつながっているかを探索するためにこれを作りました。すべてがぴったりはまると、この模型はDNAが二重らせん構造になっていることを世界に向かって説明するために使われました。

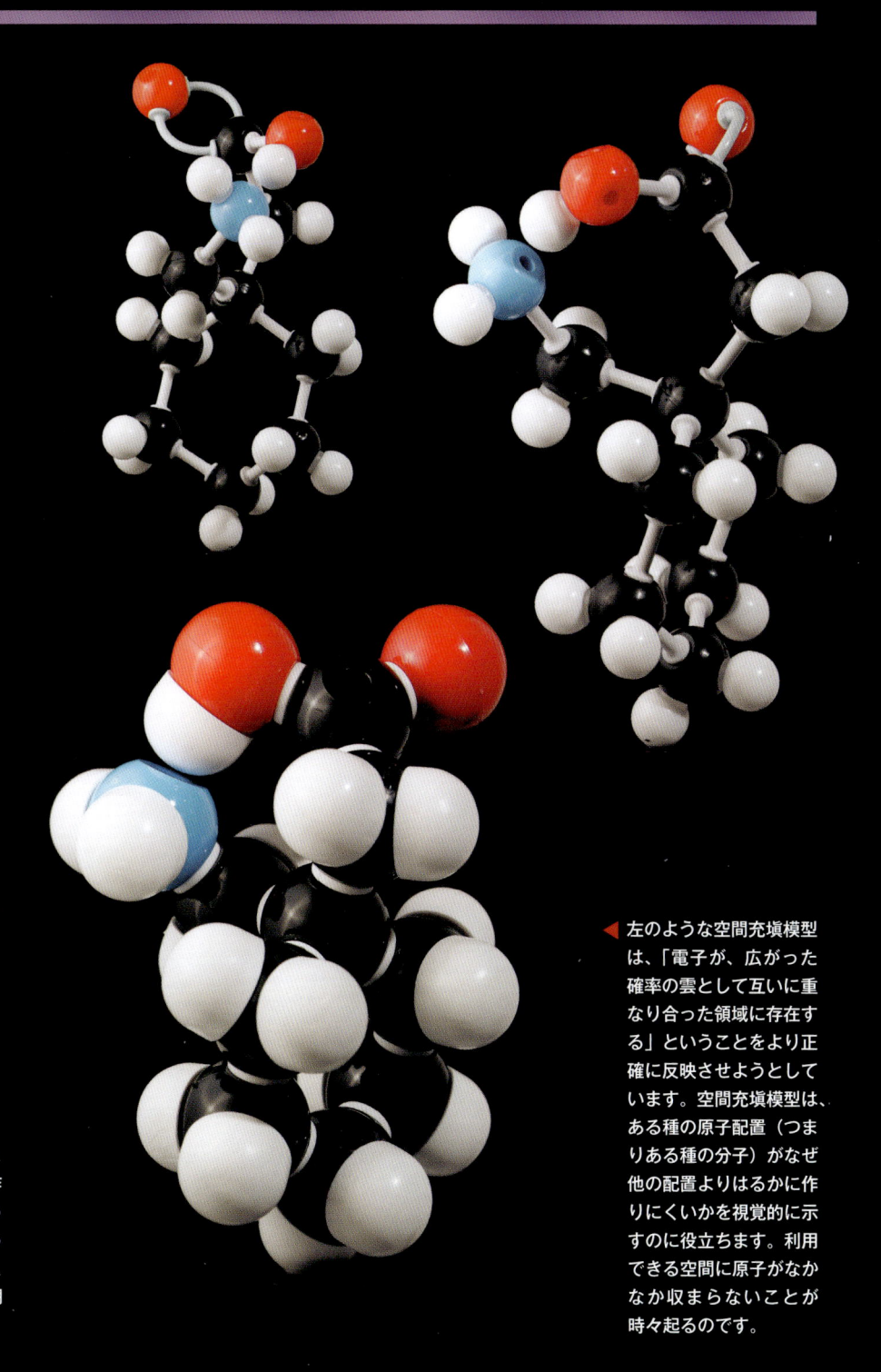

◀ 左のような空間充塡模型は、「電子が、広がった確率の雲として互いに重なり合った領域に存在する」ということをより正確に反映させようとしています。空間充塡模型は、ある種の原子配置（つまりある種の分子）がなぜ他の配置よりはるかに作りにくいかを視覚的に示すのに役立ちます。利用できる空間に原子がなかなか収まらないことが時々起るのです。

化学——元素で作られた建物 21

果てしない可能性

　たった5〜6種類の元素だけでできている化学物質がどれくらい多いことか。それはもう驚くほどです。有機化学と生化学の両分野のほとんどは、炭素、水素、酸素、窒素、硫黄、ナトリウム、カリウム、リン、それから、たまに比較的少量だけ顔を出す少数の元素に関係しています。

　無機化合物ではもっと多種多様な元素が登場しますが、はっきり言って、興味深い無機化合物を全部集めても、化学という大きな建物の中の1室のそのまた隅っこに収まってしまいます（無機化学者の皆さん、どうも失礼！）。現代の化学のリアルな躍動の中心は炭素です。なぜなら炭素は生命を作る物質、生物にとって重要な分子の大部分を構成する"基本的建築材料"だからです。

　本書のここから先の部分では、化学という名の建物——元素で作られた建物——の部屋を順に訪れていきましょう。この建物は分子で美しく飾られています。有機分子、無機分子、安全な分子に危険な分子、愛される分子と嫌われ者の分子。すべての生物に（蚊にさえも）生きる場所と役割があるように、すべての化合物は（13章でお話しするチメロサールでさえも）、それが存在していることや、自然界の豊かさにどう貢献しているかを知ってもらいたいと願っているのです。

▶ 第4章では、脂肪酸があなたを清潔に保っていることを語ります。

◀ 第3章では、この化合物の合成によって、その意味を理解した人々がいかに生命の根底的問題を再考しはじめたかを見ていきます。

◀ 第5章では、このネバネバの謎が解明されます。

▶ 第6章では、化合物はどこから来たのかを学びます。

▶ 第2章では、緑礬甘油の話と、化合物になぜ3つの名前があるのかを扱います。

▲ 第7章では、靴底の形をした分子が登場します。

▲ 第8章では、この道具が何を注射するためのものかや、ケシの持つ力についてお話しします。

▲ 第9章では、なぜ上の壺が下の壺よりずっと小さいのかが明かされます。

▲ 第10章では、なぜ天然バニラに放射能があり、合成バニラにはないのかがわかります。

▲ 第11章では、これが何の装置かが判明します。

▶ 第12章では、なぜカラフルな分子は珍しいのかにスポットを当てます。

▶ 第13章では、この分子の排斥運動のいきさつをお教えします。

▶ 第14章では、分子というよりコンピューターに近い分子に出会います。

MARTKQTARK
STGGKAPRKQ
LATKAARKSA
PATGGVKKPH
RYRPGTVALR
EIRRYQKSTE
LLIRKLPFQR
LVREIAQDFK
TDLRFQSSAV
MALQEASEAY
LVGLFEDTNL
CAIHAKRVTI
MPKDIQLARR
IRGERA

化学──元素で作られた建物　23

第2章 名前の力

The Power of Names

　私が有機化学の授業を取ろうと決めたのは、およそあきれた理由からでした。化合物の名前が好きだったからです。名前の響きが好きというよりも、それらの名前が集まって、深く美しい知識の総体につながる体系を作っているという事実が好きでした。それぞれの名前がどういう意味を持ち、ひとつの名前が他の名前にどういう意味を与えるのかを考えた時、私は初めて、「ものに名前を付ける」ことから生まれる力はなんと素晴らしいんだろうと思いました。

　T・S・エリオットが猫について言っているのとまったく同様に、多くの化合物は3つの名前を持っています〔エリオットの詩集『キャッツ──ポッサムおじさんの猫とつき合う法』の最初の詩「猫の命名」に、「猫には3つの名前が必要」というくだりがあります〕。

　古くから知られている化合物には、いにしえの錬金術の名前があります。そうした詩的な名前はたいてい、そのものが何であるかよりも、何から作られたかをあらわしています。なぜなら、昔は誰も自分たちが何を扱っているのか知らなかったからです。

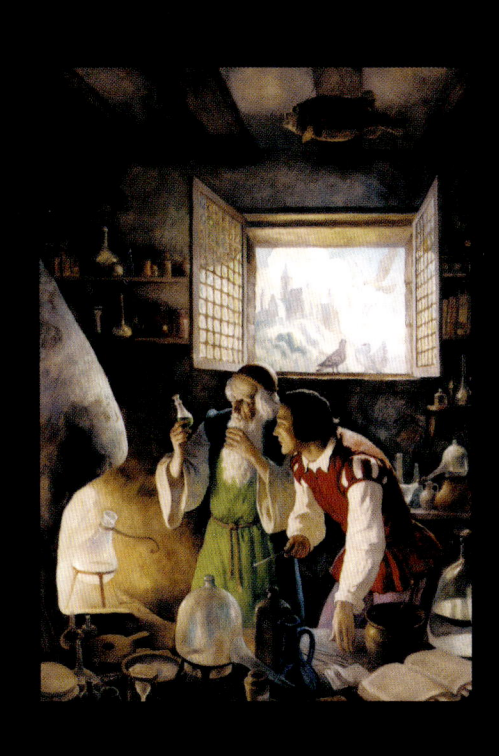

◀ 現代人は中世の錬金術師について、迷信にとらわれて鉛を金に変えようと努力したイカサマ師くらいにしか考えていませんが、実は彼らは自然を真剣に探究した者たちで、いくつもの重要な発見をしています。1700年代に化学という近代的な学問が生まれるための基礎作りをしたのが、彼ら錬金術師でした。

刺激性があり、煙を出す物質。いったい何という名前の物質でしょう？

錬金術の名前

　2種類の化学反応を、錬金術における名前を使ってご紹介しましょう。美しい響きの名前ですが、何を意味しているのでしょう？　2番目の反応では、緑礬油という名前が反応前と反応後の両方に出てきます。この物質自体は反応で消費されたり変化したりしないものの、酒精が変化するためには不可欠です。なぜなのでしょう？

▶ この写真では緑礬が現代のガラス製蒸留器に入っています。かつて緑礬を蒸し焼きにする際に使われた粘土製の蒸留器では中身が見えないため、これで代用しました。で、緑礬とは何でしょう？　この名前は歴史に関係していて、他の化学物質とのつながりはありません。その先へは進めない、行き止まりの名前です。

緑礬（りょくばん）

◀ 葡萄酒を蒸留して酒精を取り出す作業は、最も古くからある化学的処理のひとつです。基本的には、水と酒精という2種類の化合物の物理的分離です。酒精が現在はどういう名前か、気づいたのではありませんか？

＋　　　＋

＋ 熱 → 緑礬油

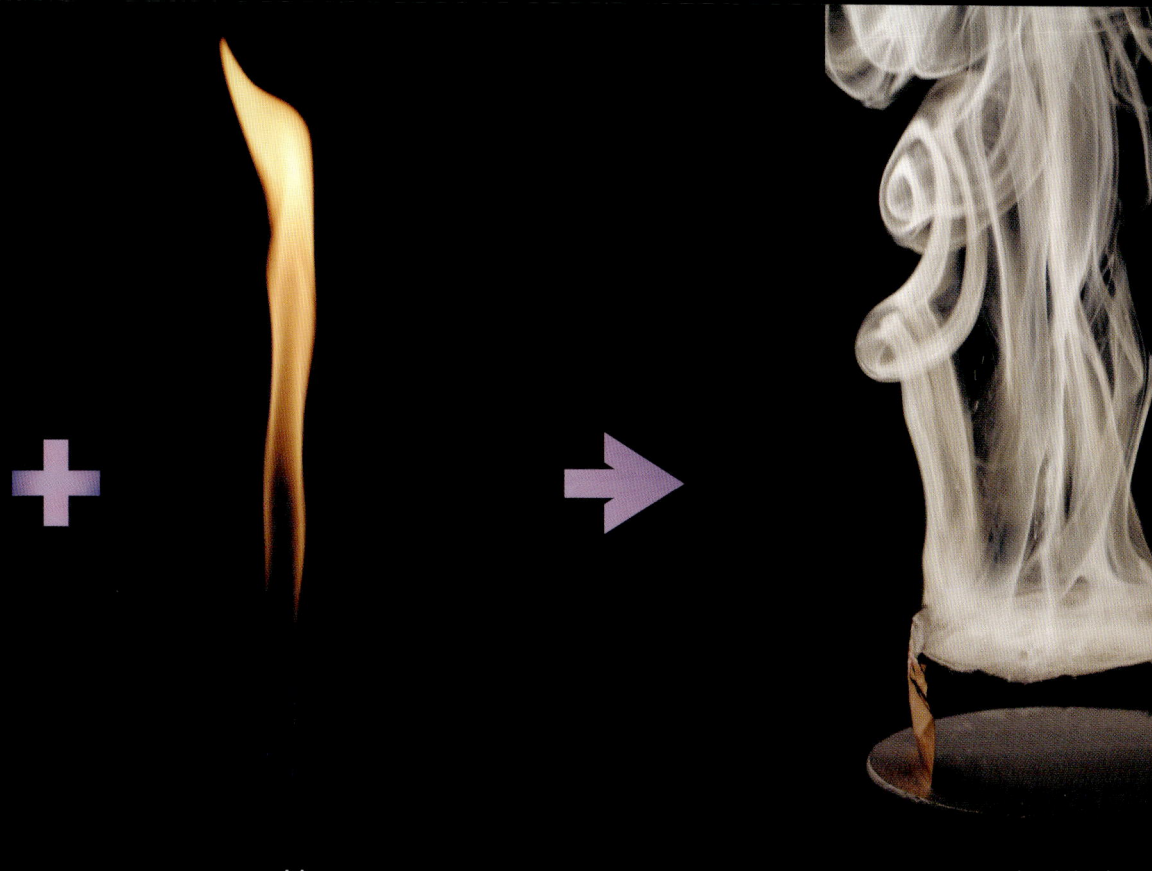

◀ 刺激性があって煙を出す緑礬油（oil of vitriol）という物質は、「激烈で品のないこきおろし」を意味するvitriolという言葉のもとです。政治家連中は、互いに文明人として対話すべき場面でvitriolをよく口にしています。政治家とこの物質を正確に描写する、すばらしいイメージですね。しかし、緑礬油とは何なのでしょうか？

→ ＋

◀ 緑礬甘油は実際に甘い味がしますが、その魅惑的な性質はひとつ間違うと大変危険です。

一般名

こんにち広く使われている化合物はすべて、よく知られた一般名や商用名を持っています。たとえば、現代人は緑礬油のことを、濃度に応じてバッテリー液（battery acid）、室酸（chamber acid）、グラバー酸（Glover acid）などと呼びます。「バッテリー液」は聞いたことがあるでしょう。この名前なら用途がわかります。でも、一体何の物質なのかはわかりません。

緑礬甘油は、実は普通のエーテルです。かつては外科手術の際の麻酔に使われていました。緑礬は現代の一般名がありませんが、鉱物の形をしているものはローゼン石と呼ばれることがあります。

酒精は、穀物（グレイン）アルコールです。この名前はおなじみです。もしかしたら穀物アルコールとウッドアルコール（木精）に重大な違いがあるのをご存知の方もいるかもしれません。でも、どう違うのでしょう？

これらの物質を本当に理解するためには、3番目の名前を──そのものを体系的に扱う力を与えてくれる名前を──知らなければなりません。

▶ 前ページと同じ反応をこのページのように書くと、より身近な感じになりますが、それでもまだ理論的な説明にはなっていません。いったいなぜバッテリー液と酒から人間を気絶させる気体ができるのでしょう？　そういうものだと覚えて済ます手もありますが、化学的にどうしてそうなるのか知りたくありませんか？

ローゼン石

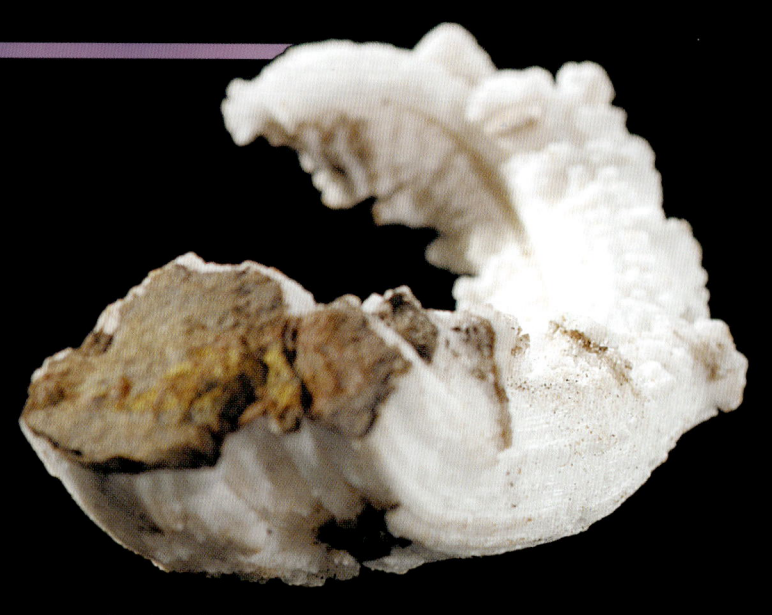

▲ ローゼン石は緑礬の鉱物形態です──と書いても、これが一体何なのかを示したことには全然なりませんね。

バッテリー液　＋　穀物アルコール　＋　熱

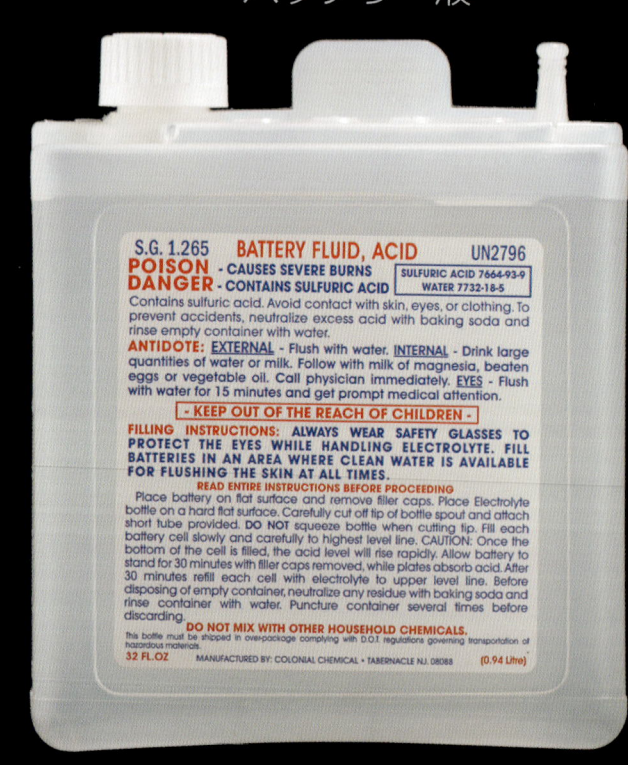

◀ 人間が飲むために市販されている最も純度の高いアルコールは、95％の穀物アルコールと5％の水からなる酒です〔訳注：実際は96％のポーランド産ウォッカがあります〕。酒の強さを示す「プルーフproof」という単位は、アルコール度数を2倍したものです。そのためこの酒は190プルーフと表示されています。

▶ バッテリー液は、自動車用鉛蓄電池に使われている強酸です。しかし、用途を言ったところで、実際にそれが何なのかについては何も語っていないも同然です。

バッテリー液

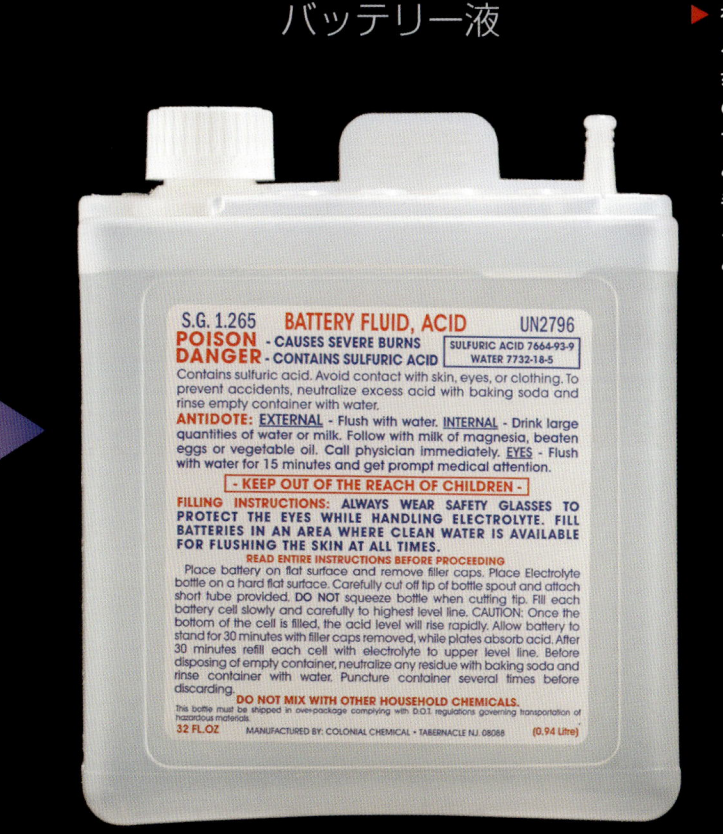

▶ 初の外科手術用麻酔薬としてのエーテルの登場は、医学における革命的な進歩でした。1800年代半ばにエーテルの使用が始まるまで、手術時に患者がする標準的な行為は、ブランデーを飲み、何かを噛みしめ、あとは外科医が手早く施術してくれるようひたすら祈ることだけでした（切られるたびに痛みが感じられたのですから）。

エーテル

名前の力　29

体系名

　1800年代初め、「化合物とは特定の種類の原子がさまざまな組み合わせでまとまったものであり、各原子の比率は決まっている」ということがはっきりしました。いま私たちは、たとえば緑礬が鉄原子1個、硫黄原子1個、酸素原子4個で構成された分子でできていることを知っています。さらに、4個の酸素原子は硫黄原子と強く結合しており、その5個の原子団が、また別の結合のしかたで鉄原子と結びついていることも知っています。

　現代の体系的な命名法では、上記の情報がすべてコード化されて、緑礬改め硫酸鉄（II）〈iron(II) sulfate〉という名称の各部分と、その化学式$FeSO_4$に入っています。ではこの名前を分解してみましょう。

　4個の酸素原子が1個の硫黄原子の周りにある原子団はマイナス2の電荷を持っており、硫酸イオンと呼ばれます。これが「硫酸塩〈sulfate〉」の構成要素で、SO_4の部分にあたります。硫酸ナントカという名前の化合物は無数にあり、本書でもたくさん例が出てきます。「鉄〈iron〉」はもちろん鉄という元素を指し、歴史的な理由からFeと記されます。「(II)」は鉄原子がこの化合物においてプラス2の電荷を持っていること、つまり化合物を作る際に電子を2個放出したことをあらわします。

　ここに示した反応に登場する化合物は、どれもその性質に関する深い知識をコード化した現代の名前を持っています。この先の数ページで、ひとつひとつをより詳しく見ていきましょう。体系名はその物質を把握しやすくしてくれますし、もっと重要なことに、なぜその物質が特定の再現可能なやり方で変化するのかを理解する助けになります。

▶ 現代の体系名と化学式を使うと、反応で何が起こっているのかがはっきりします。反応前と反応後に、同じ元素の原子が正確に同じ数だけ現れます（左辺と右辺が釣り合います）。元素は単に、新しいグループに組み替えられて新しい化合物になるのです。下の反応では、小さなエタノール分子2個が結合して1個の大きなエーテル分子ができ、余りが水分子1個になったのがわかりますね？　これだけでとても多くのことが説明されています！　H_2SO_4〈硫酸〉は反応の前と後の両方にあります。これは、硫酸が触媒であることを示しています。触媒は反応を起こさせるスイッチになりますが、反応の過程で他のものに変化することはありません（ただしこの反応の場合は、生成する水で硫酸がどんどん薄められていきます）。

▶ 「緑礬〈硫酸鉄（II）〉に水を加えて蒸し焼きにすると、緑礬油〈硫酸〉ができる」という文章は、右のような反応を意味しています。

▶ 「緑礬油〈硫酸〉と酒精〈エタノール〉を一緒に加熱する」は、下のような反応を意味しています。

▲ 硫酸
H_2SO_4

▲ エタノール
CH_3CH_2OH

▲ エタノール
CH_3CH_2OH

▲ 硫酸鉄（Ⅱ）
FeSO₄

▲ 水
H₂O

▲ 硫酸
H₂SO₄

▲ 酸化鉄
FeO

▲ 硫酸
H₂SO₄

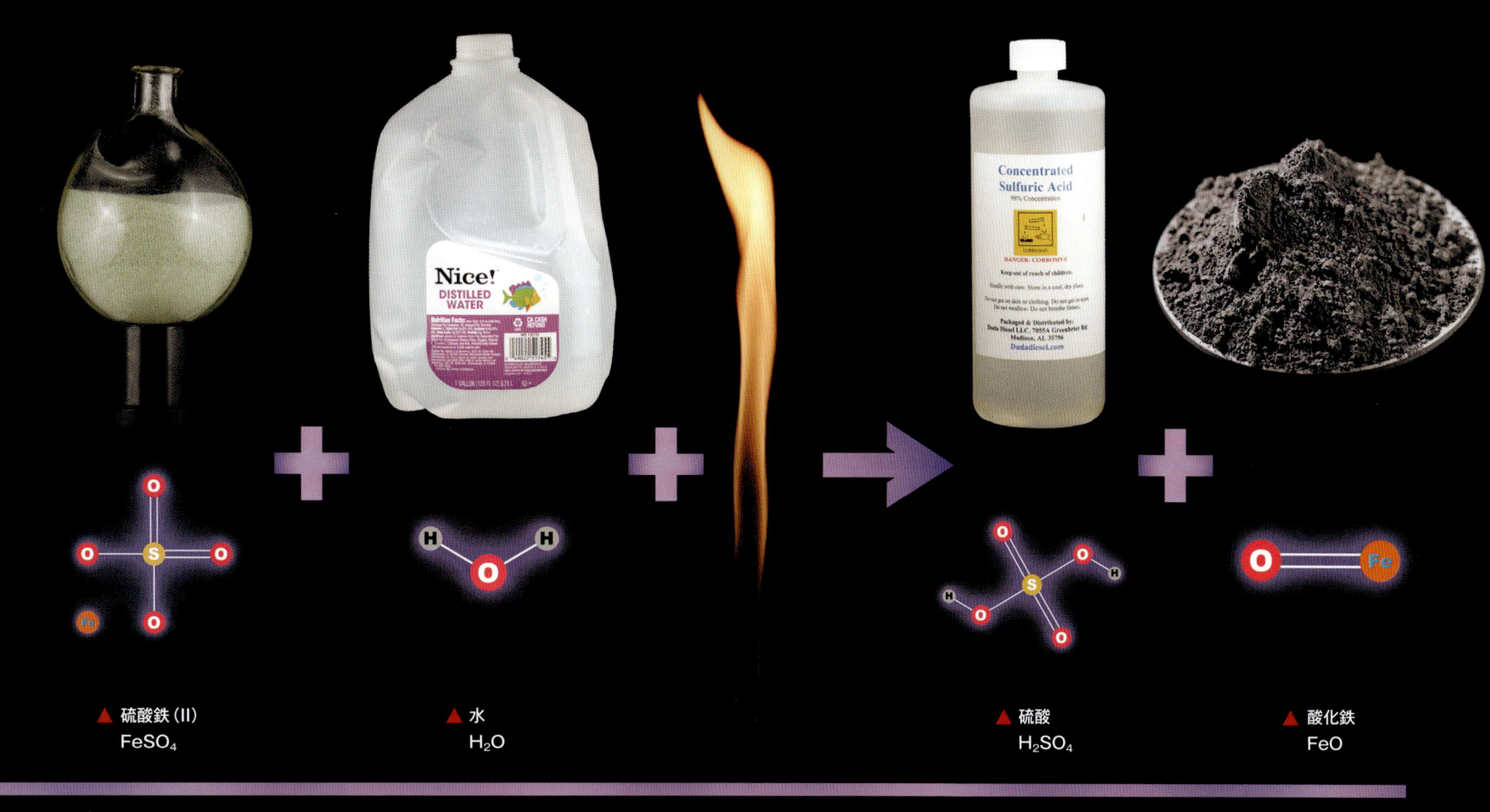

▲ ジエチルエーテル
CH₃CH₂-O-CH₂CH₃

▲ 水
H₂O

◀ ある化学物質の正体が明らかになったら、それぞれを分離し、精製し、別々にパックすることが可能です。ここで示した物質はどれも普通に入手できますが、面白いことに、〔アメリカでは〕純粋なジエチルエーテルの方が純粋なアルコールよりも安く買えます。これは税法上の理由です。飲むことが可能なアルコールには高率の税がかかるので、工業用などの非飲用アルコールのほとんどは5％ほどメタノールやイソプロパノールなどを添加して、有毒にして無税で売られています〔これを変性アルコールといいます〕。飲用アルコールには少なくとも5％の水が含まれています。これは、飲用ではそれ以上純度を上げてもコストがかかるだけで意味がないからです。純粋なアルコールが欲しければ、税金と水分除去コストの両方を負担しなければなりません。

▲ 上の反応にFeO〈酸化鉄（Ⅱ）〉という新顔の化合物が加わっているのに気付いた人もいるかもしれません。これはかなり単純化されていて、実際の反応ではFe₂O₃〈酸化鉄（Ⅲ）〉やFe₃O₄〈酸化二鉄（Ⅲ）鉄（Ⅱ）〉など何種類かの酸化鉄ができますが、そこはあまり重要ではありません。大事なのは、反応物と生成物の化学式を知って、昔の反応の表現のしかたは不完全だったと気付くことです。昔の名前は、すべての物質が元素からなり、元素には永続性があるということを捉えていません。現代の化学式では、入れたものと出てくるものの原子数が完全に釣り合っていなければなりません。化学は原子の配列を変えるゲームであり、原子の創造や破壊はしないからです。

名前の力

名前からわかること：
塩(えん)

　体系名の素晴らしいところは、バリエーションがどんどん作れる点です。薄い緑色をした硫酸鉄（II）〈$FeSO_4$〉を出発点にしましょう。IIをIIIに変えると、硫酸鉄（III）〈$Fe_2(SO_4)_3$〉という黄色い粉になります。SO_4イオンの電荷は−2で同じですが、IIIは鉄の電荷が＋3という意味ですから、電荷を差し引きゼロにするには硫酸イオン3個に対して鉄2個をあてがう必要があります。

　鉄の代わりに銅を使うと、青くて大きな美しい結晶を作る硫酸銅（II）ができます。一方、鉄を残して硫酸イオンを炭酸イオン〈CO_3^{2-}〉に換えると炭酸鉄（II）になり、こちらは薄い色で光沢のある結晶を作ります。その鉄を銅にすれば、炭酸銅（II）——ある種の緑青(ろくしょう)——になります。

　これらの化合物はいずれも無機塩です。体系名を見れば、どの元素がどんな割合で組み合わさってできた化合物かを正確に言い当てられます。

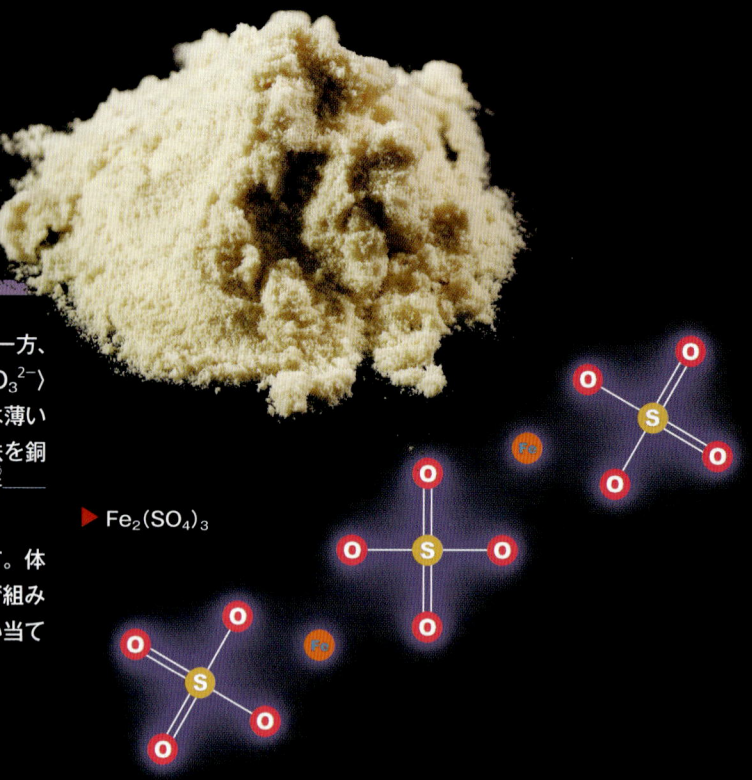

▶ $Fe_2(SO_4)_3$

▼ 硫酸イオンと鉄を同数合わせると、緑礬、硫酸第一鉄、硫酸鉄（II）、ローゼン石などいろいろな名前で呼ばれる緑色がかった物質になります。

▲ 鉄と硫酸イオンが2：3の割合で結合すると黄色っぽい粉ができ、硫酸第二鉄、硫酸鉄（III）、あるいは多様な鉱物名で呼ばれます（どれも知名度が低い混合組成の鉱物です）。

▼ $FeSO_4$

▶ ただ硫酸銅とだけ呼ばれることもある硫酸銅（II）は、1ユニットに水分子を5個含む青い結晶に成長します（5水和物といい、化学式は$CuSO_4 \cdot 5H_2O$になります）。下の写真のような立派な結晶は標本として売られますが、50ポンド（23 kg弱）入りの大袋で売られているもの（右の写真）もきれいな結晶になっています。私は所有地内の池の藻を退治するために1袋買ったものの、硫酸銅は蛙には毒だとわかったので一度も使っていません。ついでに言うと、水を含まない硫酸銅（II）は白い結晶です。

▼ $CuSO_4$

▲ $CaSO_4$

▲ 硫酸カルシウムは、結晶構造の中にどれくらい水が含まれているかに応じてさまざまな形態をとります。硫酸カルシウム1ユニットに対して水分子が2個ある形は石膏（せっこう）として知られ、黒板に字を書くために棒状に成形すればチョークと呼ばれます。

名前の力　33

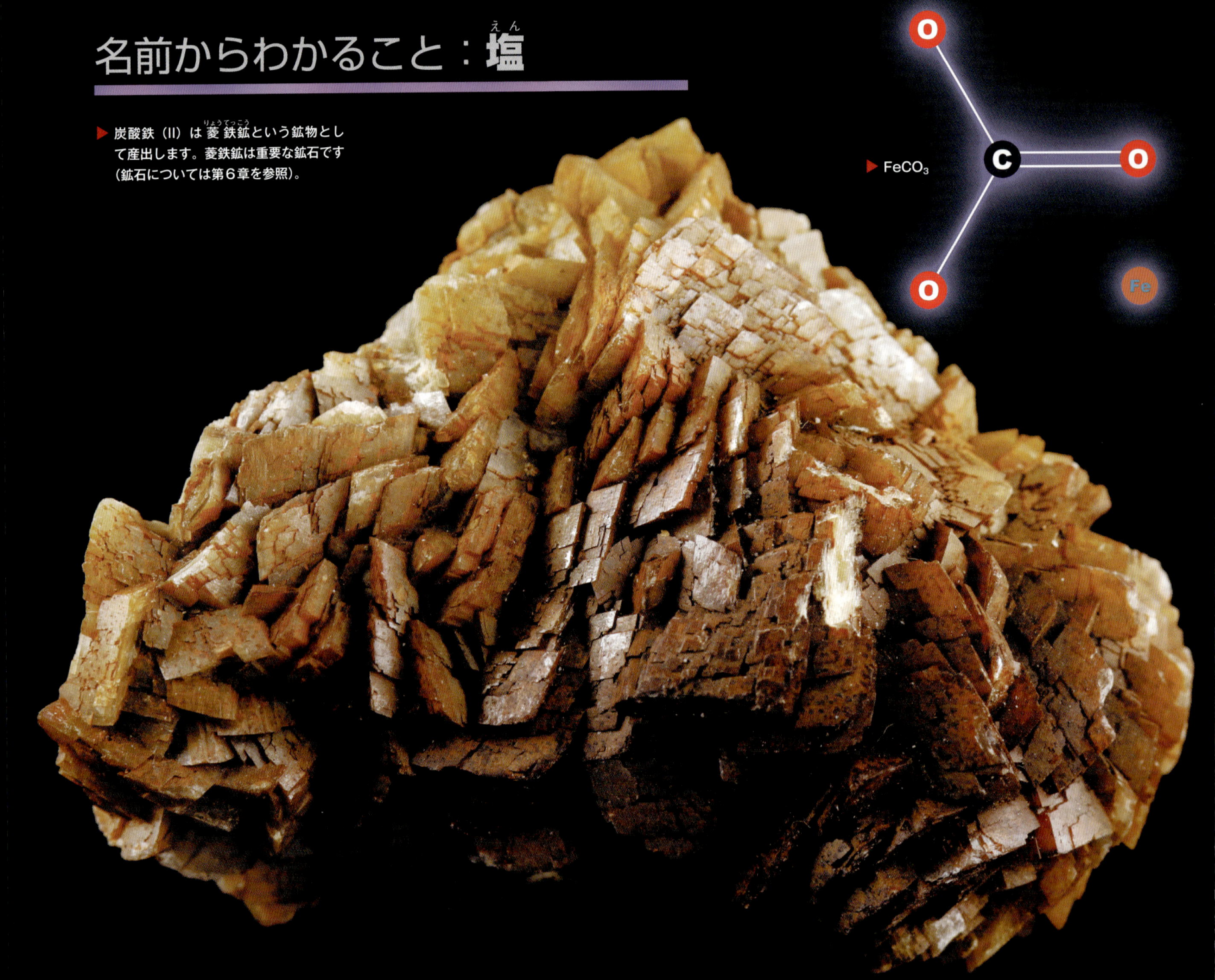

名前からわかること：**塩**

▶ 炭酸鉄（II）は菱鉄鉱（りょうてっこう）という鉱物として産出します。菱鉄鉱は重要な鉱石です（鉱石については第6章を参照）。

▶ $FeCO_3$

▼ CuCO₃

▲ 銅葺き屋根の表面にできる緑青は炭酸銅や硫酸銅です。

▶ 海貝の貝殻は炭酸カルシウムでできています。石灰岩もそうです。これは偶然の一致ではありません。世界の石灰岩のかなりの部分は、顕微鏡でなければ見えないくらい小さいある種の海洋生物の遺骸からできています。〔欧米の〕みなさんの家の車庫から車道に出るまでの道に敷いてある石灰石の小石ができるのに、いったいどれほどの時間が必要だったか、どれだけの世代のサンゴや二枚貝や微生物が生き、繁殖し、死んで海底に沈んだのか、考えてみて下さい。私たち人間はもっとずっと役立たずです。人間は死後数年もすれば朽ちて植物の養分になってしまいますからね。太古の無数の小さな生物は堆積して山を作りました。私たちの都市は、彼らの骨の上に築かれているのです。

▶ CaCO₃

名前の力 35

名前からわかること：
酸(さん)

　硫酸〈H_2SO_4〉には、硫酸鉄（II）〈$FeSO_4$〉と同じく、硫黄原子1個と酸素原子4個からなる原子団が含まれています。しかしその原子団は、1個の鉄原子とではなく2個の水素原子とゆるくペアを組んでいます。硫酸を酸たらしめているのは、このゆるく結合した水素原子です。

　「酸」という言葉は、水に溶けた時に水素イオン〈H^+〉を放出する物質を特定的に指します。ケミカルピーリングで顔の角質をはがしたり、いろいろなものを溶かしたりするのは水素イオンです。酸の分子のうち水素以外の部分は、水素がいくつ放出されるか（酸の強さ）を決める役割を果たします。

　酸には水素イオンの放出のしやすさによって幅広い種類があり、完全に解離する強酸も、水素のほんの一部を放出する弱酸もあります。どんな分子が水素を出すかにより、強烈な無機化合物から穏やかな有機化合物までいろいろです。

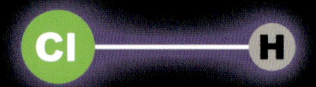

▲ 塩酸

▲ 硫酸〈H_2SO_4〉の硫酸イオン〈SO_4^{2-}〉を塩素のイオン〈Cl^-〉に変えると、塩酸〈HCl〉になります。塩酸も刺激性と発煙性があって強い腐食力を持つ酸で、触れたとたんにあなたを"食って"しまいます。上の写真は、道に敷く石灰石の小石にホームセンターで買った濃塩酸を注いだところです〔日本では塩酸は簡単には買えません〕。酸が石灰石を侵食しています。

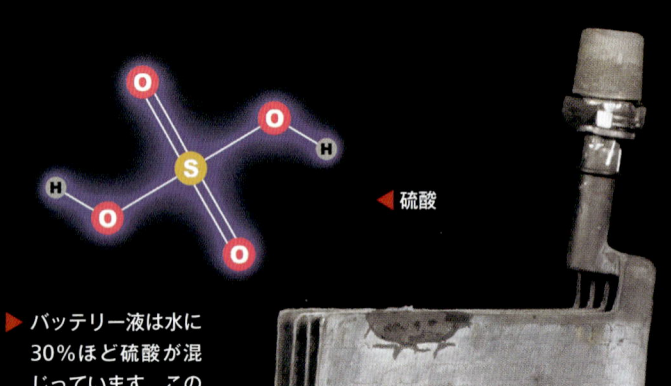

◀ 硫酸

▶ リゼルグ酸ジエチルアミド

▶ バッテリー液は水に30％ほど硫酸が混じっています。この液は自動車やバイクなどの始動に使われる鉛蓄電池に広く使われています。鉛蓄電池は強力な始動モーターを動かすための大電流を生み出しますが、酸の中に鉛の板が浸かっている構造なので、かなりの重量があります。

▲ 皮膚を食い破って溶かしてしまう危険な酸もありますが、酸から作られる物質で、人間が自分で自分の皮膚を食い破るよう仕向けかねない危険なものもあります。化学の世界でリゼルグ酸ジエチルアミドと呼ばれているこの物質は、一般にはLSDの略称で知られます。そう、麻薬です。弱酸性ですが、それはこの種の物質ではどうでもいいことです。上の写真は「吸い取り紙」という四角い小さな紙で、こういった紙にLSDを浸み込ませ、舌に乗せてドラッグを摂取するのです。（写真の紙はアートとして作られた普通の吸い取り紙で、薬剤は浸み込んでいません。ヒッピー世代が昔を懐かしんで買う、完全に合法的な商品です。）

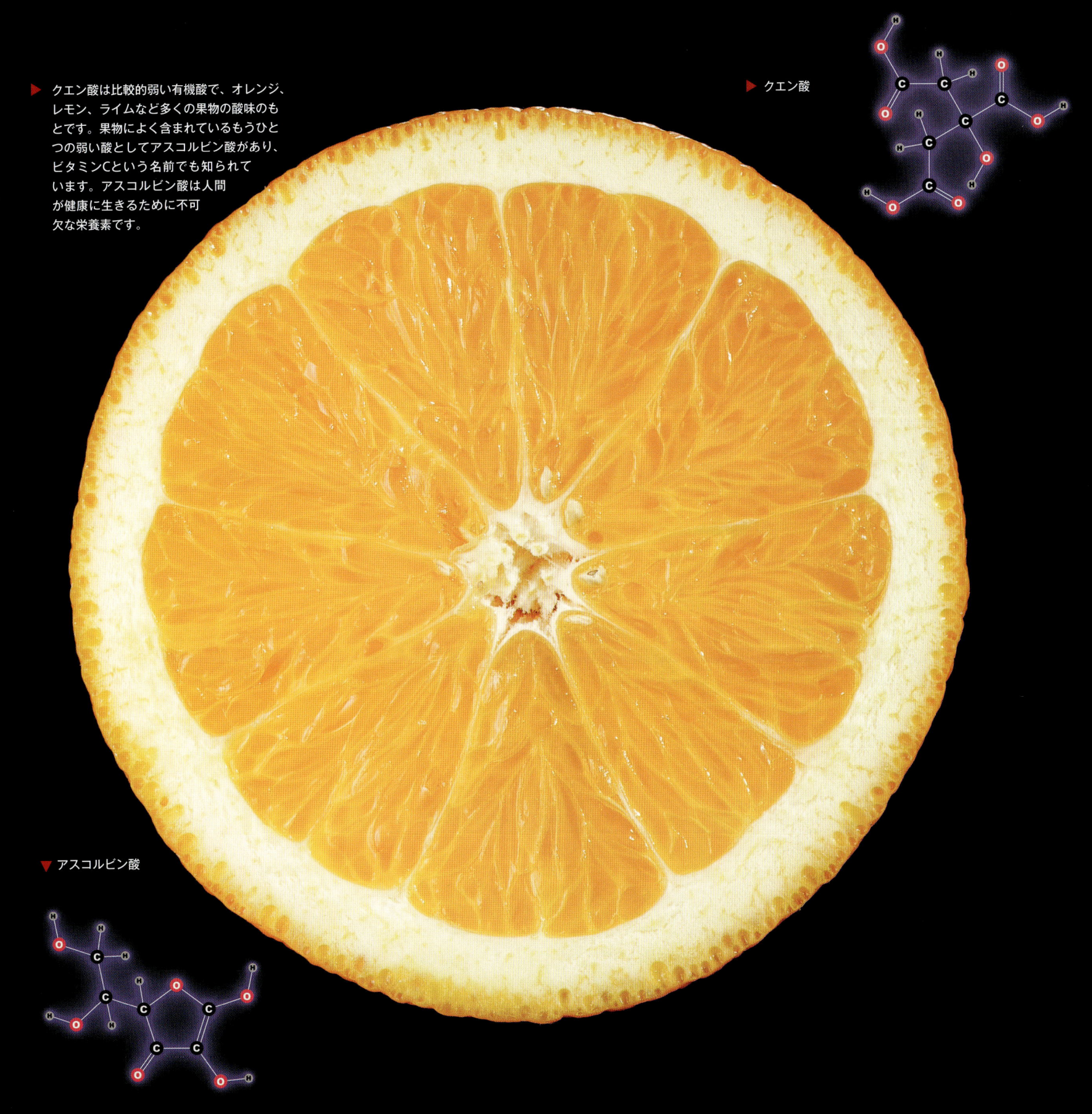

▶ クエン酸は比較的弱い有機酸で、オレンジ、レモン、ライムなど多くの果物の酸味のもとです。果物によく含まれているもうひとつの弱い酸としてアスコルビン酸があり、ビタミンCという名前でも知られています。アスコルビン酸は人間が健康に生きるために不可欠な栄養素です。

▶ クエン酸

▼ アスコルビン酸

名前の力　37

名前からわかること：
酒精（エタノール）

　これまでに取り上げた化合物のうち、私たちを面白いところへ連れて行ってくれる力が一番強いのは酒精（エタノール）です。人や哺乳動物を酔っぱらわせて面白い状態にするからというだけの理由ではありません。エタノールは、これまでに研究され命名された化合物の大部分と同じく、有機化合物です。（有機化合物については第3章で詳しく扱います。）

　19〜20ページで、炭素と水素だけから作れる多彩な化合物を見てきました。そこに酸素を加えると、アルコール、アルデヒド、ケトン、カルボン酸、エステルなどが含まれる素敵な化合物の小グループを作ることができます。エタノールもこのグループの一員です。

　私が最初に有機化学に興味を持ったきっかけは、このグループの分子たちの名前でした。今から、順々に分子を複雑化させながら、それらの名前が互いにどう関係しているかをお話ししましょう。分子は建築用ブロックであり、何世紀にもわたって開発されてきた技法を駆使すれば、そのブロックをさまざまなはめ方で組み上げることができる──それが化学者の考え方です。

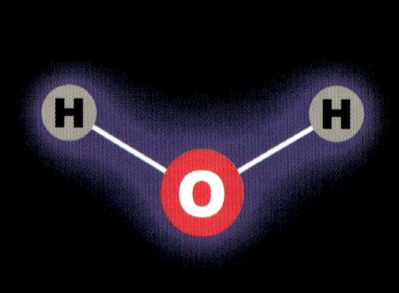

▶ メタノール

▲ これは、2個以上の原子から作られる分子のなかで最も単純なもの──気体水素の分子〈H_2〉です。水素原子は、室温で純粋状態であれば必ずこのように2個一組になっています。ですから水素は元素であるにもかかわらず分子でもあります。（ただし、1種類の元素だけでできているため、化合物ではありません。）

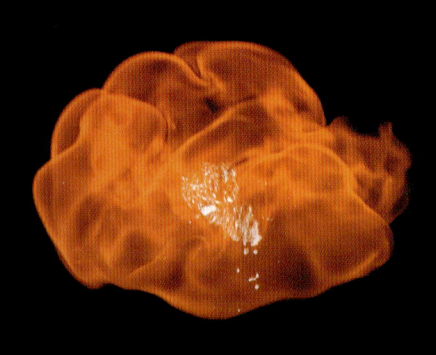

▲ 2個の水素原子の間に酸素原子1個を挟み込むと、H_2O、すなわち水になります。（酸素の挿入はとても簡単です。水素を空気中で燃やすだけで水ができます。）

▶ 水の2個の水素原子のうち1個を単純な炭素の鎖（基）で置き換えると、アルコールになります。炭素1個の鎖に置き換えるとメタノール、炭素2個の鎖ならエタノールができます。ほかにも数えきれないほどの種類のアルコールが知られています。酸素1個と水素1個からなる ヒドロキシ基〈-OH〉が炭素鎖に結びついていることが、アルコールの定義の重要な部分です。現代の命名システムではアルコールの名前は必ず末尾が ol になっています。

◀ 水

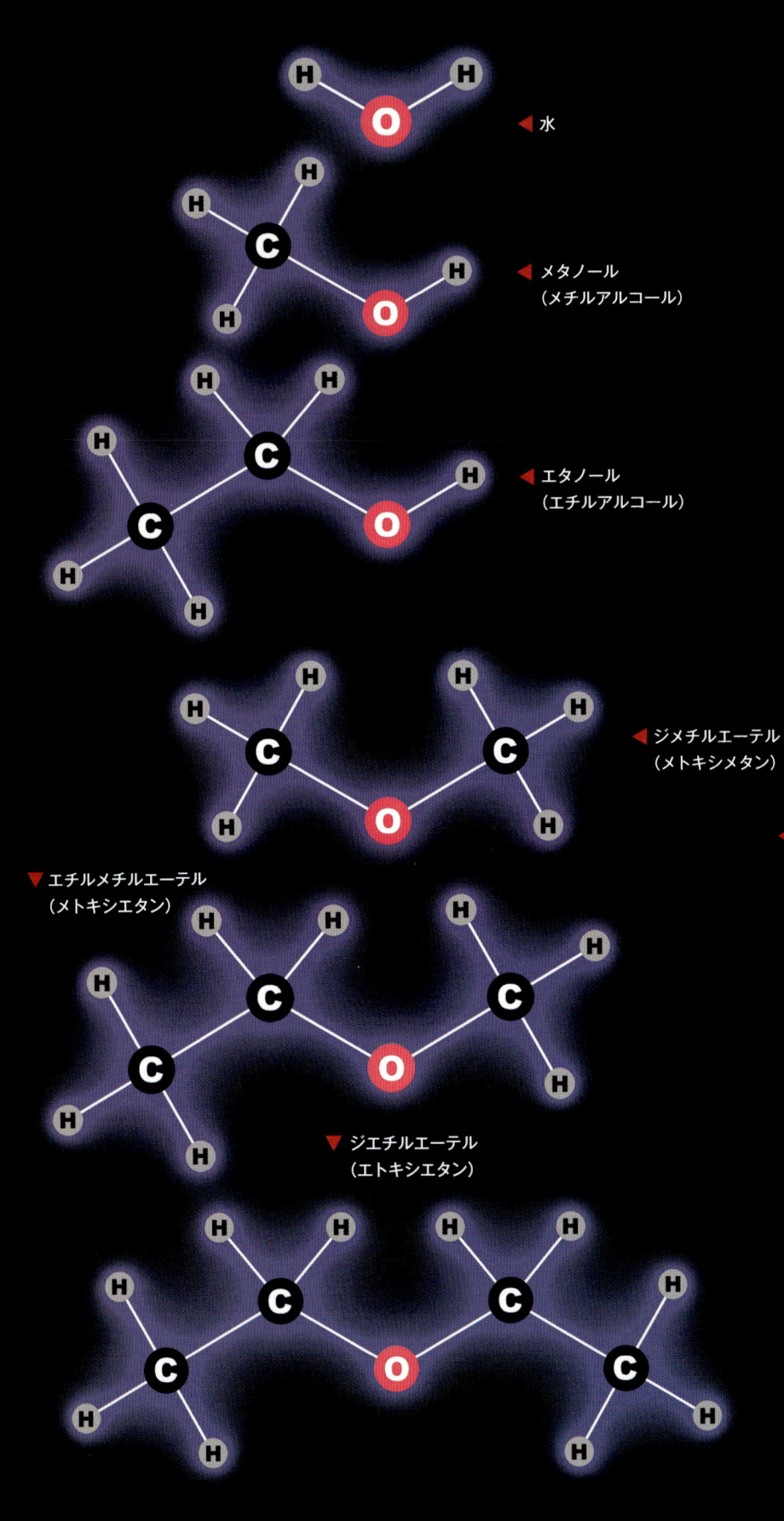

◀ メタノール
（メチルアルコール）

◀ エタノール
（エチルアルコール）

◀ ジメチルエーテル
（メトキシメタン）

▼ エチルメチルエーテル
（メトキシエタン）

▼ ジエチルエーテル
（エトキシエタン）

◀ 水の水素原子を両方とも炭素鎖にすれば、エーテルになります。エーテルのなかで最も一般的なジエチルエーテルは、両側に炭素2個の炭素鎖があります。ジエチルエーテルを単に「エーテル」と呼ぶこともよくあります。あなたを眠らせる麻酔薬です。

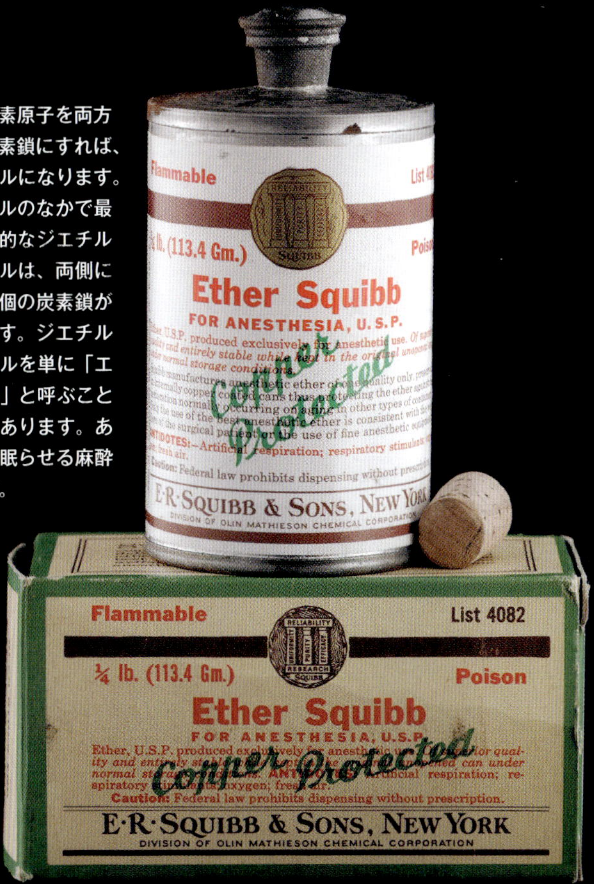

名前の力 39

名前からわかること：**アルデヒド**

▶ ちょっと方向を変えて、水の酸素原子のかわりに、炭素1個が酸素1個と二重結合で結びついたもの（カルボニル基）を置いてみましょうか。最も単純な、両側に水素原子が1個ずつ付いている形は、ホルムアルデヒドといういささか恐ろしい物質で、その水溶液が動物の標本の保存に使うホルマリンです（公式の命名体系ではメタナールといいます）。

メタナールの水素1個を炭素1個の炭素鎖と取り換えると、エタナール（アセトアルデヒド）ができます。アルコールの場合と同様に、何千種類ものアルデヒドを作ることができます。アルデヒドはすべて −CHO 基を含み、語尾は必ず al です。

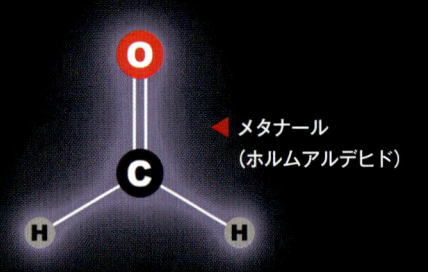

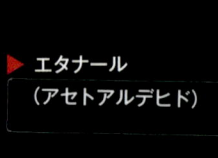

◀ メタナール
（ホルムアルデヒド）

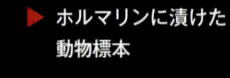

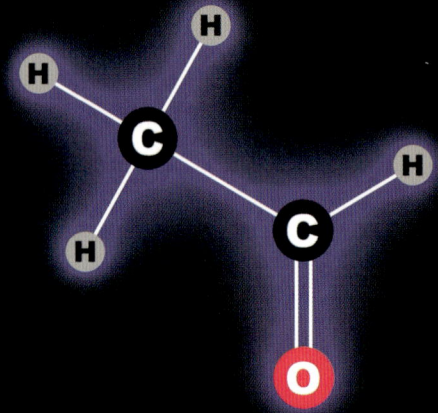

▶ エタナール
（アセトアルデヒド）

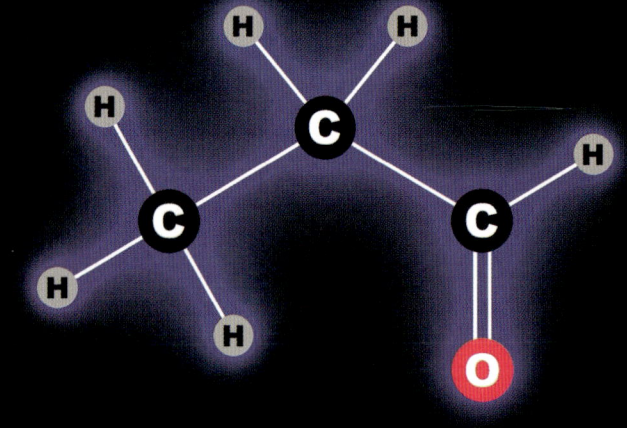

▶ プロパナール
（プロピオンアルデヒド）

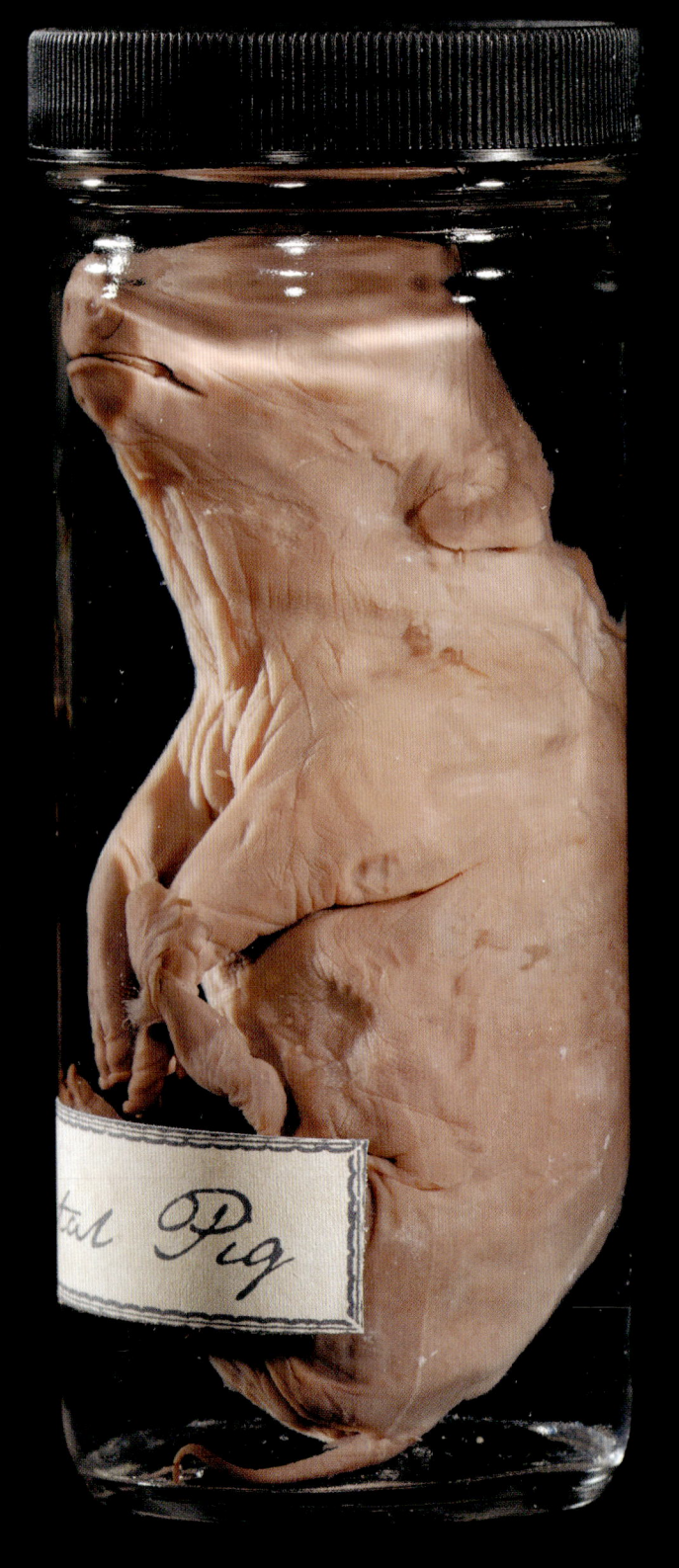

▶ ホルマリンに漬けた動物標本

名前からわかること：**ケトン**

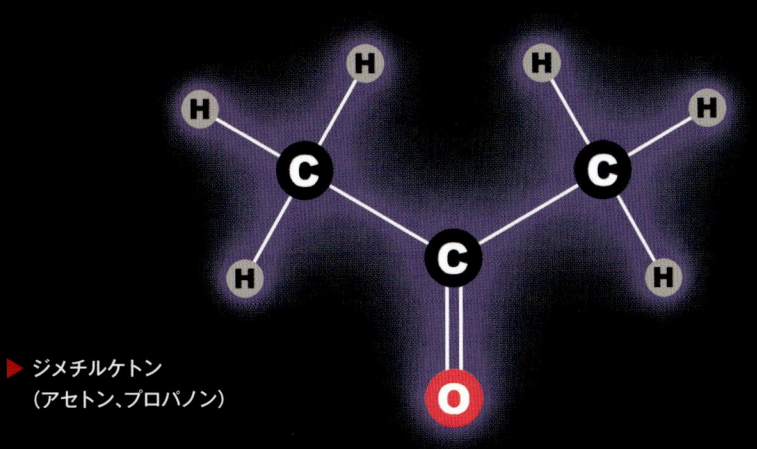

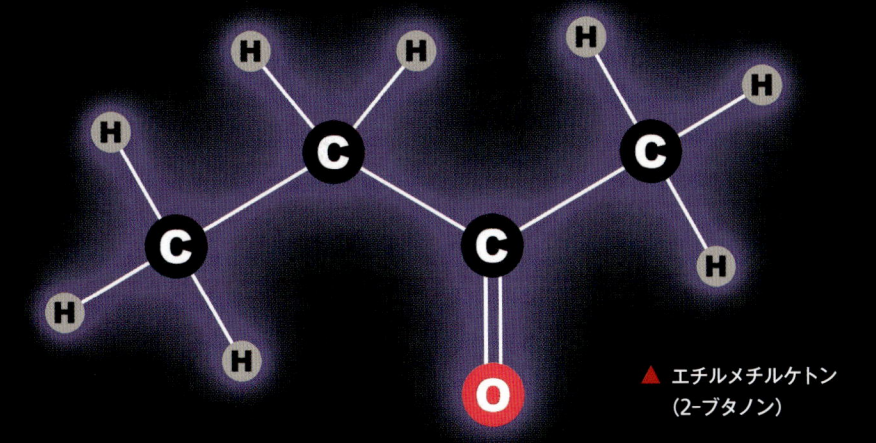

▶ ジメチルケトン
（アセトン、プロパノン）

▲ エチルメチルケトン
（2-ブタノン）

▶ ジエチルケトン
（3-ペンタノン）

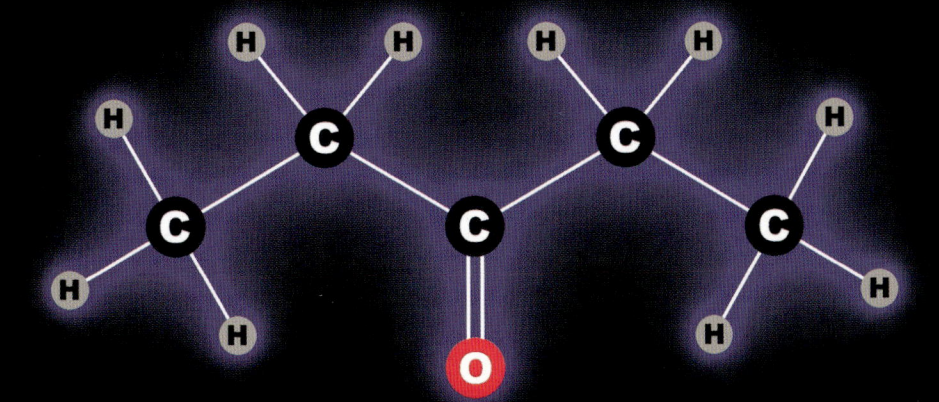

◀ メタナールの水素を2個とも炭素鎖で置き換えると、ケトンが得られます。ケトンのうち最も単純なアセトンは、揮発性で非常に可燃性の高い溶媒です。高脂肪・低炭水化物の食生活を送る人の体内で作られる3種類の「ケトン体」のひとつがアセトンです（その種の食事はてんかんの治療に用いられますが、痩せるために利用する人もいます）。アセトンはこの食生活から出る老廃物ですが、残りの2種類のケトンは人体の価値あるエネルギー源です。

◀ アセトン

◀ この見開きページに出てくる名前はどれも、分子の各部分に炭素原子がいくつあるかを示す語幹に接頭語や接尾語が付いて作られています。たとえば、meth- とform- という接頭語は炭素が1個という意味なので、メタノールは炭素が1個のアルコール、ホルムアルデヒドは炭素が1個のアルデヒドです。炭素1個から4個までは専用の接頭語が付けられ、その後はギリシャ語かラテン語の数詞が使われます。

炭素1個：**meth-, form-**
炭素2個：**eth-, acet-**
炭素3個：**prop-**
炭素4個：**but-**
炭素5個：**pent-**
炭素6個：**hex-**

名前の力　41

名前からわかること：**有機酸**

▶ すでに出てきたカルボニル基〈-CO-〉とヒドロキシ基〈-OH〉を組み合わせるとカルボキシ基〈-COOH〉になり、もっと手の込んだものが得られます。これらの基のいずれかを持つ有機分子は有機酸と呼ばれます。有機酸で一番単純なギ酸は、炭素原子が1個しかありません。そこにもう1個炭素を加えると、お酢の酸味のもとである酢酸ができます。

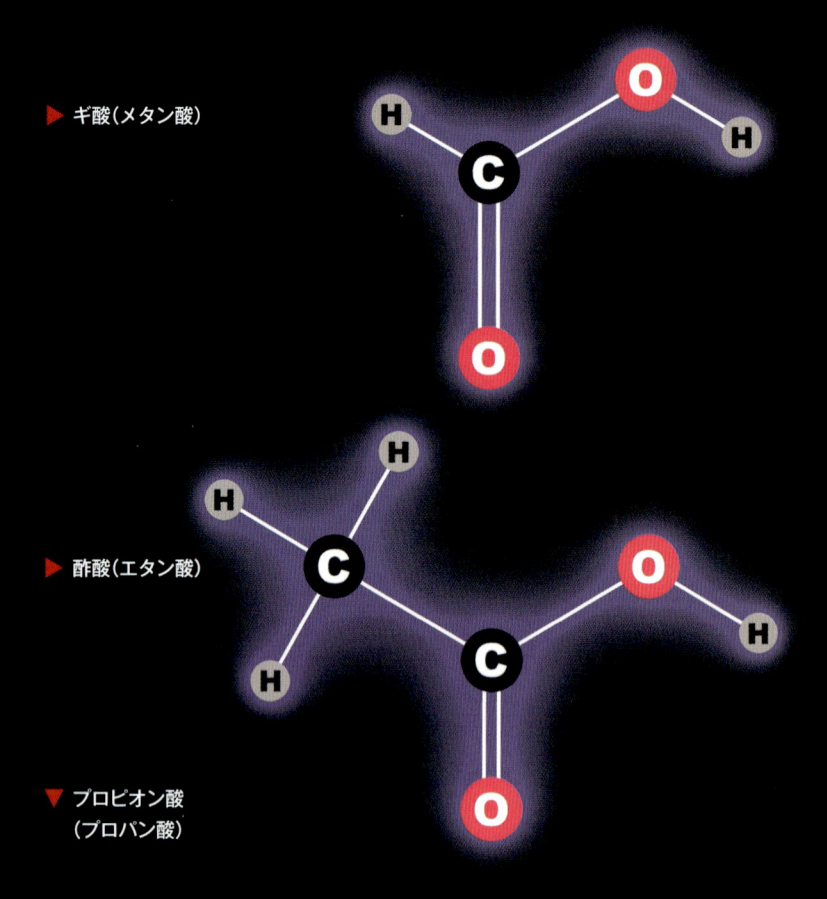

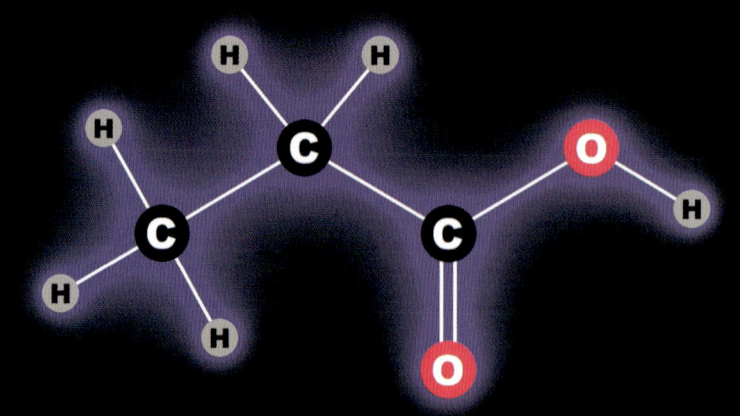

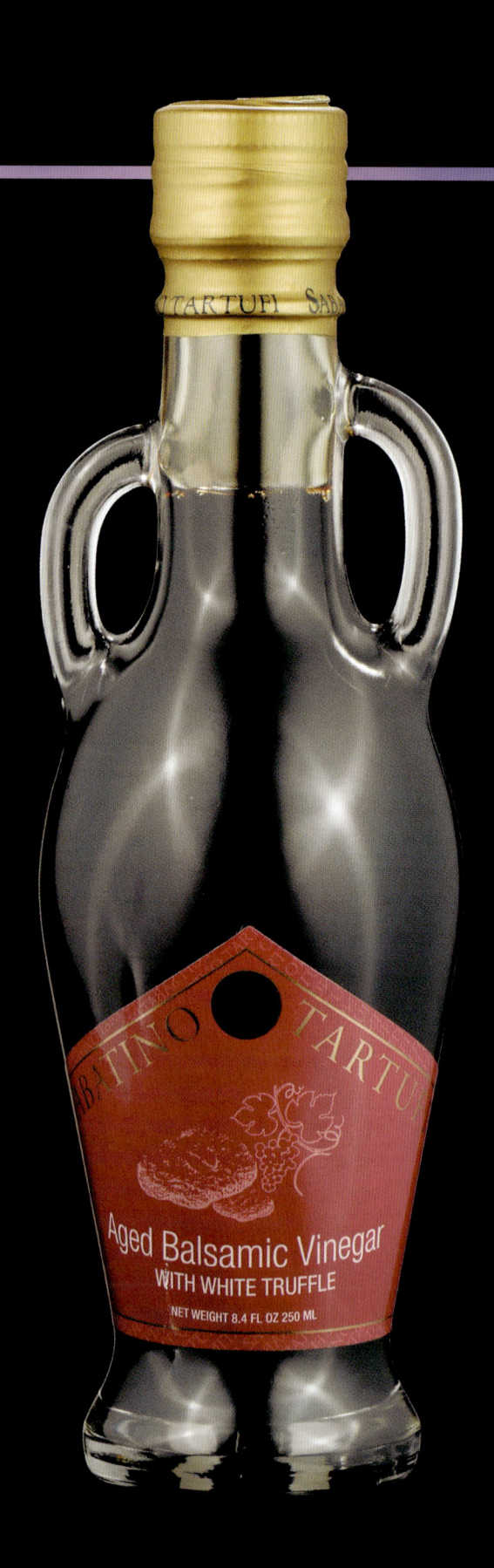

▶ ギ酸（メタン酸）

▶ 酢酸（エタン酸）

▼ プロピオン酸
　（プロパン酸）

▶ バルサミコ酢

名前からわかること：
エステル

◀ ギ酸メチル
（メタン酸メチル）

◀ 酢酸メチル
（エタン酸メチル）

◀ プロピオン酸メチル
（プロパン酸メチル）

◀ 酢酸エチル
（エタン酸エチル）

◀ プロピオン酸エチル
（プロパン酸エチル）

▶ 有機酸の端に付いている水素を別の炭素鎖に取り換えると、水素と炭素と酸素からできる化合物一族の中では最も複雑な構造を持つ、エステルと呼ばれる分子の一団が現れます。小さいエステルは揮発性があり、強い匂い——多くの場合、いい香り——がします（第11章を参照）。

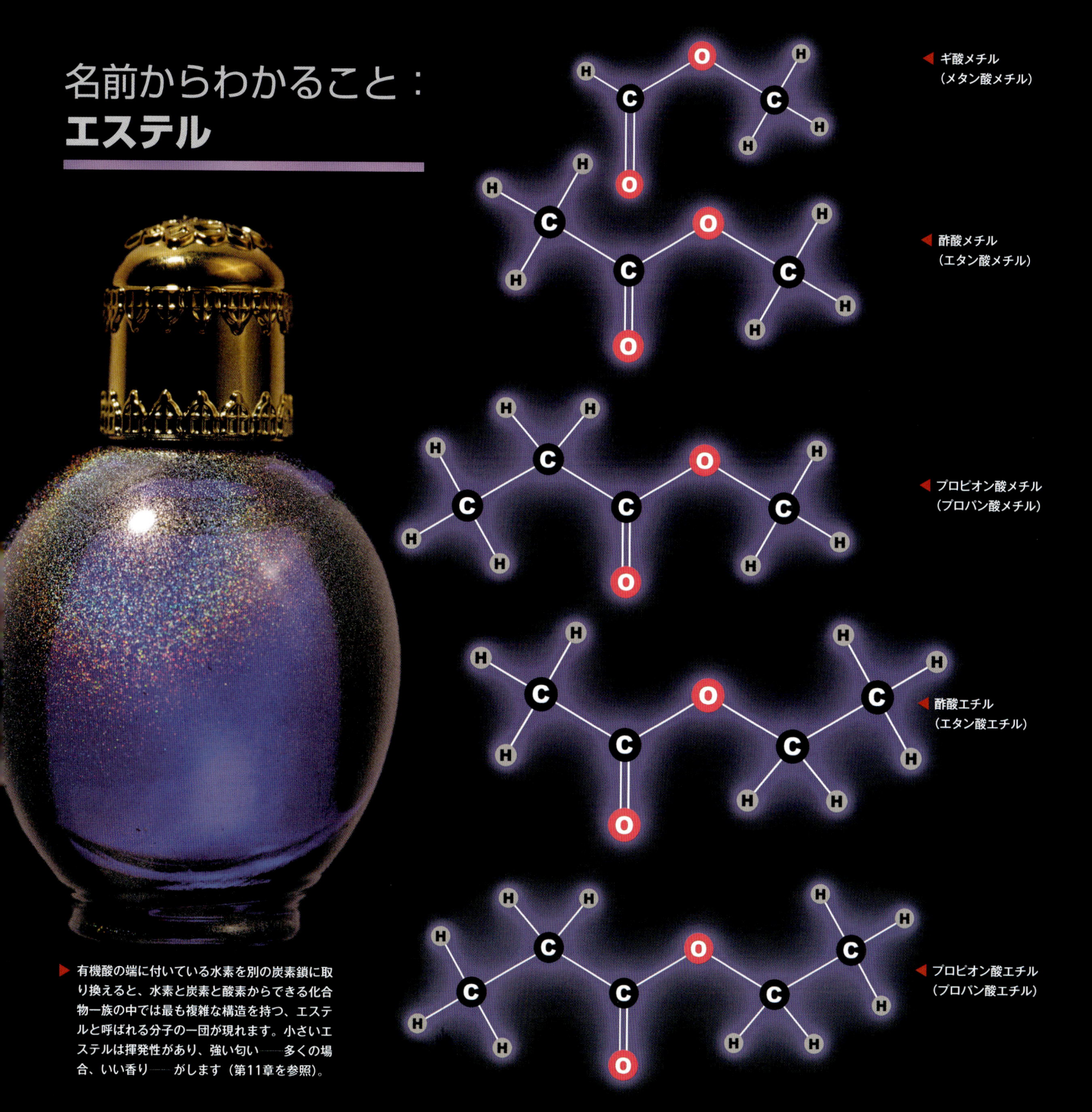

名前の力　**43**

名前からわかること：
エステル

▶ 左に炭素4個、右に炭素2個があるエステル（酪酸エチル）はパイナップルの匂いがします。

▶ 左に炭素4個、右に炭素5個があるエステル（酪酸ペンチル）はアンズの匂いがします。

▲ 長い炭素鎖を持つエステルは、天然ワックスの主成分です。たとえば蜜蝋(みつろう)は主に、-COO-結合の右に炭素15個、左に炭素30個を持つエステル（パルミチン酸トリアコンタニルと呼ばれる化合物）でできています（ワックスについては84ページを参照）。

▲ 酪酸エチル
（ブタン酸エチル）

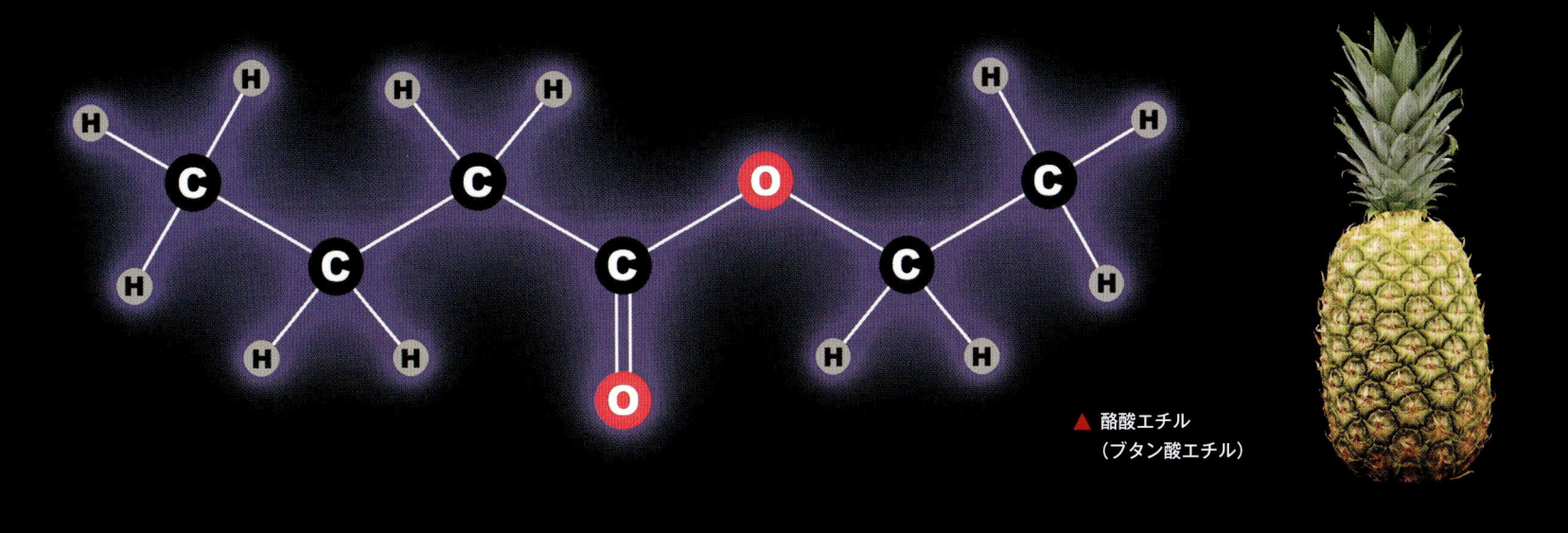

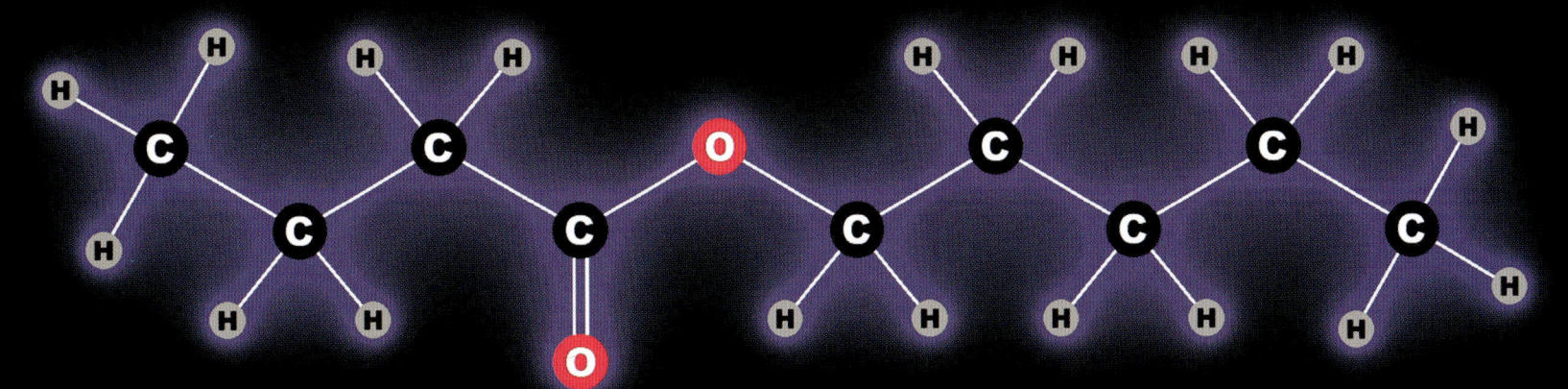

▲ 酪酸ペンチル
（ブタン酸ペンチル）

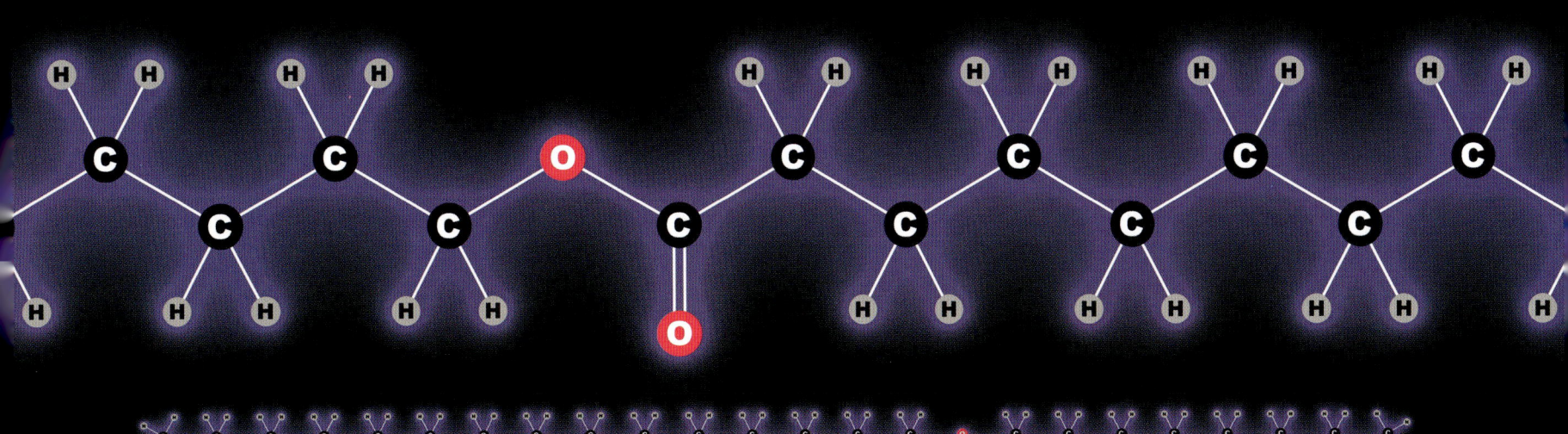

▲ パルミチン酸トリアコンタニル
（ヘキサデカン酸トリアコンタニル）

名前の力　45

▶ 最高級羽毛布団用として珍重されるアイダーダウン。ケワタガモというカモの腹部に生えるこの羽毛は、ケラチンという複雑な有機分子でできています。

第3章 デッド・オア・アライブ
Dead or Alive

化学物質の世界は、有機化合物と無機化合物に大きく二分されます。有機化合物の有機（オーガニック）という名前は、環境に優しい、健康的、生命に関連がある、といったイメージとよく結び付けられます。たしかに有機化合物の多くは生命と密接に関係しています。一方、無機化合物と聞くと、岩のような、硬くてザラザラな感じがします。実際、岩は一般的に無機物です。しかし、硬い vs. やわらかいという定義は、例外があまりに多すぎて実のところまったく役に立ちません。では、正確には有機と無機の違いはどのように定義されるのでしょう？

◀ 石炭は見た目が岩のようですし、商取引上は鉱石と呼ばれもしますが、正真正銘の有機物です。

▶ この頭蓋骨はどう見ても生物のもの（正確にはエリマキトカゲのもの）ですが、有機化合物ではありません。骨の成分のほとんどは水酸燐灰石（りんかいせき）というリン酸カルシウム鉱物です。

▶ これは無機化合物の石英結晶でしょうか？ いいえ、エッセンシャルオイルや咳止め薬やたばこに含まれるメントールという有機化合物の結晶です。

▶ 「鉱物油」と呼ばれる油もありますが、あらゆる油は有機化合物です。

▼ アスベストは繊細で柔らかい繊維で、ウールに少し似ていますが、疑う余地のない無機化合物です。

有機化合物とは何でしょう？

「有機化合物」の定義を探すと、少なからぬ情報源に「炭素を含む化合物はなんでも有機化合物」と書かれています。しかし、これは明らかに間違いです。私は「石灰岩」という反例ひとつでそれを証明できます。石灰岩は疑いなく無機化合物です。チョークのようで、硬く、ザラザラしています。ドーバー海峡の白い崖は石灰岩でできており、石灰岩の中では何も育っていません。ところが、石灰岩の化学式は$CaCO_3$、炭酸カルシウムです。炭素を含む化合物でどう見ても無機的なものは、石灰岩の他にもたくさんあります。

さらに有機の定義を探すと、有機化合物とは相互に結合した炭素と水素を含むものだという説明が見つかるでしょう。事実、有機化合物の多くにその構造が見られます。ところが、この定義もやはり「テフロン®」という反例ひとつで撃退できます。驚異的にこびりつきが起きないこの物質は、炭素結合を"骨格"として含んでいます。炭素結合は絶対的かつ古典的な有機化学の領分に属し、一点の曇りもなく有機高分子です。しかしテフロンに代表されるフッ素樹脂には水素がまったく含まれていません。同様に、昔はスプレー缶の噴霧剤やエアコンの冷媒として使われていたものの今では代替品に取って代わられた、フッ化炭素やクロロフルオロカーボンの類（いわゆるフロンガスで、オゾン層を破壊するタイプや、それよりは害が少ないタイプが多数含まれます）も有機化合物ですが、水素は入っていません。

「有機物質とは何か」の明確な定義は存在するのでしょうか？

▼ テフロンはテトラフルオロエチレンからできています。これは、エチレン〈C_2H_4〉のすべての水素がフッ素に置き換わったものです。

▶ テフロンの化学名はポリテトラフルオロエチレンといい、水素の代わりにフッ素が付いたエチレンが多数反復していることを意味します。実質的には一般的なプラスチックの1種であるポリエチレンなのですが（第7章を参照）、ただ、水素がすべてフッ素に置き換わっています。炭素－フッ素結合と炭素－炭素結合はどちらも恐ろしく強力なので、こうしたフッ素樹脂を化学的に攻撃するのはほとんど不可能です。

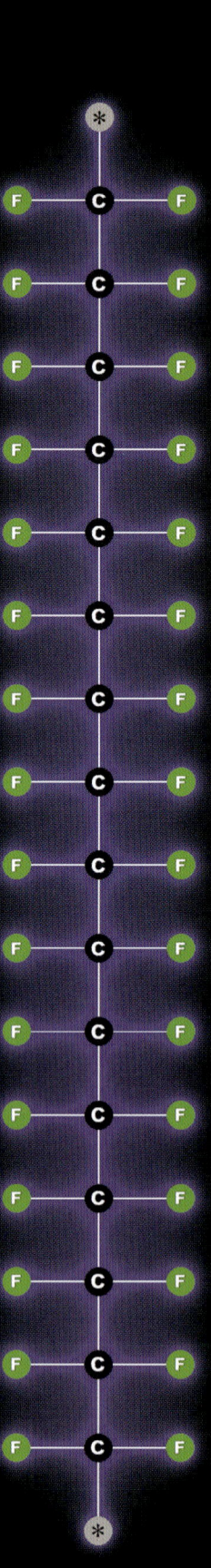

▲ テフロンは私のお気に入りの、水素を含まない有機化合物です。この大きな円筒形のテフロンはとてもすべりやすいので、持ち上げる際は十分注意しないといけません。

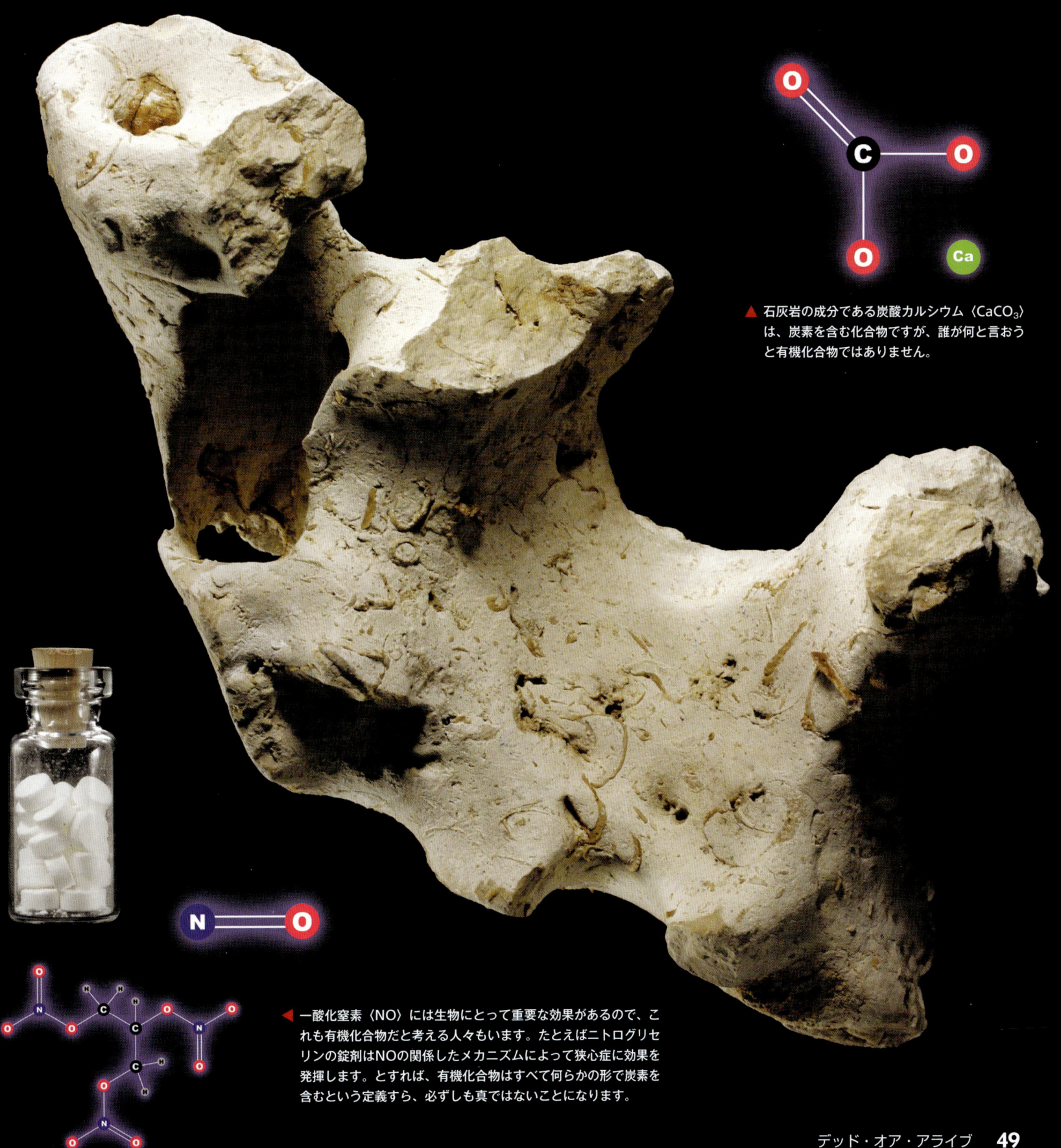

▲ 石灰岩の成分である炭酸カルシウム〈CaCO₃〉は、炭素を含む化合物ですが、誰が何と言おうと有機化合物ではありません。

◀ 一酸化窒素〈NO〉には生物にとって重要な効果があるので、これも有機化合物だと考える人々もいます。たとえばニトログリセリンの錠剤はNOの関係したメカニズムによって狭心症に効果を発揮します。とすれば、有機化合物はすべて何らかの形で炭素を含むという定義すら、必ずしも真ではないことになります。

デッド・オア・アライブ **49**

生命の化合物

　有機化合物の最初の定義は、とても明確でした。有機化合物とは、生命の化合物だったのです。化学の黎明期には、多くの人が「生物には"生命の力"があり、それなしではある種の化学的変化は不可能である」と信じていました。有機化合物は、生物の内にあるその神秘的な力によって、生物の体内でのみ生み出されるものとされていました。

　その定義と"生命の力"の概念全体をまとめてひっくり返したのが、1828年の単純な反例でした。フリードリヒ・ヴェーラーが、シアン酸銀と塩化アンモニウムから尿素を合成したのです。

　尿素は疑う余地のない有機化合物として知られていました。シアン酸銀と塩化アンモニウムは、絶対的に有機化合物ではありませんでした。尿素合成の重大性が十分理解されるまでには少し時間がかかりましたが、やがて学識のある人々は、この実験がそれまでの世界観を根底から覆したことに気付きました。尿素合成は、化学史上最も重要な実験のひとつです。

　人間が自ら編み出した手法を用いて"生命の化合物"を創造できるのなら、生命はそれほど神秘的ではないのかもしれない、と彼らは思いました。尿素の合成は錬金術的な神秘主義の残滓を洗い流し、「万物は理解可能である」という思考へ向けて人々の精神の扉を開いたのでした。

　尿素の合成は、真のサイエンスとしての有機化合物研究の出発点でした。そして、それと同時にこの実験が「有機化合物」の唯一のわかりやすい定義を葬り去ったのは、なんとも皮肉な話です。

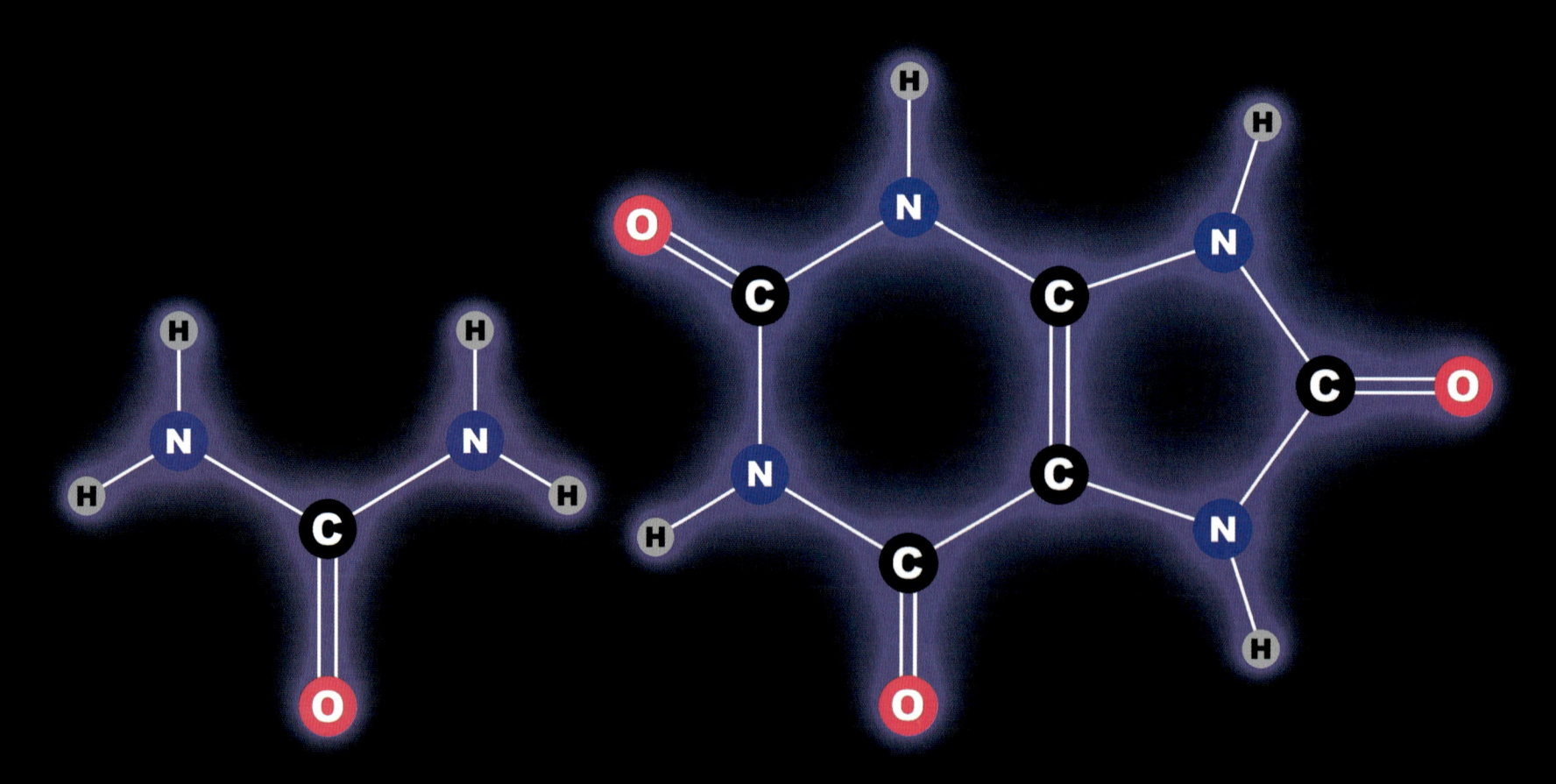

▲ 尿素の分子はかなりシンプルです。

▲ 尿酸は尿素の親戚です。

▶ 尿素は文句のつけようのない有機物です。尿素という名前は、尿の中に大量に見つかることからきています。生命活動の多くの場面で重要な役割を果たしており、通常は生体の外では自然に生成しません（ただし、近年になって例外がひとつ見つかっています）。

▼ かつて科学界と産業界がヘビの糞に高い価値を認めていたのは、その中に非常に高濃度の尿酸が含まれているためでした。当時は、それ以外に尿酸の実用的な入手方法がなかったのです。

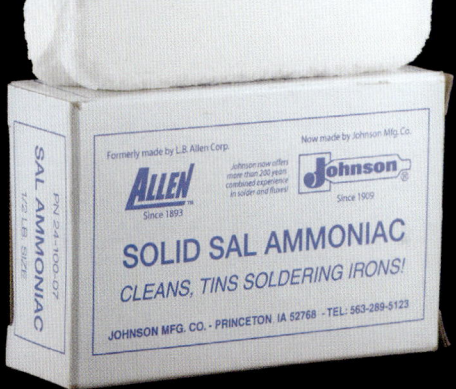

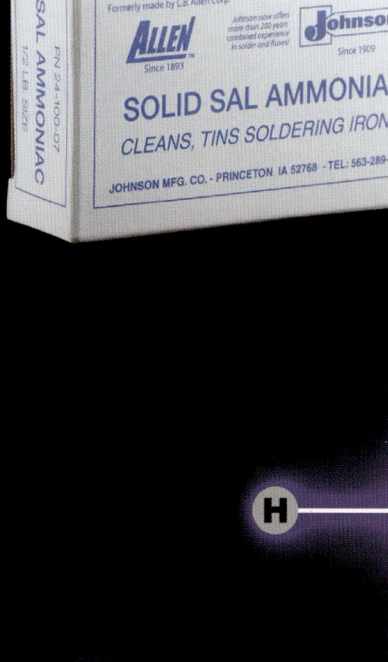

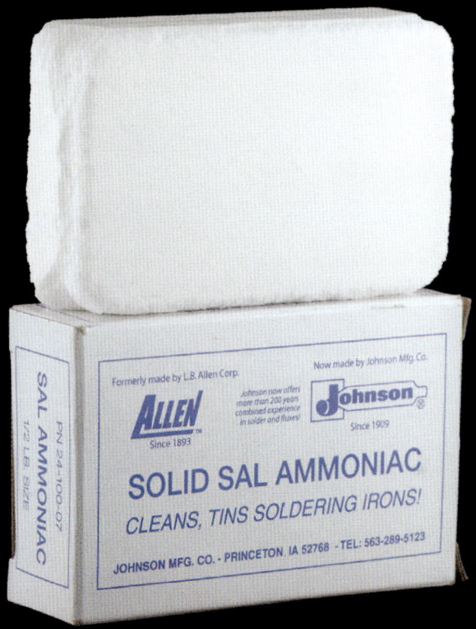

▼ 箱に書かれた「Sal ammoniac（アモンの塩）」は、錬金術時代の塩化アンモニウムの呼び名です。愉快なことに、はんだごての先端のクリーニング用として販売される時にはまだこの古名が使われます。

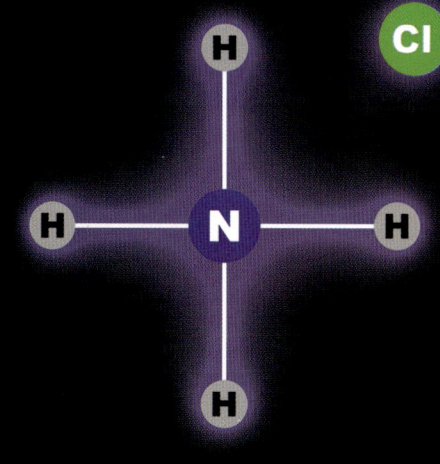

▼ シアン酸銀は灰色の粉末で、あまり世の中に知られてはいませんが、まぎれもない無機物──銀を含む塩です。

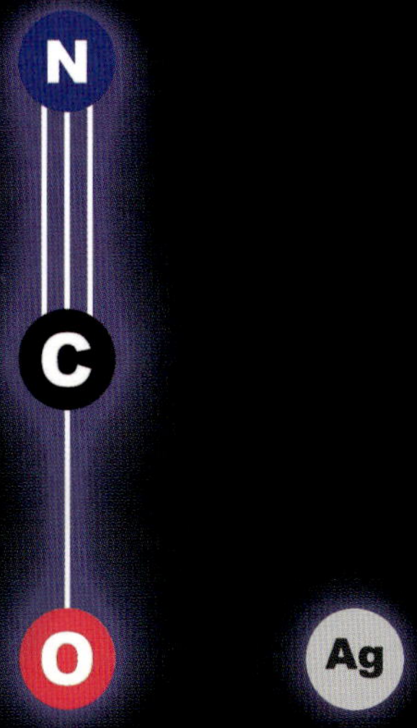

デッド・オア・アライブ 51

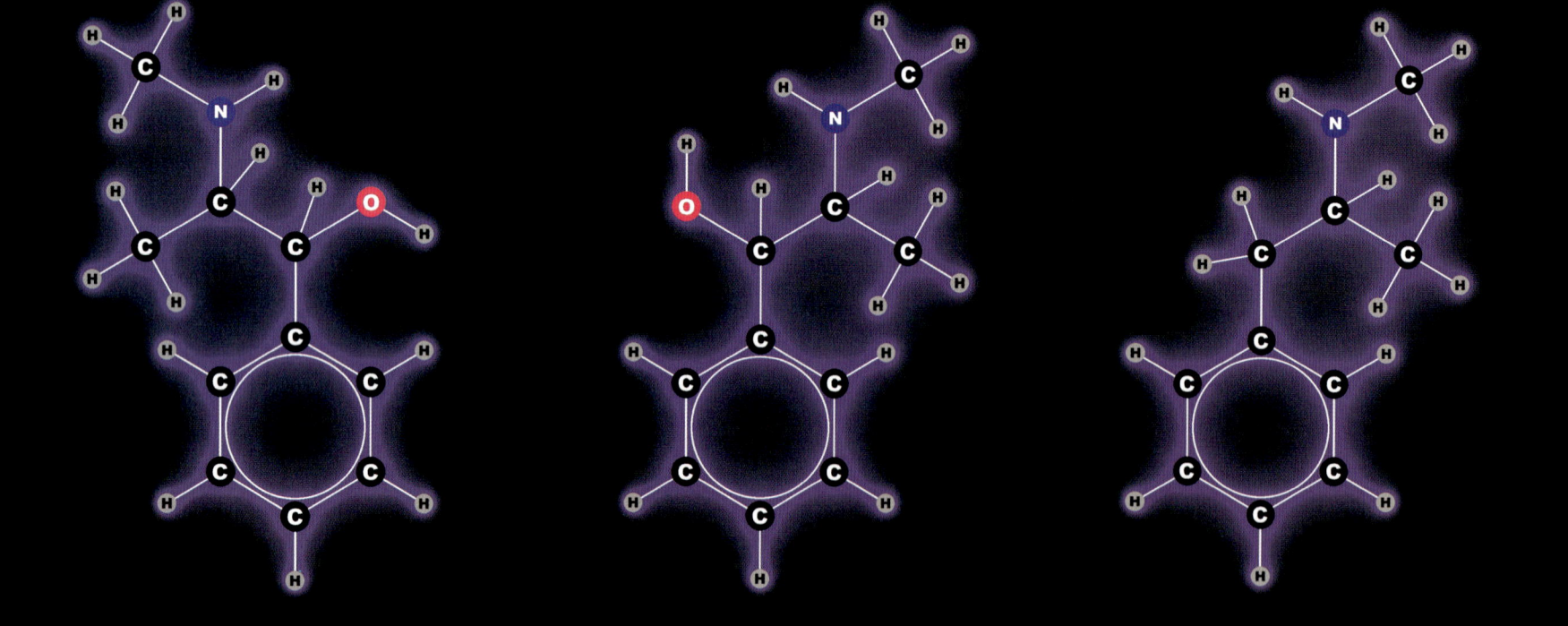

▲ エフェドリン（漢方の麻黄の成分）を含むハーブ系サプリメントは、米国では販売が禁止されています。天然の生薬成分であるエフェドリンと、合成薬剤のプソイドエフェドリン（米国ほかで販売されている「スダフェッド（Sudafed）」などの風邪・鼻炎薬の活性成分）およびメタンフェタミン〔覚醒剤〕とは、驚異的という表現では足りないくらい化学的によく似ています。生薬の麻黄は、米国では危険品として禁じられました。合成バージョンであるメタンフェタミンは、天然の"親類"よりずっと危険で健康に有害な物質で、さらに厳しく規制されています。しかし、もうひとつの合成バージョンであるプソイドエフェドリンが入ったスダフェッドは鼻詰まりによく効き、以前からドラッグストアで処方箋なしで買えます。（ただし、これを原料にしてメタンフェタミンを作る方法が人々に知られはじめてからは規制がかかるようになっています。）

▶ インジゴ染髪料のパッケージに大きな文字で「化学物質ゼロ」と書かれています。なんともはや。インジゴは化学物質であるのみならず、化学物質の歴史の中で最も重要な化学物質のひとつでさえあるのに（200ページを参照）。化学物質を含まないインジゴ染料なんて、レタス抜きのBLTサンドのようなものです。さらに皮肉なことに、この染髪料は緑の葉を粉にして売られています。これをあのインジゴ独特の藍色にするには、水を加えて加熱しなければなりません。それによって化学反応が始まり、粉末になった葉の中の化学物質であるインジカンというグリコシドが加水分解されて、インドキシルとグルコースという化学物質になります。これが空気に触れるとインドキシルが化学的に酸化されて、インジゴという化学物質ができるのです。染料は化学物質です。ああ、せめてパッケージに「100%オーガニック」と書いてあれば事実に即していたものを。インジゴは有機化学物質です……しまった、また言ってしまった。

◀ 自社製品に化学化合物が含まれていることを売り込む会社もあります。この製品のメーカーは、商品に「ただのコンパウンドではなく究極のコンパウンドが入っている」と謳っています〔compoundは一般には「化合物」の意ですが、車の傷を消す補修剤も同じ名で呼ばれます〕。車のひっかき傷を修繕するこの商品の派手な効能書きは、特別にブレンドされた微小な研磨剤の力に基づいています。

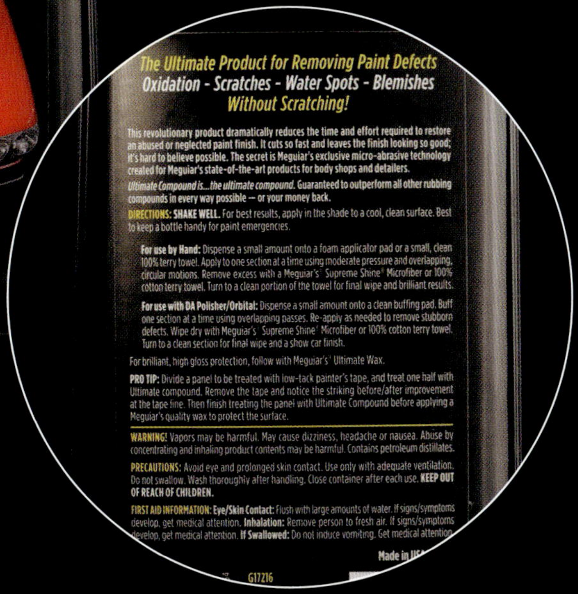

▼ 有機食塩？　ご冗談を！

デッド・オア・アライブ　53

それならいったい答えは何？

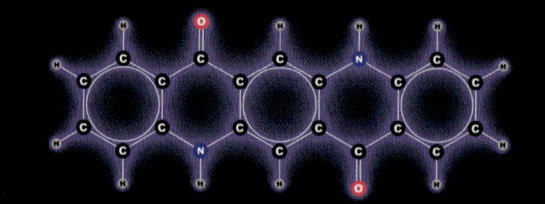

　現在、有機化合物という言葉の定義はいったいどうなっているのでしょう？

　最も広く受け入れられている定義は、有機化合物とは炭素を含む化合物すべてであるというもので、ただし炭酸塩〈CO_3〉、二酸化炭素〈CO_2〉、一酸化炭素〈CO〉は例外とされます。それから、炭素がシアン化物〈CN〉グループとして入っている場合も除外し、加えて炭化アルミニウム〈Al_4C_3〉などの炭化物もはずし、さらに……という具合に例外のリストがどんどん長く続き、どうにも面白くありません。

　この定義が目指しているのは、炭素が特別だという点です。炭素は高度に複雑化した鎖や環や樹枝状の連なりやシートを形成することができる唯一無二の元素であり、複雑で変化に富む三次元構造を作れるようなやりかたで──それどころか、そうした構造を作るのを促進するようなやりかたで──結合しています。仮に、さまざまな種類の元素と十分な数の炭素を混ぜて山盛りにし、何でもいいから反応が起きる条件を与えてやれば、複雑な有機分子ができあがることでしょう。有機であるということの根幹には、鎖や環を作りたがる炭素の性質があります。その性質に他の元素も呼応して分子ができるのです。

　次章以降、私たちはいくつかの有機化合物に出会います。最悪の毒から、最高に役に立つやわらかくふわふわした重合エチレンフタレートまで。

▲ キナクリドン（215ページ参照）

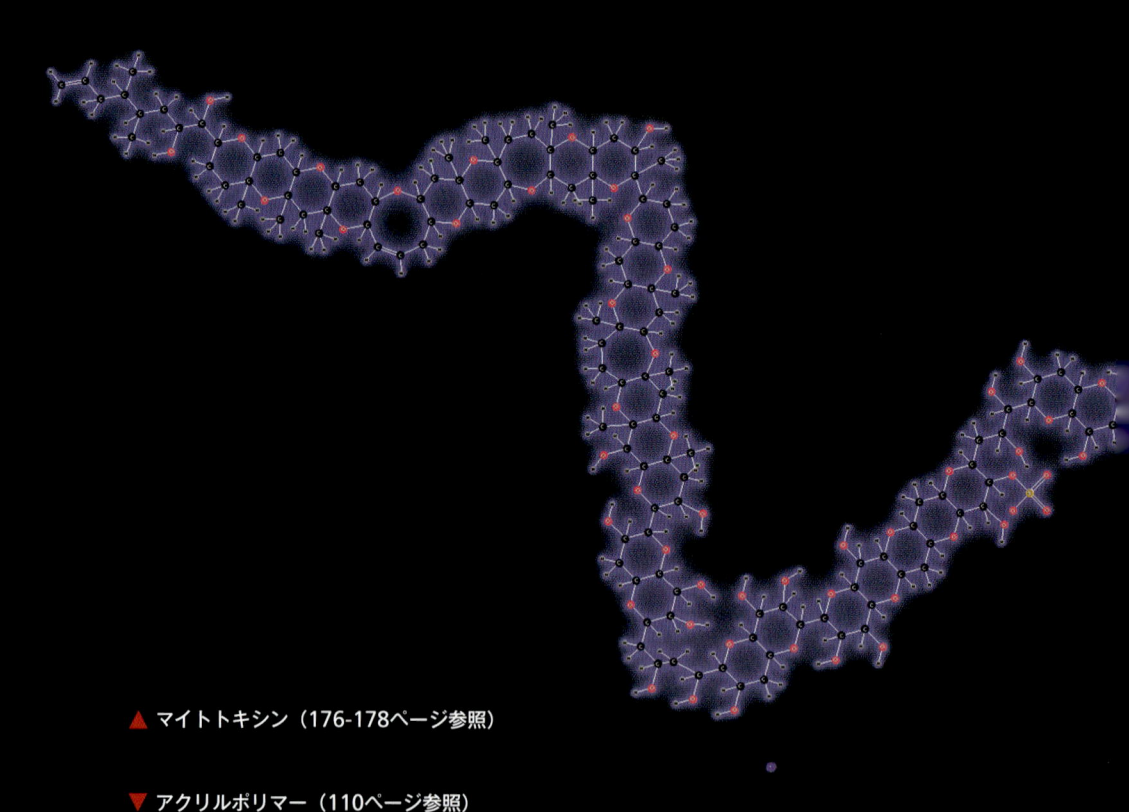

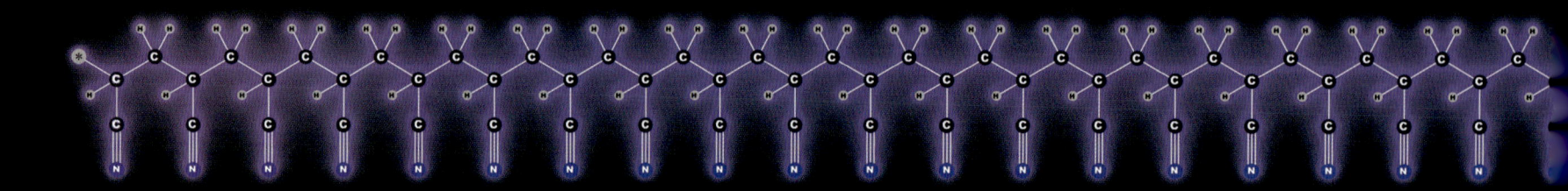

▲ マイトトキシン（176-178ページ参照）

▼ アクリルポリマー（110ページ参照）

▼ ボツリヌストキシン
（176-178ページ参照）

デッド・オア・アライブ 55

第4章 水と油
Oil and Water

　水と油は混じりません。なぜでしょう？　そして、なぜ石鹸はその反目を解消させることができるのでしょう？　どちらの疑問も、謎を解く鍵は、水と油と石鹸の分子が持っている電荷の分布のしかたにあります。

　第1章で見たとおり、原子同士の結合のしかたは2通りあります。電子が片方の原子からもう片方の原子に完全に移動するイオン結合と、2個の原子が一部の電子を共有する共有結合です。

　イオン結合の場合、分子の内部の電荷の分布に片寄りがあります。分子にはプラスとマイナスの電荷の"極"があり（磁石にN極とS極があるのと少し似ています）、そうした分子は極性化合物と呼ばれます。たとえば食塩は極性のあるイオン性化合物です。

　共有結合の場合は、分子を構成する原子全体にわたって電荷の分布がもっと均一で、"非極性"です。油は非極性化合物のよく知られた例です。ヘキサンやケロシンといったペイントうすめ液（シンナー）タイプの溶媒もやはり非極性で、油と同じく水とは混じりあいません。

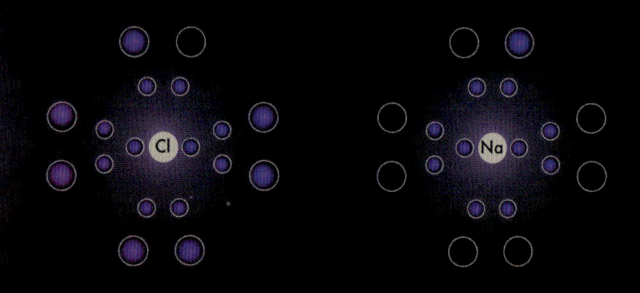

▲ 第1章で見たように、ナトリウムと塩素が結合すると食塩ができます。食塩は非常に極性の強い化合物で、塩素原子の方にナトリウム原子よりも多くマイナスの電荷が集まっています。原子が全体として電荷を持っている時、その原子はイオンと呼ばれます。

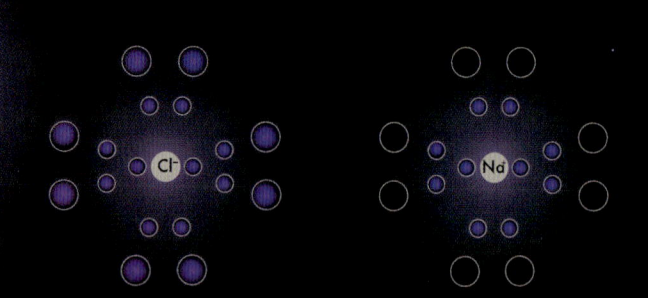

▲ 食塩はプラスの電荷を持つナトリウムイオンとマイナスの塩素イオンが結びついたものです。

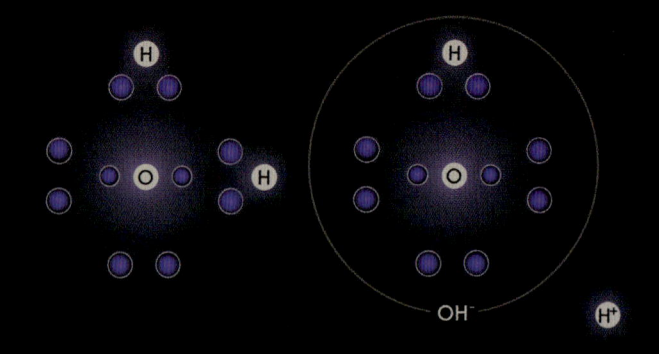

▲ 水〈H_2O〉はイオン化合物ではありませんが、極性を持っています。なぜかというと、水素原子と酸素原子を結合させている電子は、水素側よりも酸素側にいくらか寄った位置に集まっているため、酸素の側がわずかに電気的にマイナス、水素の側が少しプラスに傾いています。水は、プラスの電荷を持つ水素イオン〈H^+〉とマイナスの電荷を持つ水酸化物イオン〈OH^-〉に解離することがあります。たとえば純水では、つねに水分子1000万個につき約1個が分離した状態にあります。水素イオン〈H^+〉は要するに裸の陽子1個で、周囲に電子を持っている他のどんな原子やイオンと比べても、消え入りそうなくらい微小です。〔監修者注：水素イオンは非常に小さいので、水中では単独では存在できず、水分子と結びついてH_3O^+（ヒドロニウム）やさらに水分子が付いた形で存在していると考えられています。〕

▼ ヘキサンはサラサラした液体です。見た目は水に似ていますが、何を溶かしこめるかという点で水とヘキサンは全然違います。

▲ 炭素原子同士が結合する際は、一般に原子と原子のちょうど中間で電子を共有するので、全体の電荷が片寄ることはありません。そのように結合した炭素原子の鎖が、油の基本構造を作っています。電荷は鎖全体に均一に分布していて、油の分子はどこをとっても非極性です。第1章でお話ししたように、1個の炭素原子には結合に使える"スロット"が4つあります。炭素の最外殻の電子軌道には8つの席があるのに、そのうち4つしか電子が入っていないからです。6個の炭素原子で鎖を作り、余ったスロットに水素原子を取り付けてみましょう（鎖の中央の4個の炭素には水素を2個ずつ、両端の炭素には水素を3個ずつ付けます）。できたものがヘキサンです。ヘキサンはガソリン、ケロシン、ディーゼル燃料に共通する成分です。

▲ 石鹸についてはもう少し後で説明しますが、ここで写真だけお見せしましょう。シリアのアレッポでオリーブオイルから作られた、いい香りのする石鹸です。エキゾチックな異郷の品ですが、化学的に特筆すべき点はありません。そのかわり、感傷を呼びさます力を持っています。私の長年の協力者であるマックス・ホイットビーは、かつてアレッポが産業・交易都市として栄えていた時代に──内戦の銃弾が飛び交う死と隣り合わせの街ではなかった時代に──そこを訪れた記念として、この石鹸を大事にしているのです。

▲ 図に電子を全部描くのはうんざりしますし、混乱もします。ですから分子は通常"球棒モデル"で図示され、共有されている電子は棒であらわされます。本書の図は必ず線の周囲がぼーっと光ったようになっていますが、これは線が実在するわけではないことを思い出していただくためです。実際にあるのは、原子核の周囲を取り巻くぼんやりとした電子の雲です。

水と油　57

極の引力

私たちは、食塩〈NaCl〉がプラスの電荷を持つNa^+イオンとマイナスの電荷を持つCl^-イオンからできていることを学びました。食塩の結晶を水（普通はH_2Oと書かれますがHOHと書くこともできます）に入れると、食塩の近くの水分子がH^+イオンとOH^-イオンに分離しはじめます。H^+イオンの一部が食塩のCl^-イオンに接近してペアを組み、結晶から引きはがします。同様にして、OH^-イオンの一部はNa^+イオンに近づき、ペアになります。

このようにして食塩の結晶は順々に分解され、最後には分離したNa^+とCl^-のイオンがそれぞれ水分子が分かれてできたイオンと一時的にペアになって水中を漂います。言い換えれば、食塩は水に溶けています。

しかし、ヘキサンのような非極性の溶媒に食塩を溶かそうとしても、全然溶けません。イオンは相方を見つけてペアを組むために、反対の電荷を持つイオンや、極性を持つ分子を求めます。ところが、非極性の分子には電荷の集まった部分がなく、イオンが引き寄せられないのです。

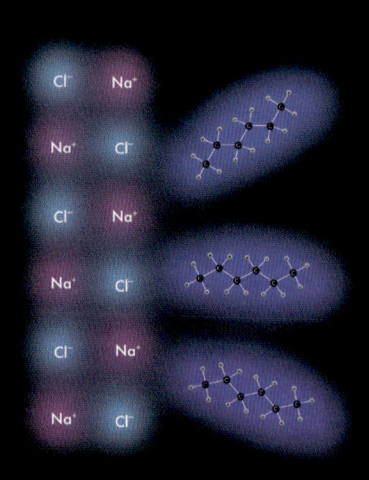

▲ ヘキサンの分子には、食塩の結晶のナトリウムイオンと塩素イオンに差し出せる電荷がまったくありません。ヘキサンは仲間うちで過ごす方を好みます。ヘキサンのような非極性の溶媒には食塩は溶けません。

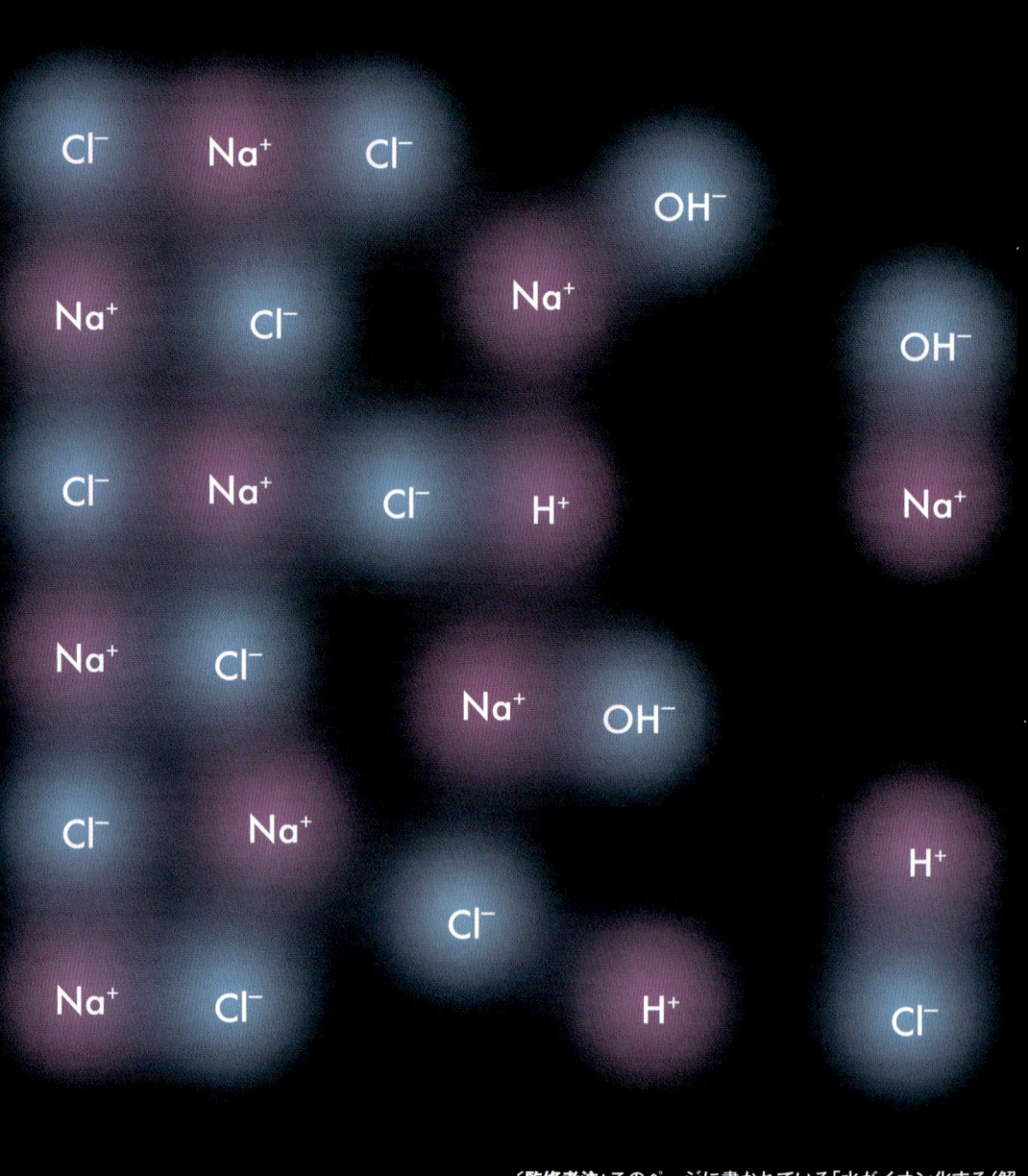

▲ 極性を持つ溶媒（特に、一部の分子がH^+イオンとOH^-イオンに解離する水）は、極性のある化合物（たとえば食塩）の中に割り込むことができます。食塩が水によく溶けるのはそのためです。

〔監修者注：このページに書かれている「水がイオン化する（解離する）ことで食塩が溶ける」という説明は著者による考え方です。これまでの分子動力学的計算などによる結果は、水分子はそれ自体で極性を持っているので、解離してイオンにならなくても、水分子がNa^+やCl^-を取り囲んで結晶から引き離し、水へ溶解させることを示しています。このように水分子がイオンを取り囲んだ状態を「水和」といい、通常はこの「水和」で食塩の水への溶解を説明します。〕

非極性の力

　極性のある水は非極性のどんな溶媒よりもよくものを溶かすのでしょうか？　イオン性物質の溶解について言えば、水は実際に最も激烈で最も侵略力の強い溶媒のひとつです。けれども私たちは、水が皮膚を溶かしたりしないことから、水は生命を支える物質だと思っています。

　極性があると、別の極性物質を溶かす際には有利です。溶解は相互作用であり、それぞれの物質が相手の物質と交わりたがっていなければ成立しません。そのため、極性の水に非極性の油を溶かせるかと聞くのも、非極性の油で極性の水を溶かせるかと聞くのも、同じことです。いましがた説明したように、答えはノーです。極性のある水分子は、水分子同士でくっついている方を選びます。

　一方、油やグリスのような非極性の物質の中に浸透していける分子は、別の非極性物質の分子だけです。だからこそ、ヘキサンは油をよく溶かすのです。

　そこで、次は水と油、極性と非極性の話です。どちらも相手方が何も差し出してくれないことを見て取り、仲間同士で集まっていようとします。この分離状態は、あたかもプロテスタントとカトリック、マックとウィンドウズ、犬と猫のように、永続的に固定されたまま続くことでしょう——もしも石鹸が存在しなかったならば。

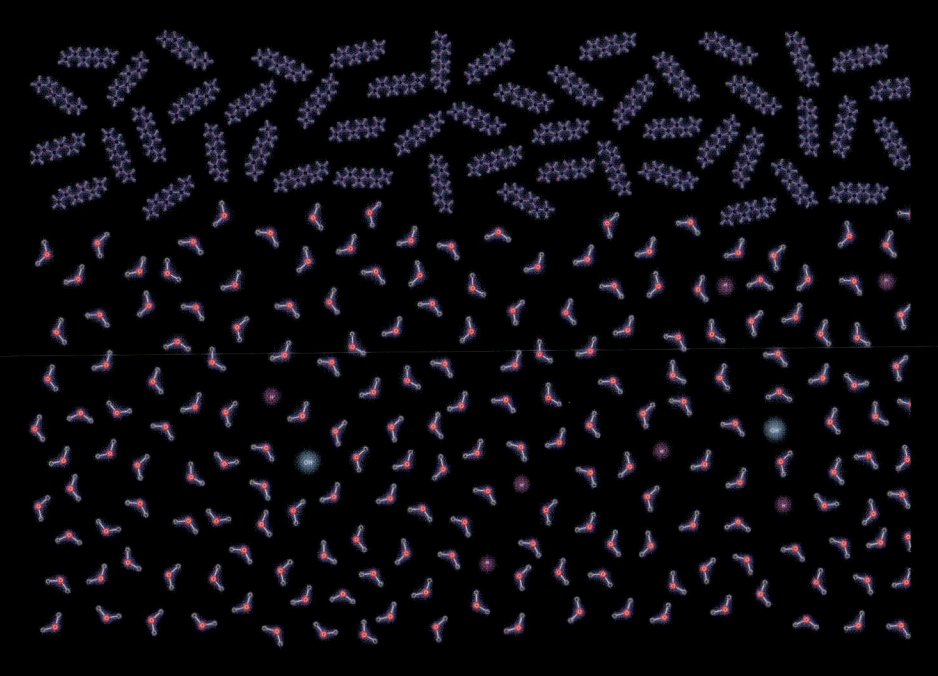

◀ 水は極性結合同士で楽しく過ごすのが大好きで、非極性の油分子の中へ入って交わる気はさらさらありませんし、非極性の分子が自分たちの間に割り込んでくるのも許しません。

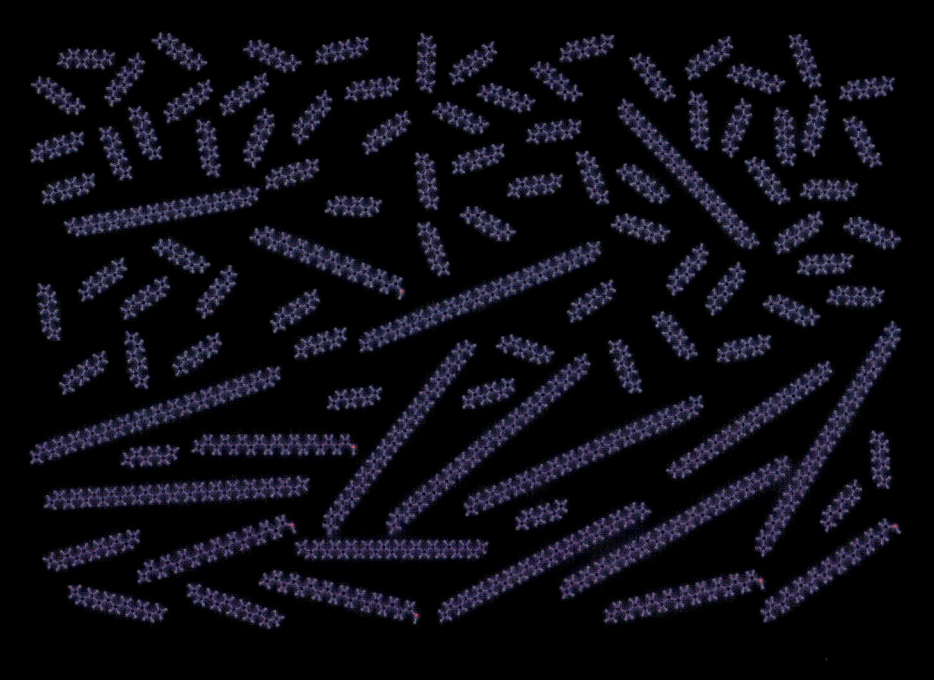

◀ 非極性のヘキサン分子は、同じく非極性でもっと鎖の長い油の分子に浸透することができます。ケロシンが油に溶けるというのは、言い方を変えればそういうことです。

▼ この石鹸はテディベアの形をしています。なぜここにいるかというと、もうじき石鹸の話が始まるよと予告するためです。

水と油

石鹸の魔法

　石鹸は、世界平和を実現するのと同じくらい驚異的なことをやってのけます。油が水に溶けるようにするのです。なぜそれが可能かというと、石鹸を作っている分子は片側の端が極性で反対側の端が非極性だからです。片側が油を溶かし、もう片側は水に溶けます。

　どうしたらそんな分子ができるのでしょう？

　まず、長くて非極性の炭素鎖を持つ分子、たとえば18個の炭素原子が連なった鎖の周囲に38個の水素原子が付いているオクタデカンという物質から出発しましょう。オクタデカンはヘキサン（炭素6個）に似ていますが、それよりも長く、やはり非極性です。この分子は簡単に油の分子の集まりの中に入っていけます。実際、オクタデカン自体がどちらかといえば油状です。

　次にその片方の端に、極性の高い何らかの基を取り付けます。カルボキシ基（–COOH、炭素原子1個に酸素原子2個と水素原子1個が付いたもの、42ページ参照）などがおすすめです。–COOHの端のHは、容易に水素イオンとして放出されます。解離してプラスの電荷を持つ水素イオンを放出するのが酸ですから、あらゆる酸は本来的に極性です。

　片方に酸性の官能基の付いたオクタデカンはステアリン酸と呼ばれ、多くの動物性脂肪に含まれています。ステアリン酸はよくその名を耳にする脂肪酸のひとつです。

　しかしステアリン酸は石鹸としては働きません。酸とはいっても極端な弱酸で、あまり水に溶けないのです。

▼ オクタデカン（octadecane）は、18個の炭素原子がジグザグを描きながら全体としてはまっすぐに並んだ鎖です〔このような鎖を「直鎖」といいます〕。octaは8、decaは10、接尾語の –aneは炭素鎖がすべて水素

どうすれば石鹸として働く？

　ステアリン酸をまともに使える石鹸に変えるには、もっと水に溶けるようにする必要があります。酸側の端の水素原子を1個はぎ取って、代わりに、水に触れた時に分子から解離しやすいものをくっつけてやれば、その目的が達せられます。

　水酸化ナトリウム（苛性ソーダ）を使うと、水素原子をナトリウム原子と置き換えることができます。このプロセスを指して「（ある）酸の塩を作る」といいます。この場合はステアリン酸のナトリウム塩を作っています。できたものはステアリン酸ナトリウムと呼ばれます。

　ステアリン酸ナトリウムは水にとてもよく溶けます。このステアリン酸ナトリウムや、それと似た他のさまざまな脂肪酸の塩が、天然素材から作られる石鹸の主成分であり、同時に活性成分でもあります。

　では、石鹸は正確にはどういう働きをしているのでしょう？

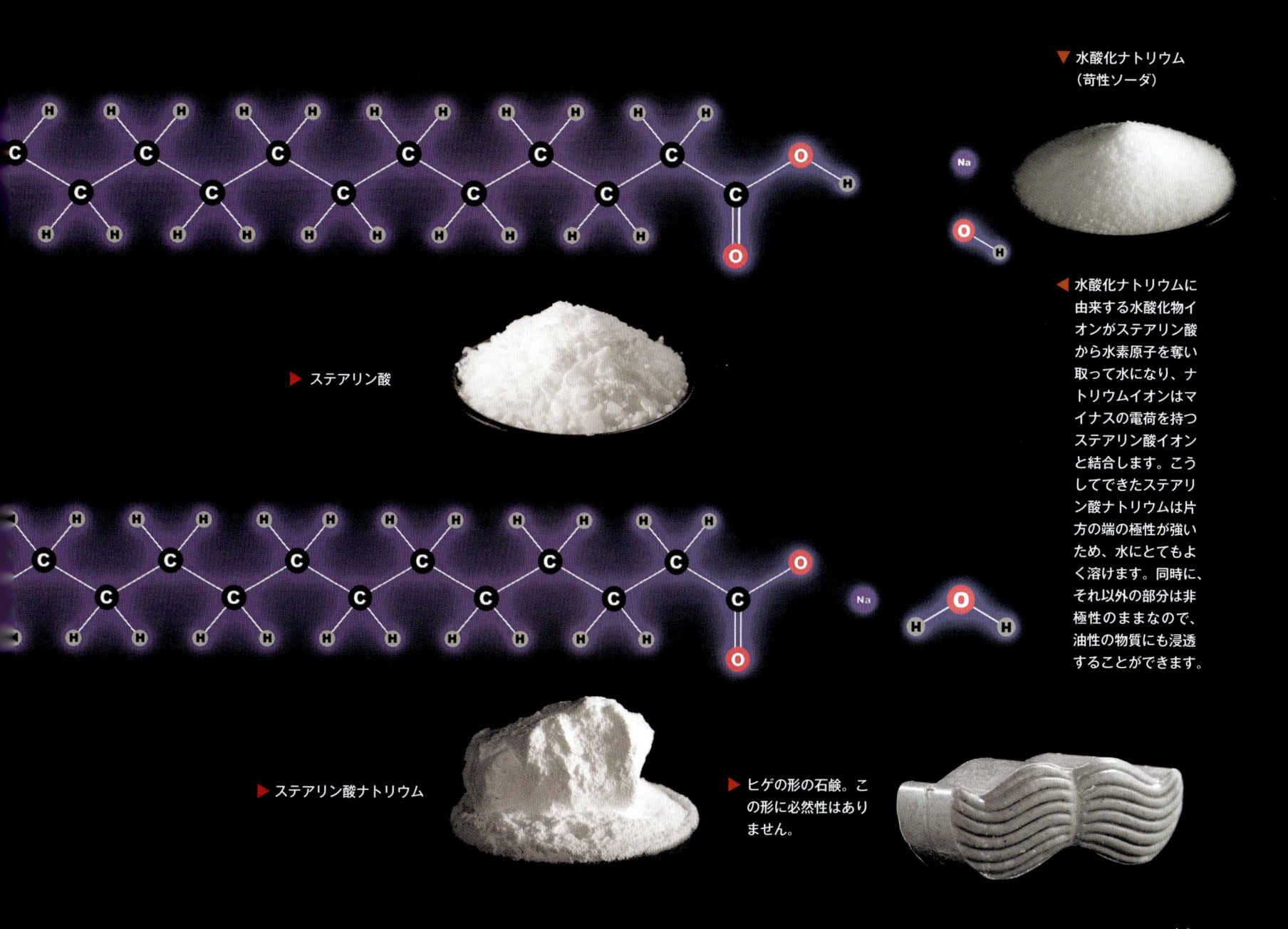

▼ 水酸化ナトリウム（苛性ソーダ）

▶ ステアリン酸

◀ 水酸化ナトリウムに由来する水酸化物イオンがステアリン酸から水素原子を奪い取って水になり、ナトリウムイオンはマイナスの電荷を持つステアリン酸イオンと結合します。こうしてできたステアリン酸ナトリウムは片方の端の極性が強いため、水にとてもよく溶けます。同時に、それ以外の部分は非極性のままなので、油性の物質にも浸透することができます。

▶ ステアリン酸ナトリウム

▶ ヒゲの形の石鹸。この形に必然性はありません。

水と油　61

石鹸の力学

　ステアリン酸ナトリウムなどの石鹸の分子は、水と油の両方がある場所に置かれると、文字通り両方から引っ張られます。極性を持つ方の端は極性の水分子に引かれ、非極性の炭素鎖は非極性の油分子の間に入り込んで落ち着きます。

　石鹸分子の非極性の鎖は油の表面からすっと入り、油を引っ張って分解して、微小な粒にします。この粒が集まって、ミセルと呼ばれる小さな球状のかたまりができるのですが、その際、石鹸分子の極性のある端はすべて外側を向き、非極性の鎖部分は内側を向きます。

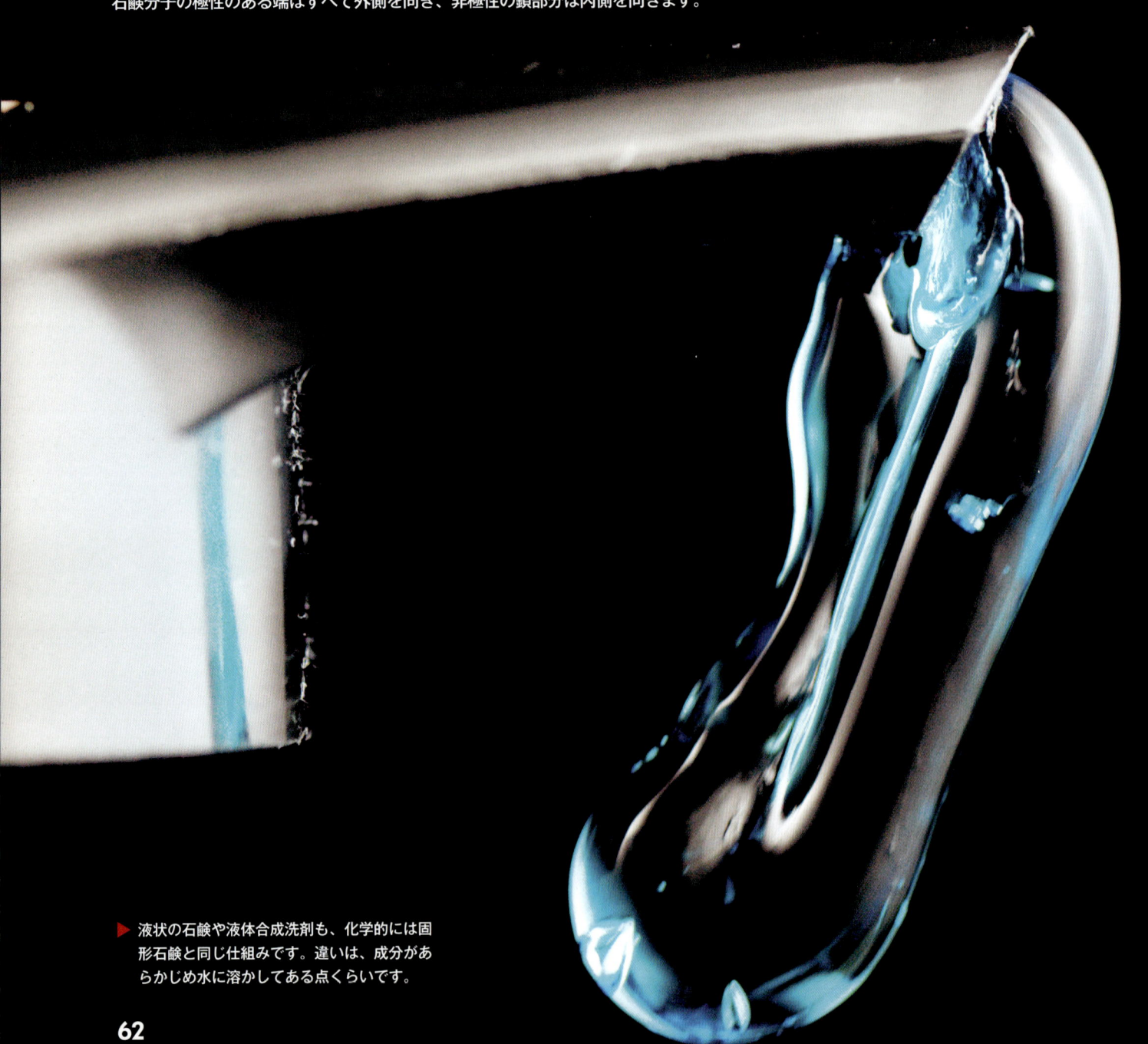

▶ 液状の石鹸や液体合成洗剤も、化学的には固形石鹸と同じ仕組みです。違いは、成分があらかじめ水に溶かしてある点くらいです。

▶ 石鹸分子が油の周りに集まってミセルを作っています。ミセルは極性を持つ親水性の物質です。非極性の油分子は球状のミセルの中心部に隠れてしまっています。

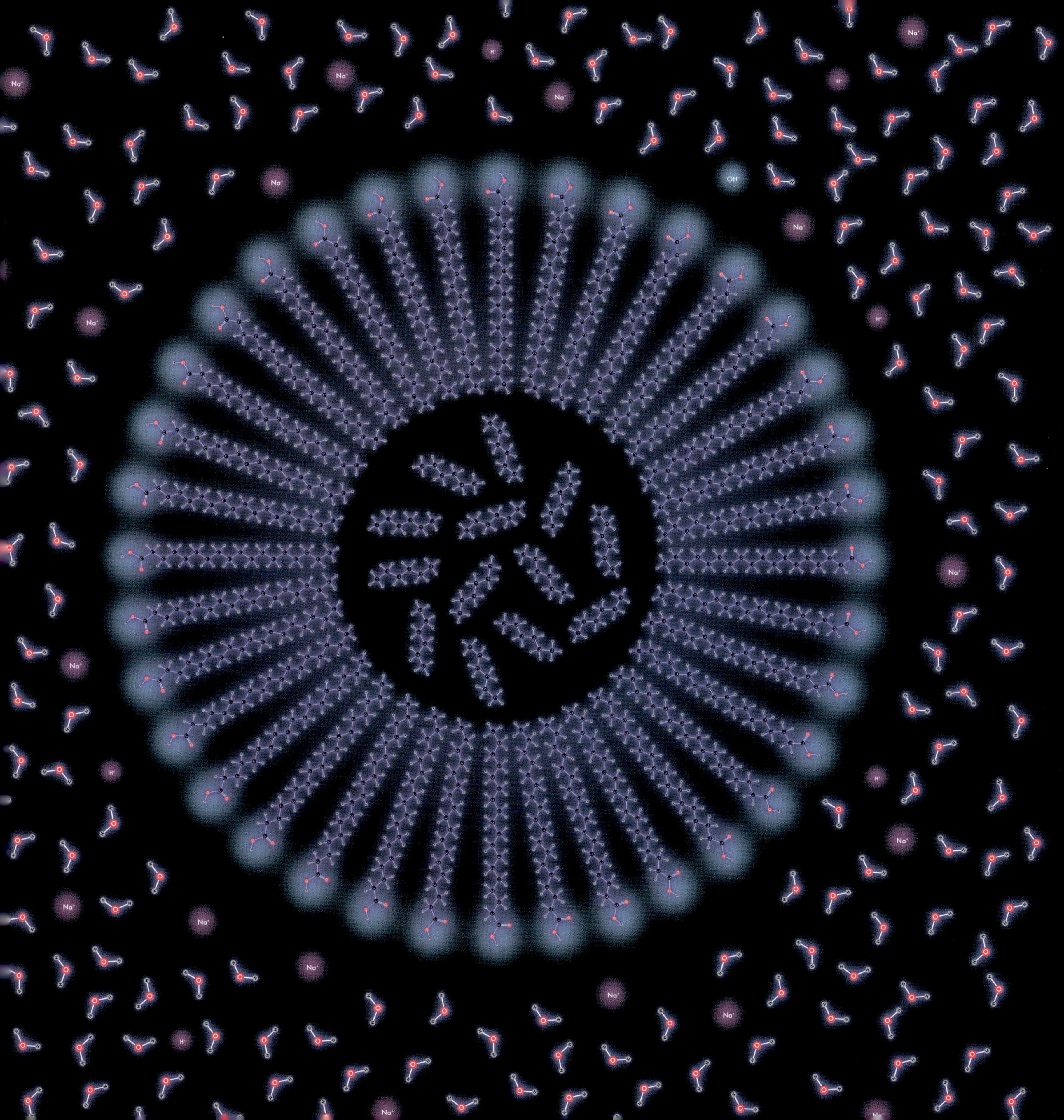
Na^+
H^+
OH^-

石鹸の作りかた

　石鹸作りは古代から続く産業で、その歴史は少なくとも紀元前2800年までさかのぼれます。また、製造工程が驚くほど簡単なので、世界中のキッチンや納屋で手作り石鹸が作られています。必要なのは動物性か植物性の油脂（ステアリン酸などの脂肪酸でできているもの）と、苛性ソーダ（水酸化ナトリウム）適量です。昔は、苛性ソーダなどの苛性アルカリ液（灰汁）を得るには木灰を水と混ぜてから上澄みをすくっていましたが、今は排水管洗浄用として、あるいは食品加工用添加物として、純粋な苛性ソーダが売られています。

　脂肪は脂肪酸でできていますが、私がこれまで言わずにいた点がひとつあります。実は、動物脂や植物油の中の脂肪酸は、自由に浮遊してはいないのです。脂肪酸は集まってトリグリセリドという形になっています。トリグリセリドは、3個の脂肪酸がグリセリンの主鎖によってつながれてできています（この仕組みの詳しい説明は79ページを参照）。

　トリグリセリドに苛性ソーダを加えて処理すると、3個の脂肪酸が同時にグリセリンの主鎖から引きはがされて塩になり、あとにグリセリンが残ります。売られている石鹸のほとんどはこのグリセリンを除去してありますが、特殊な「グリセリンソープ」はグリセリンをそのまま残し、時にはさらに追加しています。こうすると石鹸が透明になり、より高級そうな感じになります。

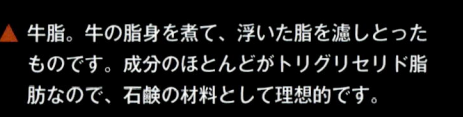

▲ 牛脂。牛の脂身を煮て、浮いた脂を濾しとったものです。成分のほとんどがトリグリセリド脂肪なので、石鹸の材料として理想的です。

▲ 苛性ソーダは水酸化ナトリウムの通称で、排水管洗浄剤や強力なクリーニング剤として使われます。天然石鹸を作る際の鍵となる物質ですが、皮膚に付くと瞬時に化学的なやけどを起こします。目に入りでもしたら一大事です。

◀ 実用的な石鹸は白い色をしています。それが脂肪酸塩の本来の色です（といっても、真っ白に見えるよう二酸化チタンを添加した商品もよくあります）。この種の石鹸では、油脂が分解された際の副産物として生成するグリセリンの大部分は除去されています。

▲ シンプルな白くて四角い石鹸以外の石鹸は、本質的にはたわいないお遊びです。それでも、グリセリンソープの透明さは大きな長所として認めるべきでしょう。透明なおかげで、石鹸の中につまらないものをいくらでも埋め込んで、高い値段で売りつけることができます。私はこの石鹸に9ドル払いました。

合成洗剤

　石鹸は大昔からあります。一方、現代の技術で合成された類似物は合成洗剤と呼ばれます。合成洗剤も汚れを落とす仕組みは基本的に同じで、このごろでは多くの場面で伝統的な石鹸に取って代わっています。

　天然石鹸の大きな問題点のひとつは、水中にカルシウムやマグネシウムや鉄が溶けていると、反応して沈殿物（水に溶けない化合物）を作ってしまう傾向があることです。これらの金属のイオンが含まれた水は「硬水」と呼ばれ、世界の多くの地域で一般的に使われています。（自分の住んでいるところの水の硬度がどれくらいかは、使っている石鹸がどのくらい長い間よく泡立つかでだいたいわかります。石鹸がすぐに泡立ちにくくなって、たくさん石鹸を使わなければいけないようなら、硬水が石鹸を沈殿させています。ずっと泡立ちが続くなら、そこの水は軟水です。）

　合成洗剤は、天然石鹸とは異なる極性基を使うことでこの問題を回避します。概して、合成洗剤はカルボン酸塩の代わりにスルホン酸塩あるいは硝酸塩を使っています。たとえば、石鹸の一般的な成分が18個の炭素原子を含むステアリン酸ナトリウムなのに対し、洗濯用合成洗剤の一般的な成分は、同じく炭素原子を18個持つドデシルベンゼンスルホン酸ナトリウムです。

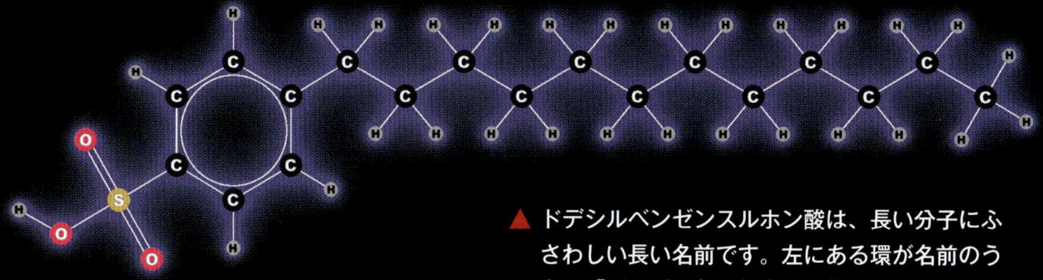

▲ ドデシルベンゼンスルホン酸は、長い分子にふさわしい長い名前です。左にある環が名前のうちの「ベンゼン」に相当する部分で、そこに結合している硫黄原子1個と酸素原子3個や水素原子1個がつながったものが「スルホン酸」にあたります。

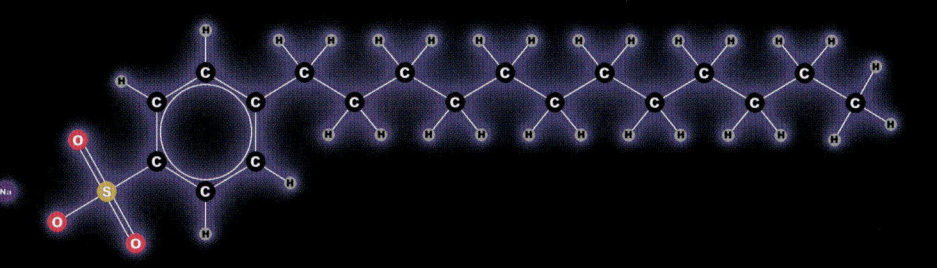

▲ ドデシルベンゼンスルホン酸ナトリウムは、ドデシルベンゼンスルホン酸のナトリウム塩です。（白状します、原稿を書く時、この長い名前はコピペしました。全部打ち込んだら最低でも3ヵ所のタイプミスを避けられません）。石鹸の成分であるナトリウム塩と同様に、合成洗剤のこの成分も弱い有機酸の塩です。

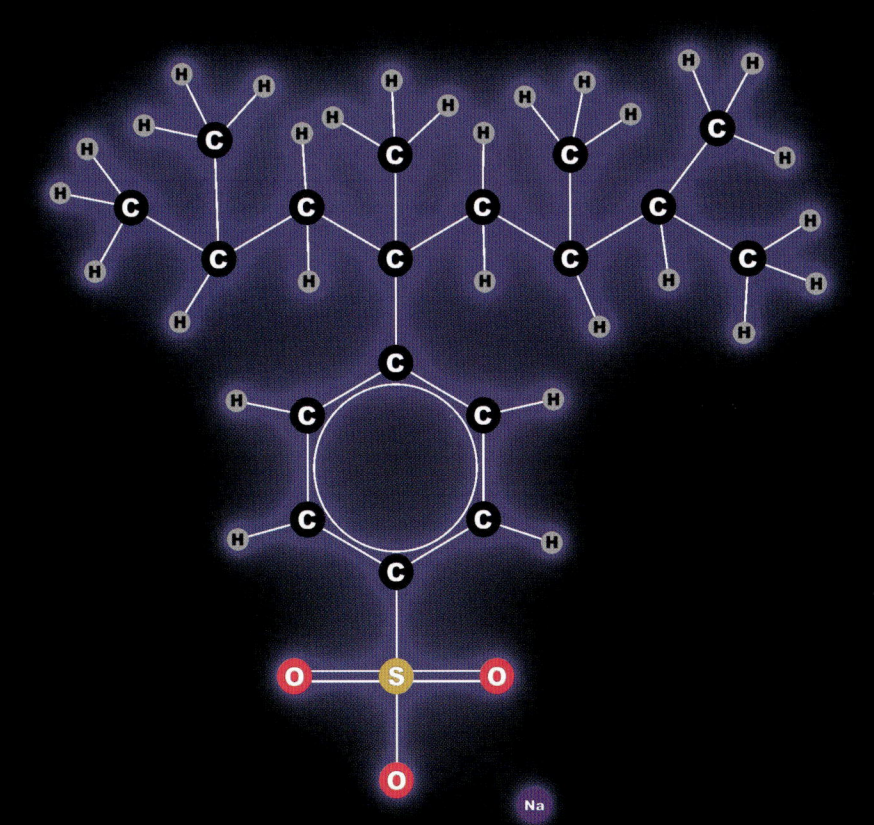

◀ 分子構造が直線状の（直鎖の）洗剤は比較的微生物に分解されやすいのですが、枝分かれした（分枝鎖の）洗剤は生分解性がよくありません。初期の分枝鎖洗剤は1950年代から60年代にかけて湖や川に大量の泡を生じさせ、公害として問題になりました。そのせいもあって、現在はより生分解性の高い洗剤が出回っています。

▼ 微生物に分解されない分枝鎖合成洗剤は、胸が悪くなるような公害をもたらしました。

合成洗剤

▶ 私は長い間、シャンプーのラベルの成分表示に「ラウリル硫酸ナトリウム」と書かれた製品と「ラウレス硫酸ナトリウム」と書かれた製品があるのをなんとなく眺めていました。しかし私のボンクラな頭では、これが異なる2種類の物質なのか、それとも私の記憶違いなのか、はっきりしませんでした。そのうちに私は、両方を併記した製品を見つけました。

▼ラウリル硫酸ナトリウム▲

▲ラウレス硫酸ナトリウム▼

▼ ラウレス硫酸ナトリウムはラウリル硫酸ナトリウムの言い間違いではなく、別のものですが、このふたつは化学的にはとてもよく似ています。ラウレスの方は、左側にある極性を持つ硫酸塩基と右側にある非極性のラウリル基(炭素12個からなる鎖)の間に、エチルエーテル基(39ページ参照)が挿入されています。

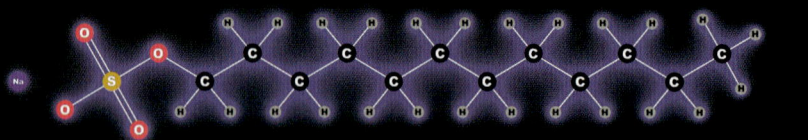

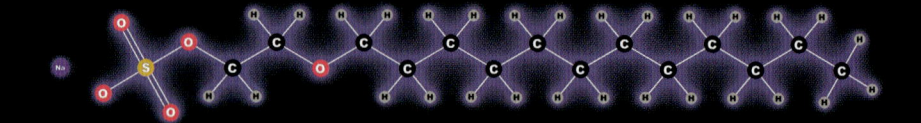

▼ ラウリン酸はよくある脂肪酸で、たとえばココナッツ油にとても多く含まれています。ココナッツ油は、洗剤に広く使われる界面活性剤であるラウリル硫酸ナトリウムとラウレス硫酸ナトリウムの原料です。

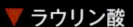

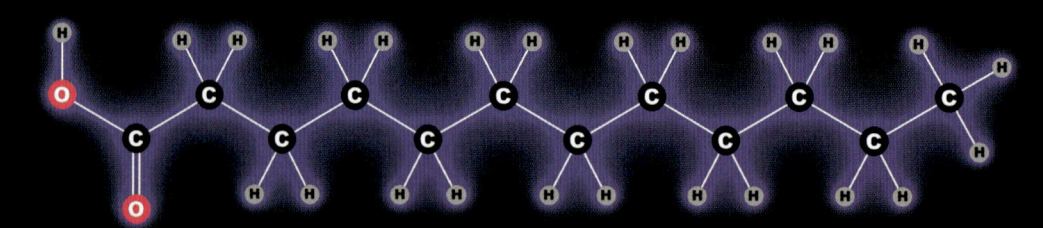

▼ラウリン酸

▶「ココ硫酸ナトリウム」は、一部の洗剤メーカーによって、「ラウリル硫酸ナトリウムよりもナチュラルで安全性が高い」と宣伝されています。ココ硫酸ナトリウムは純粋なココナッツ油から作られます。問題は、これが単に比較的純度の低いラウリル硫酸ナトリウムを別の名前で呼んでいるだけだという点です。純粋なココナッツ油は、化学的な意味ではまったく純粋ではありません。多様な油や脂肪酸が複雑に混ざったものです。とはいえ、主成分はラウリン酸ですから、硫酸塩の形に加工すれば大部分はラウリル硫酸ナトリウムになります。ラウリル硫酸ナトリウムは純粋精製の化学物質で、天然からできるならすばらしいことです。唯一困るのは、メーカーが、ラウリル硫酸ナトリウムを嫌っている人たちに対して代わりにココ硫酸ナトリウムを売ろうとしている点です。この種のマーケティング手法はまったくなんともあきれるほど馬鹿げています。ラウリル硫酸ナトリウムを使って何かまずいことがあるのなら(本当にあるのかそうでないのかは置いておいて)、ココ硫酸ナトリウムを使っても同じ問題が生じるはずです。同じ化学物質なのですから。違いは、ココ硫酸ナトリウムには他の不特定多数の化学物質が混じっていて、それらは身体にいいのか悪いのか不明であり、一方、純粋なラウリル硫酸ナトリウムを使っている時にはその心配はしなくてもいいということくらいです。

石鹸と生命の起源

　石鹸が油を分解する時には、小さな油の粒のまわりじゅうが石鹸分子の壁で覆われたものが形成されます。どの石鹸分子も非極性の尻尾が内側、極性の頭が外側を向いています（62ページ参照）。

　これはとても面白い構造です。球形の物質で、内部には有機分子があり、外側は丈夫な石鹸分子の壁で保護されています。この形状は、生物の細胞とよく似ています。そして実際に、太古において生物と認めうるものが登場するよりも前、長期にわたって化学的進化の過程が積み重なる中で、まさにこの種の石鹸の球が有機分子を濃縮し保護する重要な役割を果たしたと考えるに足るだけの根拠が複数あります。

　いずれにしても、完全に非極性のものや部分的に極性のものなどさまざまな有機分子を無作為に集めて水に入れておくと、それらは自然に自己組織化をして、有機分子同士の相互作用がしやすい構造を作り上げるというのは、とても興味深いではありませんか。

　言い換えれば、石鹸は現代人が自然選択のプロセスを続けるうえで基本的な役目を担っているだけでなく、そもそも生命が誕生した最初の時点で重大な役割を果たしていたのかもしれないのです。

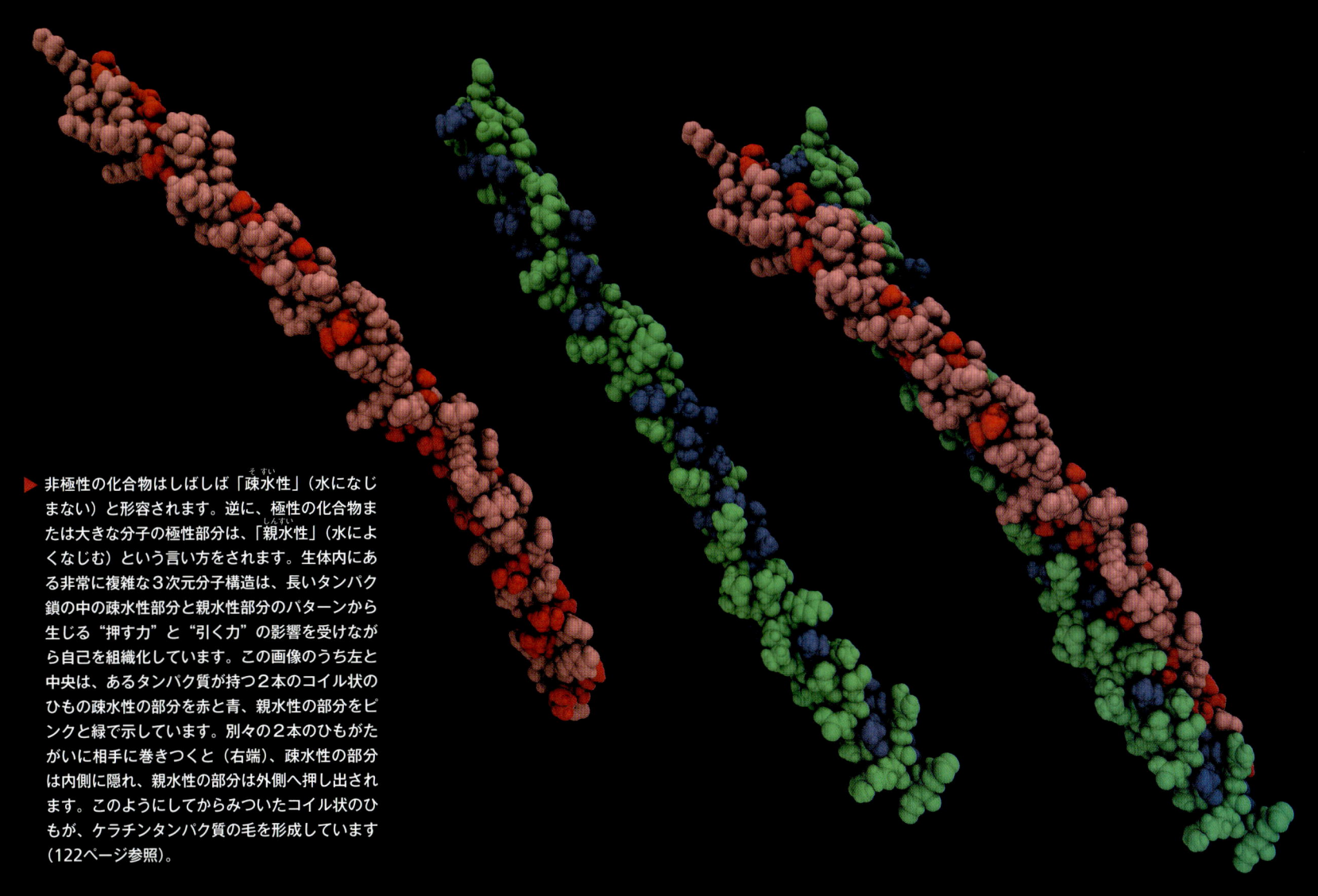

▶ 非極性の化合物はしばしば「疎水性」（水になじまない）と形容されます。逆に、極性の化合物または大きな分子の極性部分は、「親水性」（水によくなじむ）という言い方をされます。生体内にある非常に複雑な3次元分子構造は、長いタンパク鎖の中の疎水性部分と親水性部分のパターンから生じる"押す力"と"引く力"の影響を受けながら自己を組織化しています。この画像のうち左と中央は、あるタンパク質が持つ2本のコイル状のひもの疎水性の部分を赤と青、親水性の部分をピンクと緑で示しています。別々の2本のひもがたがいに相手に巻きつくと（右端）、疎水性の部分は内側に隠れ、親水性の部分は外側へ押し出されます。このようにしてからみついたコイル状のひもが、ケラチンタンパク質の毛を形成しています（122ページ参照）。

石鹸が
いっぱい

石鹸はワインと同じで、基本的にはどれもみな同じです。そのため各メーカーは、ありきたりと思われないように、血眼になって製品の差別化をはかります。

▲ 多くの石鹸が、原料油脂の種類によって他との違いを主張しています（動物性脂肪、オリーブ油、パーム油などいろいろです）。しかしこの「アフリカンブラックソープ」の独自性は、原料の油（通常はパーム油、パーム核油、ココナッツ油）ではなく、そこに加える灰汁（水酸化ナトリウムまたは水酸化カリウム）が何に由来するかという点にあります。伝統的な灰汁の抽出には木灰が使われますが、この石鹸はカカオの実の殻、ココナッツの殻、シアバターノキの樹皮などの灰を使っています。しかも単に灰汁の原材料であるだけでなく、灰自体が石鹸の中に残っています。

▲ 石鹸？ それともキャンディ？ さてどっちでしょう？

▶ インドのバンガロールで作られた、カルナータカ州の州営企業の石鹸。

▲ 石鹸？ それとも蠟燭？ 芯はあるけれど……？

▼ 松脂石鹸は、松の木を高圧で加熱して得られるタールを原料にして作られます。非極性の鎖の部分は直鎖脂肪酸ではなく、大部分はベンゼン環（炭素原子6個の環）がつながった構造になっています。そうした芳香族化合物は光を吸収する性質があるため、この石鹸は黒い色をしています。

◀ このオリーブオイル石鹸は、オリーブ産地として知られるギリシャの製品です。オリーブオイルには松脂と同様に環構造を持つ複雑な分子がいろいろ含まれており、それらが石鹸分子になっています。

▶ ヒツジの形をした石鹸。普通の石鹸とグリセリン石鹸を組み合わせて作られています。ウールに関するものなら何でもおまかせ、という編み物糸の専門店で売られていました。

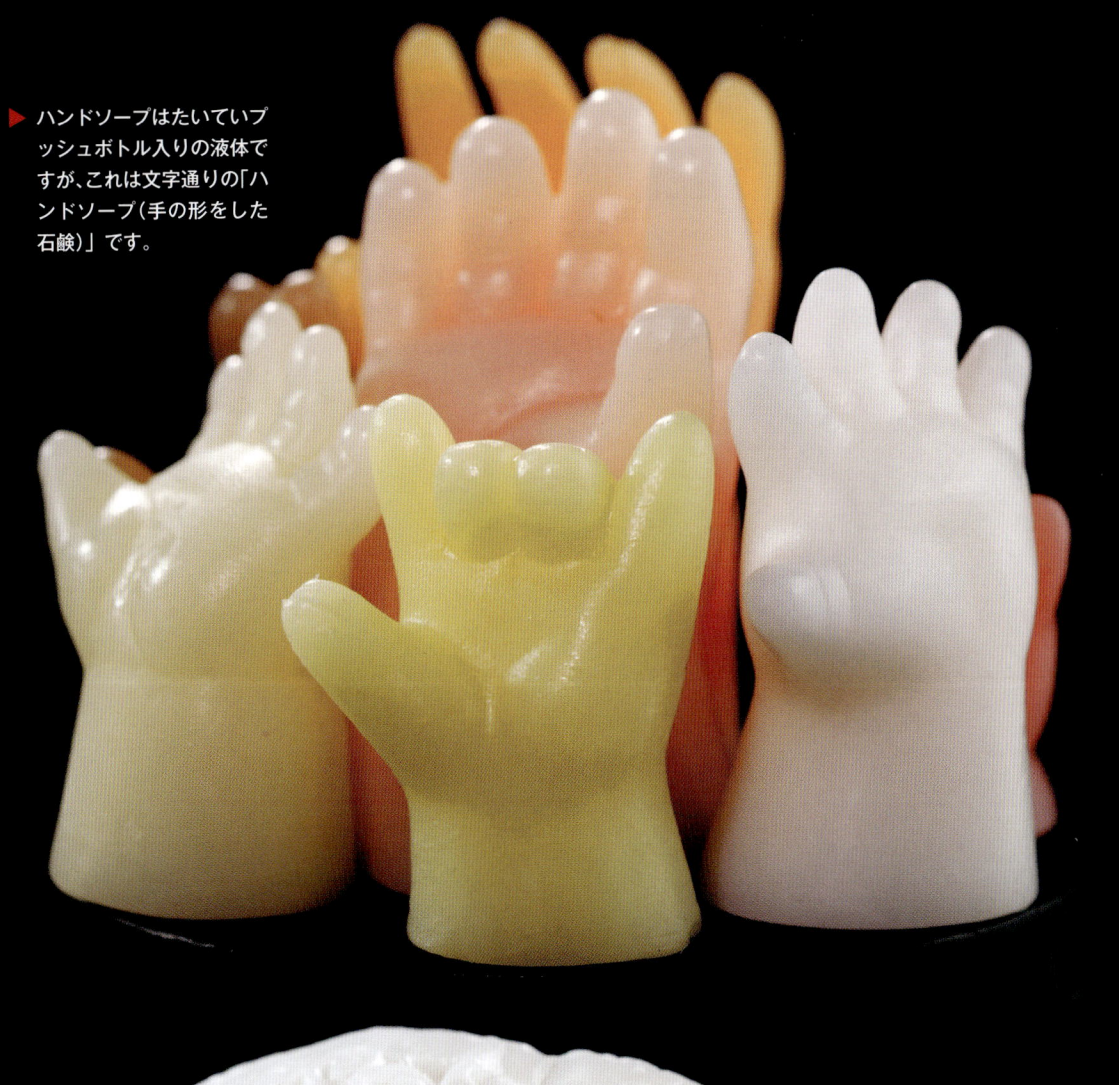

▶ ハンドソープはたいていプッシュボトル入りの液体ですが、これは文字通りの「ハンドソープ（手の形をした石鹸）」です。

▲ "ホテルソープ"はそれ自体で一大産業をなしています。これは私がここ何年かで泊まったホテルの石鹸です。旅のしすぎですね。

▼ 蜜蠟石鹸。たいていの石鹸は油脂から作られますが、脂肪酸が含まれているものならなんでも石鹸の材料になります。蜜蠟の成分のほとんどは各種の脂肪酸と各種の脂肪酸エステル（脂肪に含まれるトリグリセリドとは別の種類）ですから、養蜂業者の中には手元にある原料を利用して石鹸作りに乗り出す人たちがいます。（100％蜜蠟で石鹸を作るのは実際的でないため、ココナッツ油やパーム油やオリーブオイルも一緒に使われます）。

水と油 69

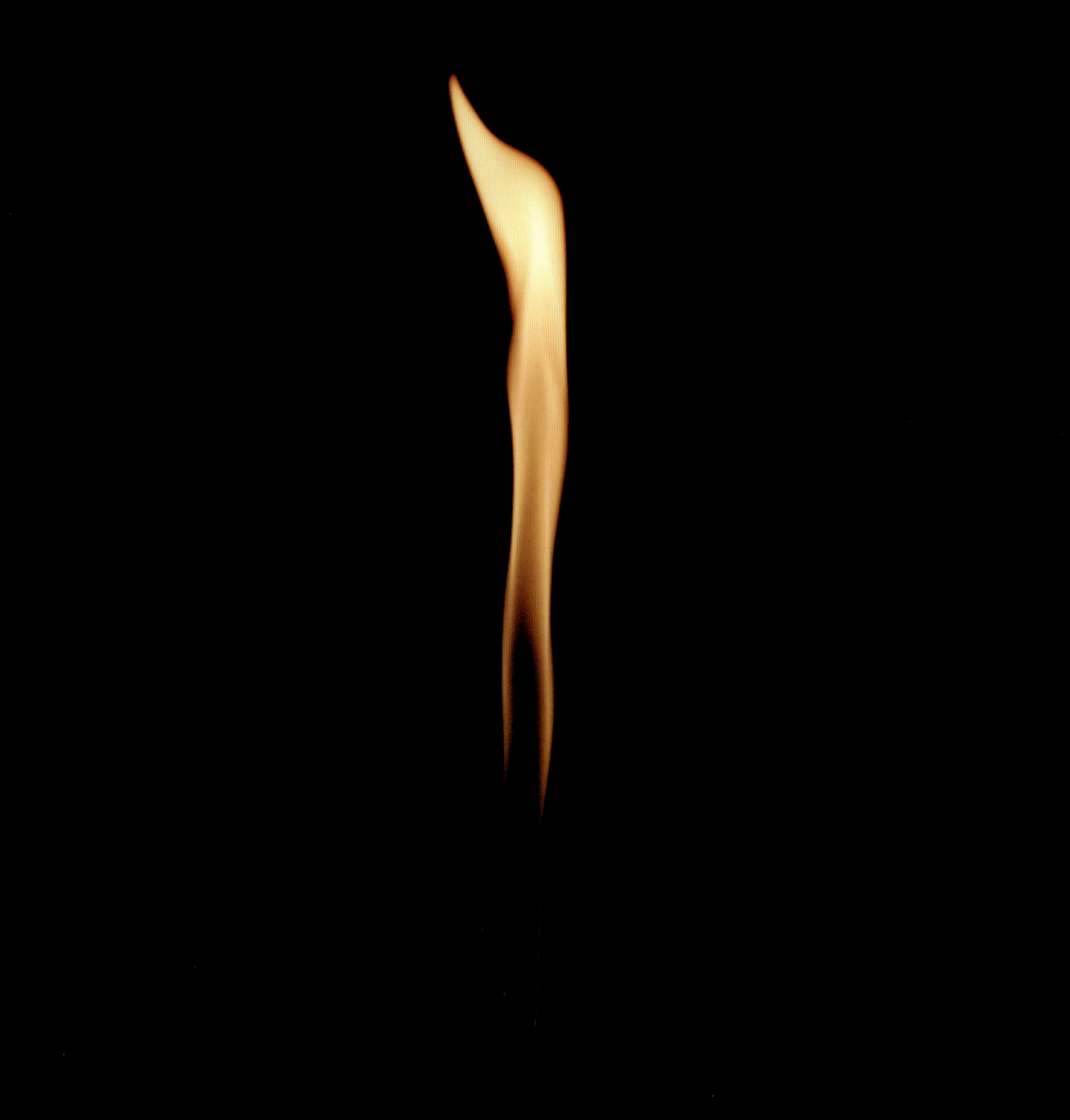

第5章 鉱物と植物

Mineral and Vegetable

◀ メタンは一般的には天然ガスの主成分として知られています。世界の広い地域で、暖房や料理用のガスとして使われています。「ガス資源探査」や「水圧破砕によるシェールガス採取」その他、ガスという言葉が使われるほとんどの場面で念頭に置かれているのは天然ガスです。ただ、ドライブ中の「ガス欠」は例外です。車に使う「ガス」の話は、ペンタンよりも後（炭素が5個以上）のところで出てきます。

油にはまったく異なる2種類があり、蠟（ワックス）にもやはりまったく異なる2種類があります。どちらも、片方は石油（地下から汲み上げた原油）から得られ、もう片方は植物や動物から得られます。

鉱物油と植物油は見かけが似ていますし、パラフィンと蜜蠟も似ていますが、その類似はうわべだけです。一皮めくった下にある化学は決定的に違っています。たとえば、鉱物油を消化できる生物は（ほんの一部の特殊な細菌を例外として）存在しませんが、植物油は高カロリーの食品です。

まずは食べられない方から始めましょう。鉱物油は基本的に炭化水素で、水素と炭素だけからできています。炭化水素を体系的に見ていくには、分子に含まれる炭素原子の数の順に見るのがよいでしょう。炭素が1個の分子から数千個の分子まで、さまざまな炭化水素があります。

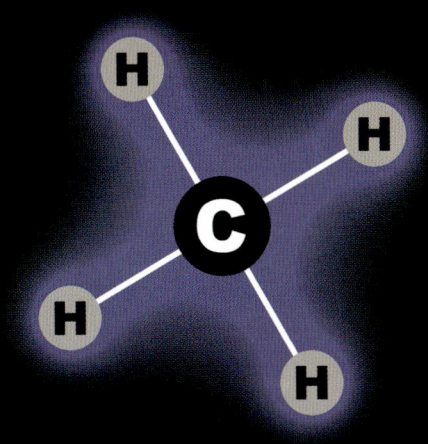

▲ 炭化水素の話をする際の出発点は、いつだってメタン——炭化水素の中で最も単純な化合物——です。1個の炭素に4個の水素が結合しています。

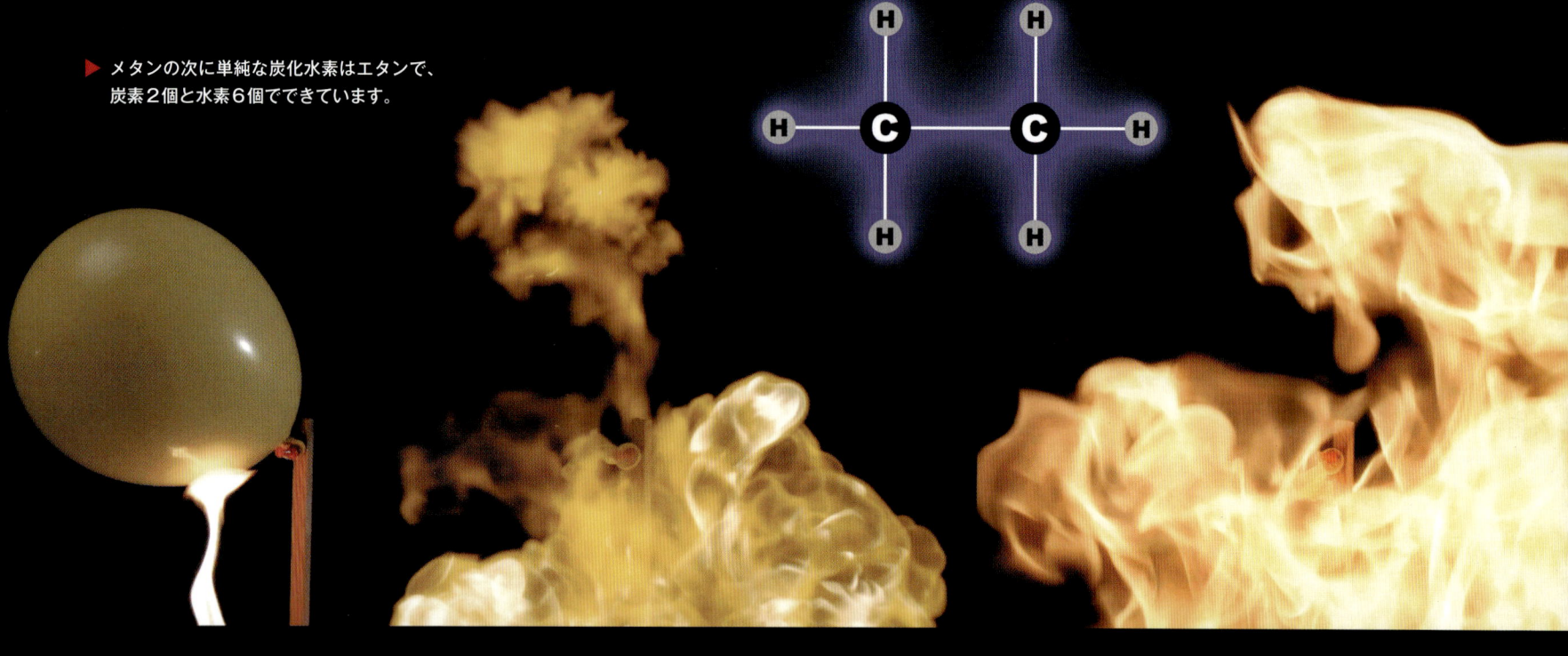

▶ メタンの次に単純な炭化水素はエタンで、炭素2個と水素6個でできています。

▲ エタンはメタンに似た気体ですが、わずかに密度が高く、沸点もいくらか上です。エタンを入れた風船に火をつけると、ステキな火の玉が見られます〔危険ですから、やってはいけません〕。

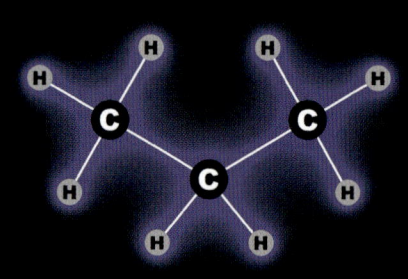

▲ プロパン

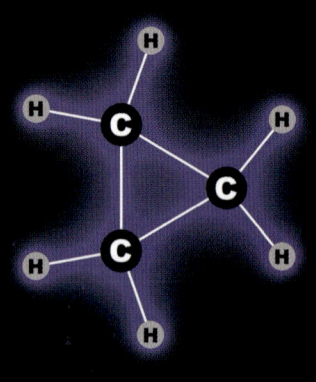

▲ シクロプロパン

◀ プロパンは炭素3個と水素8個で構成されています。プロパンは2通り以上の配列が可能な炭化水素のなかでは最も単純で、直鎖と環状のどちらかの形をとります。環状のものはシクロプロパンと呼ばれ、水素が6個しかありません。シクロプロパンは、無理やり結び付けたような非常に窮屈な形の分子です。炭素‐炭素結合はこれほど鋭角的な環になることを好みません。そのため、特に酸素が相手だと爆発的に激しく反応します。シクロプロパンはかつて吸入麻酔薬として使われたことがありましたが、シクロプロパンと同時に酸素吸入も行わなければならないという不都合のせいですたれました。

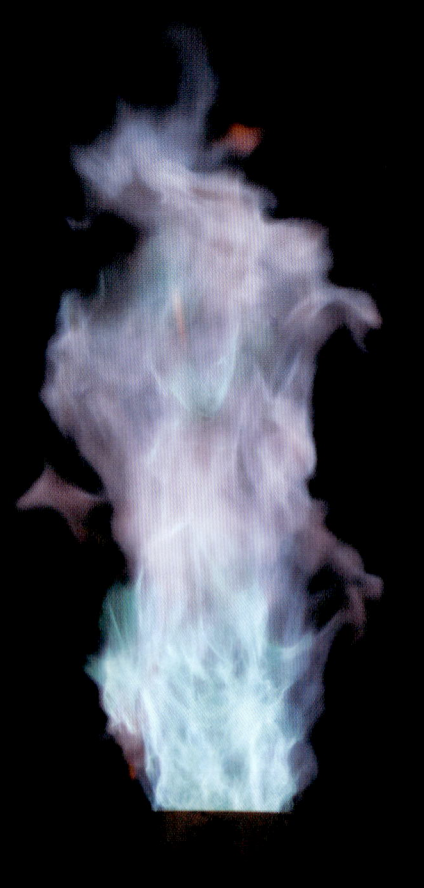

◀ プロパン（直鎖型）は、比較的低圧で液化するので手軽に使えます。ガスが液体になると体積が数百分の一になります。別の言い方をするなら、同じ圧力で同じサイズの容器を使う場合、液体の方が気体よりもはるかに大量に保管しておけます。この写真のようなポータブル式ガスバーナーの燃料として適していると言えます。ちなみにこのバーナーは頭のネジが何本か抜けた人々が雑草を焼き払うのに使ったり、ネジがもっとたくさんふっ飛んだ人たちがゴム製屋根材の加熱接着に使ったりします。このバーナーの熱量は50万BTU（約146 kW·h）で、大きなお屋敷の暖炉よりもずっと強力です。

▼ ブタンには炭素が4個と水素が10個あります。ブタンはいろいろな配列が可能です（19ページ参照）。炭化水素の鎖を構成する炭素原子の数が多ければ多いほど、配置のしかたも増えます。話をわかりやすくするため、これから先は主に直鎖の炭化水素を図示することにしますが、本書で取り上げる物質の多くは、実際には直鎖、分枝鎖、環状の分子の混合物です。

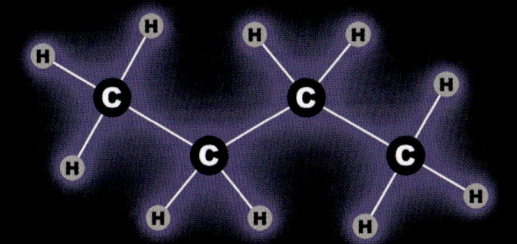

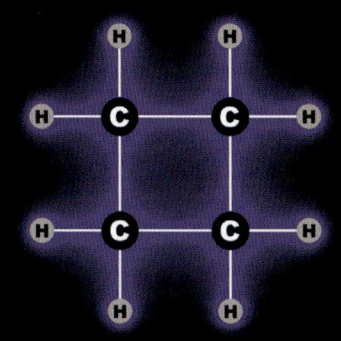

◀ プロパンと同様にブタンも常温常圧では気体で、さほど高くない圧力をかければ液体になります。ブタンの場合は必要な圧力があまりに低いので、薄いプラスチックの容器で十分です。おかげで私たちはブタン入りの安いプラスチック製ライターが買えます（だいたい3回使うと故障しますが）。

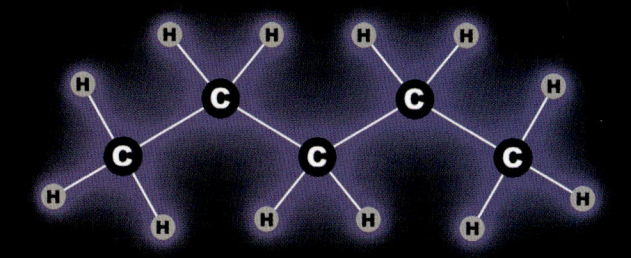

▲ ブタン

▲ ペンタンは炭素5個と水素12個からなっています。

▼ ペンタンは通常の条件下で液体の形を取る炭化水素としては最小です。とはいっても、ぎりぎり液体状態を保っているだけです（沸点は36℃です）。自動車で使われる「ガス」つまりガソリンに含まれている物質のなかで最も軽く、揮発性が高いのがペンタンです。気化したガソリンに爆発性があるのは、一部はペンタンの責任です。ガソリン容器のふたが開いていると、その上の空気中にペンタンやその他の揮発性成分が爆発濃度で溜まります。この危険性について警告するため、ガソリンはふつうは赤い缶で保管されます。

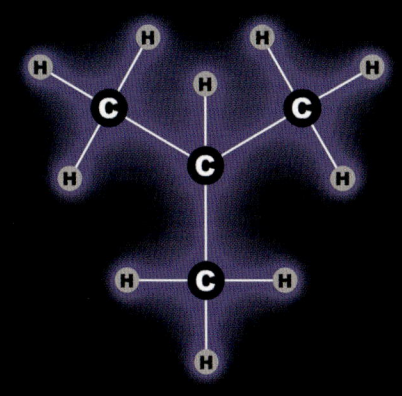

▲ イソブタン

▼ シクロブタン

鉱物と植物　73

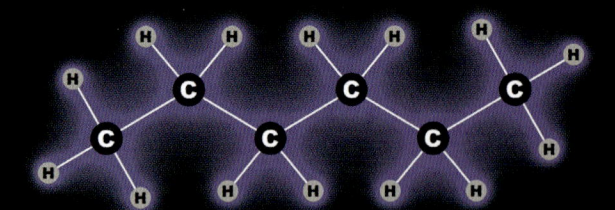

▲ ヘキサンには炭素原子が6個、水素が14個あります。

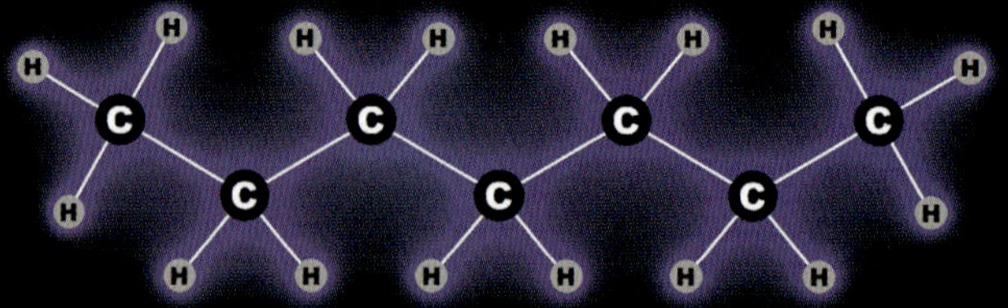

◀ ケロシンは複数の炭化水素の混合物で、ヘキサンから始まって炭素が16個くらいまでの、直鎖と分枝鎖のさまざまな化合物が含まれています。ヘキサンよりも軽くて鎖が短い揮発性の炭化水素が入っていない点がケロシンの重要な特徴です。爆発性のガスが上にたまらないので、ガソリンよりずっと安全性が高いのです。19世紀半ばに地下から原油が採掘されはじめたばかりの頃には、原油から作られる主な製品はケロシン（灯油）でした。ランプ用の安価な灯油のおかげで、初めて庶民が夜遅くまで起きていられるようになりました。しかし残念なことに、当時の精製業者の中にはヘキサンより軽い炭化水素を注意深く取り除く作業をしない者もあり、灯油ランプの爆発による死亡事故が驚くほど多発しました。ジョン・D・ロックフェラーが自分の会社に「スタンダード〔標準的な〕・オイル」という名前を付けたのは、彼がケロシンの品質を標準化して安全にしたからです。彼は、透明な蒸留油ならなんでも「ケロシン」と呼ぶのをやめさせ、自社製品の沸点を温度計で正確に測りました。こんにち、〔米国では〕一般的にケロシンはガソリンと区別するために青い缶に入れられています。

◀ ケロシン（灯油）は、他のもっと重い油のようなべとつきがなく、サラサラした液体です。

◀ ディーゼル燃料はケロシンよりは重い分子の混合物で、大部分は炭素が10個から15個までの鎖（直鎖、分枝鎖、環状、ものによっては炭素‐炭素二重結合も含む）が成分です。ディーゼルは、〔米国では〕一般に黄色い缶で保管されます。どのエンジンにどの燃料を入れるかを間違えると悲劇が起きるため、色で区別できるようになっています。

▶ 炭素の数が増えるにつれ、炭化水素は次第に「重く」なります。つまり、沸点と粘度が上がって、サラサラではなくドロドロになっていきます。デカンは炭素10個と水素12個で構成されています。

▶ ヘプタンは炭素が7個、水素が16個です。この直鎖バージョンは、ガソリンのオクタン価ゼロの指標です。炭化水素はどれも圧縮すると爆発する可能性がありますが、それはエンジンにとってはありがたくないことです。燃料のオクタン価が高いほど、圧縮しても爆発しにくくなります。直鎖のヘプタンは早く爆発する性質があるので、純粋なヘプタンがオクタン価ゼロ（＝悪い）に定義されています。

▽ オクタンは、直鎖でも分枝鎖でも炭素を8個、水素を18個持っています。下に示した特定の分枝鎖のものはイソオクタンと呼ばれます。ガソリンのオクタン価でいう"オクタン"はこれを指し、純粋なイソオクタンがオクタン価100です。

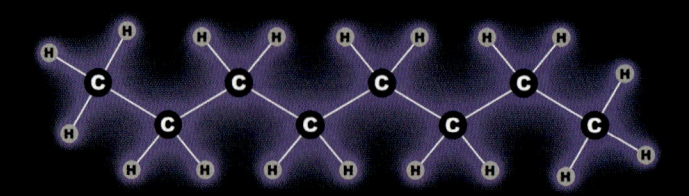

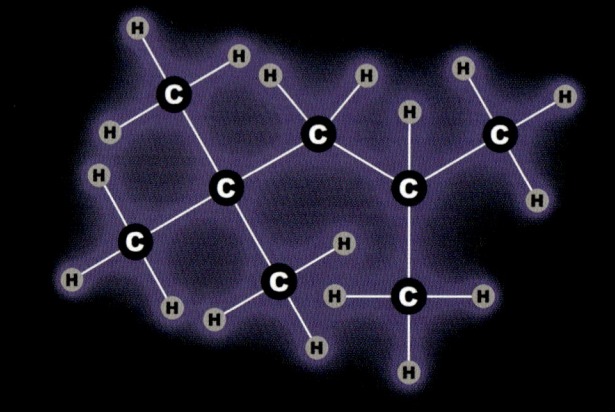

◀ イソオクタン

◀ デカン

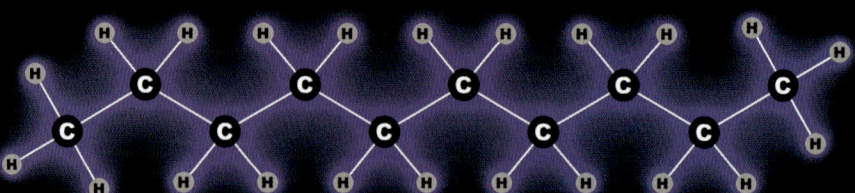

▽ ウンデカン──11個の炭素を持つ直鎖の炭化水素──は、蛾のフェロモンです。蛾は異性を引き寄せるためにこの物質を使い、人間の男性は同じ目的でスポーツカーにこの物質を入れます（ウンデカンはガソリンに含まれる中では炭素数が多い炭化水素のひとつです）。

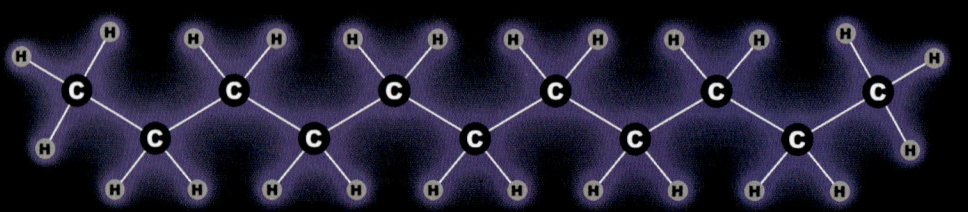

▶ ミネラルスピリットは、多くの溶媒やペンキ除去剤に含まれています。たとえばこのペンキ除去剤の主成分はジクロロメタンとメタノールですが、他にミネラルスピリットがいくらか入っています。

▶ ジクロロメタン

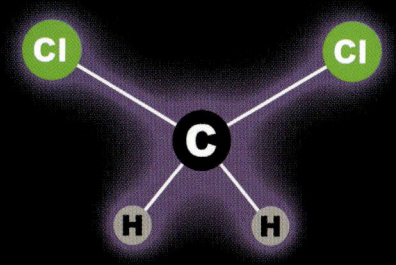

▶ メタノール

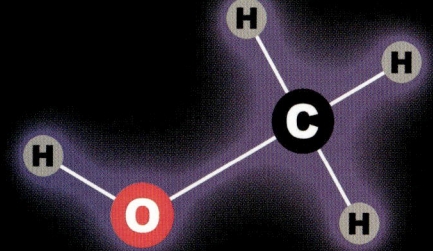

▲ 多種多様な有機溶媒が、産業用や家庭用として使われています。そのうち、「ミネラルスピリット」として知られている液体は、純粋な炭化水素の混合物という説明が一番近いでしょう。ミネラルスピリットとミネラルオイル（鉱物油）は、互いに近い関係にあります（ミネラルオイルはもう少しすると出てきます）。どちらも原油を蒸留して得られ、「スピリット」の方が「オイル」よりも低温で沸騰します。

◀ ミネラルオイル（鉱物油）という名前で、ガソリンスタンドではなくドラッグストアで売られているものは、非常にグレードの高い炭化水素です。成分のほぼすべてが１分子あたり炭素15～40個の直鎖（若干は分枝鎖も）の分子で、一般にその範囲内で炭素原子数が少ないものの方が多く含まれています。鉱物油を食べたいと思う人はいないでしょうが、この食品グレードの鉱物油は有害成分が入っていないことが保証されていますから、調理の際に食品に触れる調理台やカッティングボード〔まな板〕に塗ることができます。

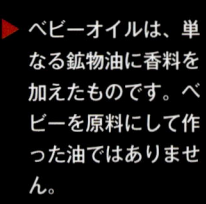

▶ ベビーオイルは、単なる鉱物油に香料を加えたものです。ベビーを原料にして作った油ではありません。

◀「軽機械油」はかなり粘度の低い炭化水素油です。モーターオイル（エンジン用潤滑油）よりも軽く、溶媒や燃料よりは粘度が高いものをさします。鉱物油との違いは、軽機械油にはモーターオイルに入っているのと同じような添加物、炭化水素以外の物質、不飽和化合物（二重結合を持つ炭化水素）が含まれていて、それらが潤滑剤としての機能を強化するとともに、臭いのもとにもなっているという点です。

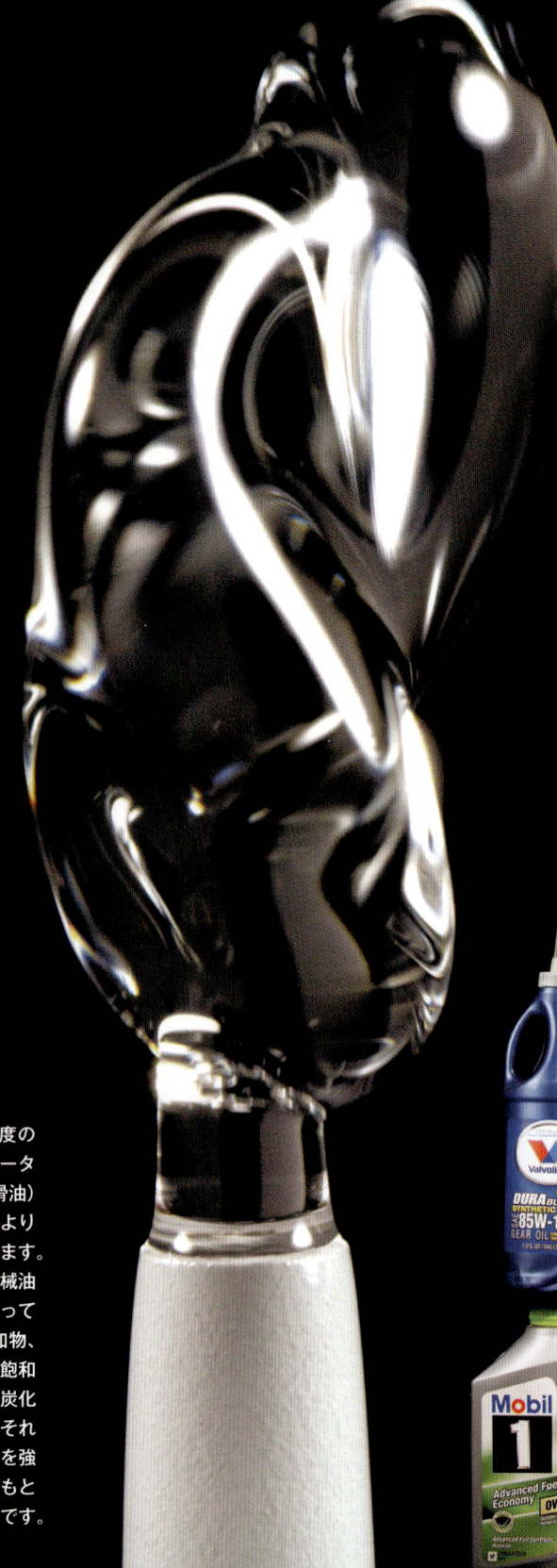

▲ トロンボーンオイルはトロンボーンのスライド用の潤滑油で、基本的には軽機械油の一種です。しかしこの油はすばらしい喩えとして使えます。トロンボーンオイルは非常に特殊です。この油を必要とする音楽家たちは、最高の品質のトロンボーンオイルに高いお金を払いますが、市場規模は年間数ガロンです（実を言うとこれはでたらめな数字ですが、隠喩なので気にしないで下さい）。要は、あなたがどんなに優れたトロンボーンオイル職人で、どんなに質の高いトロンボーンオイルを作り、どんなに高値で売ったとしても、市場規模が小さすぎるため大した収入にはならないということです。この比喩はいろいろな場面にぴったりあてはまります。みなさんもどうぞ喩えとしてお使い下さい。

▶ あらゆるモーターオイルには品質向上のための特殊な添加物が何種類も含まれていて、油の寿命を延ばしたり、金属の錆を防止したり、エンジンからの汚染物質を除去したりします。それでもなお自分の使っているオイルは添加物が足りないと考える人々のために、多様な高濃度添加物がオイル用補助剤として売られています。たいていはエキゾチックなボトル入りで、エンジンにどれほど素晴らしい効果があるかが強調されていて──その点はオリーブ油やエナジードリンクの宣伝とよく似ています。

◀ モーターオイルはエンジンオイルとも呼ばれ、鉱物油に似ていますが、わずかに重く、成分の炭化水素は分子1個あたりの炭素数が18個から40個です。クリーングレードのミネラルオイルとは違い、モーターオイルには炭化水素以外にたくさんのものが含まれています。一般にモーターオイルは、幅広い環状化合物、不飽和炭化水素（炭素‐炭素二重結合を持つもの）、芳香族化合物（6員のベンゼン環を持つもの）がランダムな比率で混じった混合物です。油は、どんな化合物で構成されているかではなく、粘度や高温耐性その他の性質を指標として分けられています。特定の機能を果たすための油を製造する際にどんな化合物を組み合わせるかは、メーカー任せです。

▶ どっちを飲んで、どっちをエンジンに注ぎますか？　この2本を取り違えたら大変です！　両方ともエンジンの機能を高めるための製品ですが、片方は機械のエンジン、もう片方は人間の体内のエンジンが対象です。どちらも"売りたい商品"で、その証拠にカー用品店のレジカウンターのそばに置かれています──時には、驚くほど互いに近い場所に。〔左が燃料添加剤、右は朝鮮人参ドリンク〕

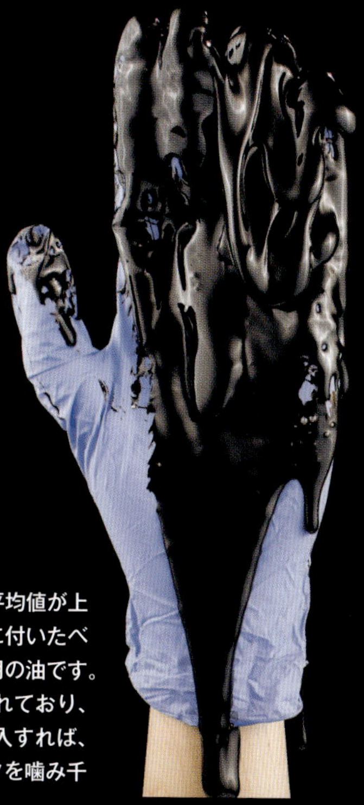

▶ 油は、成分の炭化水素の炭素鎖の長さの平均値が上がるにつれてべとつきが増します。手袋に付いたベトベトの物体は、機関車のギアボックス用の油です。この油はプラスチックの袋に入って売られており、袋ごと巨大な機械のクランクケースに投入すれば、ギアが一瞬のためらいもなくプラスチックを噛み千切ります。

◀ 合成モーターオイルは、原油中に含まれる天然の化合物だけからなる油よりも注意深く製造されています。粘着性を大幅に高める成分が含まれ、金属表面に付着しやすくなっているので、エンジンの摩耗を防ぐという能力を存分に発揮できます。

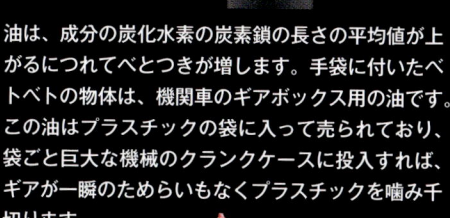

◀ 炭素鎖の長さの平均値が増大するほど炭化水素の粘度が上がり、ついにはもはや油とは呼べなくなります。これがグリスです。グリスの長所は、油なら滴り落ちてしまうような場所にもくっつくことです。

鉱物と植物　77

▼ グリスの域を超えるとパラフィン蠟になります。炭素が20〜40個の鎖が成分（炭素数が多い方が主体）です。精製されたパラフィンには、完全に飽和した炭化水素の鎖以外のものはほとんど含まれていません。なお、世界の一部の地域ではパラフィンという言葉が液体鉱物油の意味で使われていますが、米国ではパラフィンは必ず固体です。どちらも同種の物質ですが、炭素鎖の長さの平均値が異なります。

▼ パラフィン蠟の範囲のはるか先に、ポリエチレンプラスチックがあります。ただし、うんと飛躍します。鎖を作る炭素が数千個あたりからポリエチレンの領域が始まり、最終的には数十万個に至ります。ポリエチレンのいろいろな用途については第7章をお読み下さい。

▶ すべての鉱物油、溶媒、グリス、パラフィン、プラスチックの母──それが原油です。グラスの中身は、ペンシルヴェニアのとある歴史的油田の地中から汲み上げられた原油です。私はかつて、原油はものすごくドロドロしているに違いないと思っていました（実際にそういうものもあります）。しかしこの原油の濃さは水と大差ありません。化学のなかで原油の加工を基盤とする領域がどれほど多くあるかには、まったく驚かされます。そして人間が原油の最後の一滴を使い尽くすまでの時間がどれほど短いかも。

食用油

植物と動物から採れた油は、見た目や手触りは高純度の鉱物油とよく似ていますが、化学構造には根本的な違いがあります。

動植物由来の油にも、さきほど説明した鉱物油と同様に、おおむね14個から20個の炭素からなる炭素鎖が含まれています。しかし、生物由来の油の炭素鎖は、必ず、片方の端にいわゆる有機酸基が付いています（有機酸については42ページを参照）。こうした分子を脂肪酸といいます。

脂肪酸は、酸の付いた端のおかげで、単純な炭化水素には不可能なやりかたで互いにつながりあうことができます。そして彼らはこの能力を存分に利用します。ほとんどすべての動物性・植物性油脂において、脂肪酸はグリセリンの主鎖の上に3つ一組で連結して、ひとまとまりになっています。このような分子はトリグリセリドと呼ばれます。

鉱物油と同じく脂肪酸も炭素鎖の長さによっていろいろな種類に分かれます。長い鎖ほど密度と粘度の高い油になります。けれども、脂肪酸の場合にそんなことよりもずっと私たちが気にするのは、分子のどの位置にどんな向きで炭素−炭素二重結合が存在するか、という点です。なぜそれほどまでに重大な関心事かといえば、健康にかかわるからです。オメガ−3脂肪酸が身体にいいとか、トランス脂肪酸が悪玉だとかいうのは、二重結合の問題なのです。

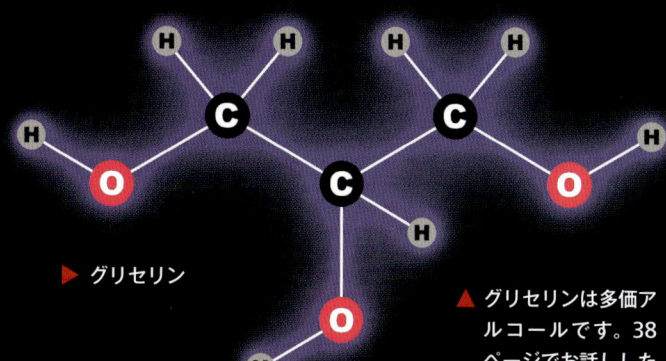

▶ グリセリン

▲ グリセリンは多価アルコールです。38ページでお話ししたように、アルコールとは炭化水素にヒドロキシ基〈-OH〉が付いている有機化合物すべてを指します。グリセリンはOH基を3つ持っているので、3価のアルコールです。

▼ 下は、典型的な脂肪酸であるラウリン酸の分子です。一見すると以前ご紹介した炭化水素によく似ていますが、左に赤い酸素原子がある点に注目して下さい。酸素原子があるゆえに、この分子は脂肪酸なのです。この分子は「完全に飽和して」——つまり、どの炭素原子にも水素原子が2個（鎖の端だけは3個）付いて——います。炭素同士はすべて単結合で結ばれています。この分子や、これより少しだけ炭素鎖が長いか短いだけでよく似た分子が、（トリグリセリドというユニットとして集まって）構成しているのが飽和脂肪です。

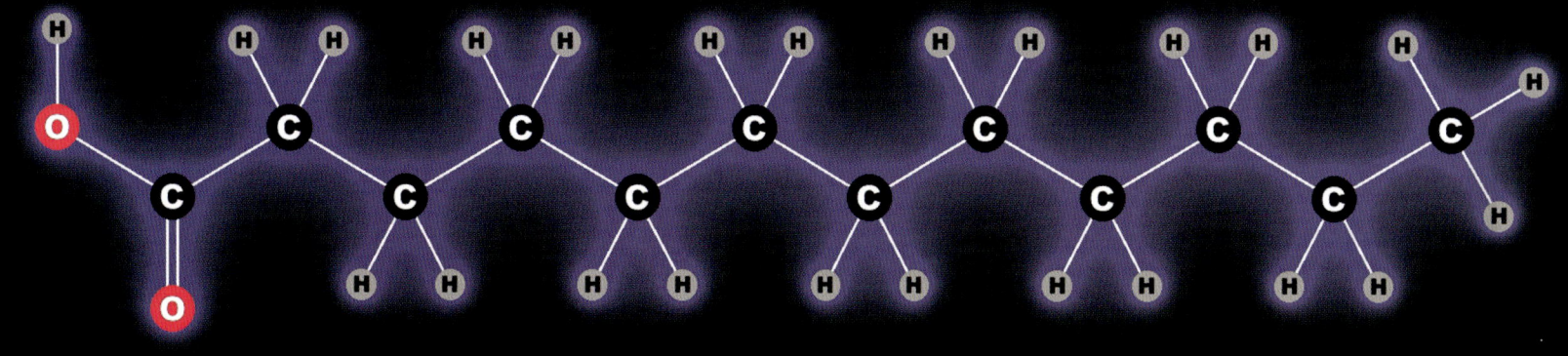

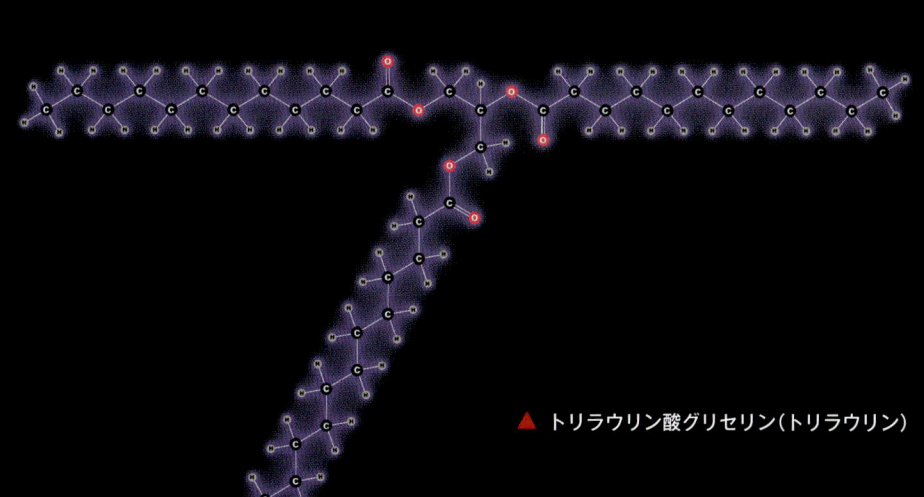

◀ 脂肪酸などの有機酸1個とアルコール1個が端同士で連結すると、エステルと呼ばれるものになります（43ページ参照）。グリセリンは3価のアルコールですから、3個の脂肪酸と結合することができます。これがトリグリセリドです。左の図はトリラウリン酸グリセリン（トリラウリン）で、グリセリン分子1個とラウリン酸分子3個からなっています。あらゆる植物性・動物性油脂は、主としてこの種のトリグリセリドでできていますが、トリグリセリドを作る際に使われるトリラウリン脂肪酸には多くのバリエーションがあります。

▲ トリラウリン酸グリセリン（トリラウリン）

鉱物と植物　79

食用油

▶ 右は前に出てきたのと同じラウリン酸分子ですが、鎖の中の2個の炭素原子が二重結合で結ばれています。19ページで学んだように、この2個の炭素原子は4つの"スロット"のうち2つが二重結合で使われています。そのぶん水素原子と結合するためのスロットが減りますから、全体として見るとこの分子はラウリン酸分子と比べて水素が2個少ないことがわかるでしょう。これを「不飽和」といいます。水素を追加して、炭素を水素で飽和させてやることが可能だからです。二重結合になる炭素原子の位置は決まっておらず、どこにでも起きうるので、どんな分子の話をしているのかがわかるような命名システムが使われています。炭素原子はギリシャ語アルファベットであらわされ、酸側の端に一番近い炭素がα（アルファ）とされます。しかし不幸にも、人間が興味を持つのは「脂肪酸の二重結合が、酸とは反対側の端からどのくらい離れているか」であり、鎖の長さは多様です。そのため中間はすっとばして、鎖の長さがどうであれ、最後の炭素原子をω（オメガ）炭素と呼ぶことになっています。ωはギリシャ文字のアルファベットの最後の字です。そうして、二重結合がオメガ炭素からいくつめにあるかで名前を付けます。右の図はオメガ-3脂肪酸の一例です。合点がいきましたか？

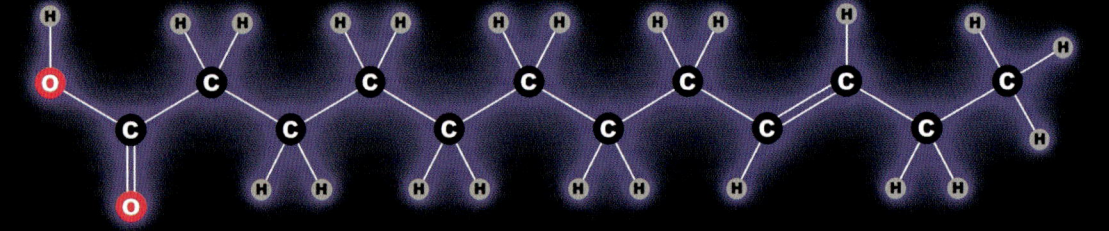

▲ トランス-オメガ-3ラウリン酸

▼ そしてここにも小さな問題点が！ 炭素-炭素単結合は軸を中心にしてかなり簡単に回転するので、単結合だけの分子は比較的ふにゃふにゃしていて、結合をどんな角度で描いてもそんなに支障はありません。しかし二重結合は特定の向きに固定されています。二重結合でつながった両側の鎖の向きが逆になっている（結合が同じ方向に伸びていく）場合はトランス配置と呼ばれ、同じ向きになっている（結合の伸びる方向が変わる）場合はシス配置といいます。上はトランス-オメガ-3脂肪酸、下はシス-オメガ-3脂肪酸の例です。「トランス脂肪」とはこういう意味です。トランス脂肪はシス脂肪より健康的ではありません。こんなにわずかな違いしかないのに善玉と悪玉に分かれるとは、なんとも不思議です。しかし、生物の身体の仕組みは非常にデリケートで、この種の違いを気にするのです。

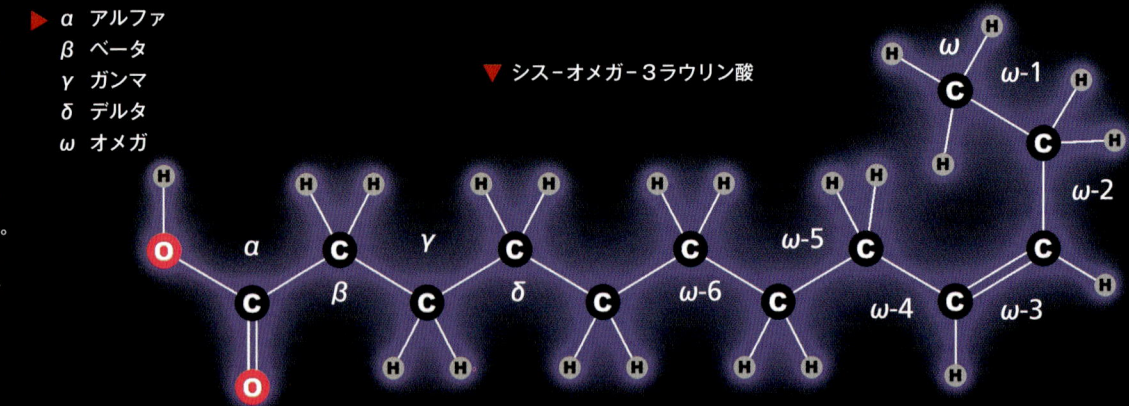

▶ α　アルファ
　β　ベータ
　γ　ガンマ
　δ　デルタ
　ω　オメガ

▼ シス-オメガ-3ラウリン酸

◀ もうひとつ厄介なことがあります。一番上の例は、二重結合が1つだけです（1価不飽和といいます）。ところが、二重結合はいくつでもありえます。2つ以上の場合は多価不飽和脂肪と呼ばれます。1価でも多価でも、あなたにとって、少なくとも悪いことではないように見えます。それぞれの二重結合はシスかトランスのどちらかなので、組み合わせの可能性はたくさんあり、身体はその脂肪酸がどんなバリエーションかを気にします。植物と動物が作るのは、一部の特定的なパターンの油脂だけです。左の図の多価不飽和脂肪酸はシスとトランスの二重結合が独特な組み合わせになっています。これが、脳や網膜やその他重要な体組織に含まれる脂肪酸です。魚類に多く存在しますが、魚をあまり食べない人の場合は体内で別の脂肪酸から生産されます。

▶ ドコサヘキサエン酸

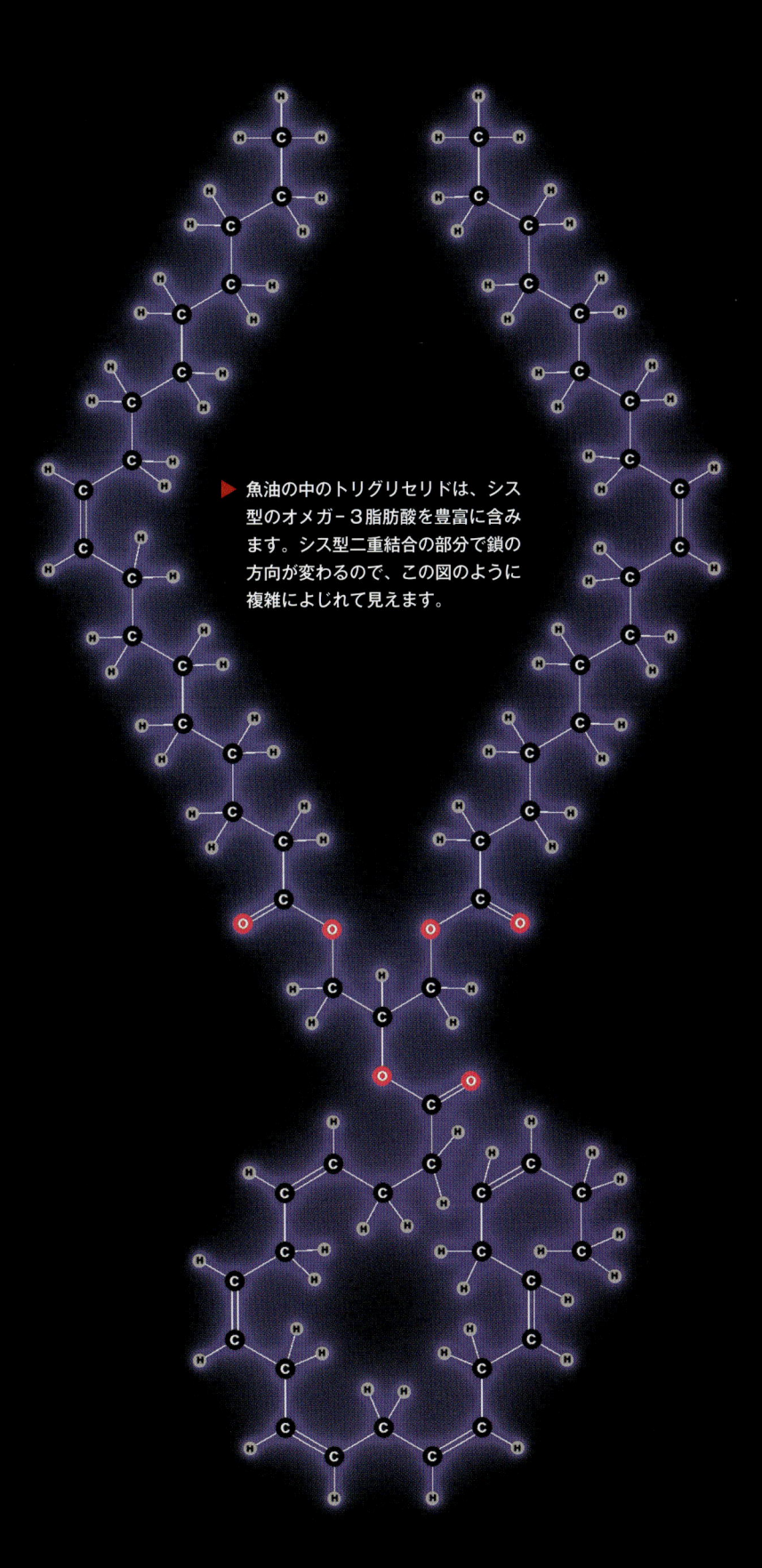

▶ 魚油の中のトリグリセリドは、シス型のオメガ－３脂肪酸を豊富に含みます。シス型二重結合の部分で鎖の方向が変わるので、この図のように複雑によじれて見えます。

▲ 魚油はオメガ－３脂肪酸の含有率が高いことで知られます。そのため、「魚油はとても健康にいい」と言われます。けれども、「魚油はものすごく不味い、特にあの吐き気を催すようなタラの肝油ときたら」という声もあります。

鉱物と植物

食用油

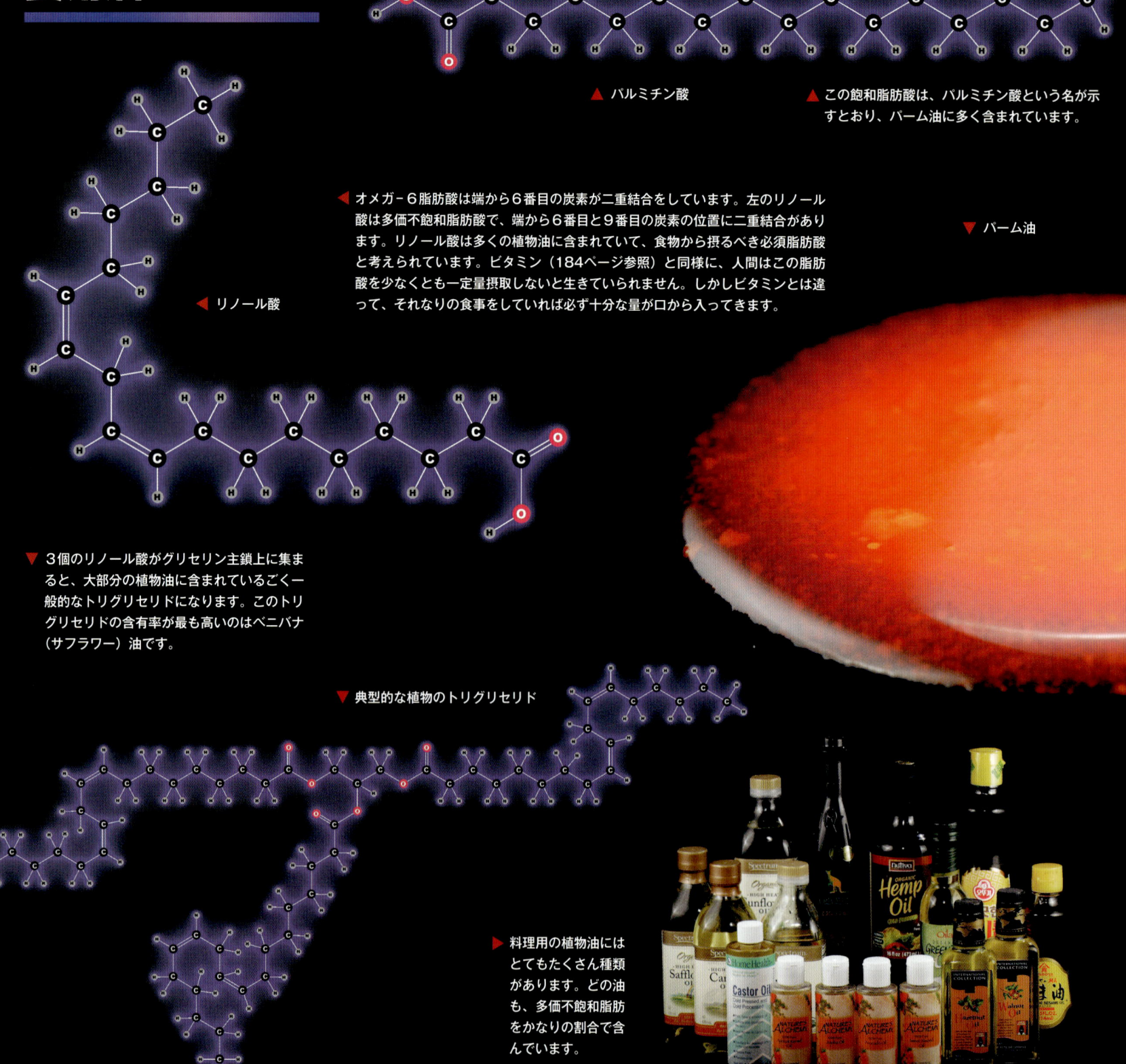

▲ パルミチン酸

▲ この飽和脂肪酸は、パルミチン酸という名が示すとおり、パーム油に多く含まれています。

◀ オメガ-6脂肪酸は端から6番目の炭素が二重結合をしています。左のリノール酸は多価不飽和脂肪酸で、端から6番目と9番目の炭素の位置に二重結合があります。リノール酸は多くの植物油に含まれていて、食物から摂るべき必須脂肪酸と考えられています。ビタミン（184ページ参照）と同様に、人間はこの脂肪酸を少なくとも一定量摂取しないと生きていられません。しかしビタミンとは違って、それなりの食事をしていれば必ず十分な量が口から入ってきます。

▼ パーム油

◀ リノール酸

▼ 3個のリノール酸がグリセリン主鎖上に集まると、大部分の植物油に含まれているごく一般的なトリグリセリドになります。このトリグリセリドの含有率が最も高いのはベニバナ（サフラワー）油です。

▼ 典型的な植物のトリグリセリド

▶ 料理用の植物油にはとてもたくさん種類があります。どの油も、多価不飽和脂肪をかなりの割合で含んでいます。

◀ パーム核油

▶ 植物性脂肪の一部と動物性脂肪の大部分は、飽和脂肪酸を高率で含んでいるとして悪評ふんぷんです（"飽和"の意味については前の方を読んでください）。熱帯地方では、この不健康な成分の多いココナッツ油、パーム油、パーム核油などがたくさん採れます。脂肪の飽和度が高いほど融点が高くなりますから、こうした飽和脂肪酸は室温ではたいてい固体かペースト状をしています。これらの油の飽和脂肪酸含有量は、基本的には動物性脂肪と大体同じです。

◀ 牛脂

◀ ココナッツ油

▶ ベビーオイルの原料はベビーではないし、ガールスカウトクッキーもガールスカウトが材料ではありませんが、保革用の牛脚油（ニーツフットオイル）は本当に脚──正確には家畜の足と脛（すね）の骨──から採られています（neatは古英語で牛などの家畜を意味します）。動物性の油脂なので、成分はトリグリセリドです。

鉱物と植物　**83**

蠟（ワックス）

　この章の初めの方で、石油から作られた純粋な炭化水素であるパラフィン蠟をご紹介しました。けれども、厳密な意味での蠟ないしワックスは、4章で説明した石鹸や本章で見た動物脂肪・植物油の両方と近い関係にあります。植物油はグリセリンという多価アルコール1個に3個の脂肪酸が付いたエステルですが、蠟は1個の長鎖アルコールに1個の脂肪酸が結合したエステルです

▶ 蜜蜂は、その蠟の材料となった蜂の巣が純粋に蜂蜜だけを蓄えるのに使われていたら色が薄く、幼虫と花粉が入っていた巣であれば濃いめの色になります。また、蠟を取り出して精製するまでに巣の小部屋が何回使われたかによっても色が違い、古い巣の蠟は、1シーズンしか経っていない巣の蠟より濃い色です。蠟の色は、少量含まれる不純物によるものです。精製された蜜蠟はほぼすべて蠟質のエステルで、白っぽい色をしています。

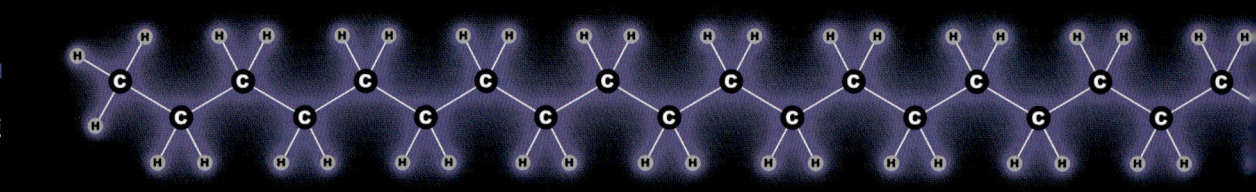

▲ 蜜蜂が作る蜜蠟の大部分は、-COO-の右に炭素15個、左に炭素30個を持つパルミチン酸トリアコンタニルと呼ばれるエステルです。

▶ カルナバワックスは、ブラジルロウヤシ（カルナウバ）の葉から採れます。蜜蠟よりも成分の構成が複雑で、単純なエステルだけでなくジエステルや長鎖アルコールも含まれています。

▶ 用途に応じた多様なワックスが売られています。ワックスは原料によって、どんな長さの炭素鎖を持つ分子がどれくらい入っているかが違うので、ブレンドしたり溶媒を加えたりして無限に近い種類の製品を生み出すことができます。

◀ カルナバワックスは、硬さと光沢が並はずれています。多くの商品はカルナバワックスに溶媒を混ぜて軟らかくし、塗りやすいペースト状にしています。溶媒が蒸発すれば硬いワックスだけが残り、磨き上げて表面をピカピカにできますから、なにかの表面をなめらかに光らせたい時にぴったりです。この写真は、上がカーワックス、下がボウリング場のレーン用です。

◀ 特殊な用途のワックス各種。

鉱物と植物

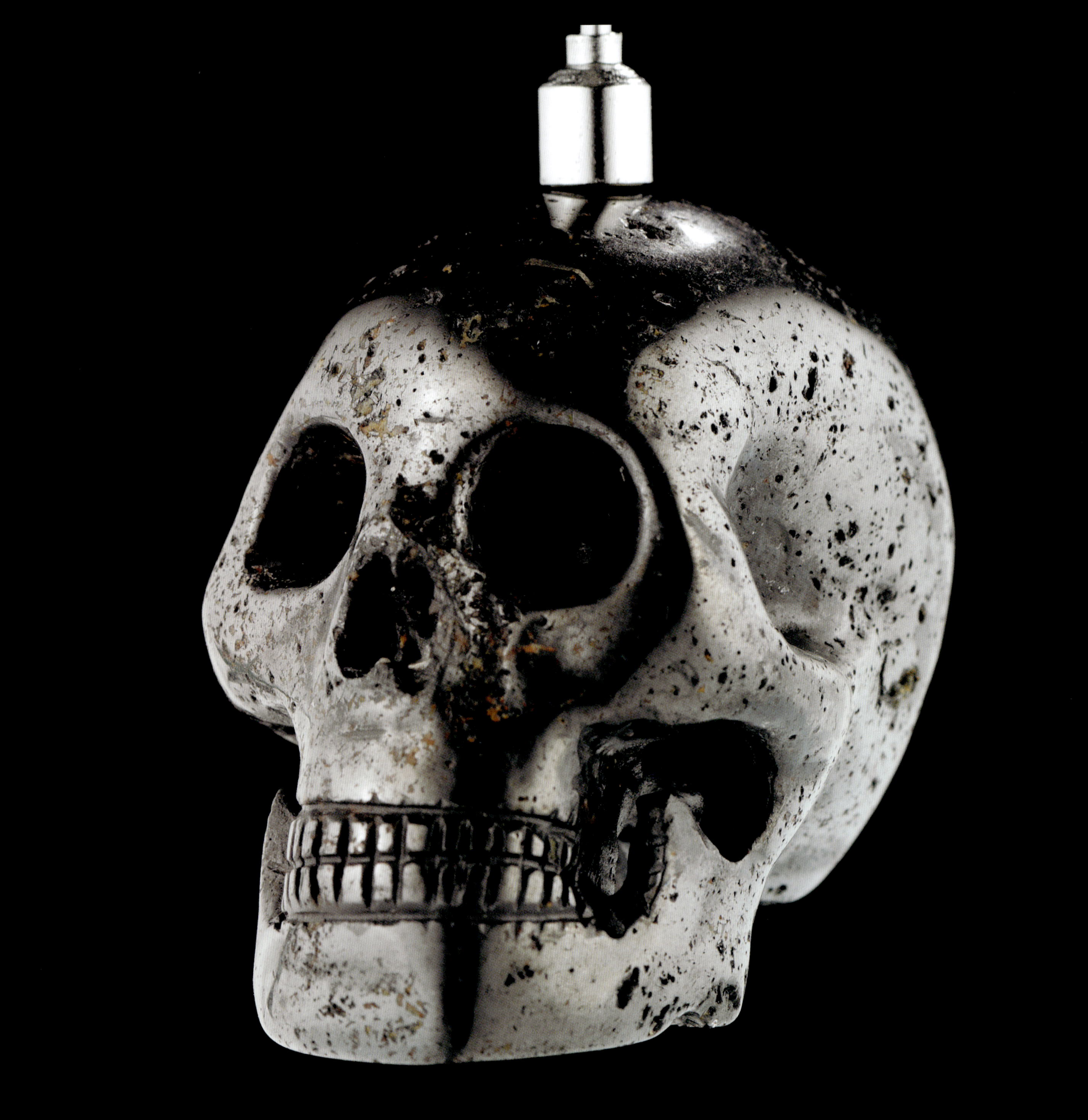

第6章 岩と鉱石
Rock and Ore

　化合物は複数の元素からできています。化合物を得るには必要な元素を一緒にしてやればいいと考えるのは、理論としては合っています。しかし実際には、真実はその逆です。

　自然界にあるもののほとんどは、元素同士がすでに結合した、さまざまな化合物です。元素が欲しければ、それらの化合物を分解しなければなりません。たとえば、鉄という元素の単体は自然界ではほとんど見つかりません。天然に存在する唯一の金属鉄は隕石に含まれている鉄ですが、隕石は（そのなかでもまだ完全に錆びていないものは）そんなにたくさんあるものではありません。

　ですから、隕石ではなく鉄鉱石を探さないといけません。鉄を抽出するための原材料です。鉱石という言葉は経済的な観点からの用語で、役に立つかどうかに基づいて命名されます。「鉄鉱石」という名前は具体的な組成とは関係なく、金属鉄の原料として利用できるものならなんでもそう呼ばれます。

　鉱石はつねに、採れた鉱山ごとに特定の鉱物を含んでいます。鉱物という言葉は、鉱石とは違って、特定の化合物か、あるいは少なくとも相当な程度一貫性のある特定の化合物の混合物を意味します。鉱物の見た目が美しいと、人間はそれを結晶とか宝石と呼びます。美しくない場合には岩といわれます。

　鉄鉱石は一般に赤鉄鉱〈Fe_2O_3〉、磁鉄鉱〈Fe_3O_4〉、黄鉄鉱〈FeS_2〉、あるいはそれ例外の、鉄を含む多数の化合物のうちのいくつかの混合物です。

◀ 磁鉄鉱は硬く光沢のある素材で、磨くといかにも金属らしく見えますが、実際は酸化物〈Fe_3O_4〉です。磁鉄鉱という名前が付いたのは、この鉱石を磁化させることができるからです。だから左の写真の磁鉄鉱製ドクロは磁石からぶら下がっていますし、このドクロに高い霊的エネルギーが宿っていると称されるのもそれが理由かもしれません。

▶ Fe_2O_3は、鉱石の姿をしている時は赤鉄鉱と呼ばれますが、光っているべき鉄製品の表面にできた時は錆という名になります。

▶ Fe_3O_4は鉄の酸化物の混合物です。といっても2種類の化合物が勝手な割合で混ざっているわけではなく、Fe_2O_3とFeOというふたつのユニットが正確に1対1で結合しています。結果として全体の鉄原子と酸素原子の比率は完璧に3：4です。鉱物ではこのような混合物がよく見られます。

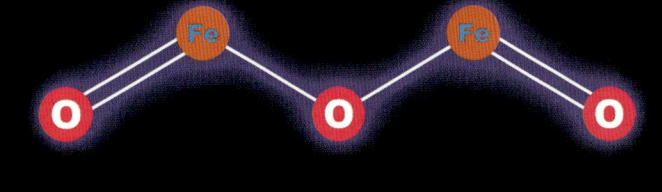

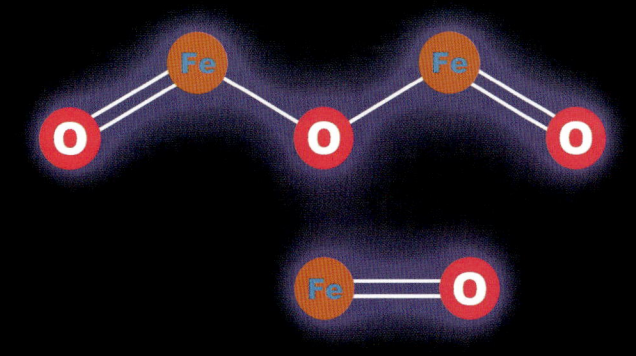

▼ 赤鉄鉱〈Fe_2O_3〉は、世界中の製鉄所で大量に加工されている二大鉄鉱石の片方です。また、鉄が錆びるとFe_2O_3になります。下の写真に、鉄錆独特の赤茶色が見えるでしょう。鉄鉱石を金属鉄にする製錬工程は、鉄が錆びるのと逆の化学反応を起こさせています。私たちは鉄から錆が出てくると思っていますが、実際は錆から鉄が"錆の逆の反応"で作られているのです。

▲ こんなに美しい石を挽き砕いて、トラックの車軸の原料にするなんて！ でも、鉱石は鉱石です。ほとんどの鉱石は誰にもまともに見てもらえません。この小さな赤鉄鉱のかけらは幸運にもあるコレクターの目にとまって、車軸にならずにすみました。

▲ これは、ゴムを引っ張って小石などを飛ばす「ぱちんこ」用の安い玉としてイーベイ〔インターネットオークションサイト〕で売られていたものですが、本来の用途は違います。本当は、溶鉱炉に放り込んで還元させて鉄を作るための鉄鉱石なのです。メガトン単位で大量生産され、巨大な運搬船や貨物列車で輸送されます。ぱちんこ用に1000個や2000個を買うだけならものすごく安いのも道理です。この玉は最初はタコナイトという鉱物でした。それを粉砕して磁鉄鉱成分だけを分離し、それから加熱して、使いやすいボール状にしてあります。加熱工程で磁鉄鉱〈Fe_3O_4〉がさらに酸化されて赤鉄鉱〈Fe_2O_3〉になっています。

◀ 磁鉄鉱の塊。磁鉄鉱は時には自然に磁化します。昔、磁鉄鉱の小片をコルクに乗せて水に浮かべると必ず北をさすことを発見した人がいて、そこから最初の羅針盤が作られました。

◀ 磁鉄鉱を使った19世紀の羅針盤のレプリカ。現代の羅針盤はもっとずっと強力な磁石を使いますが、とても磁力の弱い磁鉄鉱でも、注意深くバランスを取れば方位磁石として使えます。

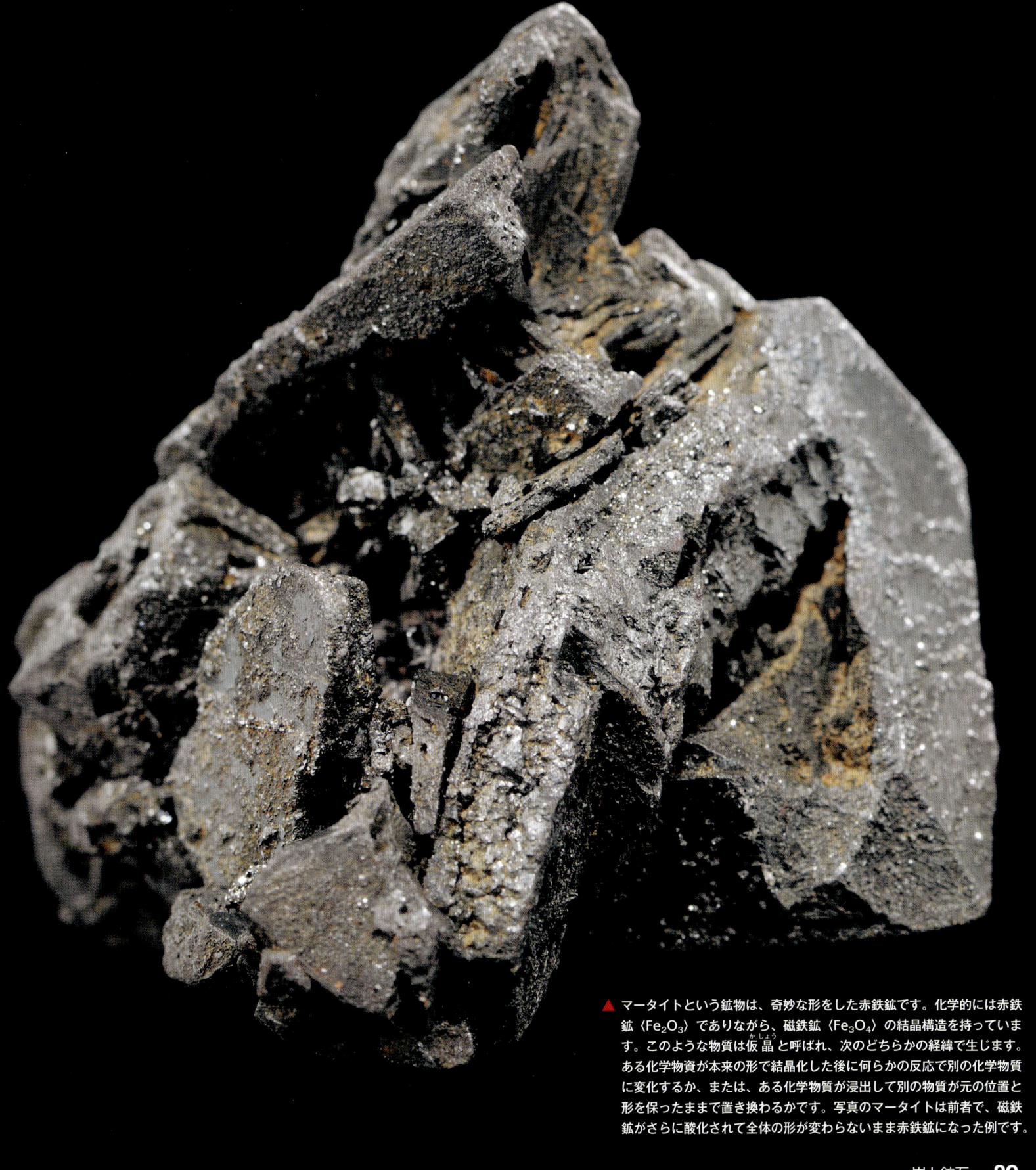

▲ マータイトという鉱物は、奇妙な形をした赤鉄鉱です。化学的には赤鉄鉱〈Fe_2O_3〉でありながら、磁鉄鉱〈Fe_3O_4〉の結晶構造を持っています。このような物質は仮晶(かしょう)と呼ばれ、次のどちらかの経緯で生じます。ある化学物質が本来の形で結晶化した後に何らかの反応で別の化学物質に変化するか、または、ある化学物質が浸出して別の物質が元の位置と形を保ったまま置き換わるかです。写真のマータイトは前者で、磁鉄鉱がさらに酸化されて全体の形が変わらないまま赤鉄鉱になった例です。

鉄は大規模工業製品であり、2位以下に圧倒的な大差をつけて最も大量に生産される金属です。そのため、鉄を含む鉱物は何でも鉄鉱石として使われてきました。たとえば黄鉄鉱（硫化鉄）〈FeS_2〉、褐鉄鉱〈$FeO(OH)\cdot nH_2O$〉、菱鉄鉱(りょう)（炭酸鉄）〈$FeCO_3$〉などがそうです。

▼ 褐鉄鉱　$FeO(OH)\cdot nH_2O$

▼ 黄鉄鉱（硫化鉄）FeS_2

▲ 菱(りょう) 鉄鉱（炭酸鉄）$FeCO_3$

▲ ボートを漕ぐオール（oar）は鉱石（ore）と発音が同じ。

鉱石の精錬

鉱石からどうやって単体の元素を取り出すかは、鉱石ごとに大きく違います。元素を得るための最大の難関が、鉱石を見つけることではなく精錬方法を見つけることである場合も珍しくありません。

鉄の製錬は比較的簡単です。人類はおよそ3000年前に、木炭（成分は大部分が炭素）と鉄鉱石を一緒にして加熱すれば金属鉄に製錬できることを発見しました。ただし、「比較的簡単」とはいってもそれは他の大部分の金属を鉱石から抽出するよりもたやすいという意味で、普通の感覚でいう「簡単」とは違います。非常な高温が必要で、正しい条件を維持するには熟練の技がいります。鉄の熔錬法が発見されてから、人類が鉄を多用する大都市で暮らしはじめるまでに、150世代を要しました。

それでも、鉄の製錬はアルミニウムの鉱石から金属アルミニウムを取り出す作業に比べればはるかに容易です。実用的なアルミ精錬には大量の電気が必要です。そのため、化学電池ではなく発電機から生み出された電気をふんだんに利用できる時代が来るまで、アルミニウムは極めて貴重な金属でした。現在は、大量のアルミニウムがアイスランドで製錬されています。これは、地熱発電による安価な電気が理由です。鉱石は大きな鉱石運搬船でアイスランドへ運ばれ、アルミになってコンテナ船で出ていきます。アイスランド滞在はただ電気のためだけです。

▲ 鉄鉱石は高炉という巨大な、本当に巨大な構造物の中で鉄に変わります。鉄鉱石をコークス（成分のほとんどが炭素）と一緒に炉に入れ、内部で燃焼させ、炉の下部から高圧の空気（熱風）を送り込みます。コークスの炭素が鉱石の酸化鉄から酸素を奪って二酸化炭素になり、鉄を解き放ちます。融けた鉄は白熱の液体となって高炉の底から流れ出します。

◀ アルミニウムは、化学的手法でアルミニウム鉱石から抽出することも可能ですが、非常に難しいうえに、アルミよりさらに単離が困難な複数の元素の力を借りる必要があります。ところが、大量の電気さえあれば、そんなに難しくはありません。原料のボーキサイトという鉱石から酸化アルミニウムを抽出し、やはりアルミニウムを含む氷晶石と混合し、大型の電解槽の中で融解させます。それぞれの電解槽には陽極と陰極の2つの電極があり、3～5ボルトで数十万アンペアの電流が流されています。金属アルミニウムは陰極に集まり、電解槽の底へ流れていきます。底にたまったアルミニウムを一定間隔で抜き取ります。この写真は融けた鉱石を電解槽に注いでいるところです。画像の右の方におそろしく太い電気ケーブルが見えます。

▶ 氷晶石（ヘキサフルオロアルミン酸ナトリウム）は昔はアルミニウムの原料鉱石として使われていましたが、今では、ボーキサイトから抽出された酸化アルミニウムの融点を下げる融剤としての使用が主です。氷晶石の最大の鉱床はグリーンランドにあります。偶然にも、アルミ精錬に必要な安い地熱発電の電力が世界一豊富なアイスランドのすぐ隣です。

岩と鉱石

鉱石の精錬

▶ ボーキサイトはアルミニウムの主要な原料鉱石で、一緒に存在することの多い特定の数種類の鉱物の混合物です。

▶ ボーキサイトには、ギブス石〈Al(OH)$_3$〉や、AlO(OH)という同じ組成で結晶構造の異なる2種類の鉱物（それぞれベーム石とダイアスポアと呼ばれます）などが含まれています。ボーキサイトはつねに大きな塊ですが、中に含まれるこれらの純粋な鉱物は時に結晶の形を取ります（ダイアスポアには宝石の原石としてカットと研磨が施されるものもあります）。これは偶然ではなく、比較的純粋な物質でなければ結晶を形成しないためです。ところで、こうした無機化合物の写真のそばに分子構造図を添えてあるのは、この図によってその物質がどんな元素からできているかがわかりやすいからです。とはいっても、無機分子の構造図は単なる化学式（たとえばギブス石であればAl(OH)$_3$）と大差ない情報しか伝えないこともよくあります。そこに、本書の他の部分に載っている有機分子の構造図との明白な違いが存在します。有機分子では、化学式がほとんど意味をなさない場合が多いのです。単に炭素と水素（ものによっては酸素も）の数が書いてあるだけでは、それらがどう組み立てられているのかはまったくわかりません。無機と有機のこの違いは、炭素がいかに特殊な立場にあるかをよく物語っています。炭素は、図で示さないと説明できないような論理的複雑さを持つ構造を一貫して生み出すことができる唯一の元素なのです。

▼ 銅鉱石である孔雀石（マラカイト）は炭酸水酸化銅〈$Cu_2CO_3(OH)_2$〉です。特別に美しい孔雀石は下の写真のように彫刻されますが、ほとんどは粉砕されて銅の原料になります。

▶ ギブス石

▶ ベーム石

▶ ダイアスポア

▲ 八角形状ダイアスポア

いろいろな鉱石

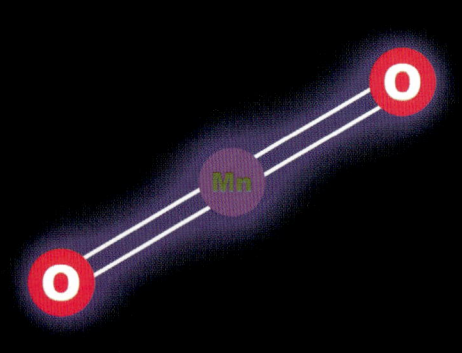

▲ マンガン鉱石である軟マンガン鉱は、二酸化マンガン〈MnO_2〉です。マンガンの酸化物は古代の洞窟壁画の顔料として使われました（212ページ参照）。

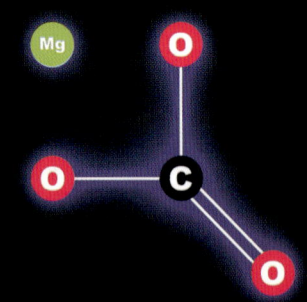

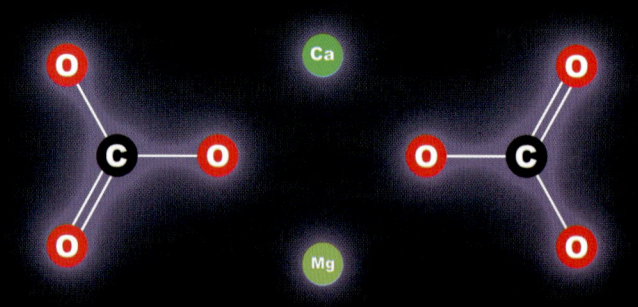

▲ マグネサイト（菱苦土石）はマグネット（磁石）と似た響きなので鉄の鉱石だと勘違いする人もいるかもしれませんが、成分は炭酸マグネシウム〈$MgCO_3$〉です。名前のもとをたどると、ギリシャのマグネシア地方に行き着きます。

▲ 岩や鉱物は、採取される山や地域にちなんだ名前を持っていることがよくあります。普通は、山の名前が昔からあって、岩や鉱物は後から名付けられます。ところが、イタリアのドロミーティ山塊は、この写真のドロマイトというマグネシウム鉱石（カルシウム・マグネシウム炭酸塩〈$CaMg(CO_3)_2$〉）の命名が先で、後から山の名前が付けられました。ドロマイトの名は、地理学者のデオダ・グラーテ・ド・ドロミューに由来します。こういう順序になったのは、1800年に一帯を征服したナポレオンが、イタリアの山塊の名前を変えて、イタリアに2年近く囚われていたフランスの地理学者にちなむ名称にしようと決めたからです。そう、政治がらみです。

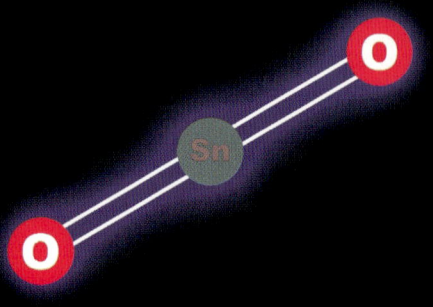

▲ スズ鉱石であるスズ石の成分は酸化スズ〈SnO_2〉です。

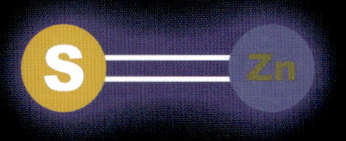

▲ 亜鉛鉱石である閃亜鉛鉱（せんあえんこう）の成分は硫化亜鉛〈ZnS〉で、通常はいくらか不純物の硫化鉄〈FeS〉が混じっています。

▲ ベリリウム鉱石である緑柱石（りょくちゅうせき）（ベリル）はベリリウム・アルミニウム・ケイ酸塩鉱物〈$Be_3Al_2(SiO_3)_6$〉です。透明度の高い純粋な結晶は宝石になります。美しくないものは岩石粉砕機で砕かれて最終的にはミサイル部品になります。教訓：もしあなたが岩だったら、とにかく美しくありなさい。

▲ ベリリウム鉱石が微量の不純物のおかげで特に魅力的な緑色をしていると、エメラルドと呼ばれます。

岩と鉱石　97

鉱石——元素の材料以外の使いみち

　鉱石という言葉は、金属（それが純粋な形の場合は元素単体）に変えることができる岩を指して使われます。地球上では鉱石以外のものもたくさん採掘され、汲み上げられ、採集されて、元素単体ではなく有用な化合物に直接変換されています。

　みなさんになじみのある化合物の大部分は、ある化合物が何種類もの（時には何十種類もの）反応を経て別の化合物に変えられた結果として生み出されています。時にはその過程で1～2種類の元素が加えられることもありますが、それはむしろ例外です。（最も一般的な例は、何かを燃やすか酸化させるかして、酸素という元素をはさみ込むことです。）

　たとえばココナッツの繊維はセルロース成分を抽出するために処理され、セルロースはレーヨンという単離された純粋な化合物に変えられます。植物やカタツムリから薬剤が得られ、豚や樹木が石鹸の材料になり、植物や鉱物から顔料が採れ、クジラや野草から香料ができ、原油から多種多様な物質が生まれます。

▲ 石灰岩は炭酸カルシウム〈$CaCO_3$〉です。原理的には石灰岩を金属カルシウムの原料鉱石として使うことも可能ですが、石灰岩はむしろそのままで（たとえば道路に敷く砂利として）使われる場合の方が圧倒的に多く見られます。また、農業用の石灰（炭酸カルシウムの微粉末）やポルトランドセメント（酸化カルシウムと酸化ケイ素、酸化鉄、酸化マグネシウムを混ぜた、一般的なセメント）の原料にもなります。

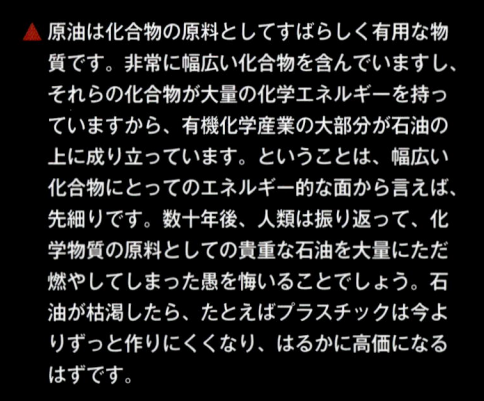

▲ 原油は化合物の原料としてすばらしく有用な物質です。非常に幅広い化合物を含んでいますし、それらの化合物が大量の化学エネルギーを持っていますから、有機化学産業の大部分が石油の上に成り立っています。ということは、幅広い化合物にとってのエネルギー的な面から言えば、先細りです。数十年後、人類は振り返って、化学物質の原料としての貴重な石油を大量にただ燃やしてしまった愚を悔いることでしょう。石油が枯渇したら、たとえばプラスチックは今よりずっと作りにくくなり、はるかに高価になるはずです。

◀ コンクリートとセメントは同じではありません。セメント——より正確に言うならポルトランドセメント——は、酸化カルシウム（いわゆる生石灰）と酸化ケイ素、酸化鉄、酸化マグネシウムを特定の割合で混ぜた細かい粉末です。水を加えて混ぜ合わせれば、数時間で硬化して岩のようになります。コンクリートはポルトランドセメントに砂や礫（骨材となる砂利）を組み合わせたものです。セメントが骨材同士をくっつけてコンクリートができます。

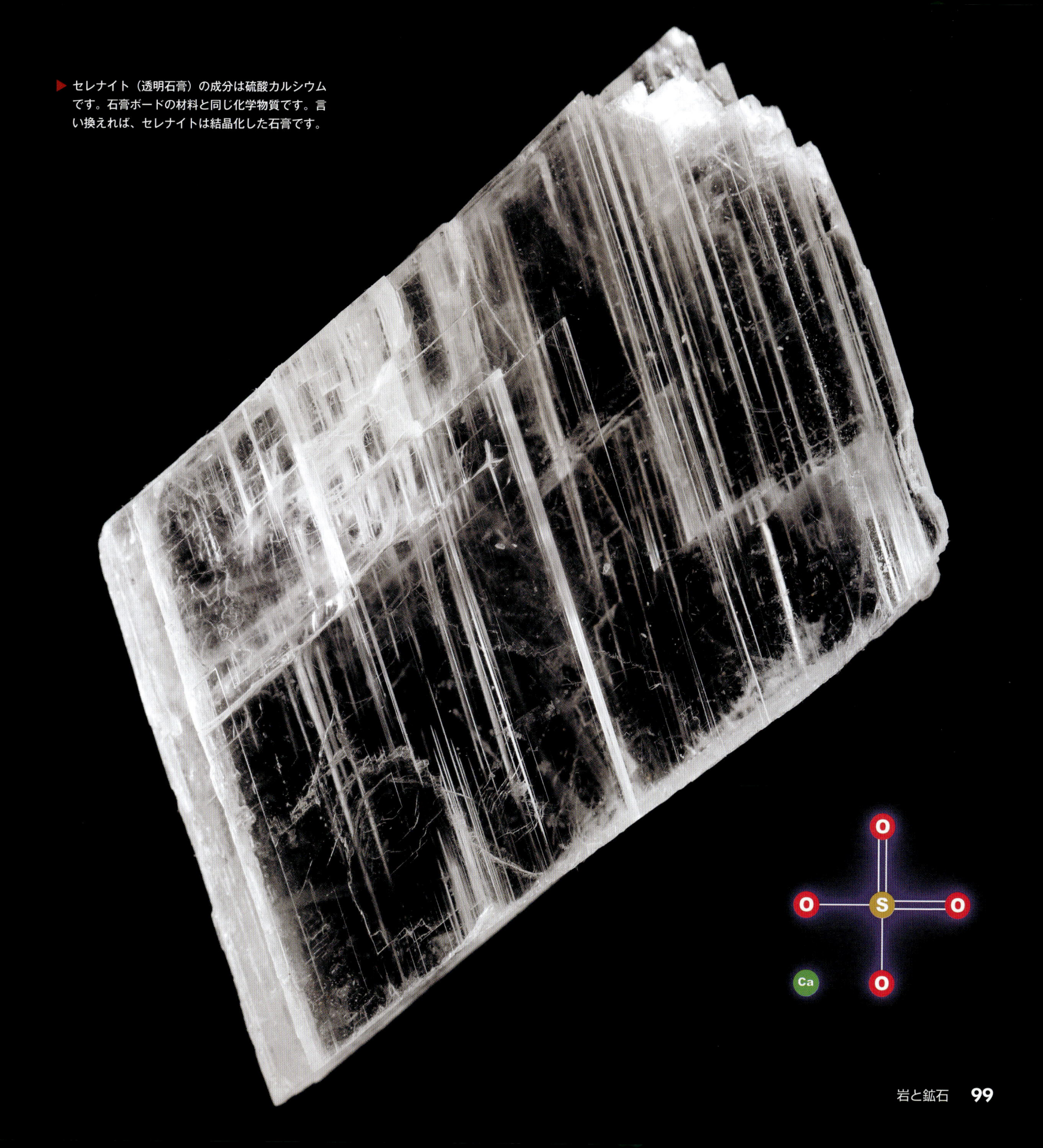

▶ セレナイト（透明石膏）の成分は硫酸カルシウムです。石膏ボードの材料と同じ化学物質です。言い換えれば、セレナイトは結晶化した石膏です。

岩と鉱石　**99**

鉱石──元素の材料以外の使いみち

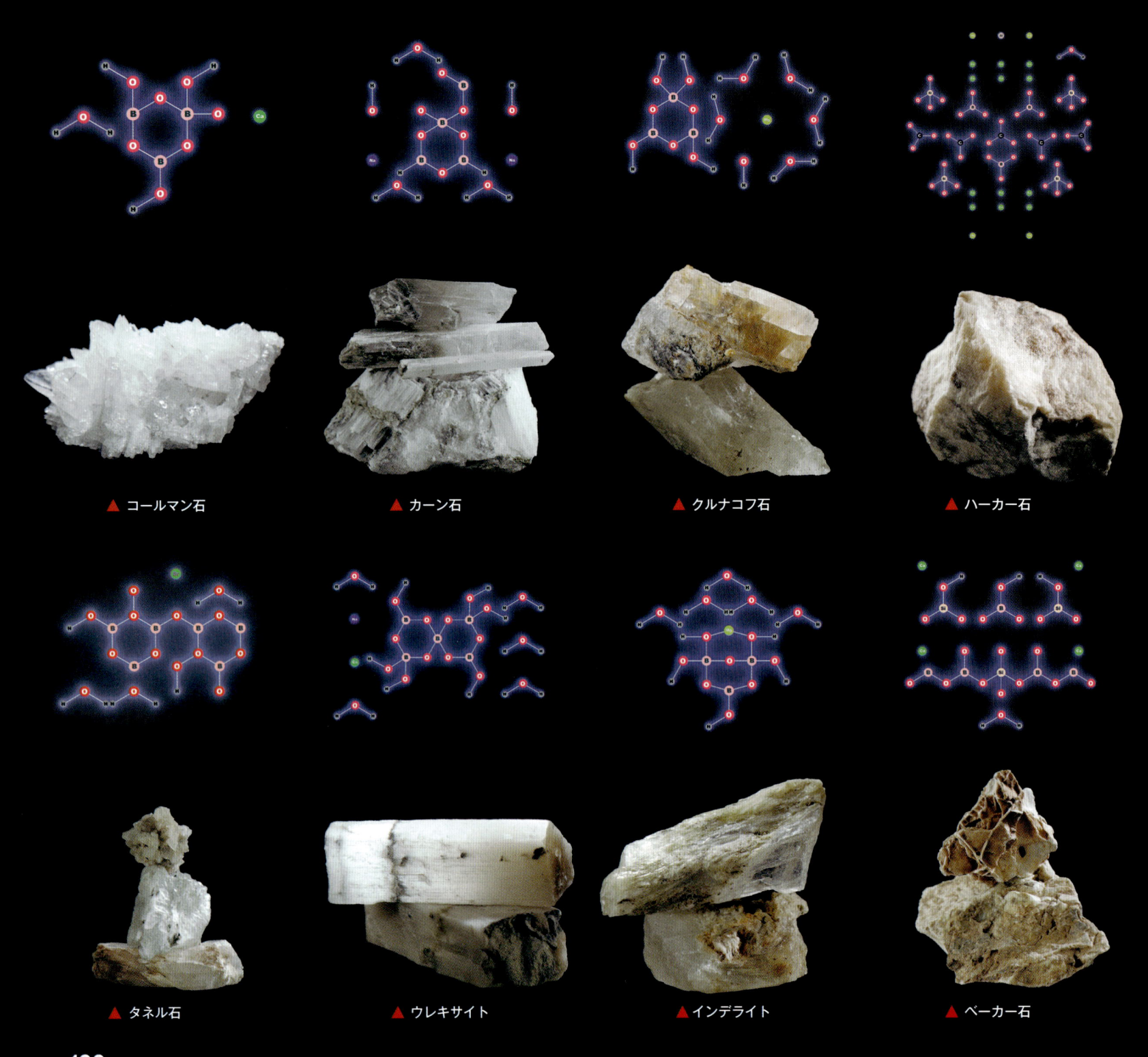

▲ コールマン石　　▲ カーン石　　▲ クルナコフ石　　▲ ハーカー石

▲ タネル石　　▲ ウレキサイト　　▲ インデライト　　▲ ベーカー石

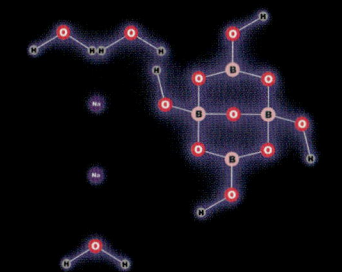

▲ チンカルコナイト

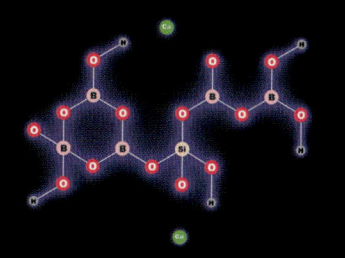

▲ ハウライト

▲ プロバータイト

▲ 水硼酸石(すいほうさんせき)

◀ ここで紹介した鉱物はすべて、ホウ素を得るのに使おうと思えば使える鉱石です。しかし、ホウ素という元素を取り出すためではなく、ホウ砂などのホウ素含有化合物を作るために使われます。純粋なホウ素には使いみちがわずかしかないうえ、作るのが難しく高いコストがかかります。ホウ素原子の入った化合物が欲しければ、ホウ素を単離することなどせず、ある化合物を望みの化合物に変えるほうがずっと簡単で安上がりです。

◀ ホウ素化合物でいちばんよく目にするのは、洗濯助剤のホウ砂です。ホウ砂だけの製品と洗剤に混ぜた製品の両方があります。写真は古典的な「20 Mule Team」ブランドのホウ砂で、このページの鉱物から作られるホウ素化合物を象徴する品です。

◀ 洗濯助剤として使われるホウ砂はホウ酸のナトリウム塩です。ホウ酸それ自体〈H_3BO_3〉はアリやゴキブリの退治に使われます。

▲ ホウ砂(ホウ酸ナトリウム)は普通は他の鉱物から作られますが、この結晶のようにホウ砂そのものが天然に採れることもあります。

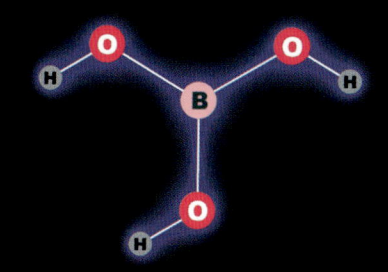

▲ ホウ酸の化学式はH_3BO_3です。第2章の名前にまつわる話をお読みになったみなさんは、なぜこれがアルコールではなく酸と呼ばれるのか疑問に思われるかもしれません。仮にホウ素原子のかわりに炭素原子があれば、間違いなくトリアルコールになります(炭素原子1個が酸素原子3個と結合することできないので、実在はしません)。けれどもホウ素は炭素ではなく、ホウ酸分子内部での電子の分布状態から、水素原子は水中では解離するくらいにゆるく結びついています。このような水素の結びつき方は、酸の基本的な特徴です。

岩と鉱石　101

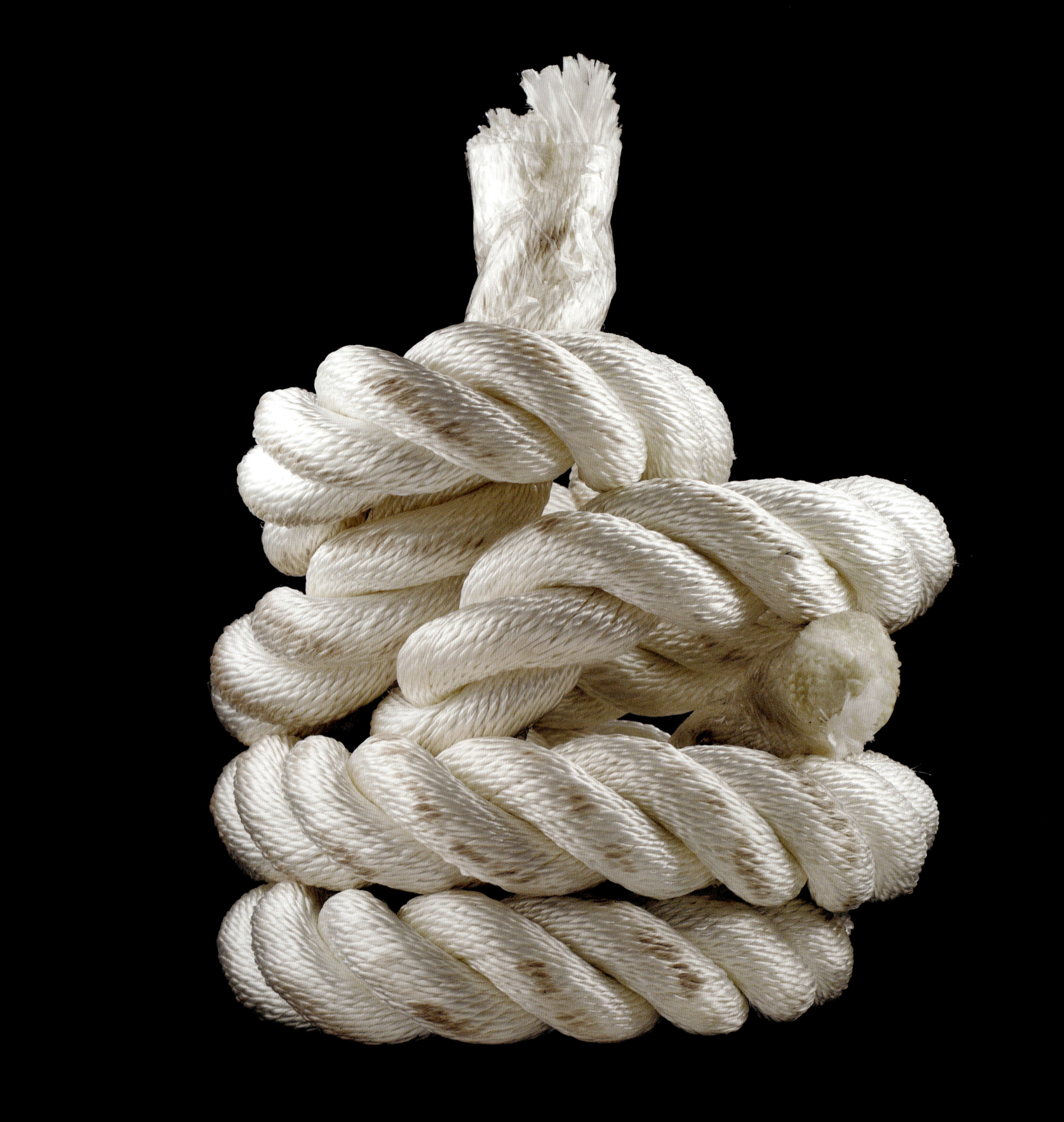

第7章 ロープと繊維

Rope and Fiber

あなたが原子と分子の世界について直観的に抱いているイメージは、たぶん間違っています。電子はどこか1ヵ所に存在してはいませんし、光は同時に波であり粒子でもあります。原子と分子の世界は摩訶不思議なことだらけです。ですから私は、ほとんどの繊維が実際に細長い分子からできているという事実に（考えてみれば明白であるにもかかわらず）、逆に驚きを禁じえません。それらの分子がすべて正しい方向を向いて整列した時に、繊維は最も強力になります。条件さえ揃っていれば、1本の繊維の中の分子がすべて整列しているのを触って感じることさえできます。

そうした長い分子は多くのユニットが反復してできているので、ポリマー（重合体、polymer）と呼ばれます。ギリシャ語の*poly*（多い）と*meros*（部分）が語源です。一番単純なポリマーはポリエチレンで、反復する多数のエチレンのユニットからできています。

炭素原子のものすごく長い鎖があり、それぞれの炭素原子に2個の水素原子が付いているのがポリエチレン分子です。第5章の鉱物油のところで見たのと同じ構造です。炭素同士を結合させると、最初は気体ができ、炭素の数が増えるに従って揮発性の高い液体、軽い油、もっと重い油、グリス、パラフィン蝋になります。やがて一列の炭素原子が数千個になると、そこからがポリエチレンです。

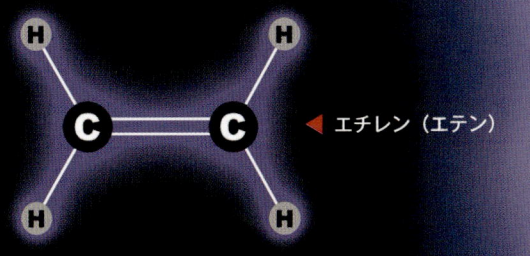

◀ 太さ2インチ（約5cm）のナイロンロープ。このナイロンはヘキサメチレンジアミンとアジピン酸が交互に連なってできています。

▲ ポリエチレンは柔軟な分子で、かなり自由にねじれたり曲がったりできます。炭素−炭素結合には若干の「ねじれにくさ」がありますが、たいした障害にはなりません。

▶ ポリエチレンは重合（ポリマー化）した、言い換えれば一列につながった、多くのエチレン分子からなっています。エチレンは他の有機化学製品よりも大量に世界中で作られ、主にポリエチレン製造に使われています。驚くべき事実をご紹介しましょう。果実はエチレンを成熟調節ホルモンとして使っています。たいていのホルモンはもっとずっと複雑な分子なのに！ 右の写真は、エチレンを吸収して果物を欺き、熟しすぎないようにするための商品です。逆の製品もあり、そちらはエチレンを放出して果実の成熟を早めます。

◀ エチレン（エテン）

最も単純なポリマー

ポリエチレンは多種多様な製品に使われていますが、その性質が一番よくわかる見本は、ありふれたポリ袋です。薄いポリ袋を作っている炭素鎖は炭素原子が数千個連なったものです。鎖の配置はかなりランダムで、あるものはくるりと丸まり、あるものはヘビのように他の鎖とからみあっています。鎖同士はファンデルワールス力という非常に弱い力（12ページ参照）でしかつながっていないため、ポリ袋は簡単に変形させることができます。分子は、曲がったり直線になったり互いにスライドしたりする自由をたくさん持っているのです。

ポリ袋は手で容易に引き裂いたり、引っ張って伸ばしたりできます。ところが、ずっと引っ張り続けていくと、あるところで突然伸びが止まり、劇的に強力になって指が切れそうに感じられます。これが、すべての分子が同一方向（引っ張られている方向）に整列し、それ以上は動けなくなった状態です。手が感じる力は炭素 - 炭素結合の強さなのです。

もう少し上等なポリエチレンは、もっとずっと長い、あらかじめ伸ばされた炭素鎖を持っています。けれども、どんなポリエチレンでも、個々の分子は互いに結合していません。ではなぜ、引っ張った時に分子同士がスライドして離れてしまわないのでしょう？ その理由は、短い繊維を撚り合わせると長いロープになるのと同じです。

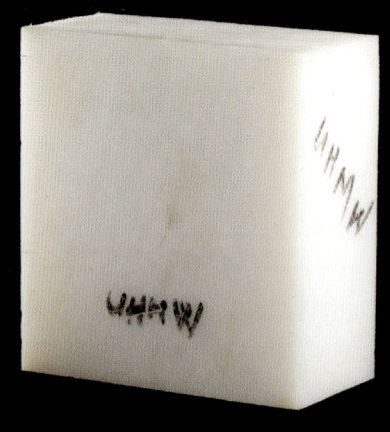

▲ 硬くて表面がつるつるしたこのブロックは、超高分子量ポリエチレン（UHMW-PE）でできています。一般的なポリエチレン分子の炭素鎖を構成する炭素原子の数が1000～2000個なのに対し、UHMW-PE分子の鎖は炭素原子が数十万個つながっています。炭素原子50万個からなるポリエチレン分子の長さは約0.05mmで、分子としては極めて長いといえます。

▼ ポリ袋を手で破ろうとしたことのある人なら、正しいやり方とそうでないやり方があるのをご存じでしょう。袋が長く伸びて紐状になってしまったらおしまいで、その紐は手が切れそうなほど強靭です。

▲ ダイニーマ（Dyneema）は超強力なUHMWポリエチレン繊維の商標名で、ロープやこの写真のような耐切創手袋の材料として使われます。こうした繊維では分子の95%が繊維の方向に沿って整列しています。

▼ ポリエチレンの分子は温度が上がるほど互いにスライドしやすくなります。つまり、ポリエチレンは融点が低く、合成した後に再融解させて鋳型に流し込んだり、プレスしたり、圧延したり、射出成型したりして新しい形にできるのです。この写真のようなビーズは、このままで使うのではなく、融かして別のものを作るために使われます。

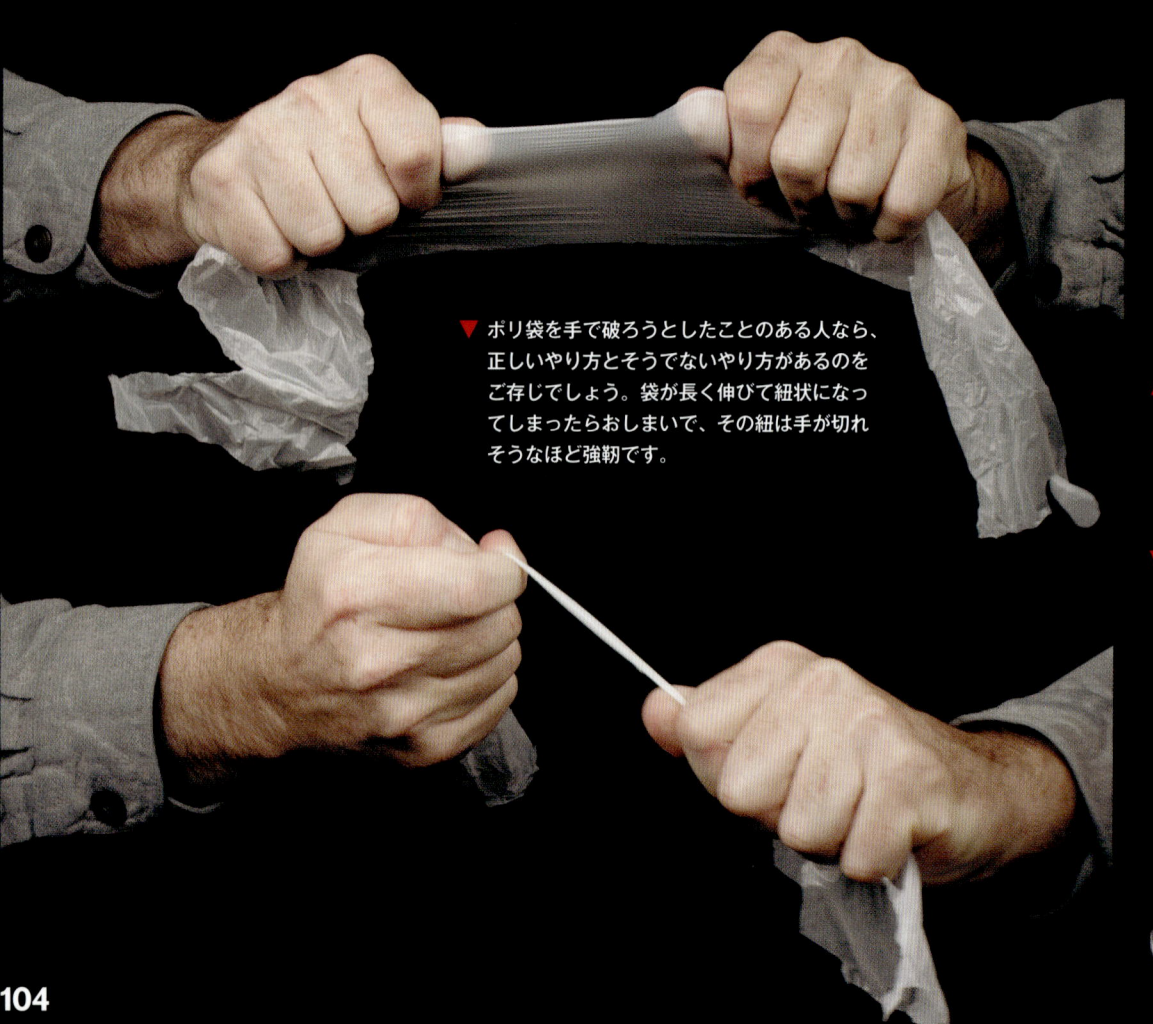

▶ ポリエチレンは、派手さはないものの多用途に使える素材です。私はわざわざお金を払ってこのポリエチレン製の緩衝材を取り寄せました。他の素材ではなく間違いなくポリエチレン製のものが欲しかったからです。もしかしたら私は、これまでに比較的重い品物を送ってもらった時にこうしたポリエチレンの緩衝材をただで手に入れていたのかもしれませんが、全部そのまま捨ててしまっていました。

繊維を撚(よ)ると強靭な糸になる

　ワタ（木綿）の繊維1本の長さはせいぜい1インチ（2.5cm）です。3マイル（約4.8km）巻きの糸でも、個々の繊維の長さは1インチのままです。繊維同士は糊などを一切使わずにつながっています。糸が丈夫なのは、何本もの繊維が互いに重なり合い、それをよじることによって毛羽のある表面同士がしっかりと固定されているからです。

　短い木綿の繊維がからみあって長い木綿糸ができているのと全く同様に、たくさんの長い分子もでたらめに重なって密着し、さらにねじれたり挟まりあったりできます。隣り合う分子の原子同士に働く個々の力はさほど強くなくても、原子数千個の長さの分子鎖が何本も密接して重なり合うと、分子同士のスライドは非常に起こりにくくなります。

　人間の文明が長い長い歳月にわたって続いてきたのもこれと似た現象として捉えることができます。ひとりの人生は何十年かで終わってしまいますが、人類は共同体の中に紡ぎ入れられ、世代の重なり合いから力を生み出してきました。どの人生も、先人と後続の人生と接し、撚り合わさっています。人間の一生を1インチの繊維とすれば、最初にたき火を囲んだ時から現在までに人類は1000フィート（1万2000インチ＝約305ｍ）近くを紡いできたことになります。

▲ 綿繰り機（ワタの種子と繊維を分ける装置）から出てきたばかりの木綿の繊維。1800年頃まで種子と繊維を分けるのは手作業で、ひとり1日に1ポンド（450ｇ）程度が限度でした。綿繰り機は手間を15分の1に減らしました。「人間は賢く、進歩は必然だ」とお考えのそこのあなた。綿繰り機の発明に必要な技術は少なくともその1000年前から存在していたのに、18世紀末〔欧米では〕誰も綿繰り機を作らなかったのです。人々は何世紀にもわたり、来る日も来る日も、座って手で1個1個種子を取り除いていたのでした。〔アジアには西暦500年頃から綿繰り機があったとされます。〕

▲ この糸巻きには3本撚りの木綿糸6000ヤード（約5500ｍ）が巻かれています。1本ずつに分けて足せば約10マイル（16km）です。糸を作っている木綿の繊維1本はおよそ1インチ（2.5cm）で、ただ重ね合わせて撚っただけでつながっています。

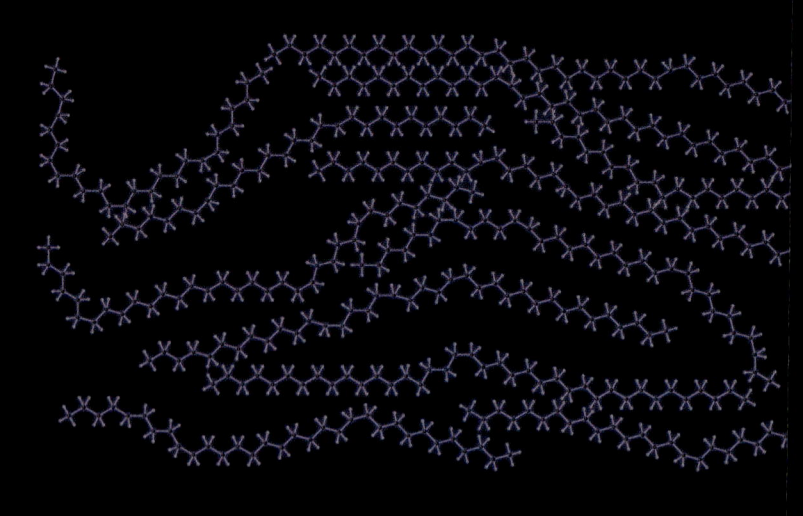

▲ ポリエチレンの鎖を構成する炭素原子同士の結合は非常に強いのですが、分子と分子の結合を生んでいるのは、撚り合わさることと、隣り合う分子の間で働くファンデルワールス力(りょく)という弱い力だけです。

▲ 木綿糸の撚りを戻してから引っ張ると、個々の繊維をまったく切断せずに糸をちぎることができます。複数の糸を撚り合わせてある場合は、それぞれの糸の撚りの向きと、糸を構成する繊維の撚りの向きが逆方向にねじれているため、ほぐすのがずっと困難です。

▼ 木綿は、こんなふうにワタの実が自然に開いた中から出てきます。繊維は莢（さや）の内部にある種子の周囲に生え、種子を保護するとともに、風で飛ばされたり動物の身体にひっかかったりして種子が運ばれるのを助けます。実から出てきたこの綿の繊維のかたまりと、ドラッグストアで売られている化粧用のコットンボールは、大きさこそ似ていますが全然別物です。コットンボールは、高度な処理の済んだ綿の繊維をボール状に丸めたものです。

靴底の形をした分子

ポリエチレンでは、長い鎖状の分子同士が化学的に結合しておらず、分子ひとつひとつは完全に別々です。けれども、同じような長い分子からできている他のポリマーで、分子と分子が「架橋結合」と呼ばれるプロセスで化学結合しているものもあります。架橋は素材の強度を高め、高温でも融けにくくしますし、「クリープ」も防ぎます。クリープというのは、ポリエチレンのような素材に恒常的に力が加わった時、個々の分子が極めてゆっくりと互いにずれるのが原因で徐々に素材の変形が起こることです。

ある意味で、架橋は素材を単一の巨大な、しかもどんな温度でも各部分がずれることのない分子に変えるともいえます。いったん架橋した物質はもう融解しません。つまり、架橋させるのは素材が最終的な形に成形された後でなければならないということです（架橋した素材のブロックを機械加工で最終形状に仕上げる方法もありますが）。

初期に開発された架橋ポリマーの例に、加硫処理をしたゴムがあります。この処理には硫黄と熱と圧力を使い、数個の硫黄原子でできた鎖でゴムの分子同士を結合させます。加硫を意味する英語のvulcanizeはvulcan（火山）と同じ語源です。（硫黄と高温がかかわる事象にはたいていローマ神話の火山の神ウルカヌスにちなんだ名前が付けられます。火山には熱と硫黄と、息が詰まるような刺激臭があるからです。）

現在では、人工的に作られた架橋ポリマーがたくさん存在します。

▲ 植物から採取された（もちろんその後で精製された）天然ゴムラテックスは、医療や科学の現場で広く使われています。このゴムチューブはどんな合成チューブよりも伸縮性が優れています。

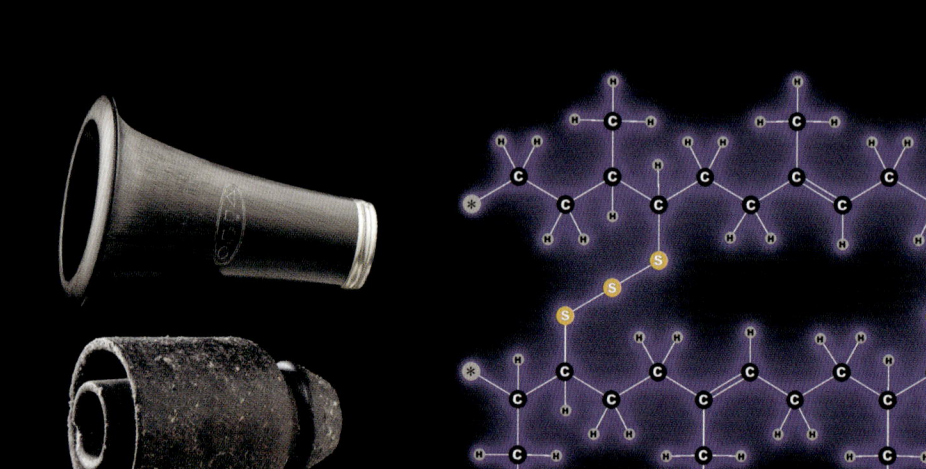

▼ 加硫ゴム

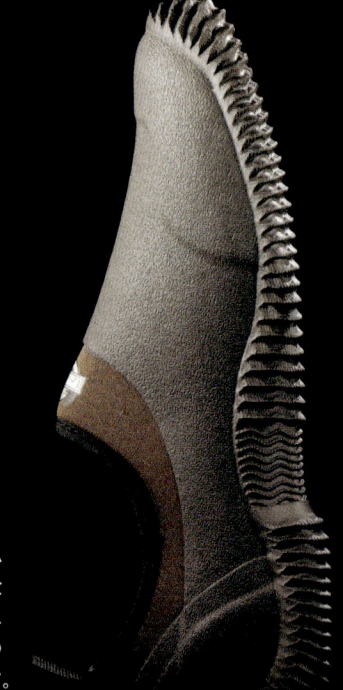

▲ 架橋した加硫ゴムは、硫黄の架橋を増やすことで非常に硬くすることができ、まるで硬質プラスチックのようになります。ゴムという名前から連想されるものとは全く違います。このクラリネットのベルと電気絶縁部品の素材であるエボナイト（硬質ゴム）は、なんと30%が硫黄です！

▶ この靴のソール（靴底）は加硫ゴム製です。加硫ゴムのソールは、ある意味で"靴底の形に成形された巨大な単一分子"と言えるので、高温で融けたり、溶剤に溶けたりすることはありません。加熱されると、この"巨大分子"は融けるかわりに焦げたり燃えたりします。

▲ 特殊メークに使われる液体ラテックスは、加硫されていない天然ゴムです。分子間に架橋がないため、いろいろな溶剤に溶けます。ラテックスは傷痕や生皮を剥いだようなメークに適しています。ある程度の量のラテックスを盛ると、最初に表面が乾いて内部は液体の状態になり、ありとあらゆるグロテスクな見た目を作り出せるからです。

▶ ニトリルゴムは分子構造にいくらかラテックスとの共通点がありますが、まったくの人工的な合成品です。そのため天然のゴムラテックスに含まれることのあるアレルギー誘発物質(ゴムの木に由来する混入物)が一切入っていません。ただ、ニトリルゴムには、天然ラテックスに優れた伸縮性を与えている二次構造がありません。

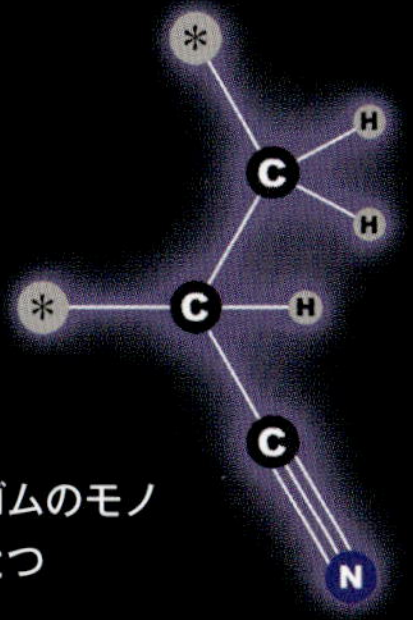

▲ ゴムラテックスに手で彩色して、リアルなマスクを作ることができます。こんなものだって作れます。

▲ ラテックスの用途は真面目な医療用に限りません。この造花の材料は、天然ゴムラテックスです。

◀ ラテックスの手袋(緑)は病院で広く使われています。感染を防ぎつつ、触った時の微妙な感触がわかります。ゴムアレルギーの人もいることから合成ニトリルゴム製の手袋(青)もあり、同じくらいよく使われます。緑や青は素材本来の色ではなく、手袋の素材を識別しやすくするための着色です。

▶ ニトリルゴムのモノマーのひとつ

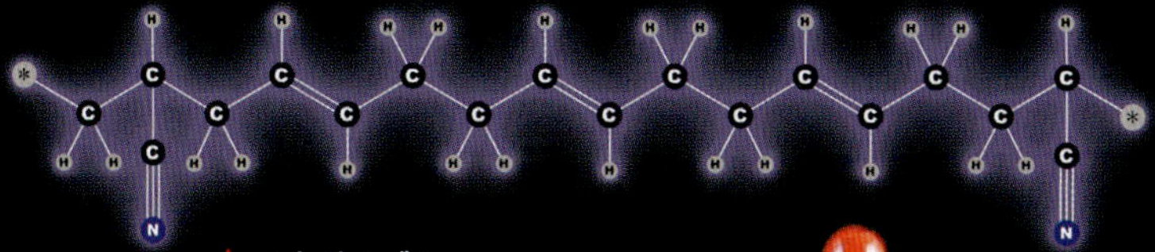

▲ ニトリルゴム

ガッタパーチャ

▼ ガッタパーチャ(グッタペルカともいう)は化学的に天然ゴムラテックスに似た"親戚"ですが、化学構造のわずかな違いから、架橋していないのにプラスチックのような硬い固体です。ガッタパーチャ製フォトフレームは見た目も手触りも硬質プラスチックそっくりです。

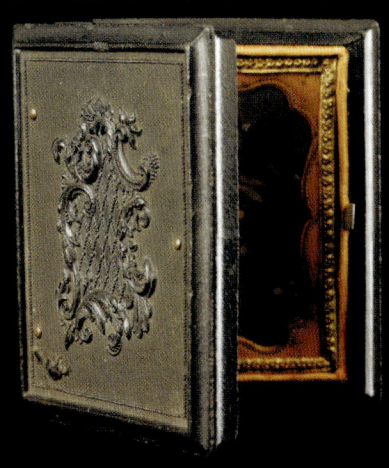

▶ ガッタパーチャはアカテツ科グッタペルカノキ属の樹木から採れる、長い歴史を持つ樹脂です。名前からして古めかしい。それが私の歯の1本に詰められています(レントゲン写真の赤い三角の示す部分)。虫歯の根管から神経を抜いた後の空洞を埋める充填剤だからです。歯科用ガッタパーチャ(右の写真の細い棒)は根管の奥を塞ぎ、免疫系の届かないこの部分を細菌感染から守ります。他のどの充填剤よりも優秀なので、今でも使われています。

▼ ガッタパーチャのモノマー

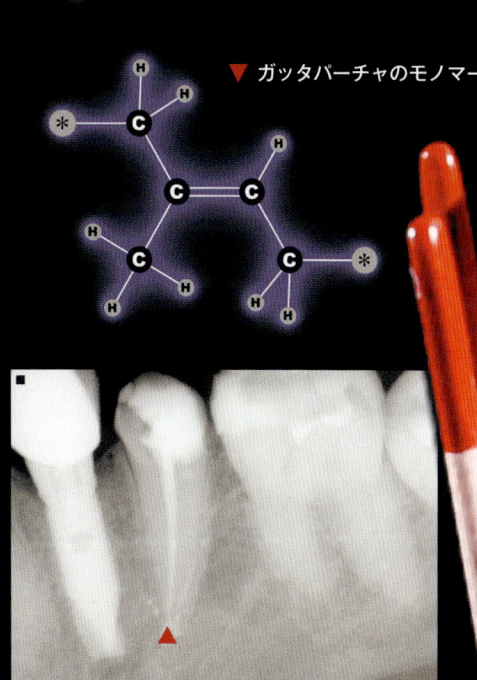

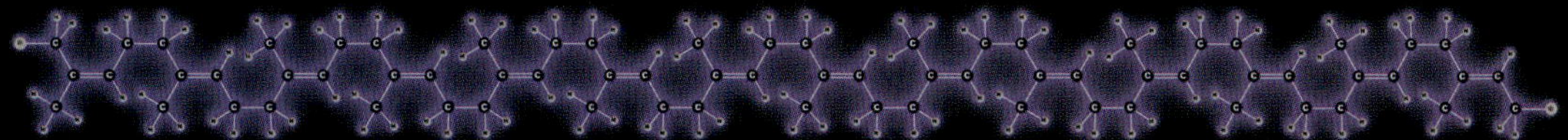

▲ ガッタパーチャのポリマー

ロープと繊維　**109**

セクシーな合成繊維

繊維工学はハイテクビジネスです。引っ張り強度は繊維の性能の指標のひとつですが、唯一の指標ではありません。たとえば、適切な条件下であれば炭素繊維は既知のどんな繊維よりも高い引っ張り強度を示します（カーボンナノチューブ繊維はさらに桁違いな高強度でしょう）。しかし炭素繊維は非常にもろいため、多くの用途では他の繊維の方が優秀です。

ケブラーはパラアラミド繊維（正式な化学名はポリパラフェニレンテレフタルアミド）の商標名で、炭素繊維のように強度が高く、しかももろくありません。すなわちほど大きな力が加わらない限り破断しないので、防弾チョッキやスピアーフィッシング〔海に潜って銛や水中銃で魚を仕留める水中スポーツ〕の銛に付ける紐の素材として有用です。摩滅にも強く、ロープや保護手袋にすれば耐久性抜群です。

他にも、水に浮く、耐腐食性が高い、手触りがソフト、といった望ましい特徴を持つ多彩な繊維があります。化学構造（繊維を作っている分子）を変えたり、物理的形状（繊維の細さや、まっすぐか縮れているかなど）を変えたりすることで、幅広いニーズに応える合成繊維が作れます。

多くの場合、そうした改良の目的は、天然繊維にそっくりな感触でもっと安い繊維や人道的な〔動物を殺さなくてもすむ〕繊維を作ることにあります。天然繊維にはとても優れた性質がありますからね。

ナイロン

▼ 6,6-ナイロンのポリマー鎖はヘキサメチレンジアミンとアジピン酸が交互につながってできています。こういうものを共重合体といいます。

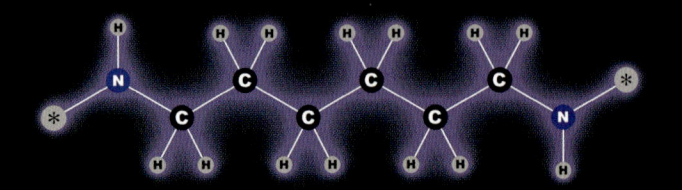

▲ 6,6-ナイロンのモノマーのひとつ ヘキサメチレンジアミン

▼ 6,6-ナイロンのモノマーのひとつ アジピン酸

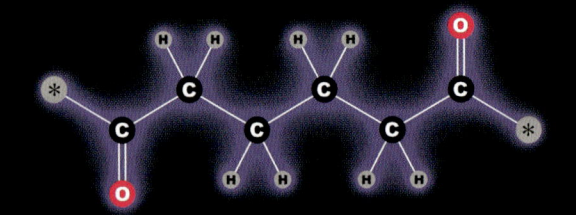

▼ 6,6-ナイロン（ポリマー）

▶ ストッキングはナイロンの発明で品質が大幅に向上しました。ナイロン靴下製造業は合成繊維産業のなかで一番早く成功を収めた部門のひとつです。ストッキングは、天然の同等品よりも優れた特質を持つ人工的な素材ができたことを大衆が文字通り肌で感じた、最初の例のひとつでした。

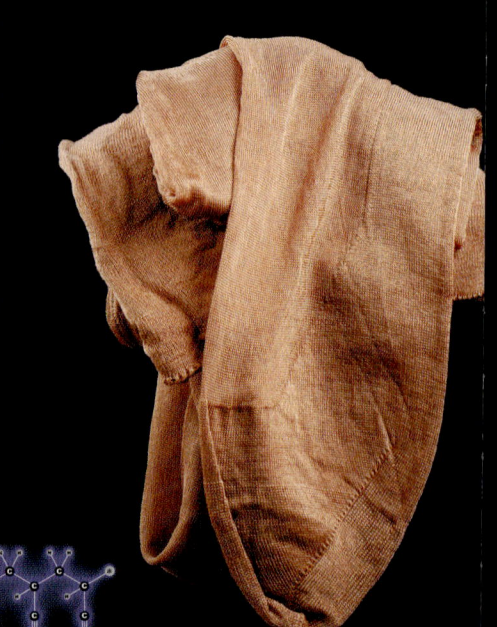

アクリル

▶ このフェイクファーのブランケットは、触ってびっくりです。想像を超えた、このうえない柔らかさと温かさなのです。もう飼い猫が不要なくらいです。はてさて、アクリルという人工繊維が本物の毛皮にここまで近づいたことと、アクリル繊維はずいぶん昔からあったのに2013年になるまでこのレベルの完成度に達しなかったことの、どちらがより驚異的でしょうか？

▶ アクリルのモノマー

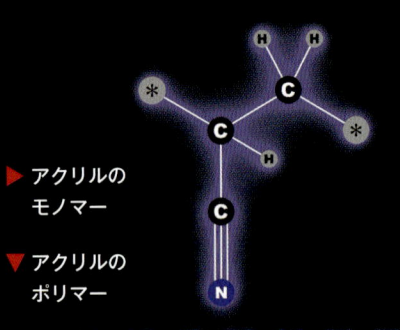

▼ アクリルのポリマー

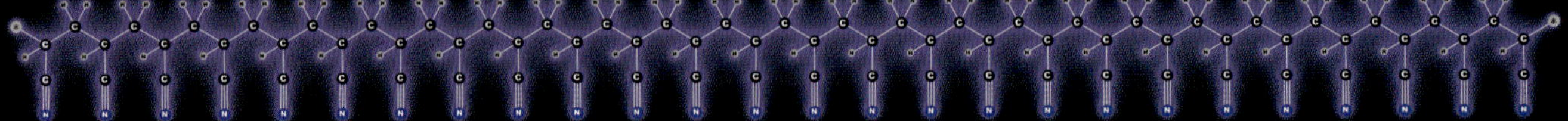

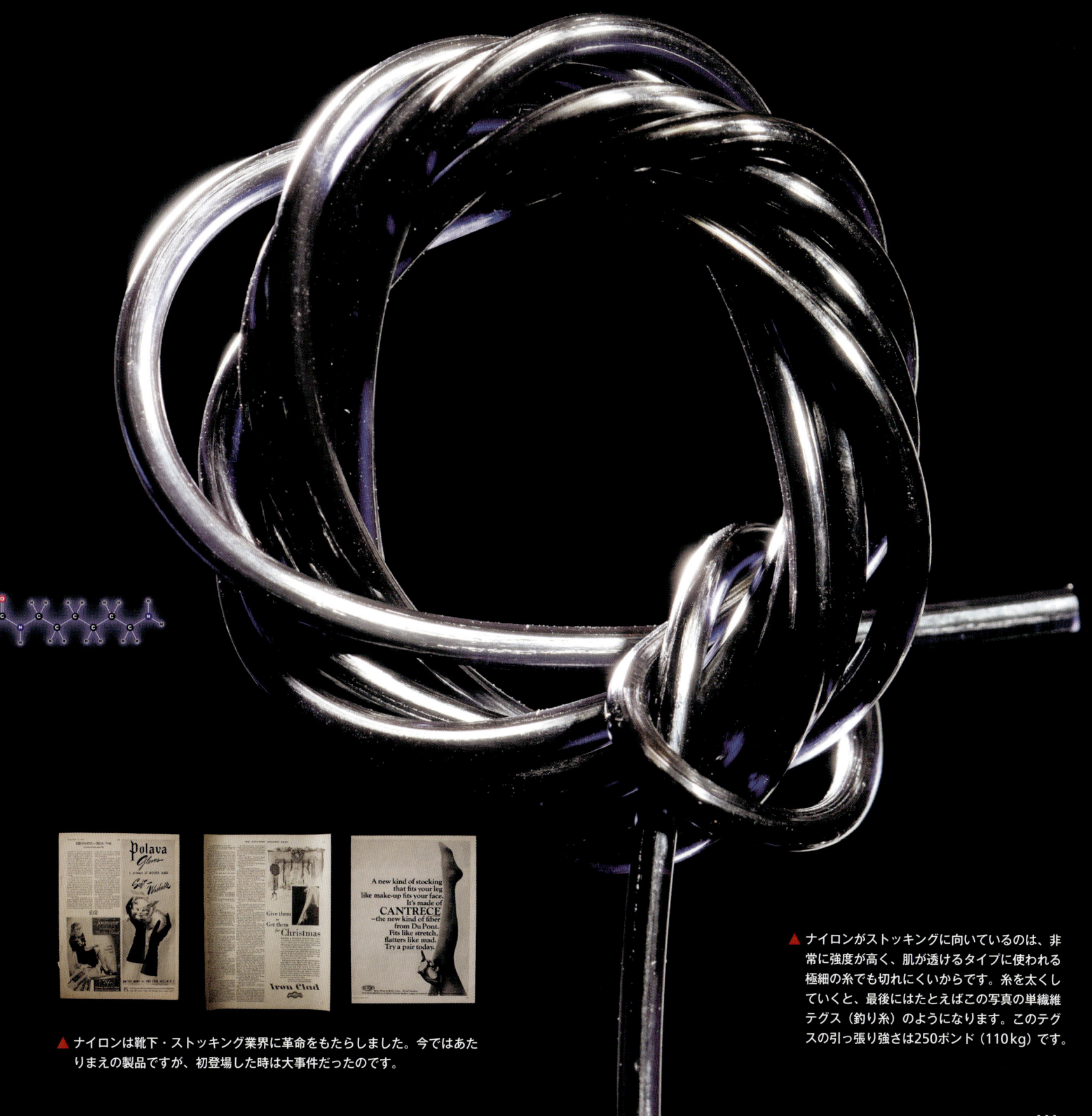

▲ ナイロンは靴下・ストッキング業界に革命をもたらしました。今ではあたりまえの製品ですが、初登場した時は大事件だったのです。

▲ ナイロンがストッキングに向いているのは、非常に強度が高く、肌が透けるタイプに使われる極細の糸でも切れにくいからです。糸を太くしていくと、最後にはたとえばこの写真の単繊維テグス（釣り糸）のようになります。このテグスの引っ張り強さは250ポンド（110kg）です。

ロープと繊維　111

セクシーな合成繊維

ケブラー

▼ ケブラーの反復構造を構成するユニットは非常に複雑な構造で、隣り合うポリマー分子が配位と呼ばれる結びつき方で特に強力にくっつきます。

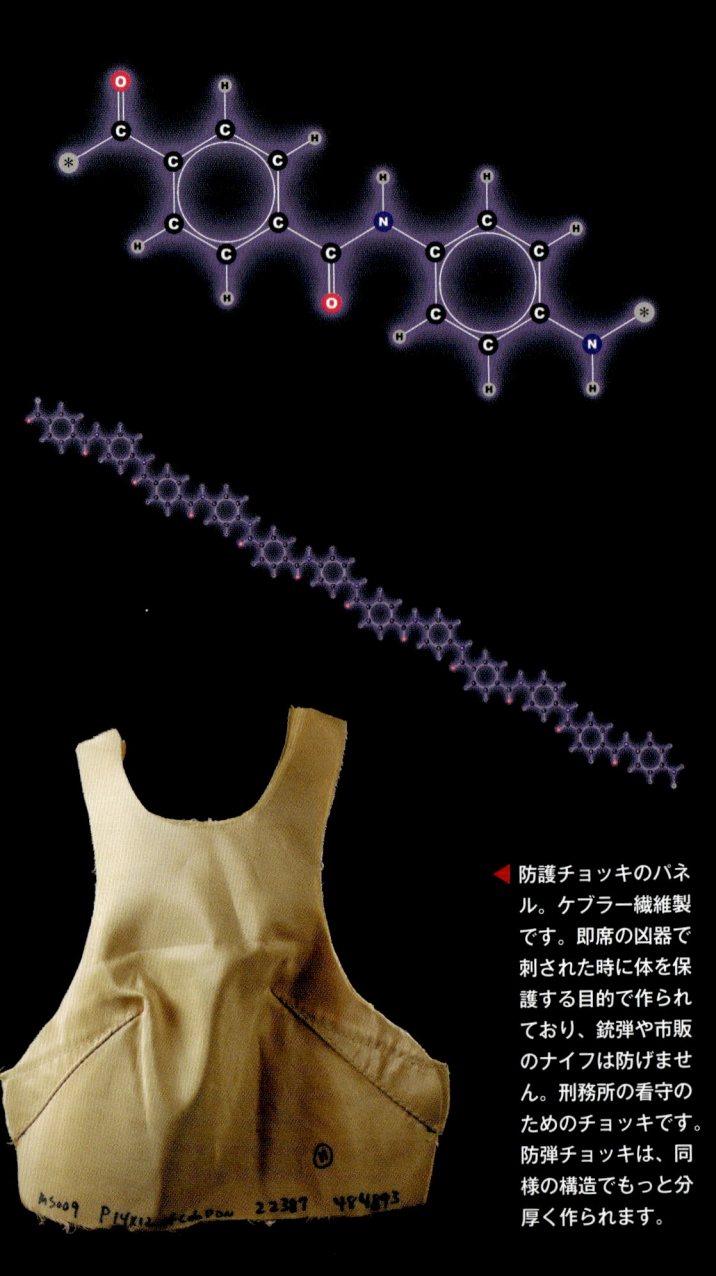

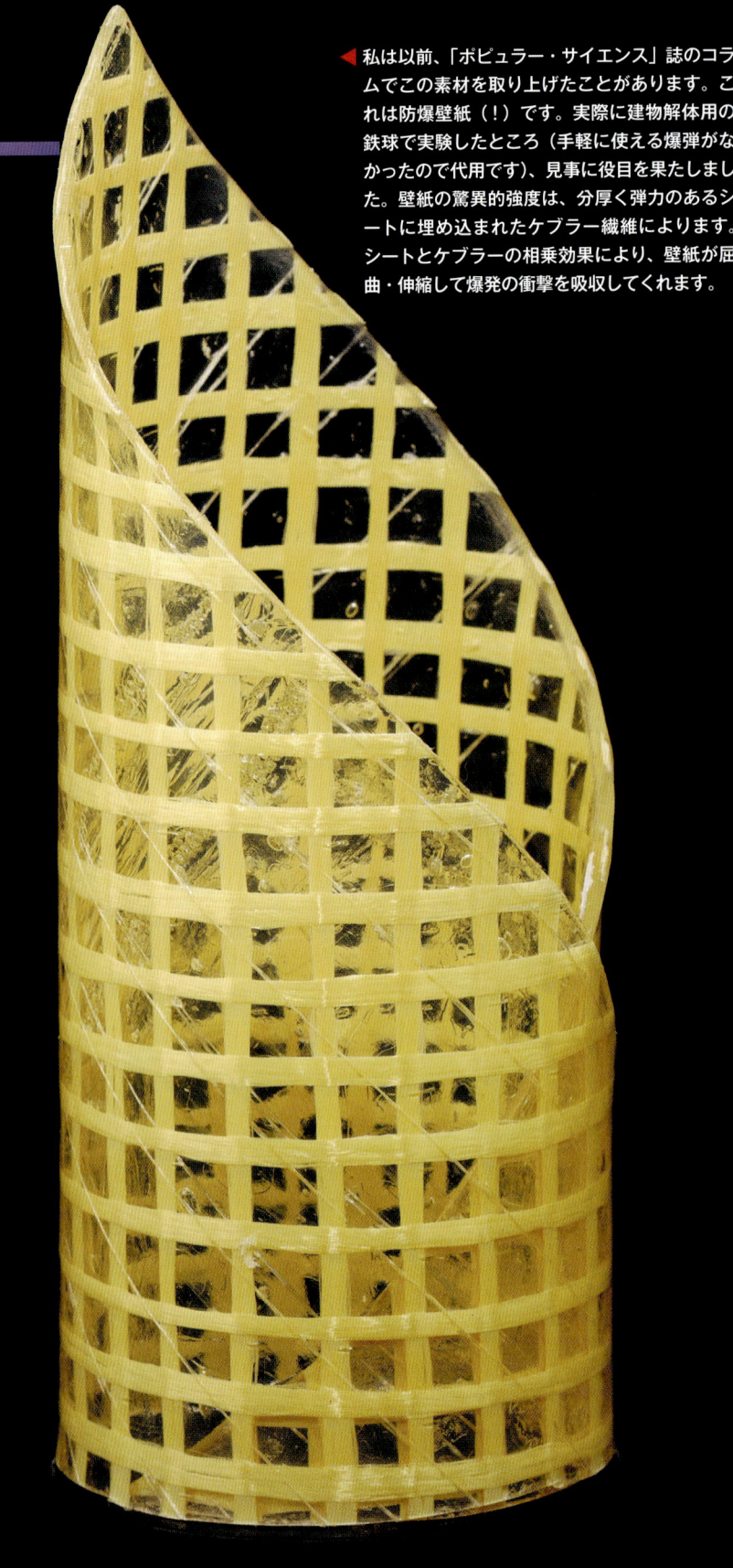

◀ 私は以前、「ポピュラー・サイエンス」誌のコラムでこの素材を取り上げたことがあります。これは防爆壁紙（！）です。実際に建物解体用の鉄球で実験したところ（手軽に使える爆弾がなかったので代用です）、見事に役目を果たしました。壁紙の驚異的強度は、分厚く弾力のあるシートに埋め込まれたケブラー繊維によります。シートとケブラーの相乗効果により、壁紙が屈曲・伸縮して爆発の衝撃を吸収してくれます。

◀ 防護チョッキのパネル。ケブラー繊維製です。即席の凶器で刺された時に体を保護する目的で作られており、銃弾や市販のナイフは防げません。刑務所の看守のためのチョッキです。防弾チョッキは、同様の構造でもっと分厚く作られます。

ザイロン

▼ ザイロンはケブラーよりさらに高い引っ張り強さを誇る繊維ですが、若干の欠点があるため、ケブラーの方がよく使われます。ザイロンもケブラーと同様に反復するポリマーユニットの構造が極めて複雑です。

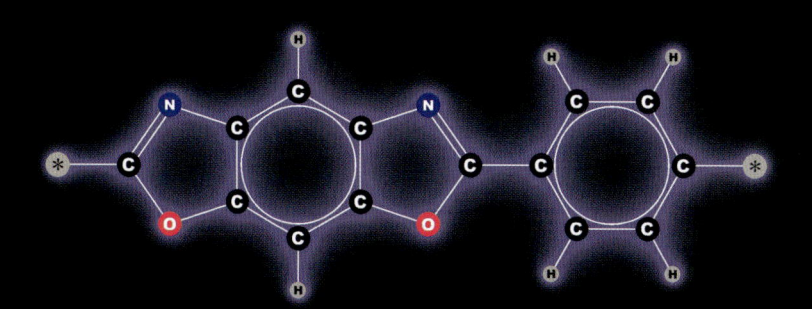

◀ ケブラーで作られたこのような手袋は、家畜解体業者やナイフ・ジャグリング初心者の手を保護します。

▼ このケブラーのロープは、直径がわずか8分の1インチ（3.5mm）だというのに引っ張り強さは2000ポンド（約900kg）で、小型車でも持ち上げられるくらいです（ただし下に誰もいないことが必須条件！）。

セクシーな合成繊維

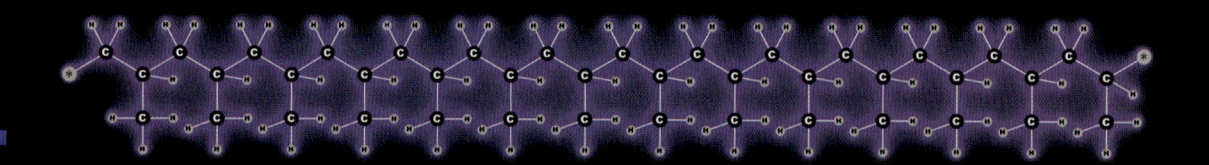

ポリプロピレン

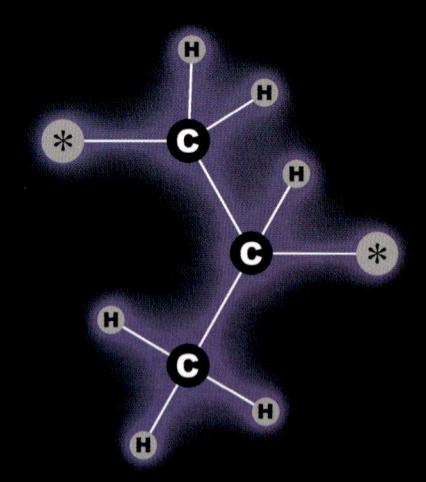

▼ まったくありふれたポリプロピレン製ロープ。私はこれが嫌いです。ポリプロピレンに罪はないのですが、このタイプのロープの繊維は非常に太く、手触りが粗くて手が痛くなるからです。ちょうど、単繊維のテグスを束にして撚ったようなものです。このロープのことを考えるだけで、過去にこれを結ぼうとした時の記憶がよみがえって手が痛くなるほどです。写真の結び方がすごく下手くそなのはそのせいです。

▲ 巨大な袋！ 容量は1立方ヤード（およそ0.76立方メートル）で、耐荷重は2750ポンド（約1250kg）です。四隅のループをチェーンやフォークリフトの歯にひっかけて持ち上げます。底には口がひとつあり、そこを開ければ中身（たとえば砂）を吐出できます。袋の素材はポリプロピレンです。

ポリエステル

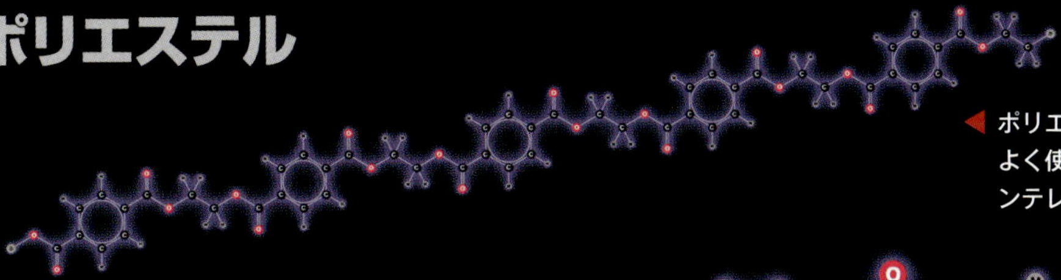

▶ ポリエステルのなかでも最もよく使われているポリエチレンテレフタレート（PET）。

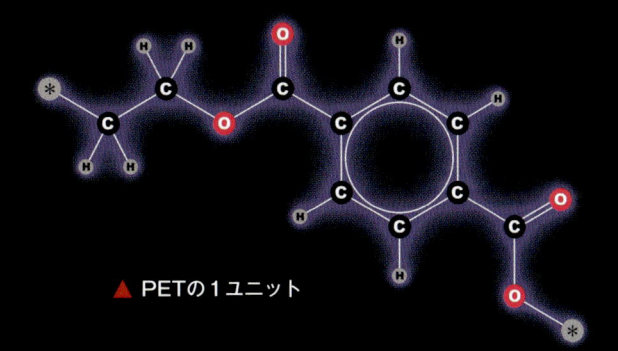

▲ PETの1ユニット

▶ 幅6インチ（約15cm）のこのベルトは、トラックやトラクターのような重いものを、本来それがあるべきでない場所から引き上げる時に使われるもので、究極の引っ張り強さ——6万ポンド（およそ2万7000kg）——を持っています。素材はポリエステルです。ポリエステルは、同じ目的によく使われる鋼鉄の鎖と比べて、破断する前にかなり伸びる性質があります（鉄の鎖は実質的には伸びずにいきなり破断します）。同じ引っ張り強さを持つポリエステルのストラップと鋼鉄の鎖では、ポリエステル製ストラップの方が伸長性があるため、切れる前に鎖よりずっと多くのエネルギーを吸収できます。しかしそれは同時に、危険性が高くなることを意味します。ポリエステルのストラップがついに切れる時には、それまでに蓄えられたエネルギーが猛烈な勢いで放出されるからです。それが、切れたストラップのはね返りです。強い力がかかっているロープと同じ直線上には決して立つなと言われるのはそのためです。鋼鉄の鎖は破断してもそれほどはね返りません。もうひとつ違いがあります。鋼鉄の鎖は冷たく硬いのに対し、ポリエステル製ストラップは柔軟です。繊細な絹糸のような手触りですが、絹よりずっと安く、エレガントな人間の首ではなく武骨なトラックの車軸に巻くことを想定して作られています。首には巻かないで下さいね。

ポリグリコール酸とポリジオキサノン

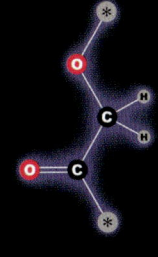

◀ ポリグリコール酸 ▶
（ポリグリコライド）

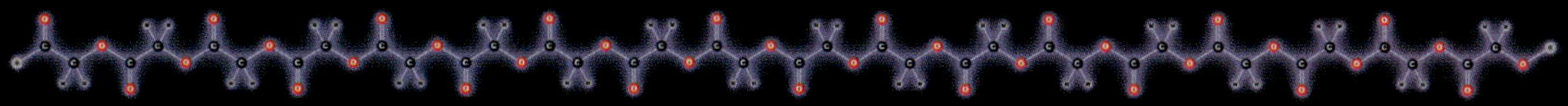

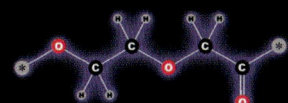

◀ ポリジオキサノン ▶

▶ かつて、外科用縫合糸（ほうごうし）に使えて月日が経つと身体に自然に吸収される素材といえば、ガット（腸線、132ページ参照）だけでした。右の写真は現代の医師が使う2種類の合成縫合糸で、それぞれポリグリコール酸（ポリグリコライド）とポリジオキサノンでできています。どちらも人体に容易に吸収され、天然縫合糸の欠点（物理的性質のばらつきや、汚染のリスク）とも無縁です。

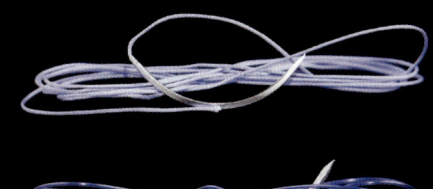

▶ 身体に吸収されない外科用縫合糸が必要な時は、ナイロン製かポリプロピレン製が使われます。

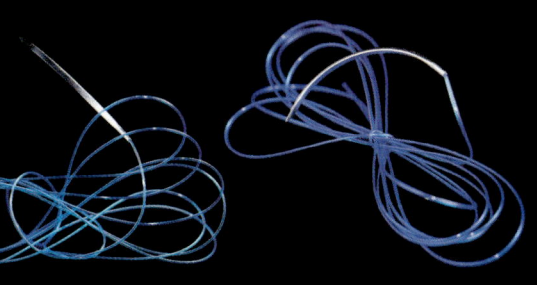

ロープと繊維

できている

　天然繊維の世界はとても豊かで多種多様です。実質的には、ココナッツの繊維からラクダの毛まで、糸状や毛状のものは何でもロープや紐や糸や布や詰め物にされています。犬の毛で作られた靴下（125ページ）は珍品扱いされますが、羊の毛（ウール）や山羊の毛（モヘア）の靴下と比べて、はたしてどれくらい奇妙でしょう？　世の中には、人間の髪の毛を使ったブレスレットやネックレスまで存在します。

　植物の繊維は化学的にはかなり単純で、多くの点で合成繊維に似ています。植物繊維の大部分はセルロースが主成分で、セルロースを構成する反復ユニットはグルコース（ブドウ糖）という糖の分子です。

　ですから、一部の微生物（およびそうした微生物を腸内に共生させている動物）はセルロース繊維を食べてその糖をエネルギーに変えて生きることができます（ありていに言えば、草を食べます）。人間を含むそれ以外の動物はセルロース消化酵素を持たないので、セルロースに含まれるエネルギーを利用するには、草を草食動物に与えた後、その動物の肉を食べたり乳を飲んだりする必要があります（これが家畜飼育です）。

▼ 多くの植物繊維には、若干のリグニンも含まれています。リグニンを構成する反復ユニットは、シナピルアルコール、コニフェリルアルコール、パラクマリルアルコール（p-クマリルアルコール）という３種類のアルコール分子です（アルコールの化学的定義については38ページを参照）。

▶ シナピルアルコール

◀ セルロース繊維は、グルコースという糖の反復構造で作られています。

▶ パラクマリルアルコール

▶ コニフェリルアルコール

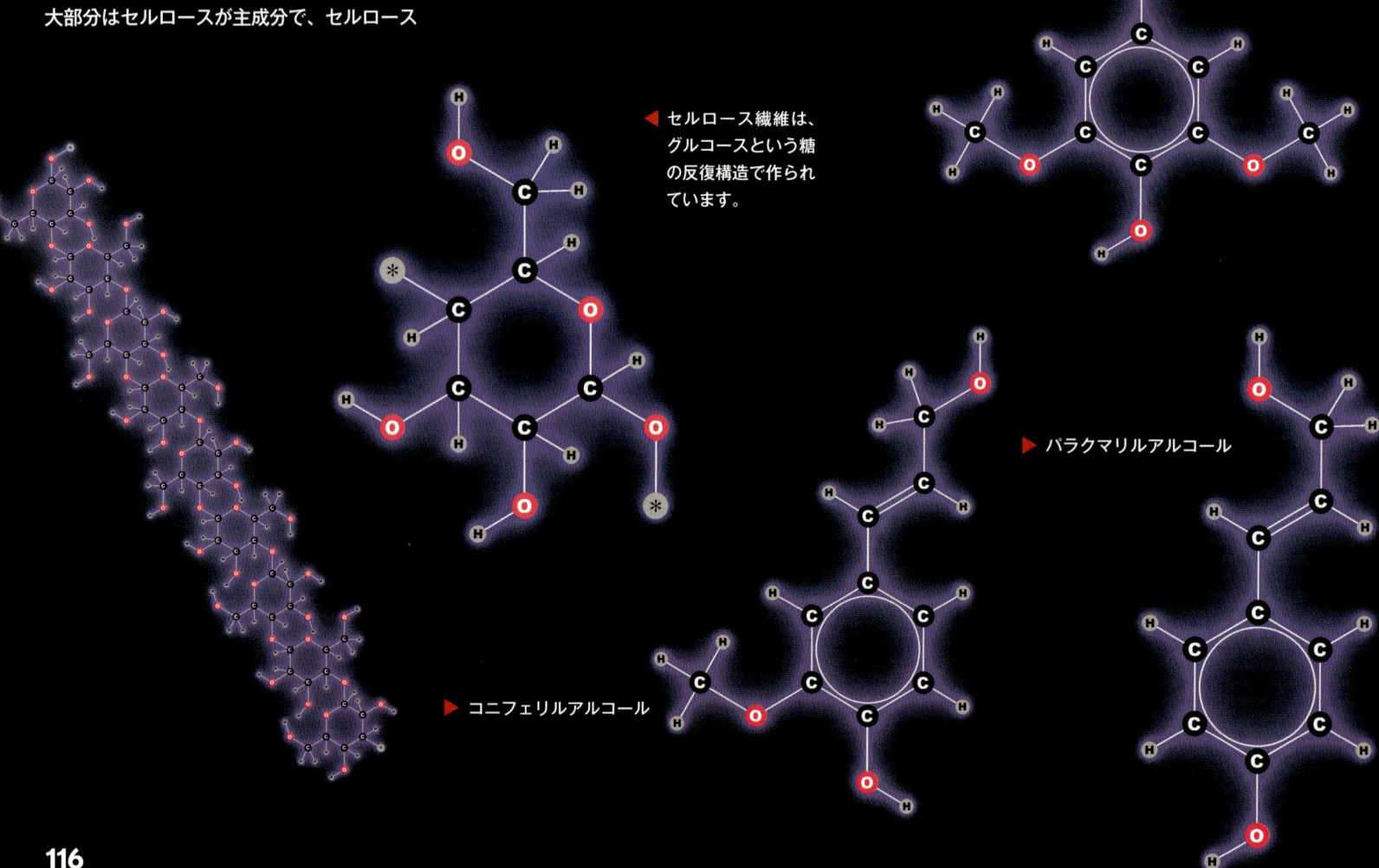

▶ 木材は約70%がセルロース、30%がリグニンです。右の写真のような木毛は、その昔梱包用の緩衝材としてよく使われていましたが、もうずいぶん長いこと見かけません。写真の木毛はわが家の地下室から出してきた40年以上も前のもので、両親の遺産です。木は非常に繊維の豊富な素材ですが、木の繊維でロープや糸を作ることはめったにありません。木材は、紙や書物の原料、机や椅子や本棚などの木工品の素材、そして建物の構造材として使われます。

▲ 新聞紙や安いペーパーバックによく使われる安価な紙には、かなりの量のリグニンが含まれています。リグニンは年月が経つにつれ酸を放出するので、紙が黄ばみ、最後にはボロボロになってしまいます。古くからある高価なコットン紙や和紙にはほとんどリグニンがないので、この問題はありません。

▶ インドの手漉き紙。純粋なコットン、つまりほぼ純粋なセルロースでできています。長期にわたって保管する公文書などにはコットン紙が望ましいとされます。コットン紙の繊維には黄ばみや劣化の原因となるリグニンがわずかしか含まれていないからです。

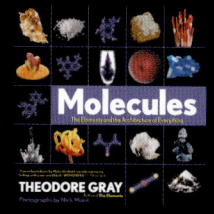

◀ 本書の、電子書籍ではない紙の版の方は、リグニン成分を除去した木質繊維を原料とする紙に印刷されています。それなりに長期間保存することを想定した書物や、漂白した真っ白い紙が求められる用途で、最も一般的に使われている紙です。このタイプの紙は無酸紙と呼ばれますが、本当に公文書などの保管に適した品質にするには、空気中から酸を取り込むのを防ぐための緩衝剤と中和剤を添加する必要があります。

ロープと繊維　117

植物繊維は糖でできている

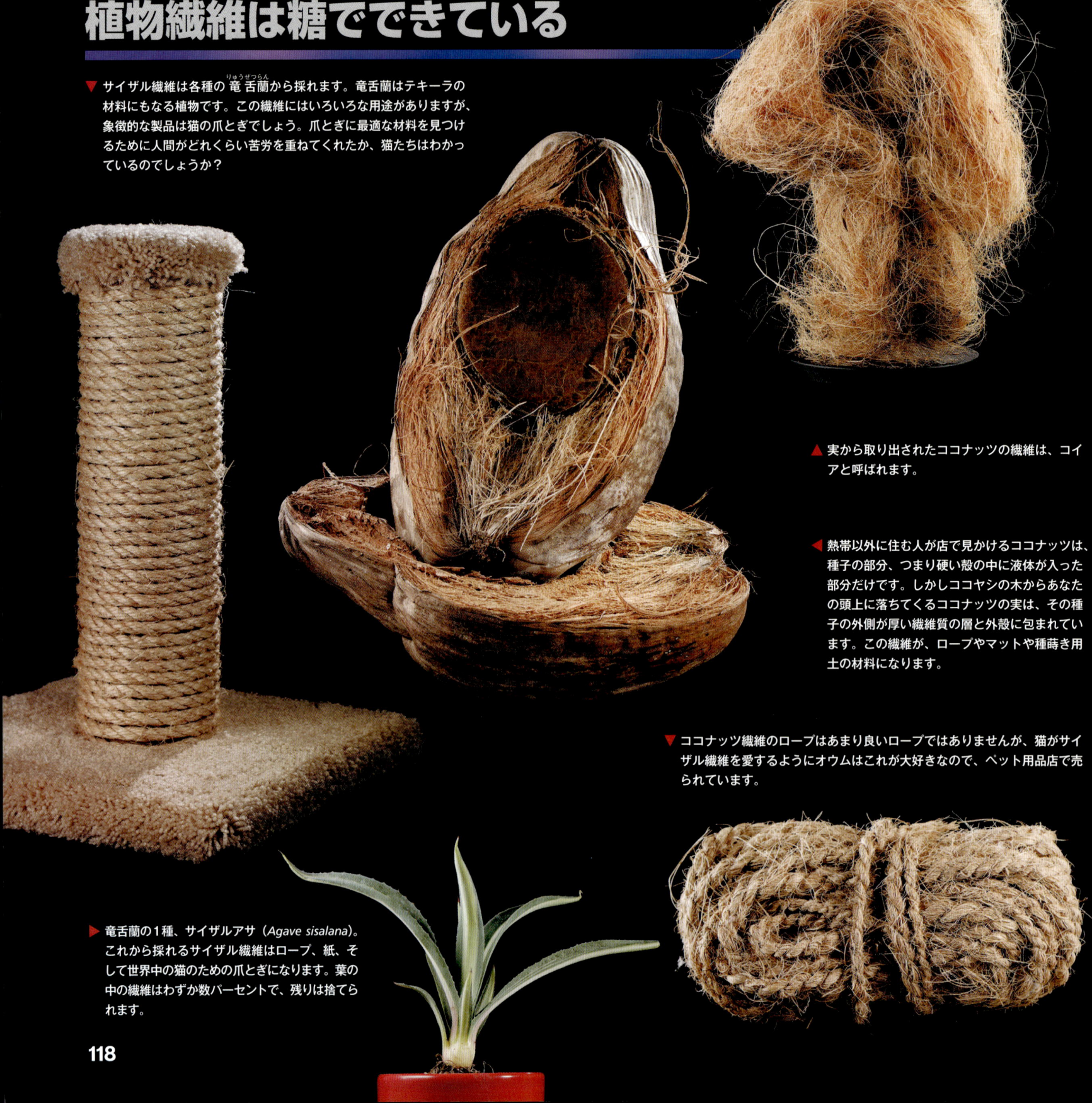

▼ サイザル繊維は各種の竜舌蘭（りゅうぜつらん）から採れます。竜舌蘭はテキーラの材料にもなる植物です。この繊維にはいろいろな用途がありますが、象徴的な製品は猫の爪とぎでしょう。爪とぎに最適な材料を見つけるために人間がどれくらい苦労を重ねてくれたか、猫たちはわかっているのでしょうか？

▲ 実から取り出されたココナッツの繊維は、コイアと呼ばれます。

◀ 熱帯以外に住む人が店で見かけるココナッツは、種子の部分、つまり硬い殻の中に液体が入った部分だけです。しかしココヤシの木からあなたの頭上に落ちてくるココナッツの実は、その種子の外側が厚い繊維質の層と外殻に包まれています。この繊維が、ロープやマットや種蒔き用土の材料になります。

▼ ココナッツ繊維のロープはあまり良いロープではありませんが、猫がサイザル繊維を愛するようにオウムはこれが大好きなので、ペット用品店で売られています。

▶ 竜舌蘭の1種、サイザルアサ（*Agave sisalana*）。これから採れるサイザル繊維はロープ、紙、そして世界中の猫のための爪とぎになります。葉の中の繊維はわずか数パーセントで、残りは捨てられます。

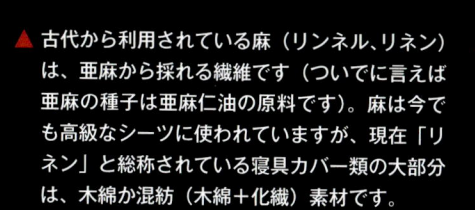

▲ 古代から利用されている麻（リンネル、リネン）は、亜麻から採れる繊維です（ついでに言えば亜麻の種子は亜麻仁油の原料です）。麻は今でも高級なシーツに使われていますが、現在「リネン」と総称されている寝具カバー類の大部分は、木綿か混紡（木綿＋化繊）素材です。

▲ ラミー（カラムシ）は知名度は高くありませんが昔からある繊維で、驚くべきことに、イラクサの仲間（ただしトゲのないタイプ）から採れます。亜麻から得る麻（リンネル）の繊維と同様、ラミー繊維は茎の内側の木部や外側の皮からではなく、その間にある師部と呼ばれる部分（光合成の産物を運ぶ部分）から採られます。

▼ ヘンプ（インド大麻繊維）はかつて、衣類から船舶用ロープまでの幅広い用途に使われる頼りになる繊維でした。その栽培は世界各地で一大産業になっていたものです。しかし、一部の種がマリファナの原料として有名になってしまったため、麻薬成分を含まない種も含めて大麻すべての栽培や販売が制限あるいは禁止されるようになりました。近年はエコロジーの面でヘンプ繊維の良さが見直され、復権しつつあります。

▶ 竹繊維として売られている繊維は、分類上はなかなか興味深いグレーゾーンに属します。竹の内側の柔らかい部分を機械的に加工して直接ロープや紐にすることも可能ですが、いわゆる「竹繊維」の大部分は竹を原料にしたレーヨンだと思われます。原料こそ竹ですが、レーヨンはセルロースであり、セルロースは原材料が何かなど関係ないくらい化学的に再処理されてしまっています。もとの竹の繊維の物理的・構造的性質が一切残っていない繊維は、はたしてどこまで竹繊維と言えるのでしょうか？
　でも、この写真のロープはその点に問題はありません。特別な販売店から取り寄せた、再構成されたレーヨンではなく本物の竹の繊維で作ったという保証付きの品です。

▶ レーヨンは合成繊維のような響きの名前です。実際は、人造繊維ではありますが、合成繊維ではありません。レーヨンを作るには、さまざまな原料植物から得た植物セルロースを精製し、溶かしてから、液中に射出して新たな繊維にします。化学的に言えばレーヨンは完全に天然の植物セルロースで、木綿（ほぼ純粋なセルロース）とよく似ています。一方、物理的には完全に人造の繊維で、再生繊維と呼ばれます。

▼ ジュート（黄麻）は木綿に次いで2番目に広く使われている天然繊維です。南京袋の材料として有名ですが、干し草を縛る紐やカーペット基布などさまざまなものに使われています。

ロープと繊維　119

植物繊維は糖でできている

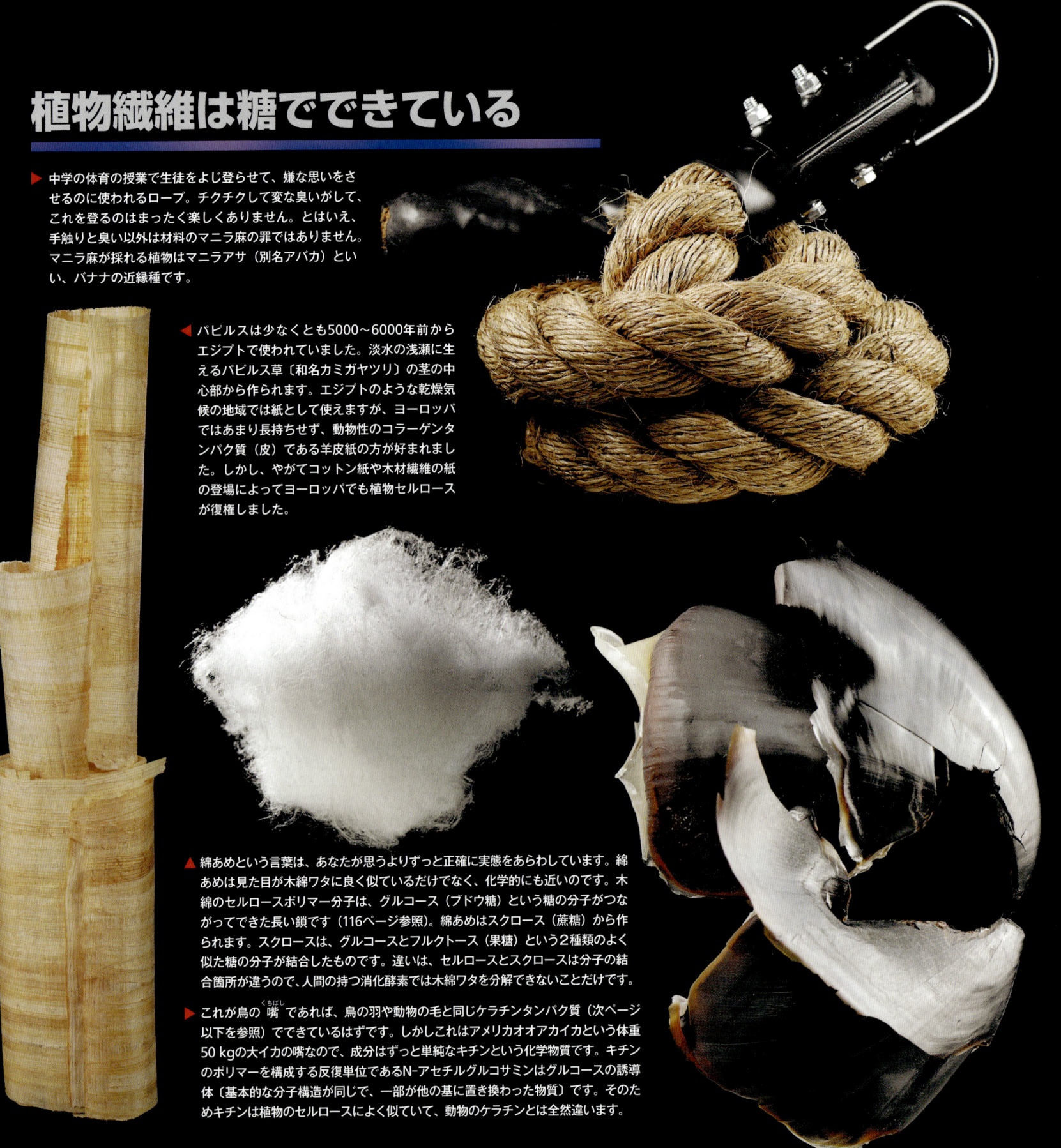

▶ 中学の体育の授業で生徒をよじ登らせて、嫌な思いをさせるのに使われるロープ。チクチクして変な臭いがして、これを登るのはまったく楽しくありません。とはいえ、手触りと臭い以外は材料のマニラ麻の罪ではありません。マニラ麻が採れる植物はマニラアサ(別名アバカ)といい、バナナの近縁種です。

◀ パピルスは少なくとも5000～6000年前からエジプトで使われていました。淡水の浅瀬に生えるパピルス草〔和名カミガヤツリ〕の茎の中心部から作られます。エジプトのような乾燥気候の地域では紙として使えますが、ヨーロッパではあまり長持ちせず、動物性のコラーゲンタンパク質(皮)である羊皮紙の方が好まれました。しかし、やがてコットン紙や木材繊維の紙の登場によってヨーロッパでも植物セルロースが復権しました。

▲ 綿あめという言葉は、あなたが思うよりずっと正確に実態をあらわしています。綿あめは見た目が木綿ワタに良く似ているだけでなく、化学的にも近いのです。木綿のセルロースポリマー分子は、グルコース(ブドウ糖)という糖の分子がつながってできた長い鎖です(116ページ参照)。綿あめはスクロース(蔗糖)から作られます。スクロースは、グルコースとフルクトース(果糖)という2種類のよく似た糖の分子が結合したものです。違いは、セルロースとスクロースは分子の結合箇所が違うので、人間の持つ消化酵素では木綿ワタを分解できないことだけです。

▶ これが鳥の嘴(くちばし)であれば、鳥の羽や動物の毛と同じケラチンタンパク質(次ページ以下を参照)でできているはずです。しかしこれはアメリカオオアカイカという体重50kgの大イカの嘴なので、成分はずっと単純なキチンという化学物質です。キチンのポリマーを構成する反復単位であるN-アセチルグルコサミンはグルコースの誘導体〔基本的な分子構造が同じで、一部が他の基に置き換わった物質〕です。そのためキチンは植物のセルロースによく似ていて、動物のケラチンとは全然違います。

動物が作る複雑な繊維

　一般に流通している繊維で、軟体動物や甲殻類や蜘蛛や菌類を原料にしたものはありません。しかし、昆虫と哺乳動物が作る繊維は人間に利用されています。昆虫と動物の繊維は、化学的にいうと植物の繊維よりはるかに複雑で、単純な化学構造の繊維では太刀打ちできない性質を備えています。

　動物繊維はタンパク質——アミノ酸のユニットが連結してできたもの——です。生物学的に重要ないて、その部分で他のアミノ酸とつながってタンパク質の鎖を作ります。さらに、多種多様な「側鎖(そくさ)」が付いて、独自の性質を生み出します。

　アミノ酸の側鎖は、大きさや、主鎖とは反対側の端にプラスかマイナスの電荷があるかどうかや、親水性か疎水性かなどの点でさまざまに異なります。それらの組み合わせによって、タンパク質は体内での反応の触媒となる酵素から、体そのものを作る構きるのです。

　この組み合わせの多さゆえに、タンパク質の繊維にもいろいろな面白い性質があります。たとえばあるタンパク質は自分の鎖のうちの親水性の部分と疎水性の部分をうまく組み合わせて、乾燥するとカールして濡れると伸びるようにしたり、その逆にしたりしています（こうした伸縮メカニズムについては67ページを参照）。

動物の体の外側の
タンパク質繊維

　恒温動物は、体の外側に、ある特殊なタンパク質を他のどんな生物よりも多く作ります。それがケラチンです。ケラチンはシスチンというアミノ酸の含有率が比較的高い複合タンパク質で、シスチンは硫黄を含むシステイン分子2個が硫黄‐硫黄結合でつながってできています。この結合は加硫ゴムの強度を生んでいる硫黄結合とよく似ています。ゴムの場合と同様、硫黄結合が多いほどタンパク質は頑丈になります。

　ひとくちにケラチンといっても、女性の柔らかい巻き毛から、ちょっかいを出した人間を3mほど空中に放り上げる犀の角と、その後で踏み殺す犀の蹄まで、硬さはいろいろです。この硬さの違いは、シスチンの含有量と硫黄結合によります。

▶ 馬の毛で作った毛布は快適とは程遠い、悪名高い代物です。馬の毛の束と、それよりずっと細い人間の毛を比べてみれば、馬の毛がゴワゴワしているのがよくわかります（どちらも売られています）。馬の毛は織物や編み物の材料にしたり、バイオリンなどの弦楽器の弓に張ったりします。人毛はカツラやヘアエクステンション用に販売されています。

▲ 人間の髪で作られたブレスレットやネックレスは、ヴィクトリア朝時代のイングランドでとてもよく見られました（愛する人の遺髪で作り、故人の小さな写真や、彫刻した名前を取り付けることもよくありました）。

▶ 動物の鉤爪（かぎつめ）も人間の爪も、髪の毛と同じタンパク質でできています。右の写真はアナグマの爪です。多くの文化圏で、熊の爪を付けたネックレスの方がアナグマの爪より強い力を持つとされていますが、入手が非常に困難です。売られている"熊の爪"はたいてい模造品です。

▶ ケラチンは、必ず左巻きの方向にねじれる複雑な高次らせん構造を作ります。地球上のすべてのタンパク質分子は左巻きです。地球は左巻きの惑星なのです。だから、エイリアンを見分ける良い方法が2つあります。もしそいつの分子が右巻き主体だったら、または体内の元素の同位体分布が明らかに地球生物共通の分布と異なっていたら、それはエイリアンです。最初の識別法は、そいつが（地球で、または宇宙の別の場所で）われわれとは全く独立して進化したことを示し、2番目は、どこで進化したにせよそいつが育ったのは別の惑星であることを示しています。いくらエイリアンが地球の生物そっくりに化けたとしても、この点を誤魔化すことは不可能です。

◀ 犀の角を作っているケラチンタンパク質はシスチンの含有率がとても高く、シスチンが多数の硫黄‐硫黄結合を有しているためケラチンが非常に硬くなっています。本書に写真が載っている他の大部分の品とは違い、この角は私の所蔵品ではありません。シカゴのフィールド博物館の奥にある貴重品保管室にしまわれています。犀の角は漢方薬や媚薬の材料として珍重されていますが、野生の犀から角を取ることが禁じられているため、博物館から犀の角が盗まれる有名な窃盗事件が何度か起きました。仕方なく、各地の博物館は展示していた角をほとんどすべて隠してしまったのです。撮影を許可してくれたフィールド博物館に感謝します。

▲ クロサイチョウの 嘴 (くちばし) 部分。鳥の嘴の外殻部分は、毛や爪と同じケラチンタンパク質でできています。内側には中空の骨組織があってケラチンを支えています。

▲ 一部の種類の海綿〔水生動物。英語ではsponge (スポンジ)〕は、食器洗いスポンジやボディスポンジという概念と名称のもとになりました。現在ではほとんどのスポンジは合成品ですが、天然の海綿スポンジもまだ買うことができます。海綿スポンジは、海綿の骨格です。海綿には脳も神経系も消化器系も、その他一切の「系」がありません。海綿は一緒に成長する細胞の集合体で、コラーゲンタンパク質の骨格を持っています。海綿のどこが内側でどこが外側かは定義が難しく、この海綿スポンジも、動物の体内のコラーゲンと体外のコラーゲンのどちらに分類すべきか悩むところです。

▶ 海綿のように見えるかもしれませんが、ヘチマタワシです。動物由来ではなく、ヘチマという植物の実から作られます。普通はカットして売られていますが、これはもとのヘチマの実の形のままです。繊維の成分はセルロースとリグニンです。

▲ この奇妙な素材は足糸 (そくし) といい、「流通している繊維には軟体動物から得られたものはひとつもない」という通説へのある種の反証です。足糸は二枚貝や巻き貝が水中で岩に付着するために出す繊維で、ケラチンが主成分です。写真の足糸は長さ2インチ(約5cm)ほどで、ありふれた二枚貝のものですが、6インチ(15cm)の足糸を出す貝もあります。かつてはこの繊維を使った見事な織物がいくつか作られました。ただ、現在足糸繊維で何かを作っているのはサルデーニャに住むアーティストただひとりですから、公平を期するなら、やはり「通常の商業的用途はほとんどない」と但し書きすべきでしょう。

ロープと繊維

毛がいっぱい！

お金を払えば（つまり、ネットオークションサイトのイーベイで）簡単に手に入る動物の毛の種類の多さといったら、まったく驚くばかりです。どの毛も独自の特徴を持っており、硬さ、静電気の帯びやすさ、表面のなめらかさ、色、名前の響きのかっこよさ（ファッション関係ではこれが最大の関心事のようです）などの違いがあります。

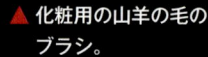

▲ 金箔貼りは非常にデリケートな作業です。金箔は信じられないほど薄く、指で触ったら壊れてしまいます。金箔を持ち上げる唯一の方法は、ブラシの先にわずかに静電気を帯電させてくっつけることで、そのブラシに最適なのがリスの毛です。灰リス、赤リス、青リス、茶色リスの製品がありますが、どの毛が一番なのかは不明です。〔日本では金箔を竹箸ではさみます。〕

▼ セーブル（黒貂(くろてん)）はイタチ科のテンの1種で、体重は猫の半分くらいです。セーブルの毛皮はミンクと同じくらいの贅沢品で、ミンクと同じく高級な水彩用絵筆になります。

▲ 化粧用の山羊の毛のブラシ。

▶ 青リスの毛は、特殊なペイント用の筆や刷毛に広く使われています。

▲ 私は一度象の背に乗ったことがあるので、ゾウの毛はワイヤーと同じ細工のしかたでブレスレットになると聞いても驚きません。このブレスレットの素材が本当に象の毛だという確証はないのですが、本物の絹かどうか調べるのと同じテスト（128ページ参照）をした限りでは、天然のタンパク質主体の毛のようです。こんなに太い毛を持つ動物は象以外に思いつきませんから、象の毛である確率は高いでしょう。（テストというのは、要は毛を燃やすのです。タンパク質は炎を出して燃え、合成品とは違うにおいがします。）

▶ この品は、ある日突然私の目に飛び込んできました。キリンの毛のブレスレットを買えるという事実は、素晴らしいと同時にいささかの不安を抱かせます。世界がどれほどつながっているかを示す点では素晴らしい。私が居間に座って電子的な信号を南アフリカの某氏に送り、キリンの毛を空飛ぶ機械で送ってくれと頼めば、数日後には手に入るのです。しかし、われわれはこんなことが可能な社会を本当に維持していけるのでしょうか？ エコロジーの側面だけでなく、世界があまりにも複雑になってしまったという観点からも。

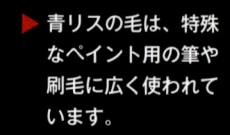

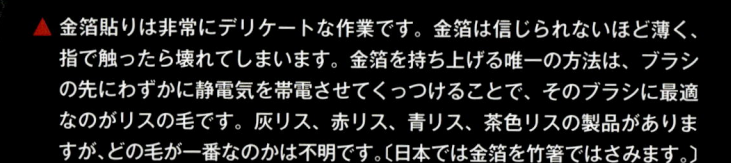

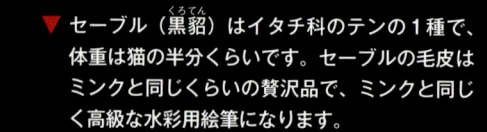

毛のふさふさした動物が生やすケラチン

人間が一番よく利用する動物繊維は、柔らかくて温かい動物、たとえば羊やふわふわの羽毛を持つ鳥などのものです。あなたも私も、ぬくぬくと暖まるためや、柔らかい服やソファや布団やカーペットのある生活を送るために、動物繊維を利用していますからね。

▼ 羊の毛（より詳しく言えばウールとして知られる種類の毛）は非常に幅広く使われていて、年間の生産量は100万トン以上になります。写真はモンタナ州で採れたシェトランド種の羊の毛です。この素材を「羊の毛（sheep hair）」と呼ぶと、牧羊をしている人たちはまごつくかもしれません。彼らの用語では、羊の「毛」（まっすぐでなめらかすぎて糸にできない）と「ウール」（毛の下に生え、毛に守られている）は別だからです。けれども一般化して言うなら、ウールは毛の1種で、縮れがあり、表面が粗く、繊維同士がからまりあうタイプです。ウールの性質を生み出しているのは、他のあらゆる毛の場合と同様に、ケラチンタンパク質を構成するアミノ酸の配列です。

▲ モヘアはアンゴラ山羊の毛です（アンゴラウールと混同しないでください、あれはアンゴラウサギの毛です）。このタイプの山羊の毛はセーターやお洒落なコート、面白いところでは人形の髪の毛に使われます。なぜ人間のカツラに使われないのか疑問です。

▲ 犬の毛の靴下は実在します。これがそうです。ドッグショーで買いました。ノバスコシア・ダック・トーリング・レトリーバーの毛でできています。この犬種は毛色が赤橙色で胸のあたりに白い毛の房があります。靴下の毛糸は脱色も染色もしていない自然の色で、犬の見た目もまさにこんなです。

▼ 現在、ウールの大部分はオーストラリア、ニュージーランド、中国で生産されていますが、牧羊業は世界各地で行われています。右の写真のウールは、イリノイ州中部のわが家からほんの数マイルのところで採れました。この一帯はワインと同じくらい牧羊でも有名です。私のガールフレンドのお母さんが羊の編みぐるみを作ってくれるはずだったのですが、彼女はじきに挫折してしまいました。そういうわけで、これは編みかけの羊のお尻です。

▶ ラクダの毛（正確には、硬い毛の下にある下毛）は素晴らしくソフトで、コートの素材として広く使われます。一方、キャメル・ヘアー（ラクダの毛）として売られている絵筆は、実際はもっと安いリスなどの毛であることがよくあります。

ロープと繊維　125

毛のふさふさした動物が生やすケラチン

▶ 鳥の羽根（写真は羽根枕から引き抜いたダックのフェザー）は、人間や他の動物の毛を作っているケラチンと似た、ただしケラチンよりも硬い、タンパク質の鎖でできています。羽根のタンパク質はむしろわれわれの爪のケラチンに近いです。

▲ アイダーダウンそのものの米国への輸入が認められているのかどうか疑問が残るので、写真のサンプルはこの小さなシルクのクッションから抜きました。

▼ ダチョウの羽根は今でもはたきによく使われています。合成素材の代用品も（ずっと安く）買えますが、ダチョウの羽根はただホコリを移動させるのではなく、1本1本の細い毛（羽枝）の表面の微細構造のはたらきでより優れた清掃効果があると言われています。信じられないほど複雑な微細構造の創造は、自然界の得意技のひとつです。自然が創造する際に使う"マシン"は分子サイズなのに、人間の"マシン"は部屋ほどの大きさなのですから。

▲ このようなアイダーダウンを使った掛布団を買うとすれば、1万5000ドルします。おそらく、お金で（合法的に）買える最も高価なケラチンでしょう。まったくどうしてアヒルの腹に生えるダウンにそんな金額を払う人間がいるのでしょう？　ダウンとフェザーの関係は、ウールと毛の関係に似ています。ダウンもウールも柔らかい下毛で、保温性が高く、それより長くて硬く、防水性の高い外側のフェザーや毛に守られています。ダウンは温かさと柔らかさの両面でフェザーに勝りますから、最高級のコートや掛布団は100％ダウンが詰まっていて、安い品物になるとフェザーが混ざったり、フェザーだけだったりします。ダウンにも質の違いがあり、寒冷地の鳥から採れるものの方がふっくらしていて温かく、高級です。アイダーダウンは、アイスランドに住むアイダー（ケワタガモ）の巣から、カモにも卵にも害を与えないようにしてそっと集めているとされます。ひとつの巣から採れるアイダーダウンはこの写真の分量くらい——20gほど——で、年間の総生産量は小型トラック1台分程度です。

126

絹

押しも押されもせぬ天然繊維の王様は、愛らしい哺乳動物からではなく、動物界の序列の底辺近くに位置するイモムシの1種――蚕（かいこ）――によって作られます。蚕はカイコガという蛾の幼虫です。古代から知られている絹は、柔らかく、なめらかで、信じられないくらい強度があります。ただ、高価でクリーニングに細心の注意が必要ですから、普段づかいの木綿やウールや合成繊維と比べると、贅沢でちょっと気難しい繊維といえるでしょう。

絹もタンパク質でできていますが、毛とは少し違うフィブロインというタンパク質です。

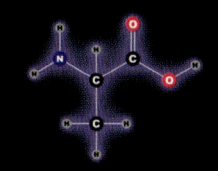

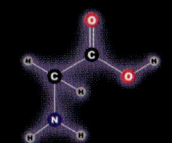

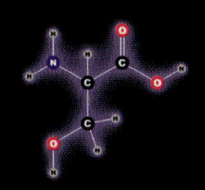

▲ アラニン　　▲ グリシン　　▲ セリン

フィブロインの化学構造は比較的単純で、わずか3種類のアミノ酸が反復する構造です。しかし物理的な構造は複雑で、タンパク質の主鎖がループ状やシート状に折りたたまれているため、絹の独特の強度と光沢が生まれます。

◀ 絹のロープ。正気の沙汰とは思えません。いくら宣伝用にしても度の過ぎた贅沢です。

▼ 絹の外科用縫合糸は強靭ですが、より優れた合成繊維の糸に取って代わられました。

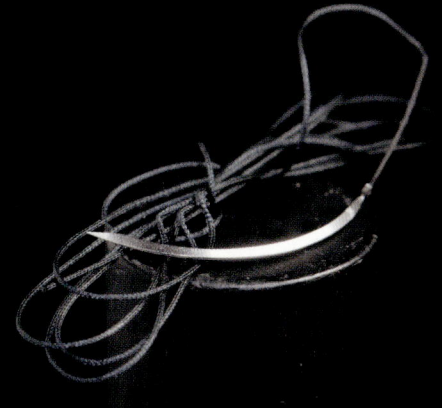

▲ 蚕の幼虫は蛹（さなぎ）になる前、自分の周囲に糸を吐き出して繭（まゆ）を作ります。その糸が絹糸です。しかし哀れにも、絹糸の生産のために育てられた蚕は羽化して蛾になることができません。繭は熱い湯で煮られ、蛹は死んでしまいます。煮た後、湯の中の繭から長い糸を引き出して巻き取ります。

▼ 糸に紡ぐ前の生糸。美しくつややかな光沢があります。

▼ 何本もの絹糸を紡いで糸にするのは木綿と同じですが、絹糸の方がずっと丈夫です。

▼ ナイロン繊維が開発されるまで、パラシュートは軽くて強靭な絹の布で作られていました。写真は第2次大戦時の絹のパラシュート生地の断片です。

▼ 目の粗い手織りの絹布ですが、手触りはとてもなめらかです。こんな織り方でも絹の柔らかさは揺るぎません。

燃やしてテスト

　実験室の装置を使わずに本物の絹かどうかを調べる確実な方法がひとつだけあります。少量のサンプルを燃やすのです。天然のタンパク質からできた繊維──絹、毛、革──であれば、燃えて、少しだけ融け、大部分は黒焦げの塊になります。

　ナイロンのような合成繊維は燃え方がまったく違います。融けて球になり、そこから融解したプラスチックが燃える滴となって下に落ち、すべて燃えた後には何も残りません。天然繊維と合成繊維を並べて燃やしてみれば、どちらが合成繊維かは一目瞭然です。

　木綿や木材パルプなどの植物繊維は燃やしてもまったく融けず、焼けるにつれて徐々に灰になります。面白いことに、スチールウールも十分に細ければ簡単に燃えます。

▶ 私は絹を実際に燃やしたことはなかったので（本で読んだだけ）、どういう燃え方であれば絹と判定できるのか、確実な答えを知りませんでした。最初テストした絹のサンプルのいくつかは、資料に書かれていた以上に融けたように見えました。幸いにも、私は基準としてうってつけのものを持っていました。中に蛹（死んでいます）の入った繭玉です。これならまがいものであろうはずがありません。真正の絹は最初かなりの量が融け、それから黒く焦げた塊になって、それ以上は直接火であぶっても燃えも融けもしないことがわかりました。

▼ この絹のロービング（粗糸）は、束を指の間でこするとはっきりと"くっつく感じ"や"きしみ"が感じられ、ある種の合成繊維のロープと似た印象でした。絹糸の感触と全然違うので、私はこれがニセモノではないかと強く疑っていましたが、テストの結果、間違いなく絹だということが判明しました。

▼ この絹糸は、ロービングの持つきしむような感じが全くないなめらかな感触でしたが、火にかざすとロービングと全く同じ反応を見せました。最初に融け、それから焦げた塊になったのです。これも本物の絹です。

▼ 繊細に紡がれたナイロンのロープは見た目も手触りも絹に似ていますが、燃やせば一切の誤魔化しはきかなくなります。ナイロンはたちまち融けて熱い液体になり、滴り落ちます。炎を上げながら落ちていくこの滴がたてる音はとても面白く、合成繊維と判定するひとつの目安になります。なお、滴が燃えながら融け落ちる時に、下に可燃性のもの（合成繊維のカーペットなど）があると危険です。

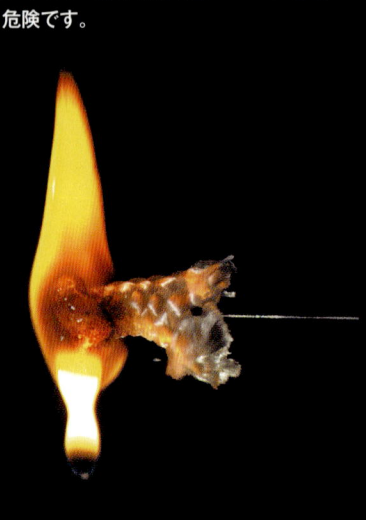

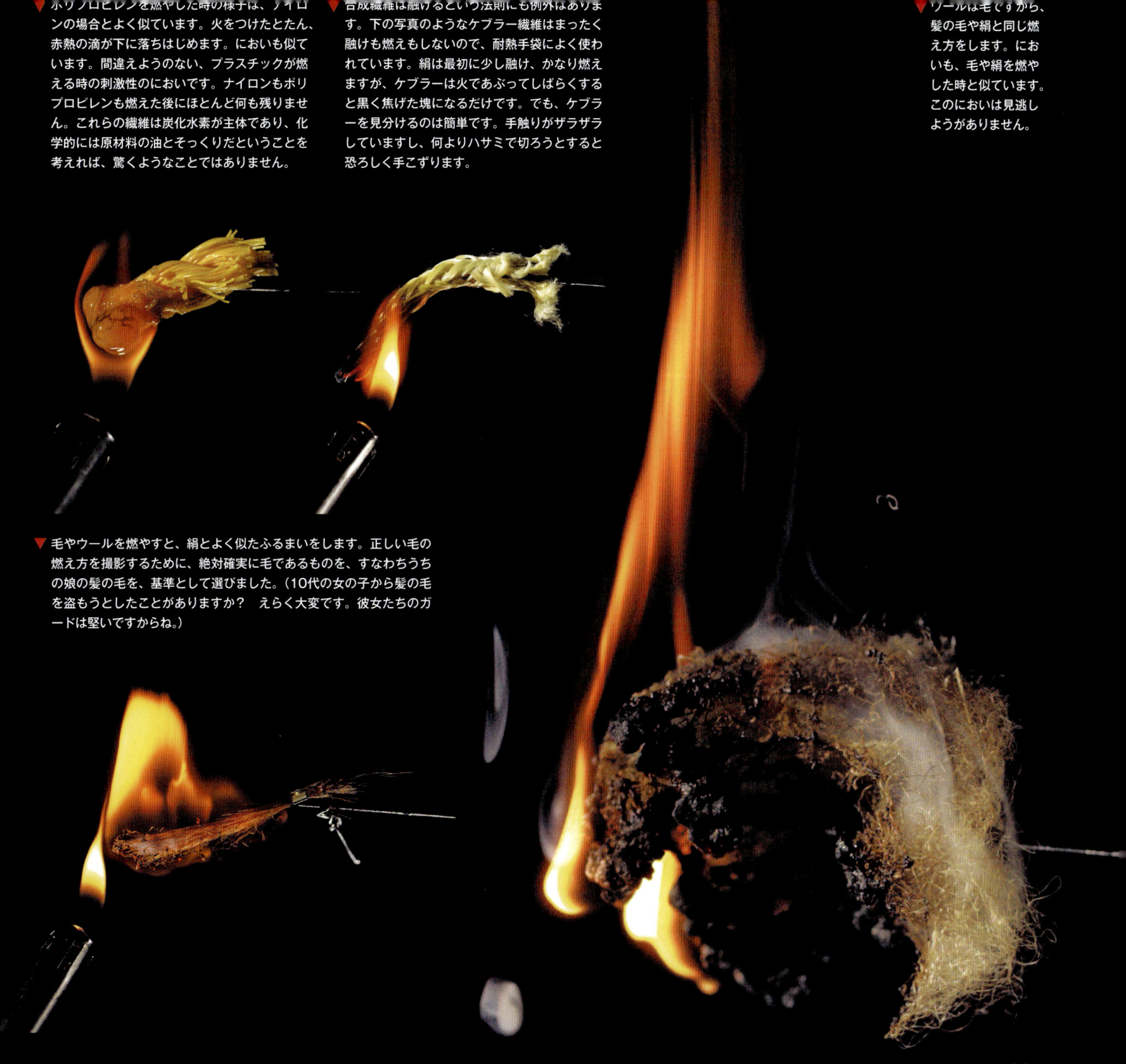

▼ ポリプロピレンを燃やした時の様子は、ナイロンの場合とよく似ています。火をつけたとたん、赤熱の滴が下に落ちはじめます。においも似ています。間違えようのない、プラスチックが燃える時の刺激性のにおいです。ナイロンもポリプロピレンも燃えた後にほとんど何も残りません。これらの繊維は炭化水素が主体であり、化学的には原材料の油とそっくりだということを考えれば、驚くようなことではありません。

▼ 合成繊維は融けるという法則にも例外はあります。下の写真のようなケブラー繊維はまったく融けも燃えもしないので、耐熱手袋によく使われています。絹は最初に少し融け、かなり燃えますが、ケブラーは火であぶってしばらくすると黒く焦げた塊になるだけです。でも、ケブラーを見分けるのは簡単です。手触りがザラザラしていますし、何よりハサミで切ろうとすると恐ろしく手こずります。

▼ ウールは毛ですから、髪の毛や絹と同じ燃え方をします。においも、毛や絹を燃やした時と似ています。このにおいは見逃しようがありません。

▼ 毛やウールを燃やすと、絹とよく似たふるまいをします。正しい毛の燃え方を撮影するために、絶対確実に毛であるものを、すなわちうちの娘の髪の毛を、基準として選びました。（10代の女の子から髪の毛を盗もうとしたことがありますか？　えらく大変です。彼女たちのガードは堅いですからね。）

ロープと繊維　**129**

燃やしてテスト

▶ 木綿はきれいによく燃え、ほとんど灰が残りません。

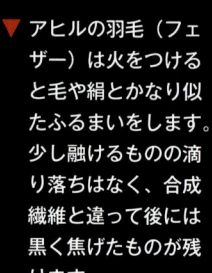

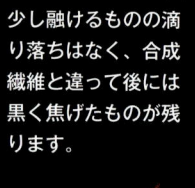

▲ バイヤーの皆さん、気を付けて！ 真正のスエードとして売られていたこの素材を燃やしたら、間違いなく合成ポリマーの燃え方をしました。まったくのまがいもの、おそらくある種のポリウレタンプラスチックです。

▲ 本物の革紐は偽物とそっくりですが、ずっと強度が高く、燃えにくい性質を持っています。

▼ アヒルの羽毛（フェザー）は火をつけると毛や絹とかなり似たふるまいをします。少し融けるものの滴り落ちはなく、合成繊維と違って後には黒く焦げたものが残ります。

▼ 革を燃やした時の判断基準にしたのは、羊のなめし皮の切れ端です。毛が付いたままなので本物の革だと確信できます。本物の革の燃え方は毛に似ていて、後には黒く焦げた塊が残ります。

◀ 上の写真の偽スエードのテスト。燃えながら落ちる滴は、合成繊維の動かぬ証拠です。

▶ ヘンプやココナッツも含めて、あらゆる植物繊維は木と似た燃え方をします（写真はヘンプのロープ）。植物繊維は植物セルロースが主成分ですが、木綿はほぼ純粋なセルロースで、ヘンプの繊維はセルロースとリグニンが大部分を占め、木にはロジン（やに）や油も含まれているという違いがあります（木を燃やすと、やにや油が滲み出して時折不規則に炎が上がることがあります）。

◀ 条件さえ揃えば、金属が（鉄さえも）かなり簡単に燃えると聞くと、驚く人がいるかもしれません。写真は、極細（#0000）のスチールウールを吊るしてライターで火をつけたところです。鉄の燃焼は、錆びるのと同じ化学反応プロセスです。ただ反応の速度がはるかに速いだけです。鉄の鍋が燃えないのは、大きな塊なので表面温度が引火点より低く保たれるからです。膨大な熱を加えれば、鉄鍋だって燃えます（家庭のオーブンやキャンプファイヤー程度なら大丈夫です）。ひとつ楽しい豆知識をお教えしましょう。金属の燃焼では、通常の意味での「炎」が上がりません。有機物が燃えると、燃えているものから少し離れたところに炎が見えます。これは、熱で燃焼物から解放されたガスが燃えているのです。出てきた可燃性ガスは空気と混じり、それから燃えて、明るく輝く炎になります。金属が燃焼する時は、何も解放されませんから、燃焼は金属の表面だけで起こります（煙が出ているとしたら、それはワイヤーの生産工程で使われた油が残っていたためです）。赤熱の小さな玉がスチールの細い糸を伝って争うようにのぼっていくさまは、美しさと驚きに満ちています。

▲ ウールの名がついていてもまったく燃えないのが、グラスウールやその他の鉱物ウールです（写真はありふれたグラスファイバーの断熱材）。燃焼とは、空気中の酸素と燃焼物とが結合する酸化反応です。けれどもグラスファイバーはすでに酸化しています。ガラスの主成分は二酸化ケイ素──要するに燃えたケイ素（シリコン）の灰──ですから、それ以上は燃えません。

ロープと繊維　**131**

動物の体内で作られるタンパク質繊維

　動物からケラチンタンパク質を採取しても、普通はその動物は死にません（毛を皮膚ごとはぎ取ったりしない限りは）。けれども、動物は別の種類の繊維性タンパク質も作ります。それがコラーゲンです。コラーゲンは皮膚、靭帯、腱、その他の結合組織を作るタンパク質です。コラーゲンの最もわかりやすい利用例は、革製品でしょう。革は、コートや靴や鞄やベルトなど、数えきれないほど多様なものになります。

　変わり種として、動物の腱を繊維として使う人がいます。腱繊維のメーカーは主にホビー用だと言っていますが、それならもっといい合成繊維があります。ガット（腸線）もコラーゲンの結合組織で、こちらは今も用途があります。

◀ 革を細い紐状に切れば、それを（他の繊維と同様に）ねじったり織ったり編んだりできます。革紐を編んで作られたこの鞭は、コラーゲン繊維のおっかない用途です。

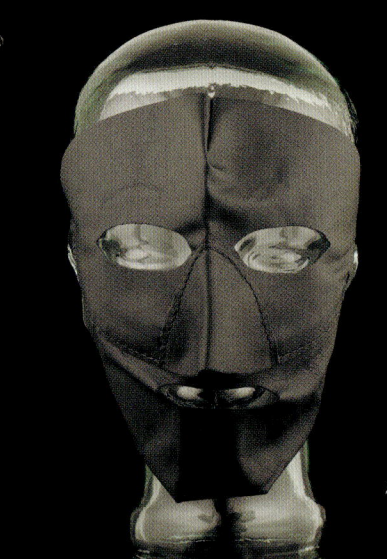

◀ 革のマスク。皮で作ったマスクをかぶった殺人鬼の映画がありませんでしたっけ？　そうそう、人の皮膚の仮面でした〔映画『悪魔のいけにえ』のこと〕。

▼ オジロジカの背骨に沿って走る腱から採られた繊維。原始的なタイプの弓の強度を上げるために使われます。

▲ 革はとても融通が利いていろいろな加工ができる素材です。牛革製の牛か馬革製の馬を探したのですが見つからず、牛革製の馬の写真を載せることにしました。

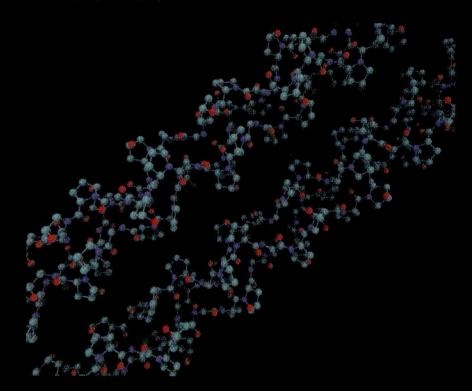

▶ ガット（catgut）は猫（cat）の消化管（gut）ではありません！　羊、山羊、畜牛、豚、馬、ロバなどの腸が材料です。そもそもcatgutという単語の語源じたい猫とは無関係です。gutは腸ですが、catの部分はバイオリンをあらわす古語のkitに由来するようです。ガットは今でも実際に弦楽器に使われることがあります。このガットは、イランの「タール」という楽器の弦です。

▼ コラーゲンはケラチンと同じくタンパク質ですが、アミノ酸の配列が異なり、全体の3次元構造が違います。

▲ ガットは、生きながらえてほしい動物の手術で体内を縫うための縫合糸として、今でも使われています（そのガットを得るために別の動物が屠殺されたのとは対照的です）。ガットは徐々に生体に吸収されるので、抜糸が不要です。

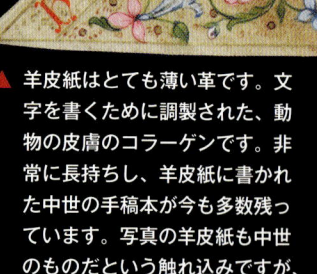

▲ 羊皮紙はとても薄い革です。文字を書くために調製された、動物の皮膚のコラーゲンです。非常に長持ちし、羊皮紙に書かれた中世の手稿本が今も多数残っています。写真の羊皮紙も中世のものだという触れ込みですが、本当かどうかはわかりません。

岩石のウール

　ほとんどの繊維は有機化合物ですが、無機の重要な繊維もあります。鋼鉄のワイヤーやロープはもちろんそうですし、炭素繊維やシリカ（ガラス）繊維もあります。天然の最も美しい繊維のひとつであるアスベスト（石綿）は最近では悪者扱いですが（226ページ参照）、かつては軽量性・耐火性・断熱性を兼ね備えた驚異の素材ともてはやされていました。

　これまでに見てきたすべての繊維とは違って、無機の繊維は一般に細長い分子からできてはいませんし、それどころか個々の分子の集合である必要さえありません。たとえば金属繊維は単に合金を細長く伸ばしただけです。原子が結合して分子を作っているわけではなく、原子が特定の方向を向いていることもありません。ガラス繊維と岩石繊維も、数種類の原子が立体的マトリクスで結合した単純な分子（直線状の鎖になっていない分子）が、細長い物理的形状を取っているだけです。

　無機繊維の性質は、有機繊維と比べておよそ多様性がありません。それでも、極めて高い温度に耐える唯一の繊維として、重要な役割を担っています。また、極端に厳しい環境でない限り、岩のように永久にそのままです（実際、無機繊維の一部は岩石から作られます）。

◀ 鋼鉄と同様に、銅（純粋な元素）も細く伸ばして繊維にしたり、撚り合わせてロープにしたりできます。しかしそれは銅の強度が目当てではなく（強度は低い方です）、優れた導電性のためです。銅の糸やロープはワイヤーやケーブルと呼ばれます。写真は銅線を編んだ静電気防止用ストラップです。

◀ ロープの中でも模範的な強度を誇るのは高張力鋼（鉄に少量の炭素を添加した鋼鉄）のロープで、直径があまり太くないものはワイヤーロープと呼ばれます。ケブラーや超高分子量ポリエチレンなどの一部の有機合成繊維、あるいは絹のような天然繊維は、同じ重量当たりの強度は鋼鉄よりも高いのですが、剛性・耐久性・強度・コストのすべてを組み合わせた評価では鋼鉄のケーブルにかないません。建設用のクレーンやビルのエレベーター、ケーブルカーなどには、鋼鉄製繊維が唯一の選択肢です。

岩石のウール

▼ スチールウールは、実際にウールに似ています。チクチクと痛いだけです。スチールウールに火をつけるとどうなるでしょう？ 答えは131ページを見て下さい。

▶ カオウール（Kaowool）はセラミックウールの商標名で、窯、薪ストーブ、火炉など高温の装置の断熱用に使われます（昔ならアスベストが使われた場面です）。カオウールはカオリン粘土を融かし、綿あめとよく似た製法で細い繊維にしたものです。

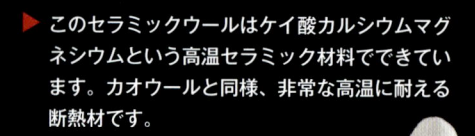

▶ このセラミックウールはケイ酸カルシウムマグネシウムという高温セラミック材料でできています。カオウールと同様、非常な高温に耐える断熱材です。

▶ カオリン粘土の塊。融かしてカオウールの原料にするのと同じ種類です。

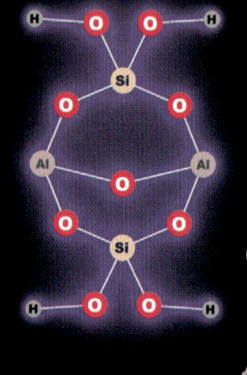

▶ シリカ

▲ グラスファイバー（ガラス繊維）は炭素繊維にいくらか似ています。強度は高いのですが、単独で使うにはもろすぎます。そこでエポキシその他のプラスチック樹脂に埋め込んで、軽量で強靭な複合素材パネルにします。

▶ アスベスト

▲ アスベストはかつて夢の素材でした。安く、完全な耐火性があり、高温耐性に優れ、強度も高く、さまざまな用途に使えたからです。ではなぜ嫌われるようになったか？ 肺に悪性の疾患を発生させるからです。アスベストの問題点については226ページをお読み下さい。

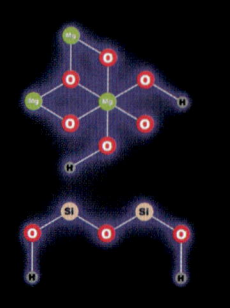

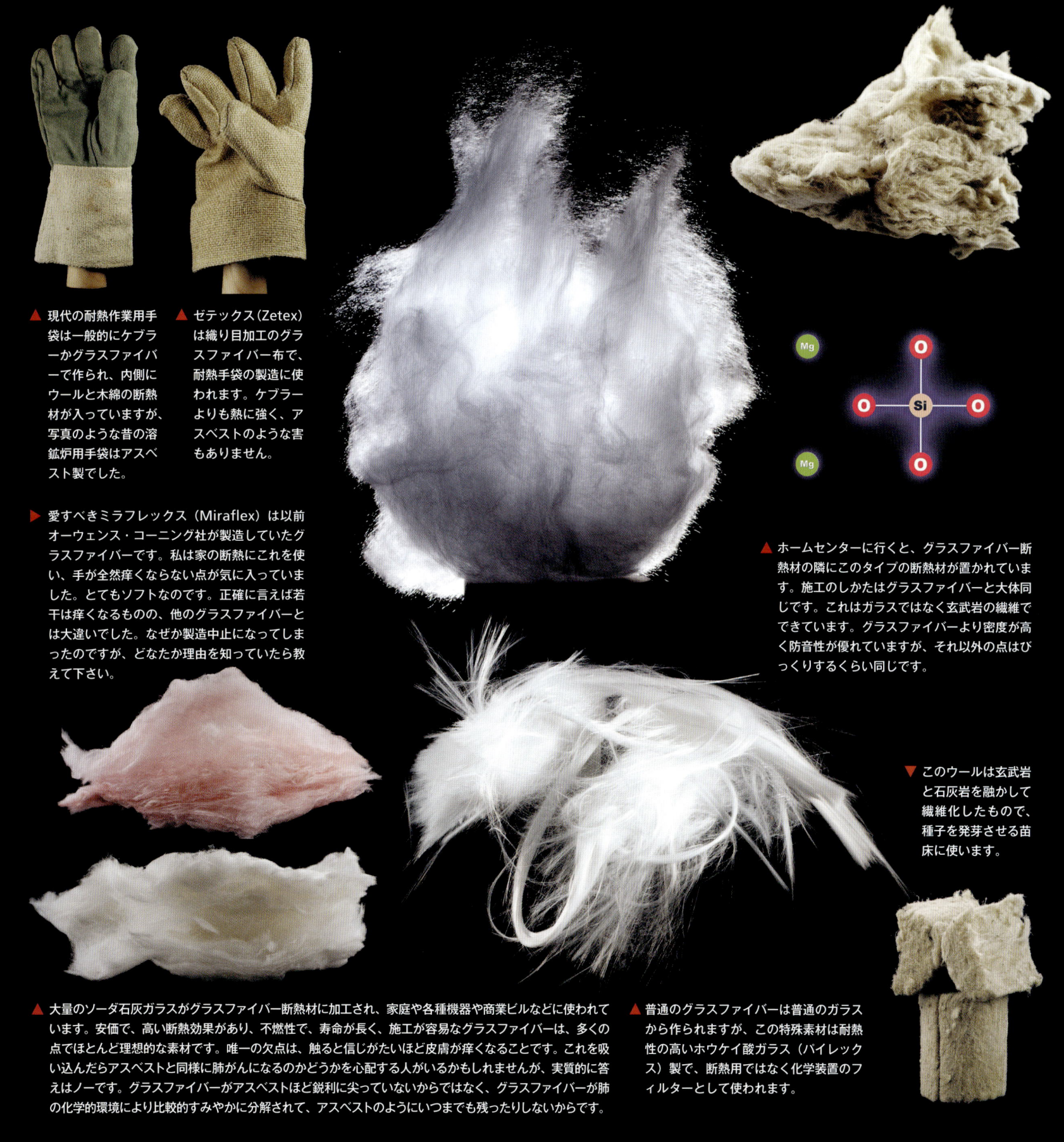

▲ 現代の耐熱作業用手袋は一般的にケブラーかグラスファイバーで作られ、内側にウールと木綿の断熱材が入っていますが、写真のような昔の溶鉱炉用手袋はアスベスト製でした。

▲ ゼテックス (Zetex) は織り目加工のグラスファイバー布で、耐熱手袋の製造に使われます。ケブラーよりも熱に強く、アスベストのような害もありません。

▶ 愛すべきミラフレックス（Miraflex）は以前オーウェンス・コーニング社が製造していたグラスファイバーです。私は家の断熱にこれを使い、手が全然痒くならない点が気に入っていました。とてもソフトなのです。正確に言えば若干は痒くなるものの、他のグラスファイバーとは大違いでした。なぜか製造中止になってしまったのですが、どなたか理由を知っていたら教えて下さい。

▶ ホームセンターに行くと、グラスファイバー断熱材の隣にこのタイプの断熱材が置かれています。施工のしかたはグラスファイバーと大体同じです。これはガラスではなく玄武岩の繊維でできています。グラスファイバーより密度が高く防音性が優れていますが、それ以外の点はびっくりするくらい同じです。

▼ このウールは玄武岩と石灰岩を融かして繊維化したもので、種子を発芽させる苗床に使います。

▲ 大量のソーダ石灰ガラスがグラスファイバー断熱材に加工され、家庭や各種機器や商業ビルなどに使われています。安価で、高い断熱効果があり、不燃性で、寿命が長く、施工が容易なグラスファイバーは、多くの点でほとんど理想的な素材です。唯一の欠点は、触ると信じがたいほど皮膚が痒くなることです。これを吸い込んだらアスベストと同様に肺がんになるのかどうかを心配する人がいるかもしれませんが、実質的に答えはノーです。グラスファイバーがアスベストほど鋭利に尖っていないからではなく、グラスファイバーが肺の化学的環境により比較的すみやかに分解されて、アスベストのようにいつまでも残ったりしないからです。

▲ 普通のグラスファイバーは普通のガラスから作られますが、この特殊素材は耐熱性の高いホウケイ酸ガラス（パイレックス）製で、断熱用ではなく化学装置のフィルターとして使われます。

ロープと繊維　135

岩石のウール

▶ 炭素繊維（カーボンファイバー）は、黒鉛と同様に、ほぼ100％六角形の格子状に配列した炭素原子だけで構成されています。黒鉛の六角格子が平らなシート状なのに対し、炭素繊維は長い繊維状です。驚異的な強度がありますが、もろいため、たいていはプラスチックの母材に埋め込んで保護されています。航空機やスポーツ用具やカメラの三脚に使われている極めつきに軽量・高強度・高剛性の炭素繊維複合素材の部品は、そうして作られるのです。

▼ カーボンファイバーはしばしば、エポキシやポリスチレンといった有機樹脂の強度を上げるために使われます。その場合は必ずしも長い繊維である必要はありません。下の写真は、最初は長い繊維として作られた炭素繊維を、強化材用にわざと4分の1インチ（6mm）ほどに刻んだものです。グラスファイバーも同じ目的で刻まれて、グラスファイバー強化パネルに加工され、ボートやスポーツカーのボディになります。

▶ エポキシ樹脂に埋め込まれた長い炭素繊維は、軽量・高強度・高剛性の構造を作るのに適しています。たとえば、本書のカメラマンが所有するこの高価な自転車のフレームのように。

本当に静電力がすべてをひとつにつなげているのでしょうか？

　私は折々に（特に飛行機に乗っている時に）、自分が身を預けているものが静電気の力で結合していると考えると不安になります。あらゆる物質を——金属、ロープ、鎖、飛行機、なにもかもを——ひとまとまりにしている力は、シャツでこすった風船を壁にくっつける力と同じものなのです。風船は壁にそんなにしっかりとは密着しません。

　肉眼で見える世界に存在する物質は、膨大な数の正と負の電荷を持っています（陽子と電子のことです）。しかしその正と負の電荷はほぼ完全に釣り合っています。巨大な静電荷とみなされるものであっても、それに関係している電子の数は、静電荷を帯びているもの（たとえば風船）全体の原子が持っている電子の総数と比べれば微々たるものです。

　ある物質の陽子と電子を全部別々に分けたら、両者が引き合う力はもう想像を絶する大きさでしょう。

　たとえば、鉄が1gあるとします。あなたはこれを使って、5/32インチ（4mm）径の鋼鉄製航空機用ケーブルを1cm作れます。ケーブルの引っ張り強さはおよそ3000ポンド（1360kg）。1辺が20インチ（50cm）の鉄の立方体や、小型乗用車1台を吊り下げられる強度です。

　けれども、その1gの鉄に含まれる陽子と電子を全部分けて、1cm離れたふたつの面の片方に陽子、もう片方に電子を並べるとしたら、両者の間に働く引力は1辺が8マイル（約13km）の鉄の立方体、あるいはかなり大きな山を吊り下げられるのです。

　静電力は途方もなく強い力です。ほんの少量でも飛行機の形を保つのには十分すぎるくらいです。

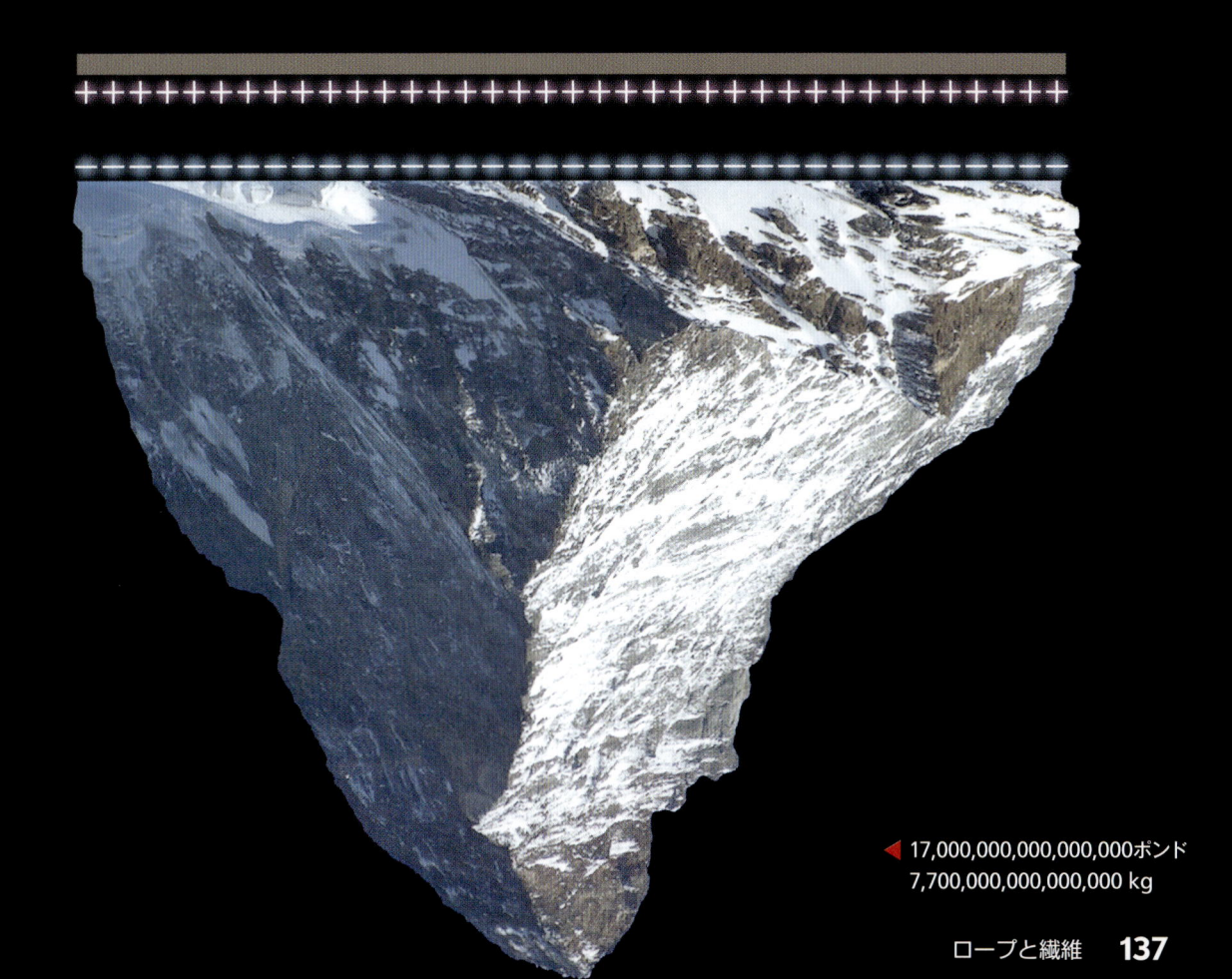

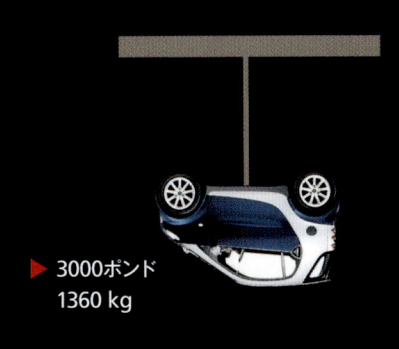

▶ 3000ポンド
1360 kg

◀ 17,000,000,000,000,000ポンド
7,700,000,000,000,000 kg

ロープと繊維　**137**

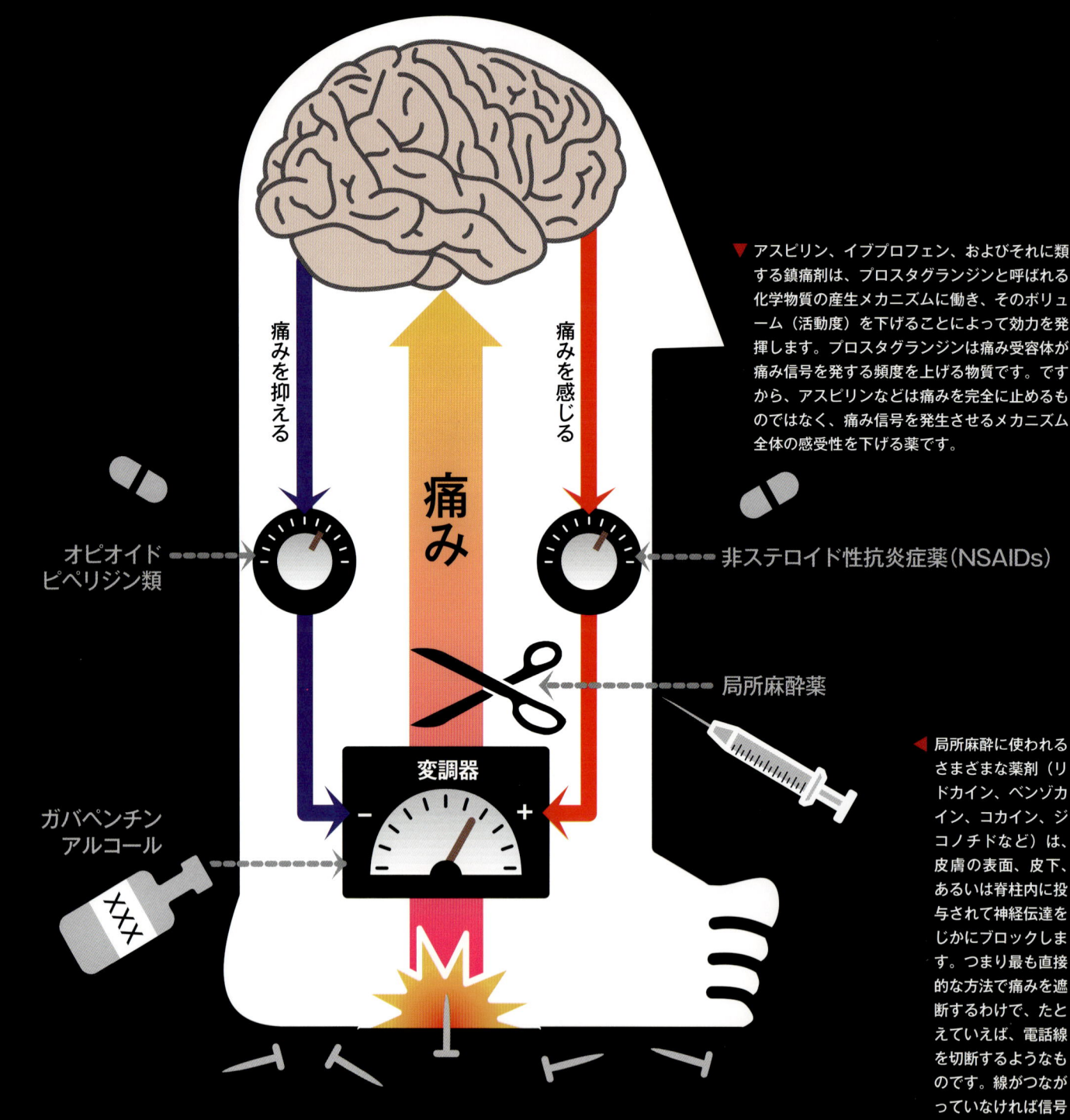

▼ アスピリン、イブプロフェン、およびそれに類する鎮痛剤は、プロスタグランジンと呼ばれる化学物質の産生メカニズムに働き、そのボリューム（活動度）を下げることによって効力を発揮します。プロスタグランジンは痛み受容体が痛み信号を発する頻度を上げる物質です。ですから、アスピリンなどは痛みを完全に止めるものではなく、痛み信号を発生させるメカニズム全体の感受性を下げる薬です。

痛みを抑える　痛みを感じる

痛み

オピオイド
ピペリジン類　　　　　　　　　　　非ステロイド性抗炎症薬（NSAIDs）

▶ モルヒネのようなオピオイド〔アヘン類縁物質〕は局所麻酔薬として使うことができますが、アスピリンやリドカインなどとは働き方が全く違います。この薬は経口摂取または血管注射によって脳全体に広がり、ドーパミンメカニズムの"ボリューム（活動度）"を上げます。そうすると痛みメカニズムのボリュームが下がります。

局所麻酔薬

変調器

ガバペンチン
アルコール

◀ 局所麻酔に使われるさまざまな薬剤（リドカイン、ベンゾカイン、コカイン、ジコノチドなど）は、皮膚の表面、皮下、あるいは脊柱内に投与されて神経伝達をじかにブロックします。つまり最も直接的な方法で痛みを遮断するわけで、たとえていえば、電話線を切断するようなものです。線がつながっていなければ信号が伝わらず、痛みを感じません。

▲ ガバペンチンなど一部の鎮痛剤は、痛みを起こさせるメカニズムのボリュームを直接的に下げ、「ここを超えると痛み受容体が不快な信号を発しだす」閾値を高くします。アルコールも同じ働きをします。

138

第8章 痛みと快楽

Pain and Pleasure

アインシュタインは、「ものごとはすべてできるだけ単純にすべきだ、ただし単純にしすぎてはいけない」という名言を残しています。この図はたぶん彼のお気に召さないでしょう。痛みの伝達と制御がどのようになされるかの詳細は、実際にはものすごく複雑です。この図は、それをあまりに単純化しすぎています。ですから、どうか、この図を文字通りに受け取ったり、逆に、エンケファリン結合メカニズムやら他の何やらを私が全く正しく伝えていないことに腹を立てて抗議の手紙を書いたりしないで下さい。

　人は、痛みがない時にはあまり痛みについて考えません。痛い時には、痛みのことしか考えられなくなります。痛みをなくすためにわれわれは何でもします——熱いストーブに触った時に思わず手を引っ込めることから、より効果のある鎮痛剤を求めて（いわば、よりよい分子を求めて）10億ドル規模の薬剤研究プログラムを運営することまで。

　痛みは単なる情報です。遠くで点滅する光のようなもので、点滅が早ければそれだけ痛みが強いと考えて下さい。しかしこの光それ自体には力はなく、脳がその信号を受け取らない限り何も意味を持ちません。あなたと点滅する光の間に紙を1枚置けば、光は遮られ、どんなに強い痛みも止まります。痛み自体には現実世界における力はまったくなく、ただあなたの脳が与える意味があるだけだ——という知識は、実際に痛みを感じている人には何の助けにもなりませんね。しかしその知識からは、痛みを止めるための薬は大きくてパワフルである必要はないということが導かれます。薬は、賢くさえあればいいのです。

　現在使われている鎮痛剤の多くは、植物抽出物を精製したものか、それと全く同じ物質を合成したものか、鎮痛効果のある天然の物質に化学的にとても近い合成物質かのいずれかです。

　植物はべつに人間を助けてやろうとして鎮痛効果のある物質を作っているわけではなく、むしろその逆です。植物から得られる有効な薬剤の多くは、その植物が身を守るための毒物です。だからこそ薬品として効果があるのです。神経活動を妨害する物質が心臓を動かす神経をブロックしたらあなたは死んでしまいますが、手術中に切開箇所と脳の間の神経を遮断すればあなたは痛みを感じずにすみます。そういうわけで、薬の候補になりそうな生物を探している研究者は、毒性の強い新しい植物、昆虫、カエル、細菌、菌類を見つけると目を輝かせるのです。

柳の樹皮

　ひとくちに鎮痛剤といっても、頭を壁にぶつけて痛みをまぎらす方がずっとましなくらい弱いものから、主に象を眠らせるために使われる強力なものまで、幅広い種類があります。

　最も広く使われている鎮痛剤（一番強くもなく、一番古くもありません）は、柳の樹皮にヒントを得て作られました。米国の小学生はみな、アメリカ先住民が柳の樹皮を噛んで痛みを止めていたことを習います。この樹皮にはアスピリンのようなものが含まれています。柳の樹皮は少なくとも3000年前から使われてきました。そこに含まれているのはアスピリンそのものではなく、サリシンという化合物です。サリシンは現代のアスピリンの活性成分に似ていますが、より毒性（副作用）が強く、鎮痛効果は同じです。

　今述べたことには、薬に関する重要な事実が隠されています。自然界で何か薬を見つけたら、その物質の化学的バリエーションを試す価値は十分にある、なぜならもっといいものが見つかるかもしれないから、ということです。サリシンの場合は人工的なアセチルサリチル酸という物質が最適な選択肢だと判明しました。それが今のアスピリンです。

　こんにち、アスピリンのバリエーションにあたる合成品（よく似たものも、かなり違うものも）はとても広く使われています。それらはまとめて非ステロイド性抗炎症薬（NSAIDs）と呼ばれます。NSAIDsには、世界各地の薬局で処方箋なしで買えて愛用者の多い4種類の薬——アスピリン、アセトアミノフェン（英国での名前はパラセタモール）、イブプロフェン、ナプロキセンナトリウム——が含まれています〔ナプロキセンは日本では処方薬です〕。

▲ サリシン

▲ 細かく刻んだ柳の樹皮は、世界各地で何千年も前から痛み止めとして使われてきました。主な活性成分はサリシンですが、この樹皮には他にポリフェノールとフラボノイドも含まれているので、それも役立っているかもしれません。

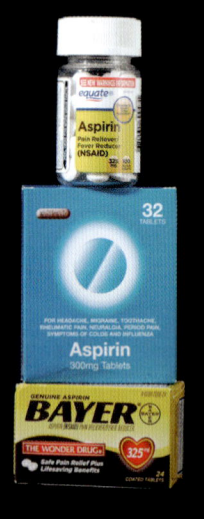

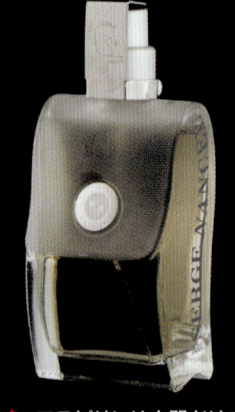

◀ アセチルサリチル酸（アスピリン）は何十種類もの商品名で売られていますが、バイエルアスピリンだけがオリジナルです。アスピリンを初めて市販したバイエル社は1863年の創業で、当初は合成染料のフクシン（202ページ参照）を製造していました。

◀ 海狸香（かいりこう）はビーバーが肛門近くにある香嚢から出して縄張りのマーキングに使う物質で、柳の樹皮の鎮痛成分であるサリシンを含んでいます。海狸香が鎮痛剤として使われた記録もいくつかありはしますが、現代の主要な用途は香水です。人間が好んでかぐ香りの話は11章をお読み下さい。

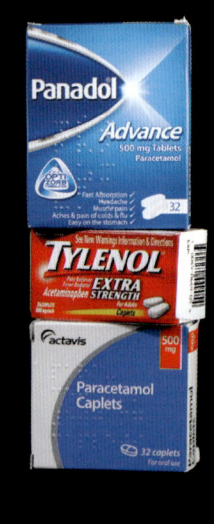

◀ アセトアミノフェン（米国での名）とパラセタモール（英国その他での名）のどちらも、化学名であるパラアセチルアミノフェノールを短く縮めた名前です。名前のどの部分を省いたかだけの違いです。この物質もアスピリンと同様に何十もの商品名で売られており、米国のタイレノール、英国のパナドールはその一例です〔日本のノーシンもそうです〕。

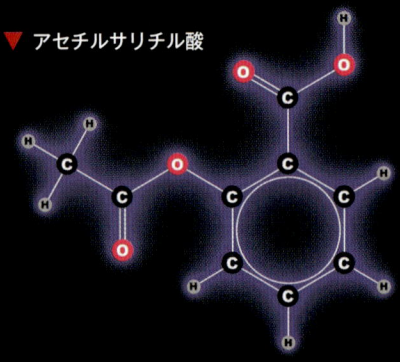

▼ アセチルサリチル酸

▶ アスピリンは人間だけでなく動物にも効きます。獣医師向けに、粉末剤（1ポンド〔約450g〕入りでも値段は数ドル）や馬用の大きな錠剤が売られています。（比較のために人間用のアスピリン錠も置きました。ハムスター用の錠剤は見つかりませんでした。）

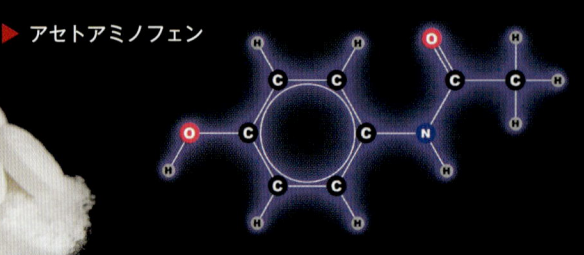

▶ アセトアミノフェン

▶ 薬剤の組み合わせが違ういろいろな製品が鎮痛剤として売られています。複合的効果を狙ってカフェインや抗ヒスタミン剤を配合したものもあります。

▶ モトリンPM：
イブプロフェン、
ジフェンヒドラミン

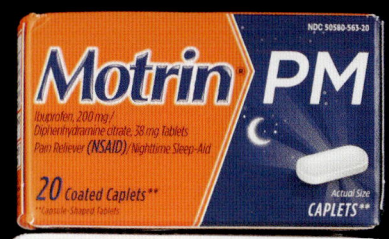

▶ イクェイトPM：
アセトアミノフェン、
ジフェンヒドラミン

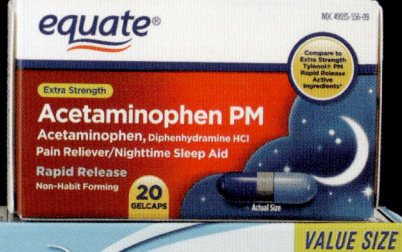

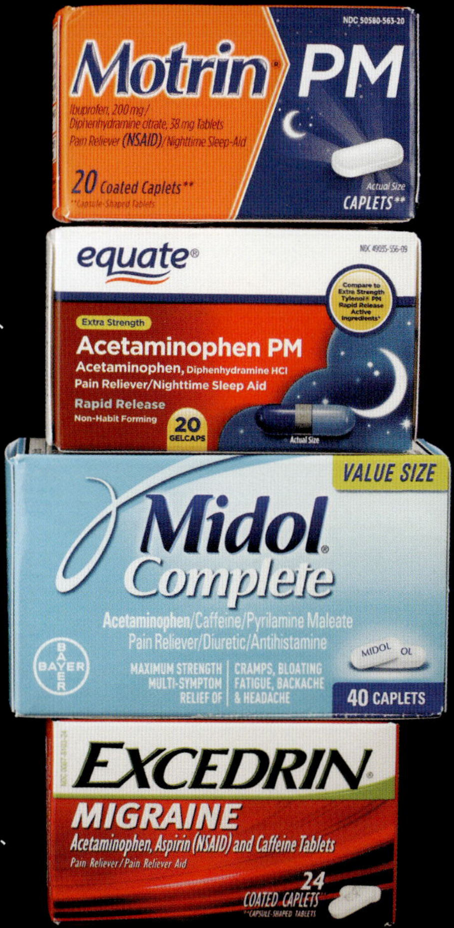

▶ マイドル・コンプリート：
アセトアミノフェン、
カフェイン、
ピリラミンマレイン酸塩

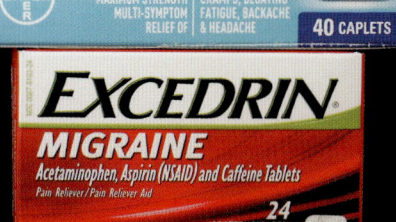

▶ エキセドリン・マイグレイン：
アセトアミノフェン、
カフェイン

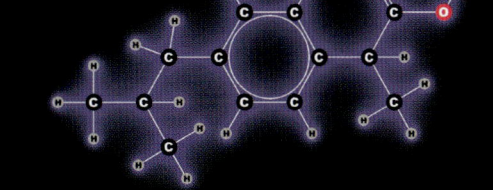

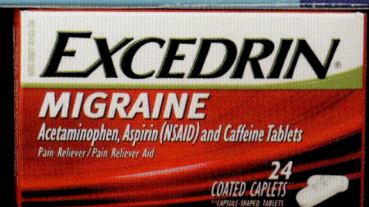

▲ イブプロフェン（鎮痛剤）

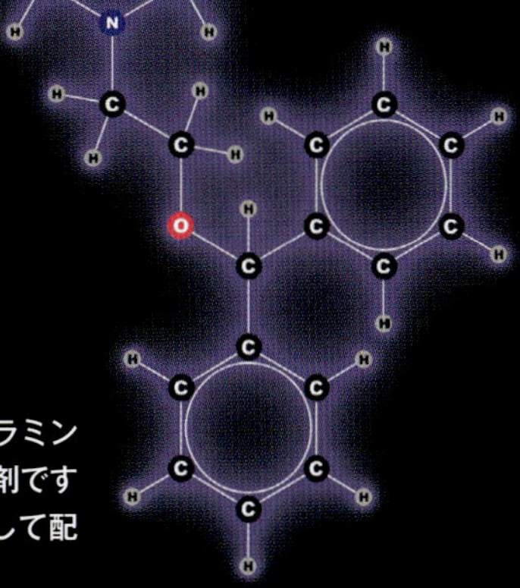

▶ ジフェンヒドラミン（抗ヒスタミン剤ですが、鎮静剤として配合）

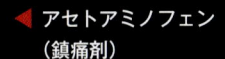

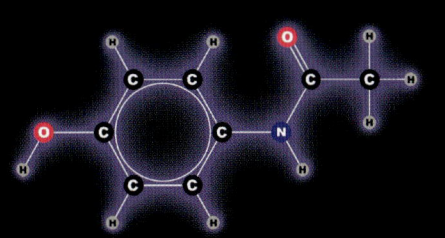

◀ アセトアミノフェン（鎮痛剤）

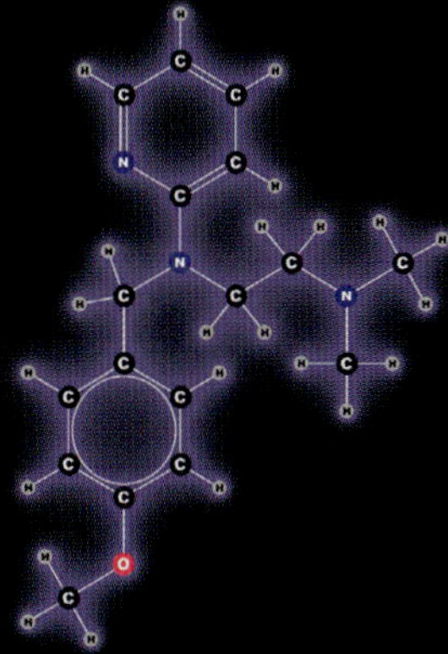

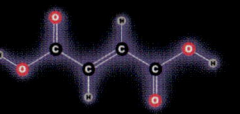

▼ カフェイン（興奮剤ですが、鎮痛剤の効果を高めるとされています）

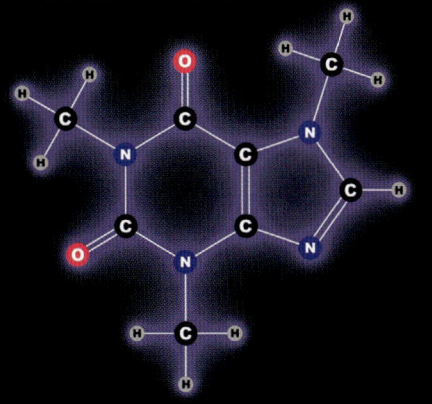

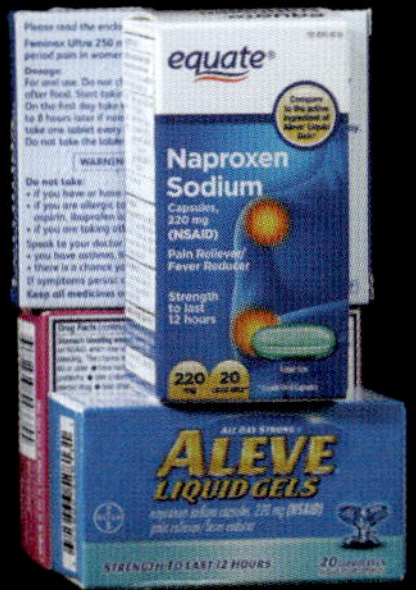

▲ ピリラミンマレイン酸塩（抗ヒスタミン剤ですが、鎮静剤として配合）

◀ ナプロキセンナトリウムは比較的新しい、〔米国では〕処方箋不要の鎮痛剤です。アスピリンと同様の酸構造を持っていますが、ベンゼン環は1個ではなくエレガントな2環式です。

▼ ナプロキセン（鎮痛剤）

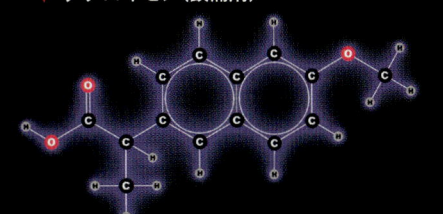

▲ 頭痛にカフェインというのは不思議に思えますが、カフェインはどうやら他の鎮痛剤の効果を高めるようです（少なくとも一部の人では）。どういうメカニズムでそうなるのかはわかっていません。

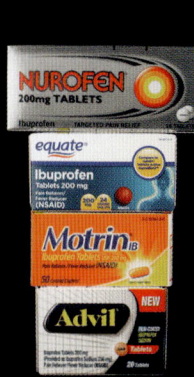

◀ イブプロフェンはアスピリンと同じく弱い有機酸で、同じく6員のベンゼン環を持っていますが、多くの場合に鎮痛剤・抗炎症剤としてアスピリンよりも効果があります。

▶ イブプロフェン（鎮痛剤）

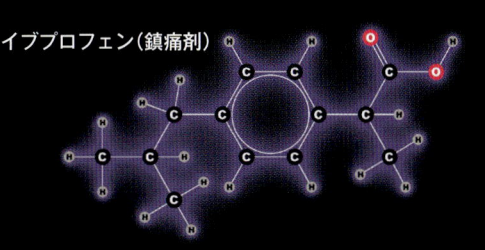

アヘンと
その一族

　驚くなかれ、最も強力な鎮痛剤のひとつであり、極めて高い有効性ゆえに世界中の病院で使われている薬は、同時に、柳の皮よりさらに数千年さかのぼれる最古の歴史を持っています。

　ケシの実から抽出されるアヘンには、モルヒネ、コデイン、テバインという3種類のよく似た化合物が含まれています。そのうち2種類が現代医学でもまだ広く使われているという事実は、ケシがいかに驚くべき植物かを物語っています。人類は何千年も抗生物質やワクチンなしで暮らしていましたが、その間も少なくとも鎮痛剤だけは本当によく効くものがあったわけです。

　アヘンの近縁にあたる多様な化学物質が今も利用され、なかにはアヘンの主成分であるモルヒネの何千倍も強力なものもいくつかあります（比較のために言うと、一般的なアスピリンの鎮痛効果はモルヒネの数百分の1です）。どのバリエーションにも独自の長所があります。たとえば、ある薬は何日間も体内に留まるので長時間効果が持続し、別の薬は迅速に体外に排出される点を利用されます。

　アヘンとその誘導体（オピオイド）には、化学的依存性があります。肉体的・精神的な苦痛を取り除き、依存症になりやすい——これは危険な落とし穴です。アヘンの仲間は合法的な薬も違法薬物もしばしば依存を生むので、医師たちはひどい痛みに苦しむ患者にさえオピオイドを処方することに消極的です。残念な話ですが、医師に処方してもらえなくなると、合法薬剤で依存症になっている人々は街角で売られるヘロインに手を出すかもしれません。ヘロインはモルヒネの合成バージョンで、危険性が高くしばしば不純物に汚染されています。

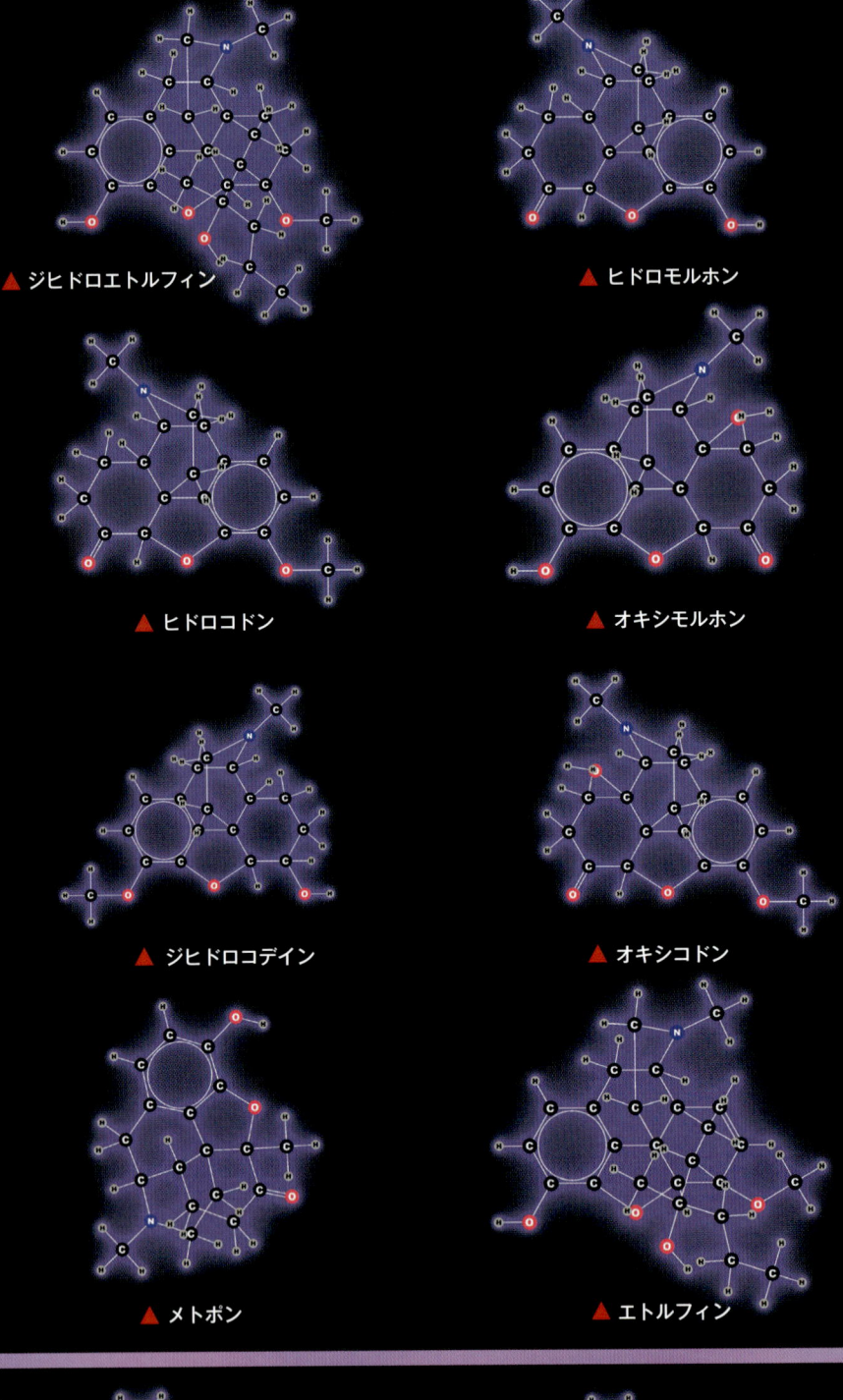

▲ ジヒドロエトルフィン

▲ ヒドロモルホン

▲ ヒドロコドン

▲ オキシモルホン

▲ ジヒドロコデイン

▲ オキシコドン

▲ メトポン

▲ エトルフィン

▶ このページに図がある化合物は天然物質も合成物質もありますが、どれもモルヒネと同じ5つの環が縮合した構造を持っていて、いずれも強力な鎮痛剤です。右のモルヒネ、コデイン、テバインの3つが、ケシの実から採れる天然樹脂の成分です。

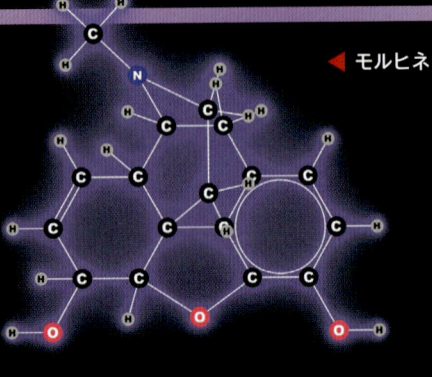

◀ モルヒネ

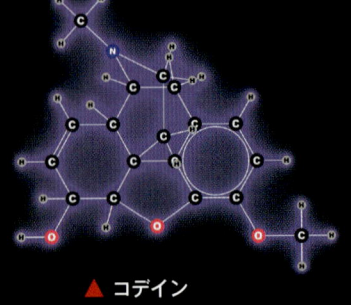

▲ コデイン

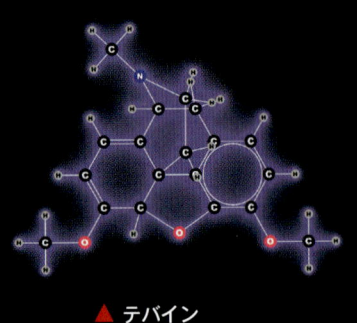

▲ テバイン

◀ このケシの実から浸み出している樹脂は、高濃度のモルヒネ、コデイン、テバインを含んでいます。

痛みと快楽

アヘンとその一族

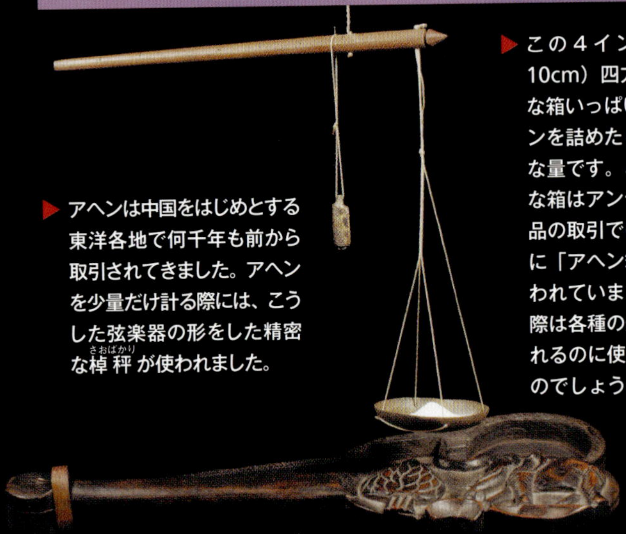

▶ アヘンは中国をはじめとする東洋各地で何千年も前から取引されてきました。アヘンを少量だけ計る際には、こうした弦楽器の形をした精密な棹秤(さおばかり)が使われました。

▶ この4インチ（約10cm）四方の小さな箱いっぱいにアヘンを詰めたら、莫大な量です。このような箱はアンティーク品の取引では非公式に「アヘン箱」と言われていますが、実際は各種の煙草を入れるのに使われたものでしょう。

▶ バイコディン（商標名）はアセトアミノフェンと合成オピオイドであるヒドロコドンを組み合わせた鎮痛剤のひとつです。ヒドロコドンには依存性があり、処方箋がないと買えません。そのためこの種の錠剤はブラックマーケットで広く取引され、痛みを止めたいが合法的にこの薬を入手できない人々だけでなく、薬物乱用目的の人々にも買われています。（赤い染みは、間違いなくヒドロコドンが含まれている印としてメーカーが意図的につけたものです。）

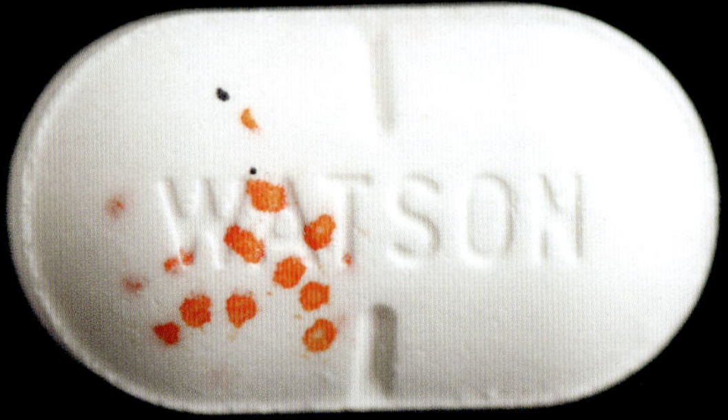

◀ 米国ではコデインは医師の処方箋がないと買えませんが、他国では必ずしもそうではありません。たとえば、英国では薬剤師の同意があればコデインを配合した薬を買えます。ですから、大量に仕入れるのでなければ、ドラッグストアに行くだけでこれらの薬を購入できます。

▶ 19世紀末から20世紀初め頃にはコイン1枚を加工して作ったアヘン入れがあり、実際に人目を欺くこともできたようです。これは1906年作とされる、より工夫を凝らした品です。

▶ モルヒネは昔も今も戦場で負傷した兵士の頼みの綱です。これは第2次大戦時の自己注射用モルヒネシリンジで、使用法説明には注射針に差し込まれた細いピンを使ってチューブ内部のホイル封に穴をあける方法が書かれています。

◀ ナロキソン　　◀ ナルトレキソン　　◀ ナロルフィン

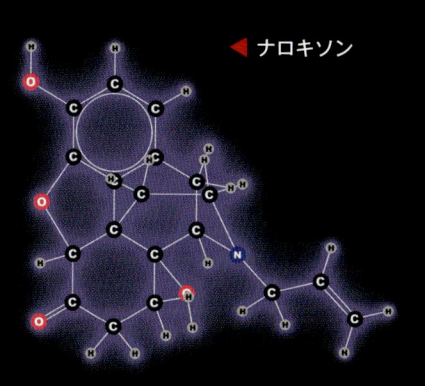

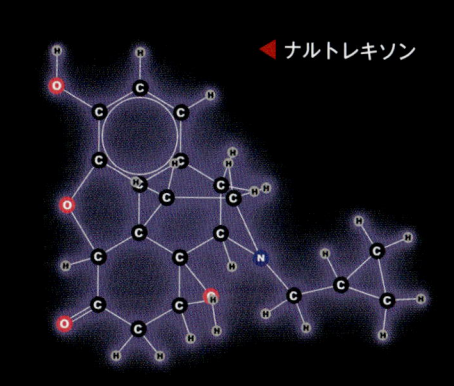

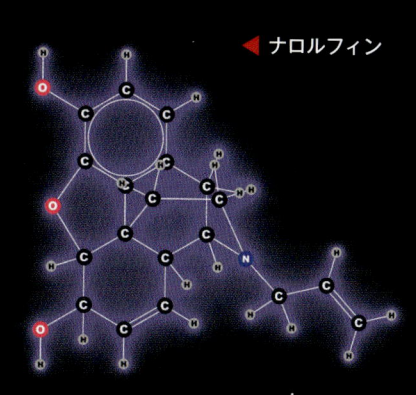

▶ これらの化合物は、化学構造の点ではモルヒネやその親戚とほとんど区別がつきません。しかしこれらは実はオピオイド拮抗剤です。アヘンやその誘導体が身体に影響を与える際に使うのと同じ化学的経路をブロックすることで、アヘン類の影響を中和します。モルヒネ過剰摂取の解毒剤や、アヘン・ヘロイン依存症の克服支援剤として使うことができます。

◀ 小さなモルヒネの錠剤を飲めば、強力な鎮痛効果が得られます。依存症にもなりやすい薬です。

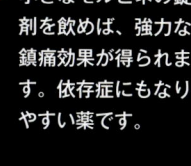

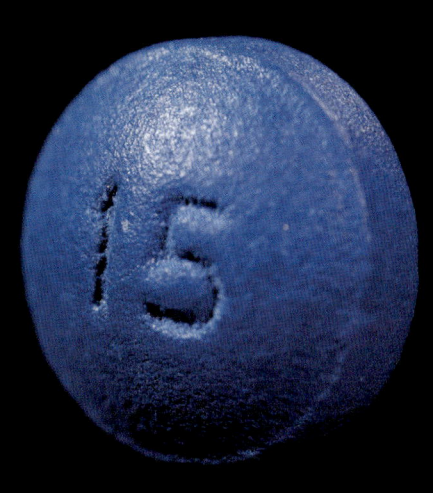

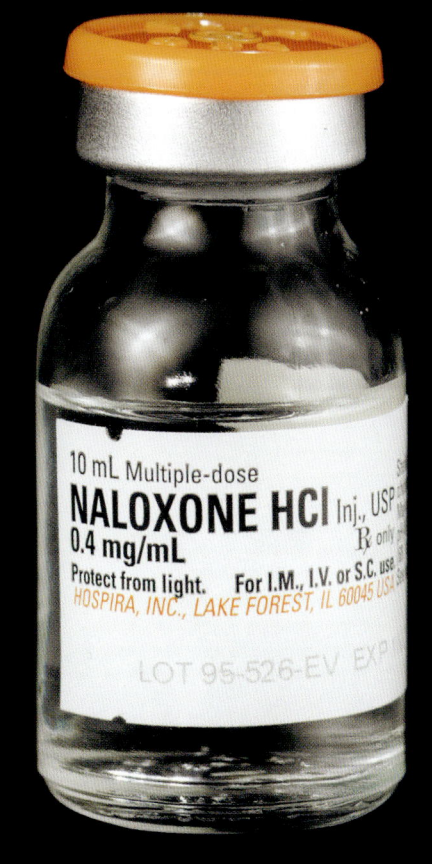

▶ ヘロインはアヘンファミリーの厄介者です。主に違法薬物として存在します。医療用としてオピオイドより優れている点はわずかしかありません（医療用に使われる時はジアモルフィンという名で呼ばれます）。

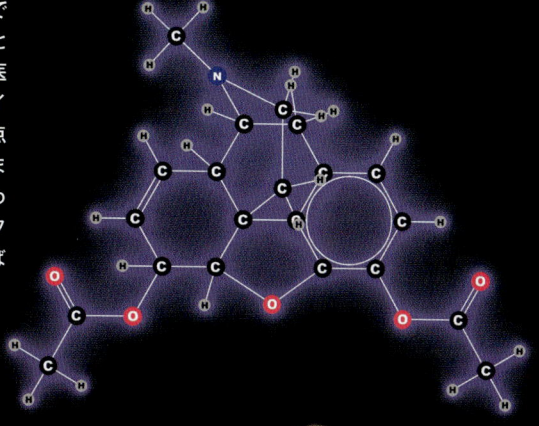

▼ ナロキソンは注射で投与されます。アヘンによく似ているにもかかわらず依存性がなく、厳しい規制の対象ではありません。アヘン類の影響の多くを打ち消すので、過剰摂取の治療に使われます。

▶ ヘロインに含まれる純粋な化学物質のジアセチルモルフィンは、白いはずです！　この違法ヘロインの塊は不純物の縞模様がはっきり見え、もしかしたらヘロインよりもっと強力な精神活性物質が予測できない量で混じっているかもしれません。街角で売買されるこの種の違法薬物は、おそろしく危険です。

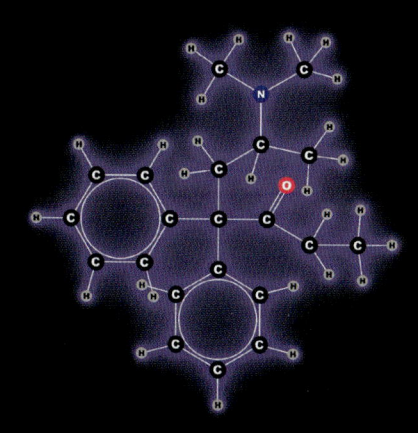

◀ メタドンは化学的にはアヘン系の鎮痛剤のどれとも化学的には似ていません。アヘン類とは大きく異なる化学結合を持っています。ところが、たまたま全体の形状が似ているので、神経系の中のオピオイド受容体にはまり込み、モルヒネやヘロインやその他の本物のオピオイドをブロックします。

▶ メタドンはヘロインをやめようとする際の禁断症状を抑えるために使われます。体内に長くとどまって効果が持続します。体内のオピオイド受容体を塞いでしまうので、十分な量のメタドンを投与すればヘロインの影響をすべてブロックできます。

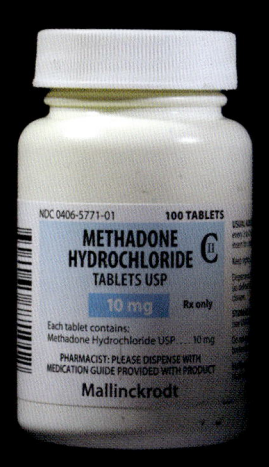

痛みと快楽　**145**

胡椒のパワー

　ケシから作られる薬剤は極めて強力ですが、あらゆる鎮痛剤の中で最強の薬について語ろうとすれば、まったく別の植物に目をやらなければなりません。それは胡椒です。

　ブラックペッパー（黒胡椒）のピリッとした味は、ピペリン分子によるものです。ピペリンには、炭素原子5個と窒素原子1個による6員環という合成の難しい構成要素が含まれています。単離した場合にピペリジンと呼ばれるこの環構造は、最強クラスの毒物、鎮痛剤、刺激薬の一部でその力の基本となっています。

　ふつう、鎮痛剤と毒はコインの裏表のような関係があります。中枢神経系に作用する鎮痛剤はすべて、生命の維持を担う情報伝達系統の一部を遮断することで目的を果たしますから、過剰に摂取すれば命にかかわります。痛みを抑えると同時に心拍数と呼吸数を下げるので、下げすぎると、もう戻れなくなります。

　鎮痛剤はまた、強い痛みやかゆみを起こさせる化合物とも近縁関係にあります。どちらも神経に影響を与える物質であり、時には分子のちょっとした変化で、神経活動を抑制する側から刺激する側に転じてしまうこともあります。また、まったく同じ物質が、体内のどこにどのくらいの量あるかによって、痛みの原因になったり痛み止めとして働いたりする場合もあります。

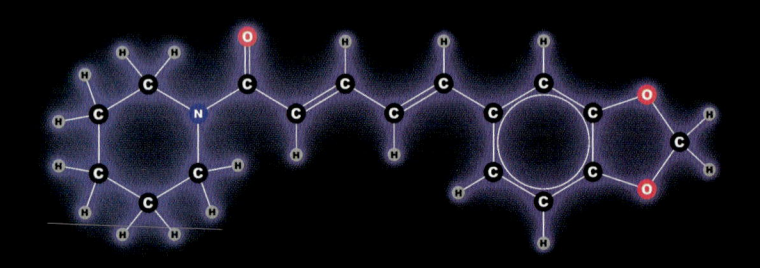

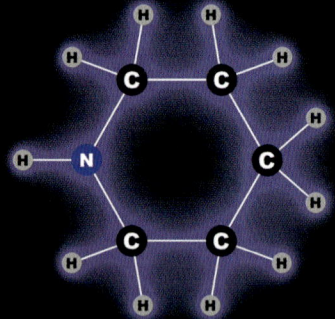

▶ ピペリジンは単純な6員環ですが、6個の原子のうち5個が炭素で残る1個は窒素です。環は比較的化学合成がしにくいため、この特定の環構造を持つ多くの化合物のいずれかを作るには、すでにこの環を持っている物質を出発点にするのが一番容易です。ピペリジンが合成の出発点、つまり前駆体として人気があるのはそれが理由です。

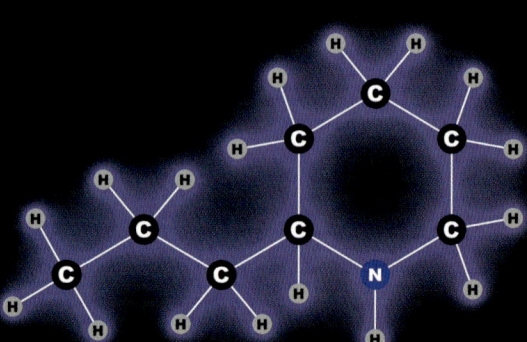

▲ ブラックペッパーのピリッとした辛みを生んでいるのは、このピペリンという化合物です。多くの鎮痛剤と関係があるピペリンですが、それ自体には鎮痛効果はありません。ただ強烈な味がするだけです。

▼ ブラックペッパーを挽いて粉にし、精製すると純粋なピペリンが得られます。天然の原料から抽出された純粋な化合物はほとんどの場合白い粉になりますが、ピペリンも例外ではありません。どうしてこうも白い粉ばかり！ それにはちゃんと理由があります。色は化合物が持つ性質としては特殊で、その分子が特定の結合構造を持っている時だけ色付きになるのです（12章を参照）。

▶ ドクニンジンの毒はコニインという物質です。ピペリジンの非常に単純なバリエーションで、炭素原子3個の鎖が環に結合しています。この毒は2400年ほど前にソクラテスの死刑執行に使われたことで有名です。彼は、国家が信じる神を正しく尊敬しなかったことにより有罪判決を受けました。そして空虚な言葉を弄する以外に能のない神官や政治家に代わって汚れ仕事をするために、植物学者の知識が使われました。

▼ 1-(1-フェニルシクロヘキシル)ピペリジンは、よくフェンシクリジンやPCPと略されます。ピペリジンはPCPを作るための前駆体として使われるため、規制薬物に指定されています。

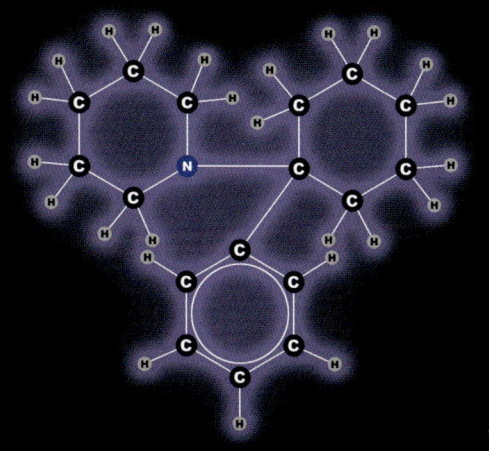

▶ 外来種のヒアリ（火蟻）というアリは恐るべき害虫です（ソレノプシンを作るだけでなく、建物や電線やその他までかじるからです）。まだ入り込んでいない場所にこのアリが持ち込まれるのを防ぐため、移送は法律で禁止されています。ですからこの写真は本物のヒアリではなく金属製の模型です。〔ヒアリは現時点ではまだ日本への侵入は確認されていません。〕

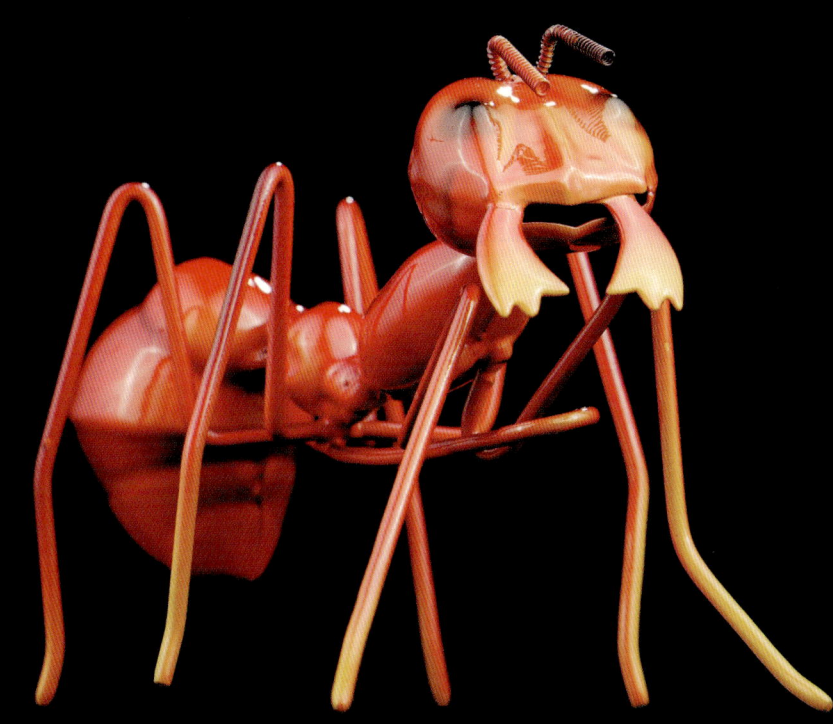

▲ フェンシクリジン

▼ ピペリジンから作られる物質のひとつ、ソレノプシン。ヒアリにかまれた時のひどい痛みの原因です。

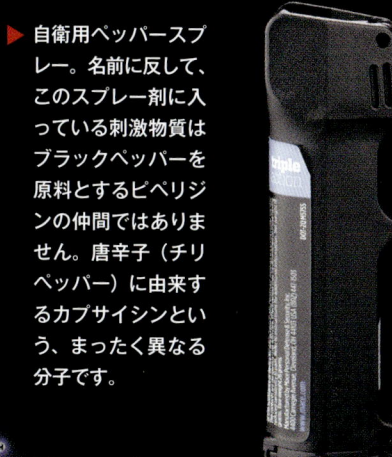

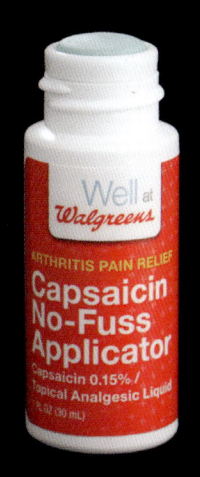

▼ ドクニンジンの葉。コニインという毒を含むことで知られます。

▲ ソレノプシン

▶ 自衛用ペッパースプレー。名前に反して、このスプレー剤に入っている刺激物質はブラックペッパーを原料とするピペリジンの仲間ではありません。唐辛子（チリペッパー）に由来するカプサイシンという、まったく異なる分子です。

▲ カプサイシン

▶ ペッパー世界の驚くべき新趣向。カプサイシンの入った自衛用スプレーは暴漢に動けないほどの痛みを与えて無力化する製品ですが、まったく同じカプサイシンが、皮膚に塗る鎮痛剤として利用されています。この種の塗布剤を塗ると、カプサイシンが神経を刺激して最初は「熱く」感じます。しかしその効果が薄れるにつれ、カプサイシンの強い刺激に神経が疲れてしまい、痛みが次第に引いていきます。

痛みと快楽　**147**

胡椒のパワー

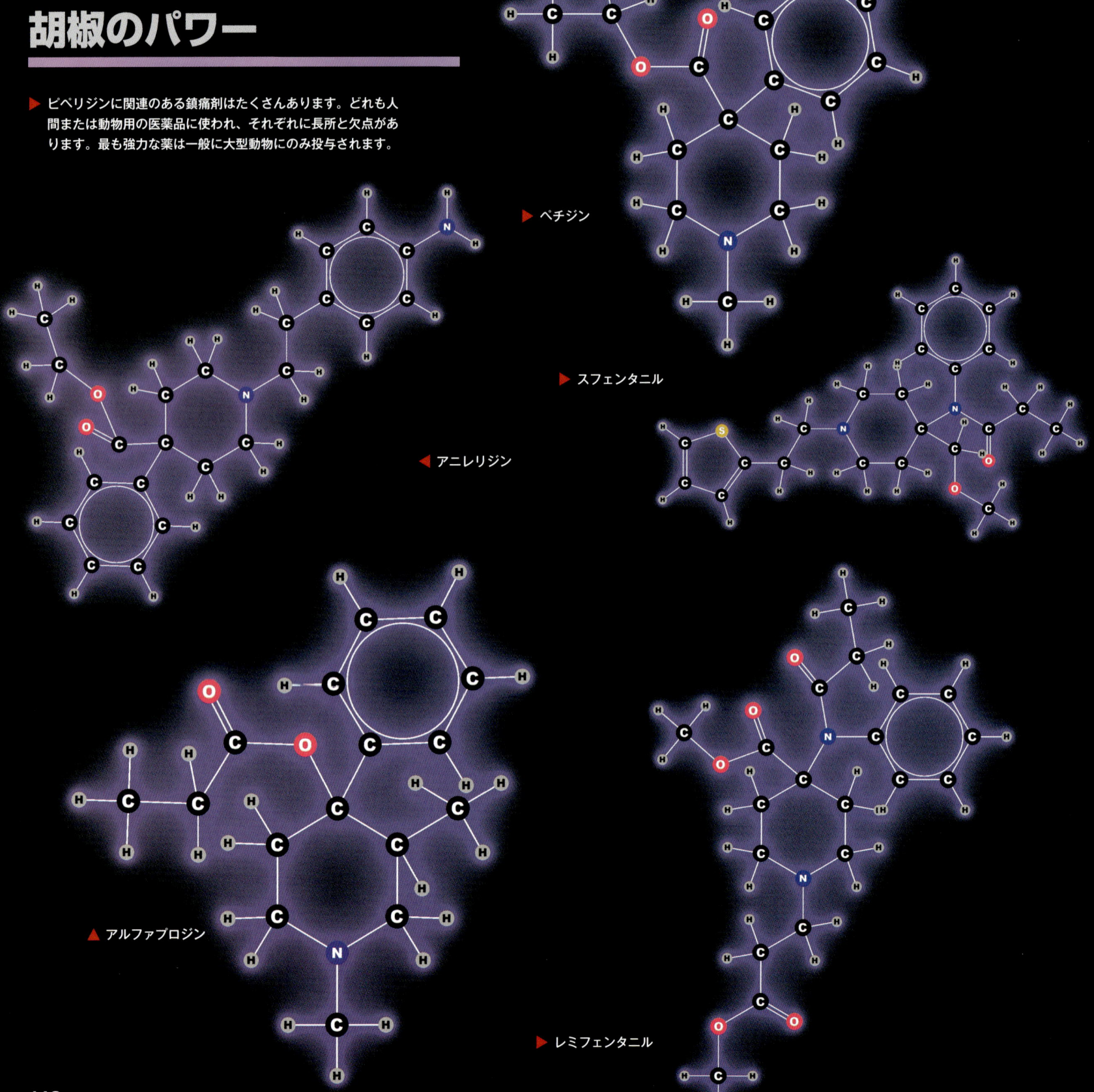

▶ ピペリジンに関連のある鎮痛剤はたくさんあります。どれも人間または動物用の医薬品に使われ、それぞれに長所と欠点があります。最も強力な薬は一般に大型動物にのみ投与されます。

▶ ペチジン

◀ アニレリジン

▶ スフェンタニル

▲ アルファプロジン

▶ レミフェンタニル

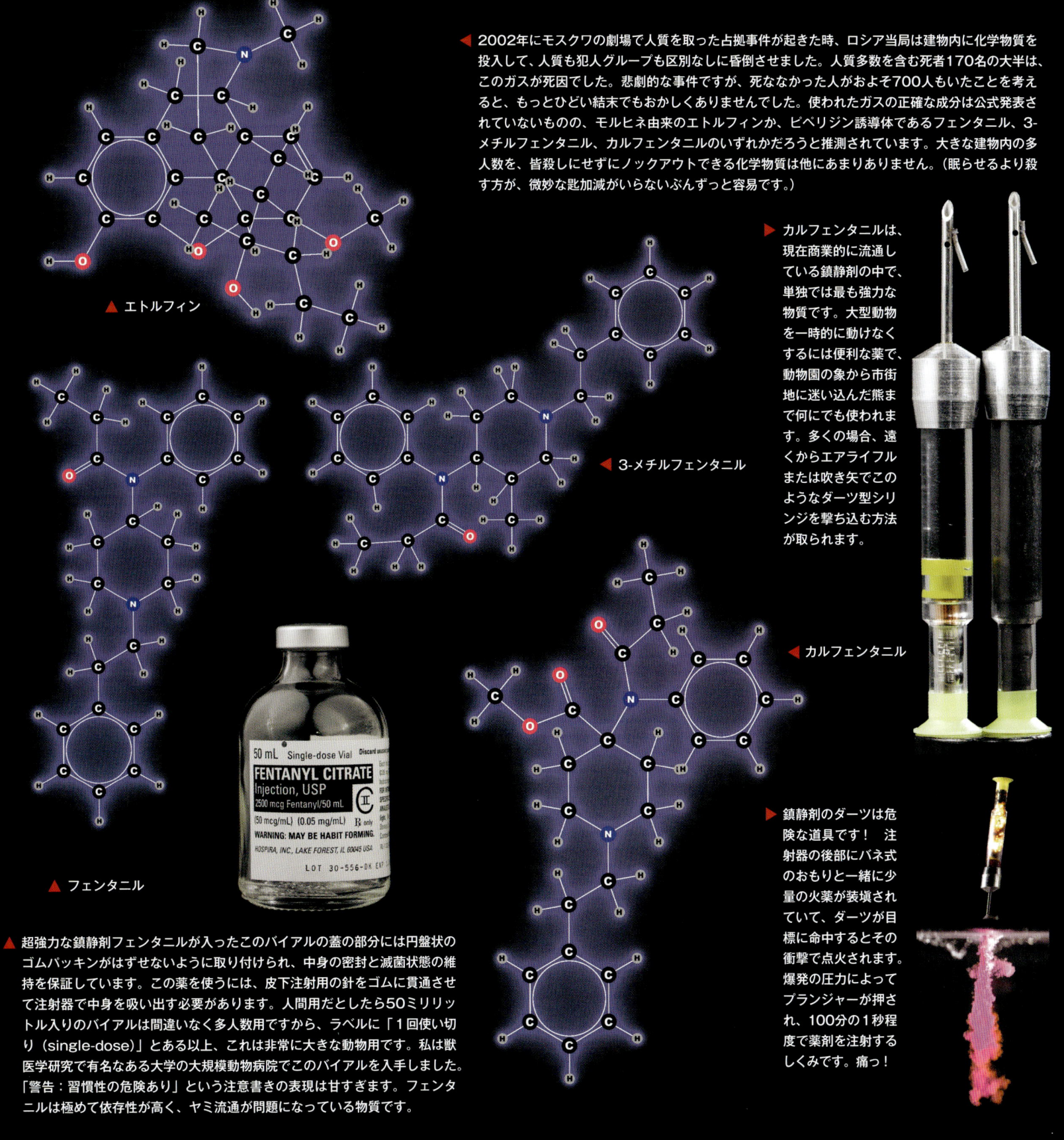

▶ 2002年にモスクワの劇場で人質を取った占拠事件が起きた時、ロシア当局は建物内に化学物質を投入して、人質も犯人グループも区別なしに昏倒させました。人質多数を含む死者170名の大半は、このガスが死因でした。悲劇的な事件ですが、死ななかった人がおよそ700人もいたことを考えると、もっとひどい結末でもおかしくありませんでした。使われたガスの正確な成分は公式発表されていないものの、モルヒネ由来のエトルフィンか、ピペリジン誘導体であるフェンタニル、3-メチルフェンタニル、カルフェンタニルのいずれかだろうと推測されています。大きな建物内の多人数を、皆殺しにせずにノックアウトできる化学物質は他にあまりありません。（眠らせるより殺す方が、微妙な匙加減がいらないぶんずっと容易です。）

◀ エトルフィン

◀ 3-メチルフェンタニル

▶ カルフェンタニルは、現在商業的に流通している鎮静剤の中で、単独では最も強力な物質です。大型動物を一時的に動けなくするには便利な薬で、動物園の象から市街地に迷い込んだ熊まで何にでも使われます。多くの場合、遠くからエアライフルまたは吹き矢でこのようなダーツ型シリンジを撃ち込む方法が取られます。

◀ カルフェンタニル

▲ フェンタニル

▲ 超強力な鎮静剤フェンタニルが入ったこのバイアルの蓋の部分には円盤状のゴムパッキンがはずせないように取り付けられ、中身の密封と滅菌状態の維持を保証しています。この薬を使うには、皮下注射用の針をゴムに貫通させて注射器で中身を吸い出す必要があります。人間用だとしたら50ミリリットル入りのバイアルは間違いなく多人数用ですから、ラベルに「1回使い切り（single-dose）」とある以上、これは非常に大きな動物用です。私は獣医学研究で有名なある大学の大規模動物病院でこのバイアルを入手しました。「警告：習慣性の危険あり」という注意書きの表現は甘すぎます。フェンタニルは極めて依存性が高く、ヤミ流通が問題になっている物質です。

▶ 鎮静剤のダーツは危険な道具です！　注射器の後部にバネ式のおもりと一緒に少量の火薬が装填されていて、ダーツが目標に命中するとその衝撃で点火されます。爆発の圧力によってプランジャーが押され、100分の1秒程度で薬剤を注射するしくみです。痛っ！

痛みと快楽

コカインの功罪

　コカインは無数の人命を奪い、それ以上の人に破滅と障害をもたらしました。しかし、歴史上の長い期間にわたり、役に立つ薬だと考えられてきたのも事実です。インカ帝国の人々はコカインの原料であるコカの葉を噛んで活力を得ていました。有名な精神分析学者ジークムント・フロイトは自らコカインを使用し、患者にも勧めました。初期のコカコーラが栄養ドリンクとして人気を博したのは、疑いなく、その名が示す通りコカインを含んでいたからです（1903年にコカインが除かれました）。

　現在もコカインは表面麻酔剤として広く使われています（体内に入れるのではなく皮膚表面に塗る麻酔薬です）。歯科医は、歯ぐきに麻酔注射の長い長い針を刺す前に、この薬を塗ることがあります（ほとんど役に立ちませんが）。〔日本の歯科ではコカインではなく別の薬が使われます。〕面白いことに、歯科用コカインの副作用として「尋常ではない幸福感」が挙げられています。でも私は歯医者に行った後に幸福感を感じたことは一度もありません！

　コカインも他の化学物質となんら変わりません。意図も目的もなく、ただ己にできることをやっているだけで、それが善か悪かなんて人間の都合です。

▶ コカの葉をティーバッグに詰めたコカ茶。コカインが含まれますが、南米では合法で、簡単に買えます〔日本への持ち込みは禁止されています〕。

◀ 南米の人々は何千年もの昔から乾燥させたコカの葉を噛んだり、コカ茶を淹れて旅人にふるまったりしてきました。しかし、葉にコカインが含まれるため世界の大部分で禁止物質に指定されています。

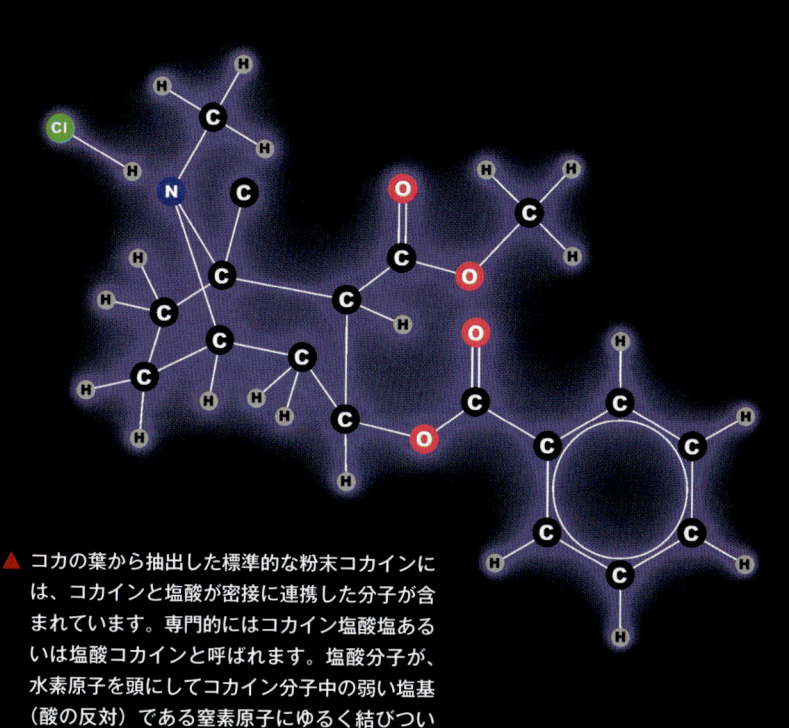

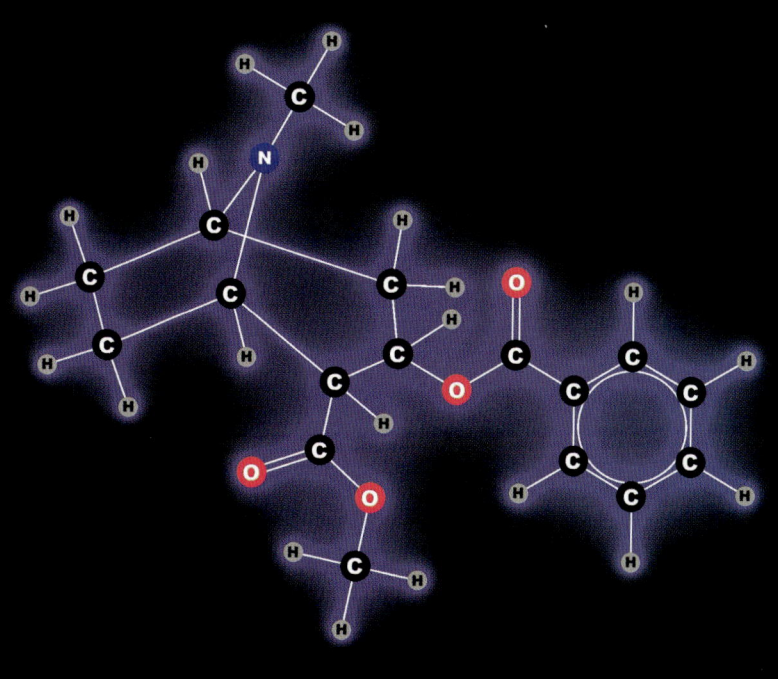

▲ コカの葉から抽出した標準的な粉末コカインには、コカインと塩酸が密接に連携した分子が含まれています。専門的にはコカイン塩酸塩あるいは塩酸コカインと呼ばれます。塩酸分子が、水素原子を頭にしてコカイン分子中の弱い塩基（酸の反対）である窒素原子にゆるく結びついています。コカイン塩酸塩は、融点が高く蒸気圧が低い物質です。

▲ クラックやフリーベースの成分である純コカインには、塩酸分子が付随していません。この単離形態のコカインは融点が低く、分解温度よりずっと下の温度で高い蒸気圧を示します。

▲ コカイン塩酸塩の微粉末

▶ クラックコカインは純粋なコカインで、粉末コカインの成分であるコカイン塩酸塩ではありません。

▲ 歯ぐき、鼻、のどに塗る医療用表面麻酔剤のコカイン塩酸塩。塗った場所を非常に効果的に麻痺させるので、患者は知らぬ間に自分の舌を噛み切らないよう注意が必要です。通常は水に溶いて綿棒で塗ります。

痛みと快楽 **151**

コカインの功罪

▶ 広く一般的に使われているリドカイン、プロカイン、ベンゾカインという3つの麻酔薬は、名前を聞くとコカインから作られたかのような印象を受けます。実際は、化学構造がまったく違い、コカインの特徴である独特の多環構造はどこにも見えません。とはいえ、コカイン同様に局所麻酔薬として働き、歯科治療や小手術で使われます。コカインと違うのは依存性が非常に小さいことで、そのため市販薬にも配合されます。

◀ リドカイン ▲

▲ ベンゾカイン

▼ 歯や口内やのどの痛みを抑える多くの市販薬にはベンゾカインが含まれています。

▲ プロカイン ▶

毛色の変わった鎮痛剤

痛みは非常に奇妙な主観的感覚であるため、風変りな化合物が鎮痛剤として使えることがあるという事実はそれほど驚きではありません。また、痛みは身体のさまざまな部分を攻撃してきますから、多種多様な化合物が鎮痛剤の候補になります。

鎮痛剤の大部分（というよりも薬の大部分）はかなり単純で、原子が数十個からせいぜい百個程度の比較的小さな分子からなり、ベンゼン環のような堅固な基礎構造からできています。たいていの場合その理由は、その種の分子の生物学的機能が優れているからではなく、胃で分解されることなく血中に入り込めるからです。言うまでもなく、口から飲む薬はそうでなければ話になりません。

たとえば、一部のタンパク質も優れた鎮痛剤になる力を持っています。しかし、タンパク質は胃にとっては「食物」ですから、しかるべく消化されてしまします。そのため、タンパク質由来の薬品は普通は注射か吸入でしか投与できません。とはいえ、非常に有望な新しい鎮痛剤のなかには、意外な原料から作られたタンパク質製剤があります。

▶ プリアルトの商標名で知られるジコノチドという物質は、イモガイの毒の1種をコピーした小型分子の合成化合物です。髄液中に直接注入する薬で、最もひどくてしつこい痛みの治療に限って使われます。

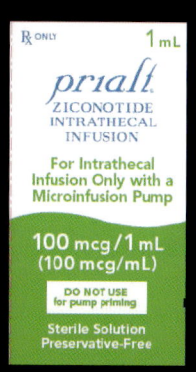

▲ ガバペンチン（商標名ニューロンチン）はこれまでに紹介したどの鎮痛剤カテゴリーにも属しません。脳の神経伝達物質のひとつγ-アミノ酪酸（略称GABA）の活動を真似るように合成された、GABAとの間に一定の構造的類似性を持つ物質です。一般の社会ではてんかんや神経性の疼痛に処方されますが、刑務所内ではコデインのような麻酔薬の方が適切な場面の多くで使用されます。というのも、ガバペンチンには依存性がないからです。この薬は人をいい気分にさせるのではなく、惨めというほどはひどくない程度に沈んだ気持ちにさせます。

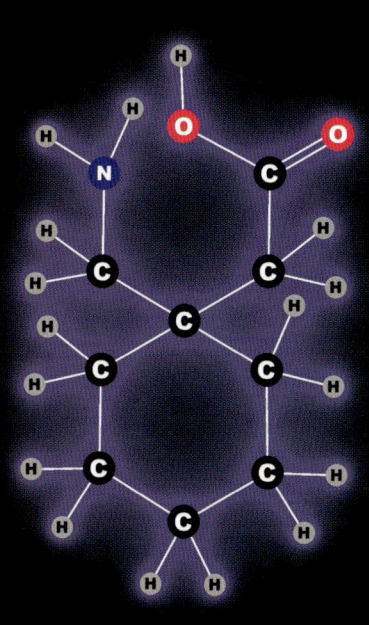

▲ ガバペンチン

▼ γ-アミノ酪酸（GABA）

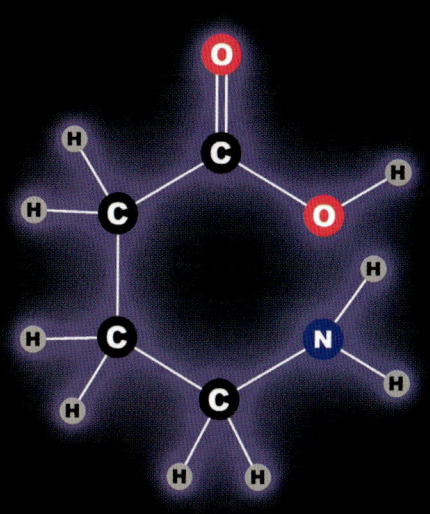

▶ ブロマドール

◀ ブロマドールの見た目は他のどんな鎮痛剤とも似ていませんし、人間の薬として役立つかどうかも不明ですが、犯罪者が麻薬として売ろうとする動きは止まりません。

毛色の変わった鎮痛剤

▲ これはウミノサカエイモ（*Conus gloriamaris*）といい、かつては海貝のなかで世界一希少で世界一美しいとして珍重された巻き貝です。その後スキューバダイビングが発明されると、ごくありふれた貝であることが判明しました。人間が簡単に採取できる深さよりもずっと深い場所に生息していたのです。それでも、美しくて興味深いことに変わりはありません。この貝をはじめとするイモガイ科の貝は信じられないくらい毒性の強い多種多様なタンパク質を作ります。多くの種が、一刺しで人間を死なせます。ということは、薬剤の原料として極めて期待できるということです。

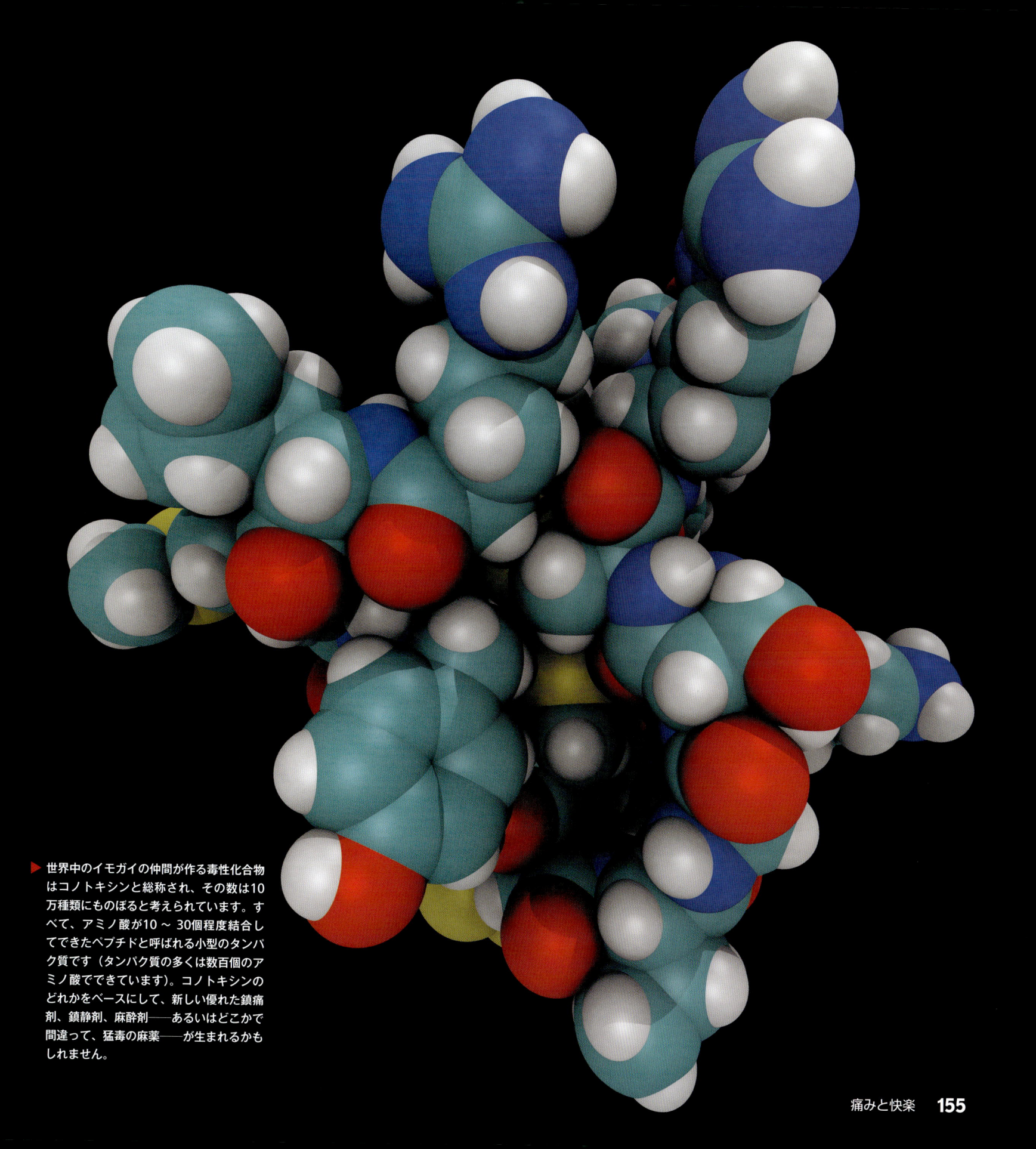

▶ 世界中のイモガイの仲間が作る毒性化合物はコノトキシンと総称され、その数は10万種類にものぼると考えられています。すべて、アミノ酸が10〜30個程度結合してできたペプチドと呼ばれる小型のタンパク質です（タンパク質の多くは数百個のアミノ酸でできています）。コノトキシンのどれかをベースにして、新しい優れた鎮痛剤、鎮静剤、麻酔剤──あるいはどこかで間違って、猛毒の麻薬──が生まれるかもしれません。

痛みと快楽　155

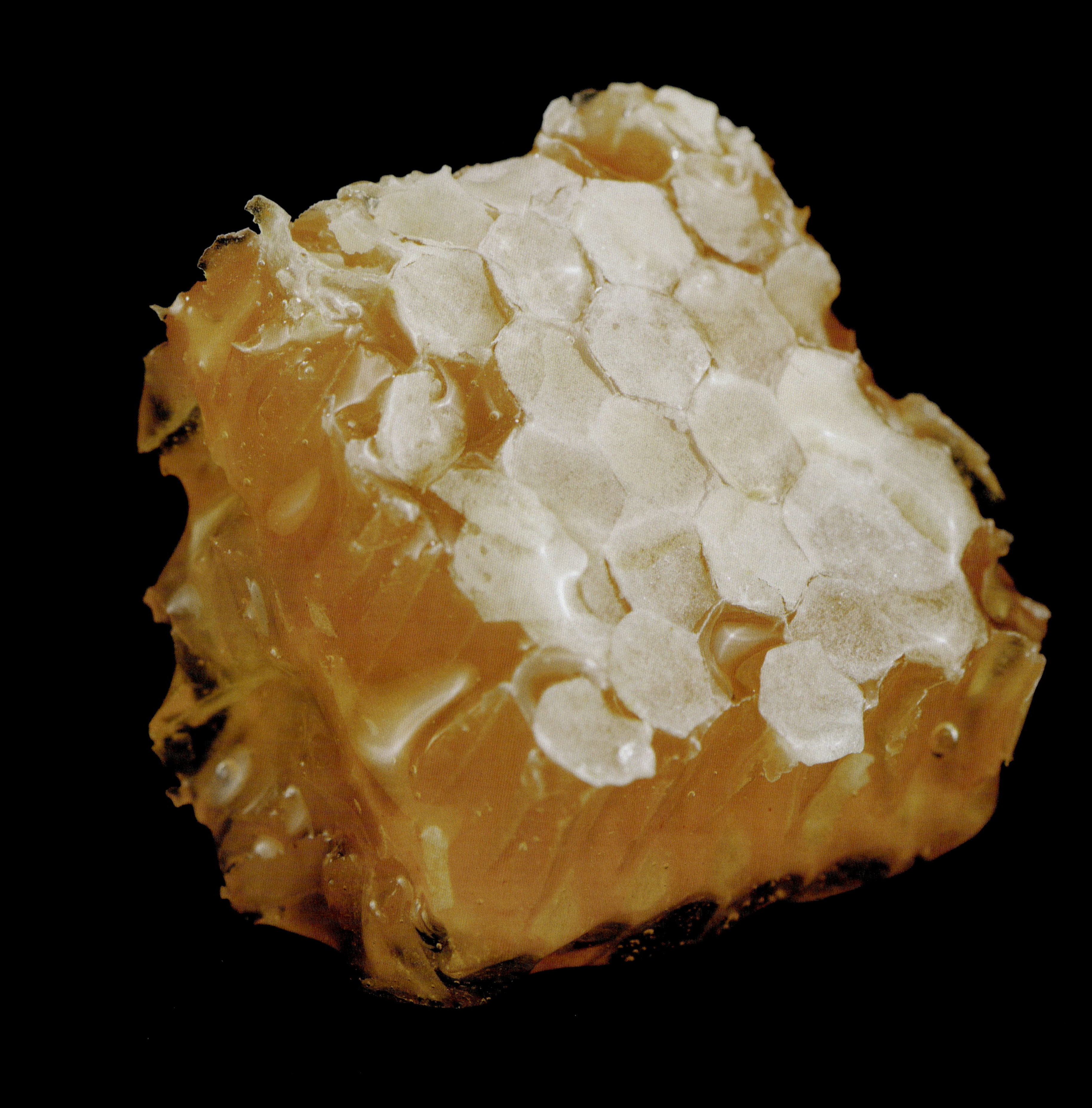

第9章 甘い、甘い、甘いものの話
Sweet and Double Sweet

　この世には、ものを甘い味にする分子がたくさんあります。残念なことに、私たちはそのなかで一番好きなものを悪者扱いする傾向があります。一般的な砂糖（スクロース、蔗糖）と、その近縁であるグルコース（ブドウ糖）、フルクトース（果糖）は、どれも私たちが食べる程度の量で人体に有害な影響があります。糖尿病、心臓病、虫歯、黄斑変性症、末梢神経障害、腎臓病、高血圧、脳卒中の発症率を高めるからです。もし砂糖が天然物質ではなく合成品だったなら、とっくの昔に禁止されていることでしょう。

　より健康的な代替品として、強力な天然・合成の甘味料があります。その多くはあまりに甘さが強いので、ほんの少量で足ります。ただ、こうした甘味料には大きな問題点がふたつあります。多くの人がその味を好まないことと、脳腫瘍になる恐れがあることです（人工甘味料の中で最も疑わしいものでも、健康への害の点では天然の砂糖に遠く及ばないのですが）。糖アルコールと呼ばれる低カロリーの化合物は砂糖に近い味ですが、時に"腹部不快感"の原因になります。

　毎年、人々はこれらの物質を文字通り数億トンも、熱狂的なほどに大喜びで消費しています。それは、若干身体には悪くとも抗いがたい魅力のあるこうした分子の甘い甘い味を、私たちがいかに強く欲しているかの証拠です。

ハチミツの成分は、異性化糖（ブドウ糖果糖液糖）と同様、フルクトースとグルコースがおよそ半々です。

▲ フルクトース　　　　　　　　▲ グルコース　　　　　　　　▲ ガラクトース

◀ フルクトース、グルコース、そしてそれほどは知名度が高くないガラクトース。この3種類の単純な天然の糖は、単糖（類）と呼ばれます。構造図を見ればわかるように、どれもよく似ています。実際、グルコースとガラクトースはあまりにそっくりで、平面図では区別できません。結合構造はまったく同じで、違いは一部の結合が向いている方向（「立体化学」と呼ばれます）だけです。しかし、ガラクトースは甘さがグルコースの半分程度しかありません。味覚というものは、分子の形と化学的な特徴をそれほどの高感度で探知する鋭敏な"検出器"なのです。

▲ 洋梨は、フルクトースのグルコースに対する比率が比較的高い果物です。たいていの果物ではおよそ1：1なのに、洋梨は3：1以上です。フルクトースはグルコースの約1.7倍の甘さです（どれくらい薄めても甘さが感じられるかを調べる試験で、フルクトース水溶液はずっと低濃度で被験者の50%が甘さを感知するレベルに達します）。

▲ 一般に知られた天然の素材で、グルコースのみを成分とするものは存在しません。グルコースは通常はフルクトースと同居しています。グルコースはレーズン（干しブドウ）から初めて単離されたため、ブドウ糖とも呼ばれます。とはいえ、レーズンにも他の果物と同じく、グルコースとフルクトースが両方含まれています（だいたい半々です）。

▲ ガラクトースはおそらくこの3つの単糖のなかで一番無名でしょう。それにふさわしく、同一カロリーあたりのガラクトース含有量が最も多い天然の食物は、糖と聞いてたいていの人が思い浮かべるものとは全然違います。答えはセロリです。

二糖類

　一般的な砂糖（スクロース）は、前のページで見た単糖類ではありません。グルコース分子1個とフルクトース分子1個（2個の単糖）が結合した構造を持ち、二糖と呼ばれます。動物の乳に含まれるラクトース（乳糖）はグルコースとガラクトースが組み合わさっています。マルトース（麦芽糖）は発芽した穀類に含まれる糖で、グルコース2個が結合しています。この他にも、どの単糖が、いくつ、分子のどの部分で結合しているかによって、天然でも人工でも非常にたくさんのバリエーションが生まれます。それぞれの組み合わせには、独自の化学構造、味、健康への作用があります。

　甘味料業界が総力を挙げて行っているのは、詰まるところ、ある糖を別の糖に変えることです。たとえば、異性化糖を作るには、デンプン（グルコースの重合体）をグルコースに分解し、それからグルコースの一部をフルクトースに変換させて、グルコースとフルクトースの混合物にします（これとほぼ同じ混合物は多くの果物やハチミツに含まれていますが、トウモロコシのデンプンから作る方が安上がりです）。

　加工食品の成分表示を見る際には、糖が何の原料に由来するかはあまり関係ないことを覚えておいてください。サトウキビの糖でも、アガベシロップでも、ハチミツでも、異性化糖でも、マルトデキストリンでも、さらにはデンプンのような非糖類であっても、分解して特定の単糖の混合物にすることができます。その食品の健康への影響を決めるのは、単糖類の割合と、糖の総量です。風味と色を出すために特定の甘味料が使われていることもありますが、糖の総量と単糖の割合以外の要素は、栄養にも健康にも違いをもたらしません。

▼ 砂糖（スクロース）はいろいろな形や色の製品として私たちの前に現れます。粒子の大きさや含まれる不純物によって風味や舌触りが大きく異なりますが、栄養学的にはどれも同じです。すべての砂糖は最初は茶色い色をしています。真っ白い砂糖は、茶色い砂糖（ブラウンシュガー）から糖蜜を除去して作られます。

スクロース

▶ 粉糖

▶ ベルギーのパールシュガー

▼ ライトブラウンシュガー

◀ ダークブラウンシュガー

▼ テンサイ（ビート）糖

▼ ココナッツシュガー

▲ 私たちが砂糖の味を好むのは、砂糖がたくさんのエネルギーを与えてくれるからです。進化の面から見ると、生物がエネルギー豊富な食物を摂取するのは良いことです。現代人は糖分を摂りすぎているから問題が起きるのです。

▲ 糖蜜

甘い、甘い、甘いものの話

スクロース

▶ 糖のかたまりであることを隠そうとすらしないキャンディもあります。メープルシュガーは主成分がスクロースで、数パーセントのグルコースとフルクトースが混じっています。このキャンディは、本質的にそれ以外のものを何も含んでいません。

▶ このようなパームシュガー（ヤシ糖）の玉は、丸かじり用ではなく砂糖原料用です。

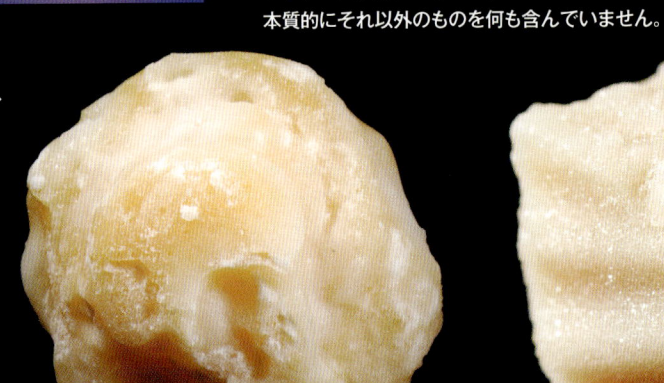

▼ ジャガリーはインド産のほとんど精製されていない糖です。サトウキビ、ヤシ、ナツメヤシなどを原料にして作られます。糖分だけでなく、通常の精製糖では除去されているタンパク質や植物繊維のような不純物も含まれています。

▼ 大部分の砂糖はサトウキビが原料です。サトウキビはとても背の高い、イネの仲間の草です。しゃぶって甘さを楽しむために、適度な長さに切り揃えた生の茎も売られています。

▶ 昔懐かしい袋入りグラニュー糖。簡単便利に血糖値を上げられるよう、小袋にパックされています。

▶ 砂糖の原料としてサトウキビに次ぐ第2位はテンサイ（シュガービート、砂糖大根）です。砂糖が採れるビートは、野菜として食べる真っ赤なビートよりもずっと大きく、外側が白い色をしています。

▶ ベタシアニン

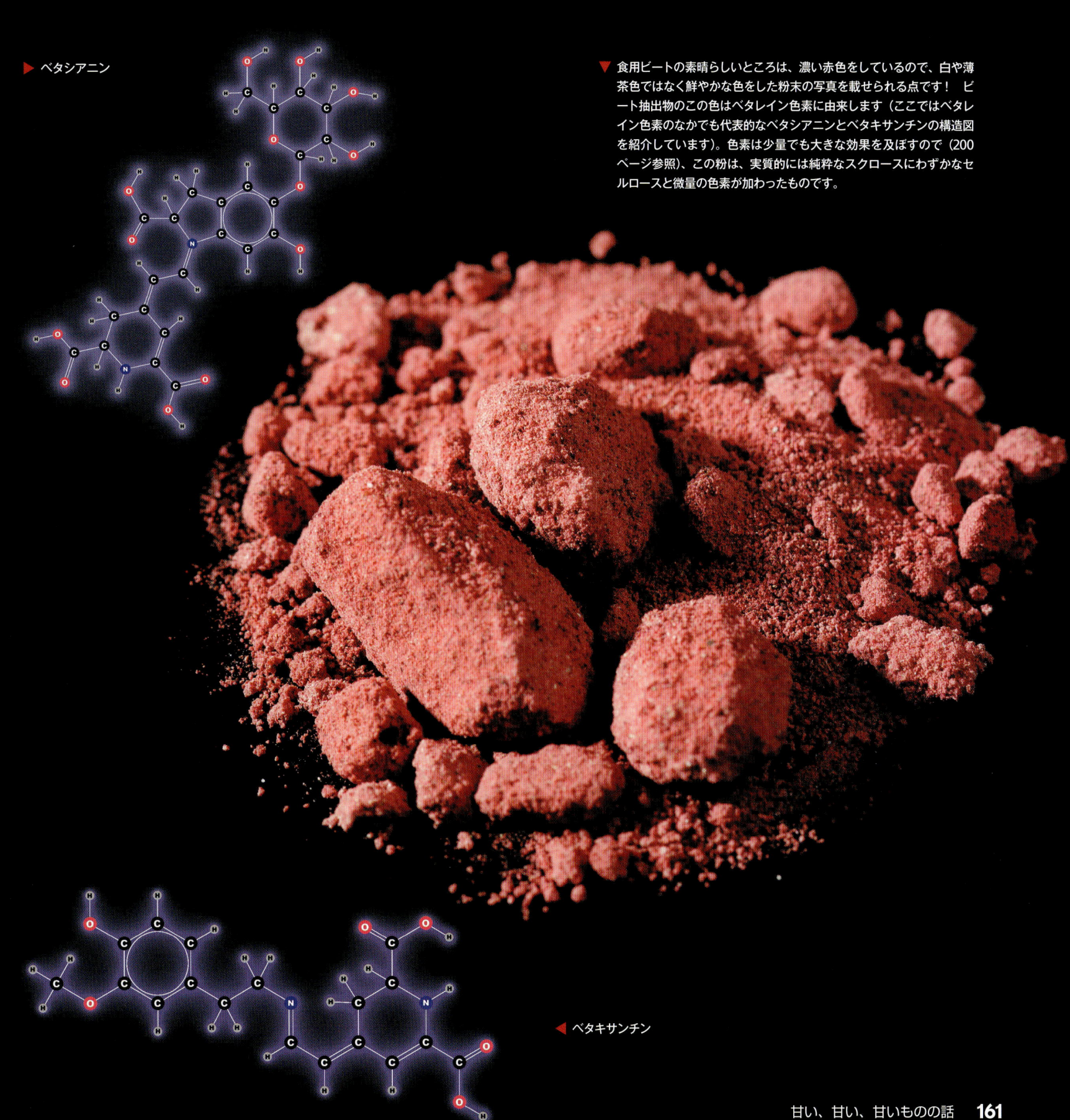

▼ 食用ビートの素晴らしいところは、濃い赤色をしているので、白や薄茶色ではなく鮮やかな色をした粉末の写真を載せられる点です！ ビート抽出物のこの色はベタレイン色素に由来します（ここではベタレイン色素のなかでも代表的なベタシアニンとベタキサンチンの構造図を紹介しています）。色素は少量でも大きな効果を及ぼすので（200ページ参照）、この粉は、実質的には純粋なスクロースにわずかなセルロースと微量の色素が加わったものです。

◀ ベタキサンチン

甘い、甘い、甘いものの話

ラクトース

▼ ラクトース（乳糖）はグルコースとガラクトースが組み合わさってできています。

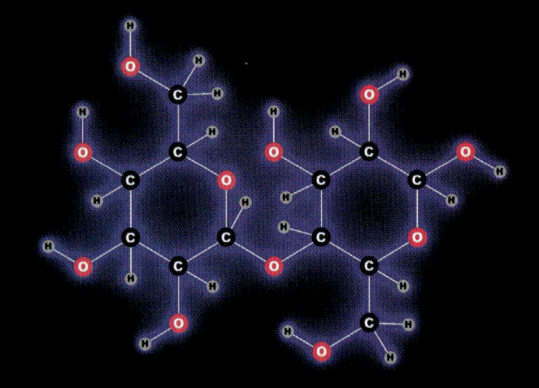

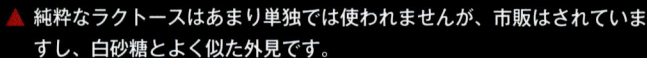

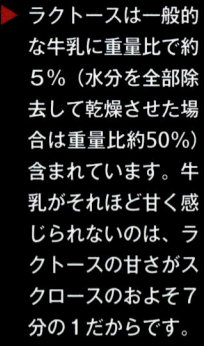

▲ 純粋なラクトースはあまり単独では使われませんが、市販はされていますし、白砂糖とよく似た外見です。

▶ ラクトースは一般的な牛乳に重量比で約5％（水分を全部除去して乾燥させた場合は重量比約50％）含まれています。牛乳がそれほど甘く感じられないのは、ラクトースの甘さがスクロースのおよそ7分の1だからです。

▲ 大人にはラクトースを消化できる人とできない人がいます。これは1万年ほど前に人類に出現した遺伝子変異に由来します。突然変異で生まれたのは「大人になってもラクトースを消化できる能力」の方で、現在この遺伝子を持っているのは世界の人口のおよそ3分の1だけです（一部には、保有者の率が他よりもずっと高い地域があります）。突然変異体ではない人は、ある程度成長した後で牛乳を飲むとおなかがゴロゴロします。そこで、ラクトースを分解する酵素を含む錠剤が売られています。これを飲めば、昔ながらの遺伝子を持つ"ノーマルな"人も安心して牛乳やアイスクリームを味わうことができます。

マルトース

▼ 発芽した穀類に多く含まれるマルトース（麦芽糖）は、グルコース2個が組み合わさってできています。

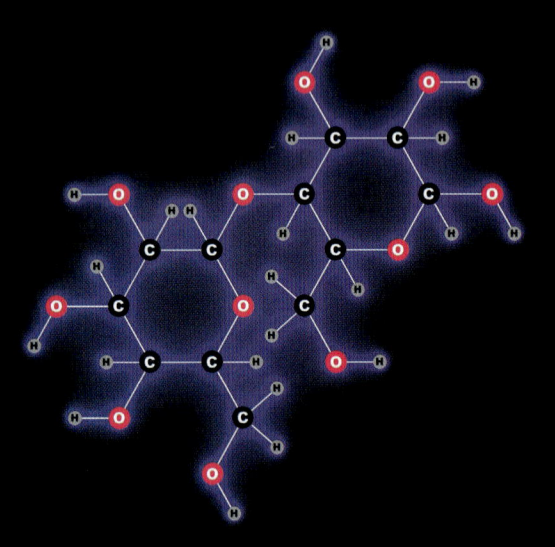

▶ 純粋なマルトースはスクロースやラクトースと同じく白い粉末ですが、よく一般に出回っている製品は非常に濃いシロップです（寒い部屋に置いておくと、固まって岩のようになります）。写真のシロップは約70％がマルトースで、白くないのは不純物が混じっているからです。

▶ 麦芽は麦（特にオオムギ）を発芽させたものですが、麦に限らず、発芽した穀粒（写真はトウモロコシ）には麦芽糖つまりマルトースが高率で含まれていて、わりあいおいしい味がします。発芽トウモロコシの抽出物を粉末にしたものは、糖分を利用したり、醸造に使われたりします（酵母が糖をアルコールに変えてアルコール飲料や燃料用アルコールにします）。

◀ マルトースは発芽したトウモロコシから作られます。異性化糖に加工されていないコーンシロップは、成分のほぼすべてがマルトースです（異性化糖については後で説明します）。

その他の糖の混合物

▼ マルトトリオースは、いろいろな食品のラベルで見かける「マルトデキストリン」と総称される成分のうち、最も単純な例です。マルトースはグルコース2個でできていますが、マルトトリオースはグルコースが3個結合しています。そうやって結合するグルコースの数が最大20個くらいまでの糖のグループがマルトデキストリンです（その先はデンプンと呼ばれます）。構造図の下の写真の白い粉は商業用の粉末マルトデキストリンです。

▶ 異性化糖（HFCS）は、特に米国では税制と農業政策ゆえに砂糖より安いので、非常に広く使われています〔日本の商品では「ブドウ糖果糖液糖」などとも表示されます〕。異性化糖の大部分はフルクトースとグルコースが半々です。純粋なHFCSは列車1台分くらいの単位でしか買えません。でも写真のネタに困ることはありません。市販のパンケーキシロップは成分のほとんどがHFCSです。ライト（Lite）と書かれているのは、砂糖のシロップよりカロリーが少ないという意味です。

◀ ハチミツは異性化糖と同様にフルクトースとグルコースがだいたい半々の混合物です。どちらも、望みどおりのフルクトース・グルコース混合液にするために、酵素で他の糖を変化させています（ミツバチは胃の中で、人間はタンクの中で）。ハチミツには他にも数種の糖と微量のミネラル、さらに酵素、ビタミン、アミノ酸などの有機化合物が含まれ、それらが独特の色と風味を生み出します。見た目と味の面ではハチミツは異性化糖と全然違いますが、栄養と健康の面では、違いがあるという主張を正当化するのは困難です。実際、市販のハチミツには異性化糖を混ぜたものもあります（異性化糖の方が安いですから）。異性化糖を混ぜ物として入れてあっても、化学的な分析で検出するのは不可能です。ハチミツの糖と異性化糖の糖は、実験室でも人体でも、識別できません。（糖に含まれる炭素13という放射性同位体の割合を分析すれば識別はかろうじて可能ですが、炭素13の比率のわずかな差は生体機能にはなんの影響も与えません。）

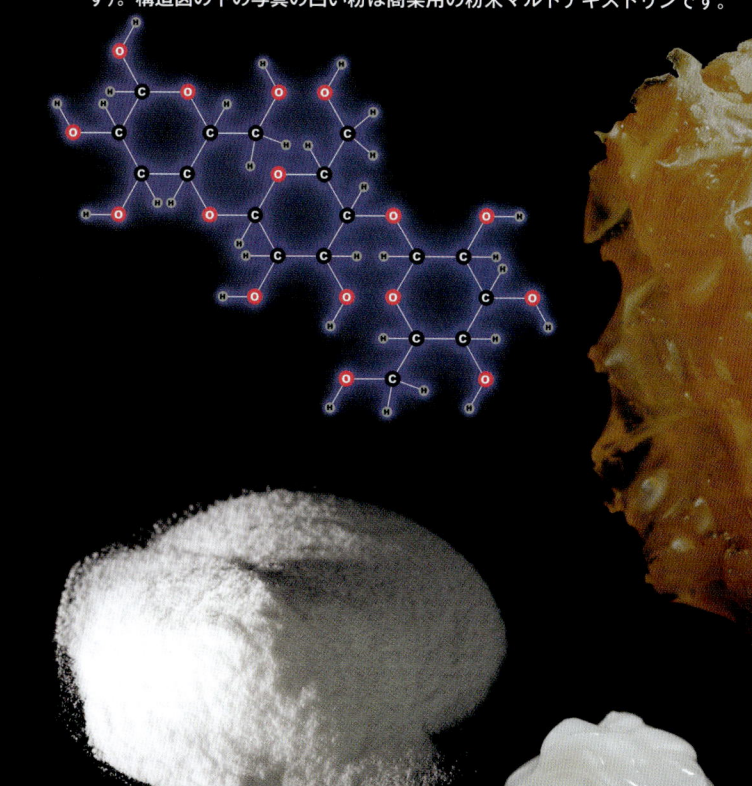

▼ デンプンはグルコースのユニットが端同士でつながってできた非常に長い鎖です。マルトデキストリンがさらに長くなったものといえます。デンプンでも一般的な二糖類でも、糖のユニット同士の結合は胃の中の酵素によって簡単に分解されますから、糖質やデンプン質の食べ物を食べた時に消化管を通るのは、栄養学的には単糖の混合物です。グルコースを気にする糖尿病患者にとっては、実は砂糖よりデンプンの方が問題です。砂糖はグルコース＋フルクトースですが、デンプンは純然たるグルコースの集まりだからです。しかもさほど甘くないので食べ過ぎになりがちです。

◀ 転化糖は砂糖（スクロース）をグルコースとフルクトースの両成分に分けたものです。すべてのスクロースが分解されたグルコースとフルクトースの1：1の混合物もあれば、グルコース、フルクトース、スクロースが混在するものもあり、化学的には異性化糖やハチミツによく似ています。異性化糖やハチミツとの主な違いは、トウモロコシ（異性化糖）や花蜜（ハチミツ）ではなく、サトウキビかテンサイを原料にして作られることです。言い換えれば、化学や栄養学上の違いというより、経済学上の違いです。私がひとつ驚いたのは、転化糖の味がハチミツにそっくりだったことです。ハチミツの風味は主に微量成分によるものだと思っていたのですが、どうやら大部分はフルクトースとグルコースの混合物の風味のようです。この混合物は異性化糖を使ったパンケーキシロップにも含まれていますが、そうしたシロップでは、写真のような商業用転化糖ペーストには入っていない人工香料で味が隠されてしまっています。

▶ 竜舌蘭（アガベ）のシロップや、抽出物を乾燥させた粉は、普通の砂糖より健康にいいという触れ込みで売られています。その主張の主な根拠は、砂糖よりもフルクトースの割合が高いので、同じ甘さでもカロリーが少ないことのようです（アガベシロップを構成する糖のうち90％前後がフルクトースであるのに対し、砂糖や異性化糖では50％程度です）。しかし、カロリーが主な関心事なのであれば、その違いは他の天然甘味料・合成甘味料のメリットに比べてわずかでしかありません。

糖アルコール

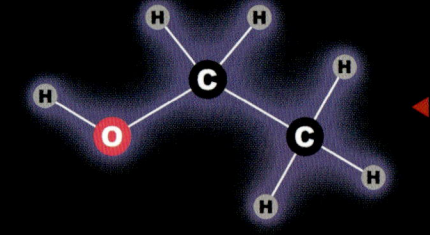

▶ アルコールは、炭素原子1個にヒドロキシ基が1個付いており、それ以外に酸素原子は付いていません。このような基を持つ分子はアルコールです。持っていなければ、アルコールではありません。

　38ページでお話ししたように、芳香環以外の炭化水素に付いたヒドロキシ基〈-OH〉を持つ有機化合物はなんでもアルコールと呼ばれます。ヒドロキシ基は酸素原子1個と水素原子1個が特定のしかたで結合したものです（39ページのエタノールの例を参照）。メタノール、エタノール、イソプロパノールなどのアルコールにはヒドロキシ基が1個だけ付いていますが、1分子が複数のヒドロキシ基を持ってはいけない理由はありません。

　これまでにご紹介した糖分子のどれでもいいので見て下さい。ヒドロキシ基だらけのアルコールだということがわかるでしょう！ スクロースには全部で8個もあります。けれども、糖はアルコールであるのに加えてエーテル結合でつながった環でもあります。

　糖によく似た、ただし環状のエーテル結合がない分子も、甘いことがわかっています。そうした単純な「糖アルコール」であるエリトリトールとキシリトールは、「シュガーレス」製品によく使われる合成甘味料です。どちらも糖ではなく、虫歯の原因にはなりません（キシリトールに至っては虫歯予防効果があるとされています）。血糖値も上げません。

　糖アルコールの甘さはいろいろですが、全体としては砂糖と同じくらいの甘さです。ただしカロリーはありますから、砂糖の代わりに糖アルコールを使うことは、糖尿病患者にはメリットがあっても、痩せる効果はありません。痩せたい人には別の甘味料があります。

▼ よく見かける糖アルコール甘味料のいくつかは、すべての炭素原子にヒドロキシ基が付いた単純な糖アルコールです。たとえばエリトリトールには炭素元素が4個あり、それぞれにヒドロキシ基が付いています。キシリトールは5個の炭素にヒドロキシ基が1個ずつ付いています。炭素6個の例には、ソルビトールとマンニトールという2通りのバリエーションがあります。どちらも6個の炭素にひとつずつヒドロキシ基が付いていて、違いは結合のうちひとつの方向だけです。その違いは分子を3次元で見なければわかりません。

▼ エリトリトール　　▼ キシリトール 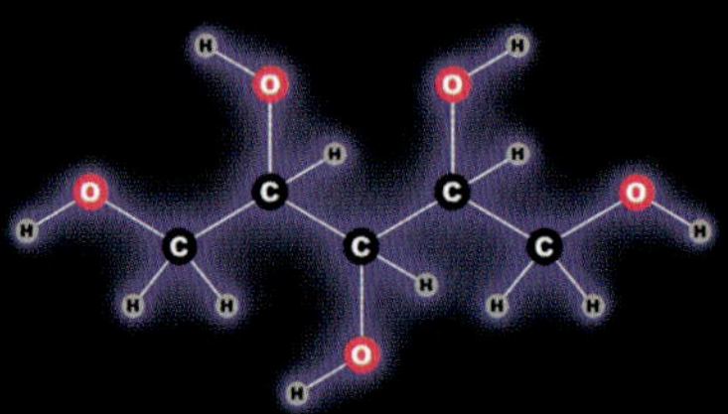　　▼ ソルビトール 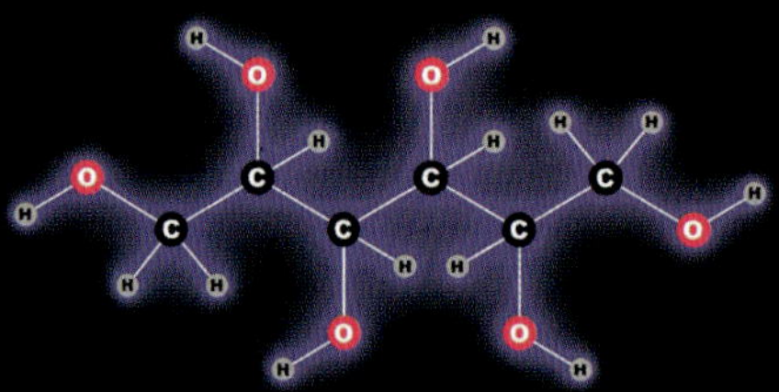　　▼ マンニトール

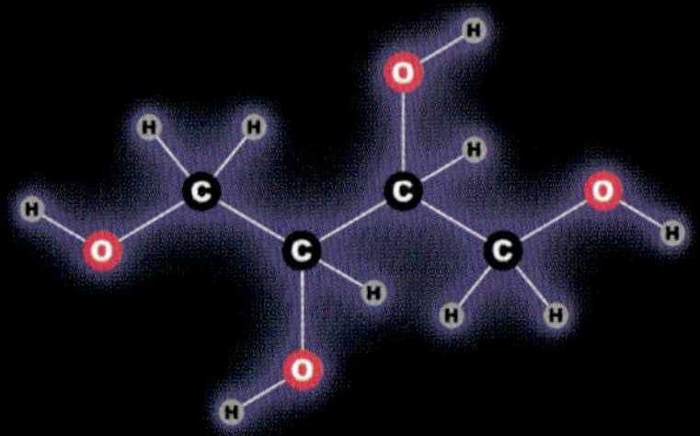

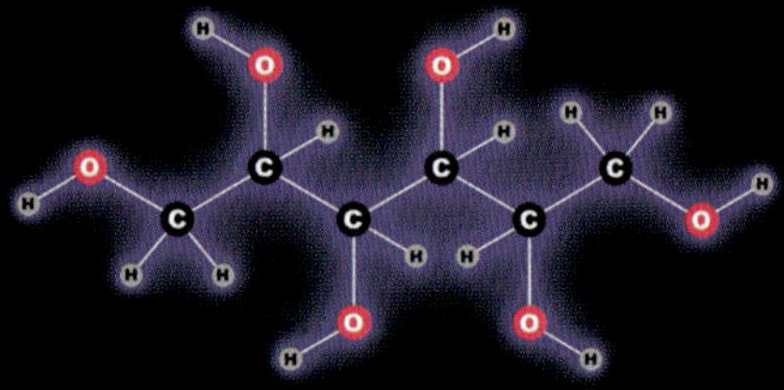

▲ エリトリトールはよく、もっと強い人工甘味料と組み合わせて、風味のバランスを取るために使われます。他の糖アルコールと違って、腹部不快感を起こさせません。

▶ キシリトールは虫歯予防効果があるとされているので、シュガーレスのチューインガムや歯磨きペーストには理想的です。

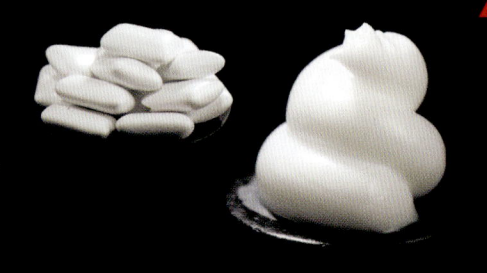

▲ ソルビトールは非常によく使われている糖アルコール甘味料です。甘いのですが、腹部不快感の原因になりがちです。腹部不快感とは何でしょう？ ソルビトールのもうひとつの用途が便秘薬であるという事実から推察して下さい。

▲ マンニトールは化学的にはソルビトールとほとんど区別がつきません。でも、この写真の粉は違って見えませんか？ 粉末の外見は、粒子の細かさや含まれる水分の量や置き方によって、そして撮影の際に他の白い粉とは少しは違う見た目になるようにわれわれがどれだけ必死で努力するかによって、変わるからです。

マルチトールとイソマルト

▼ マルチトールとイソマルトはともにグルコースと糖アルコールが組み合わさったものですが、糖アルコールの異なる部分に結合しています。マルチトールはグルコースとソルビトールの結合、イソマルトはグルコースとマンニトールの結合でできています。

▼ クマの形をしたこのグミは、インターネットでちょっとばかり有名になりました。ある大手通販サイトのカスタマーレビュー欄で、このグミを食べておなかが下った様子を描く創造性豊かな書き込みが相次いだからです。レビューはコミカルに描写するために若干誇張されている可能性もありますが、実際にこのグミの主成分であるリカシンは糖アルコールと糖の結合物がいろいろ入った混合物であり、なかでも主体となっているマルチトールはたくさん摂取すると効果の大きい下剤です。

▲ マルチトールは砂糖の代用品としてよく使われています。私がまさにこのキャプションを書くためにいろいろ調べた過程でびっくりしたのは、マルチトールやそれとよく似たイソマルトが実は純粋な糖アルコールではなく、糖アルコールと糖の組み合わさったものだということでした！

▲ イソマルトは米国ではマルチトールほど広く使われてはいませんが、いずれにしても両者はとてもよく似ています。

▶ マルチトールはほとんどすべての種類のシュガーレスチョコレートに含まれているだけでなく、成分表示の最初に書かれています（重量比で最も量が多いことを意味します）。マルチトールのカロリーは砂糖の半分（すなわち、それなりに多い）ですし、胃の中の酵素がマルチトールをグルコースとソルビトールに分解するのでかなりの程度血糖値が上がるという事実を考慮すれば、私の大好きなシュガーレスチョコは、実は思っていたほど無害ではないことが明らかになりました。

スーパー甘味料

　糖と糖アルコールは、量で勝負する甘味料です。これらを使って食品や飲料を甘い味にするには、かなりの量を使わないといけません。キャンディや朝食シリアルのようなとても甘い食品の場合、成分表示の最初に書かれていることもあります。重量でいえば一番多く含まれる成分が甘味料だということです。

　ところが、まったく別次元の甘さを持つ化合物がいくつかあります。砂糖の数百倍や数千倍甘く、1グラムの何分の1かで足りてしまう物質です。ある面ではこれはすばらしい話です。それがどんな物質であれ、ごくわずかしか入っていなければカロリーはほとんど増えません。一方で、問題もあります。量を使う必要のある砂糖やその代用品は、単に甘味を出すだけでなく、食品の性質にも大きく寄与しています。たとえば砂糖がその粘性で材料全体をひとつにまとめることや、高温で魅力的な褐色になることや、口当たりや、食品保存能力などです。もちろん純粋にかさを増やす効果があるのは言うまでもありません。

　超強力な甘味料を使うなら、甘さ以外の部分で砂糖の代わりを担い、かつ変な味や舌触りがなく、しかもせっかく減らしたカロリーをまた上げたりしないような、別の物質を見つけなければいけません。

　強力甘味料の大部分は合成化合物ですが、商業利用されている最も強力な甘味料のうち2種──ステビアと、羅漢果由来のモグロシド──は天然の植物からの抽出物です。もちろん、ある分子の出自が天然か合成かという情報は、それがおいしいかどうかや安全かどうかとは無関係ですが、食品のラベルの記載では極めて重要な意味を持っています。植物抽出物であれば、「100％天然成分！」といった売り文句を書けるのです。

サッカリン

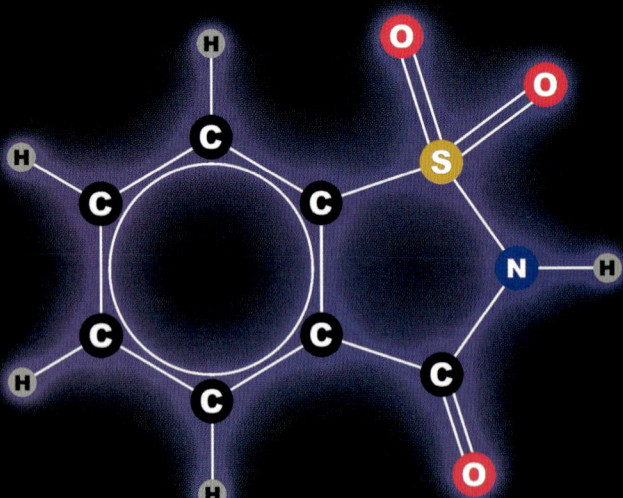

▲ 毒性がなく商業的に成功した初めての人工的な砂糖代替物、それがサッカリンです。サッカリンは何度か逆風にさらされました。最初は、安価で栄養価ゼロの詐欺的な砂糖代用品だとレッテルを貼られました（当時はカロリーを摂るのが良いこととされていたのです）。次に、1970年代から90年代にかけ、膀胱がんの原因になるとの疑いをかけられ、製品に警告文が印刷されました。2000年頃になると人間には害を与えないことが明らかになって、警告ラベルはなくなりました。〔日本ではサッカリンの使用は制限されています。〕

▼ サッカリンは砂糖（スクロース）の300倍の甘さがあります。歴史もかなり古く、今やサッカリン関連のアンティークも存在します。サッカリンがどれくらい強力かがわかるように、形のよく似た砂糖壺の上にサッカリン壺を乗せてみました。仮にサッカリン壺に砂糖を入れたら、コーヒー1〜2杯で空になってしまって、意味がありません。逆に、砂糖壺には一生ぶんのサッカリンが入ることでしょう！

▲ 米国ではサッカリンは無数の製品に添加されています。また、レストランや家庭でこうした小袋に入って使われています。私はサッカリンを含む製品すべてに警告文があるのを見て育ちましたから、今や多種多様な商品に何の注意書きもなしで使われているのを見ると、隔世の感があります。警告文は誤解でしたが、それを知る世代の人々にはサッカリンに対する不安感が植えつけられました。ところで、後発の類似品（下）が有名なブランド品（上）とまったく同じ色調のピンクの袋に入っているのは注目に値することだと思いませんか？　ほとんどの代用甘味料で、先発品と後発品にこれと同じ関係が見られます。

▼ スーパー甘味料の問題点のひとつは、純粋な形だと、適切な使用量（たとえばコーヒー1杯にどれだけ入れるのか）を計るのが難しいことです。粉末の粒子を数個だけ計り取れるミリグラム計量器を持ち歩いている人などいませんから、サッカリンのような甘味料はたいてい大量の増量剤と混ぜて、分量と甘さの関係をある程度まで砂糖に近づけてあります。もうひとつの対応策は、一定のサイズの小さな錠剤に成形することです。こちらも増量剤が加えられていますが、粉末タイプよりは少量です。サッカリンの錠剤を入れるこの愛らしい鳥型ピルボックスには、粒をはさむためのトングが付属しています。1粒がティースプーン1杯分（5g）の砂糖に相当します。

▶ 趣のあるアンティークのサッカリン缶は、おそらく商業的用途のために販売されたのでしょう。この強度の純粋なサッカリン粉末は、何かを大量に生産するのでなければ通常は扱えません。

◀ 諸事情により、私は写真撮影用として500gのサッカリンを取り寄せました。さて、このあとこれをどうしたらいいでしょう。砂糖150kg分に相当するのです！

▼ 強力な甘味料の、予想外の使い方。これは、防塵マスクが正しく装着されているかどうかを調べるための装置です。この装置でサッカリン溶液を噴霧し、マスクをした人が息を吸い込みます。サッカリンの甘さを感じたら、マスクを正しくつけ直すか調節し直す必要があります。別にサッカリンでなくとも、強烈な風味のある化合物ならなんでも──たとえばカプサイシン（唐辛子スプレー）でも──いいのですが、マスクが正しく機能していなかった場合のことを考えれば、サッカリンの方がずっと気持ちよく検査できると思います。

甘い、甘い、甘いものの話　**167**

チクロ

▼ サッカリン分子もこのチクロの分子も、1個の硫黄原子が2個または3個の酸素原子と結合している形から、人工合成物という出自が透けて見えます。この結合は天然の分子にはめったに現れませんし、いかなる天然甘味料にも存在しません。しかしなぜか人間の味覚はこの構造が好きらしく、同じ基が他のいくつかの人工甘味料にも見られます。〔チクロは日本では使用が禁止されています。〕

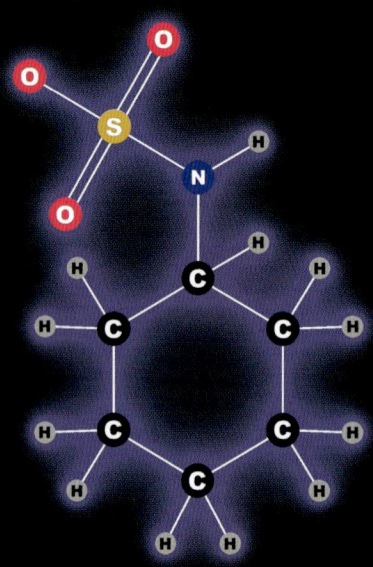

▶ ヨーロッパの多くの国を含め、チクロとサッカリンがどちらも禁止されていない地域では、両方を混ぜた製品が好まれます。これは、両方の化合物が互いに相手の味のマイナス点をある程度補い合うからです。チクロの甘さはサッカリンの10分の1程度ですから、チクロとサッカリンを10：1の比率で混ぜると、存在感がだいたい同じになります。

◀ うまく折り合いが付けられないものでしょうか。米国ではチクロは禁止、サッカリンは合法なので、スイートンロー（Sweet'N Low）という甘味料の成分はサッカリンです。カナダはチクロが合法でサッカリンが禁止なので、カナダのスイートンロー（写真）はチクロで作られています。

▶ サッカリンとチクロをブレンドして液状にした製品。砂糖のおよそ10倍の甘さです。

アセスルファムカリウム

▼ アセスルファムカリウム（アセスルファムK）にもサッカリンやチクロと同じ硫黄−酸素結合があり、同じ金属的な後味がありますが、気にしない人もいます。他の甘味料と違って高温でも非常に安定なので、焼き菓子などによく使われます。

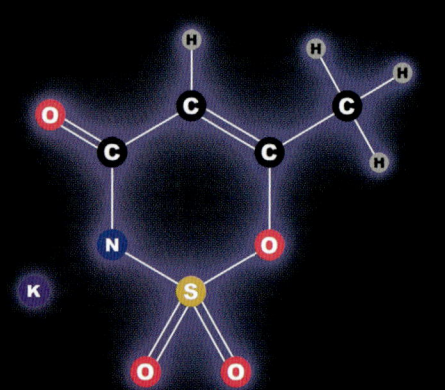

▶ アセスルファムカリウムは砂糖の約200倍の甘さです。

アスパルテームとネオテーム

▼ アスパルテームは、アスパラギン酸とフェニルアラニンのメチルエステルという2種類のアミノ酸（タンパク質の構成要素）が組み合わさってできています。タンパク質を作る時とは異なる結合のしかたをしていますが、その結合は胃に入ったとたんに分解されます。ですから、アスパルテームを食べて体内で吸収されるのは、健康な生活に必要な2種のアミノ酸だけです。アスパルテームがどうすれば有害たり得るのかは理解しがたいところで、何十年もの論争にもかかわらず、すべての調査はこれが完全に安全だということを示しています。唯一の問題（製品に注意書きが書かれている理由）は、1万人にひとりくらい、フェニルアラニンの摂取量を制限しなければならない遺伝病〔フェニルケトン尿症〕の患者がいることです。その人々は天然のフェニルアラニンを含む食品を厳格に排除した食生活を送るだけでなく、アスパルテームが添加された食品も避ける必要があります。

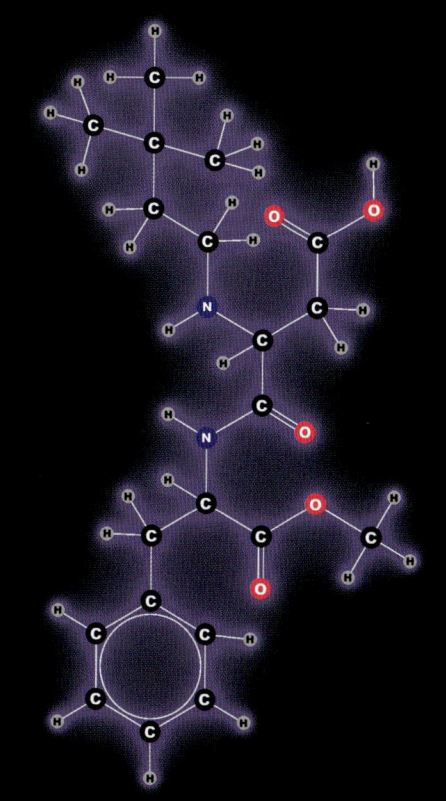

▶ ネオテームはアスパルテームから派生した有望な新甘味料です。アスパルテームのアスパラギン酸の部分に、ジメチルブチル基（左の構造図の上部にある炭素原子6個と水素原子13個の部分）が結合しています。これがくっつくことで、アスパルテームの50倍甘い物質（砂糖の1万倍の甘さ）が出来上がるのです！ しかも、ネオテームが体内で分解されてできる代謝物は、フェニルアラニンに対して過敏に反応する障害を持っている人にも無害です。

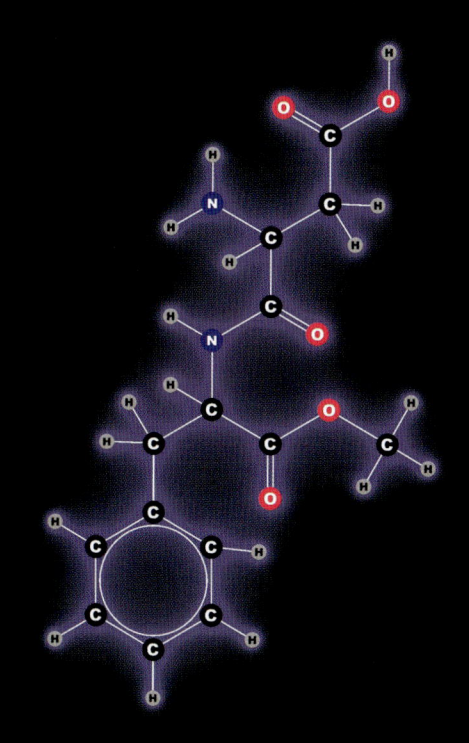

▶ ネオテームは、現在知られている甘味料（天然も合成も含めて）の中で最も強力です。ネオテームの粉末4.5g（袋のてっぺんに乗っている皿の上の白い粉の山）と、その下の袋入り砂糖100ポンド（45kg）が大体同じ甘味度です。4.5gのネオテームのカロリーはゼロ、45kgの砂糖は17万1000kcal（キロカロリー）！ ティースプーン1杯の砂糖に相当するネオテームはわずか0.4ミリグラムです。この極端に高い甘味度が、ネオテームが安全とされるひとつの理由になっています。0.4ミリグラムという量はあまりに微量なので、仮にネオテームがVX神経ガス（最も毒性の強い合成化合物）並みの有毒物だったとしても、ネオテーム入りのコーヒーを1杯飲んで生き延びるチャンスがかなり多く存在するのです。

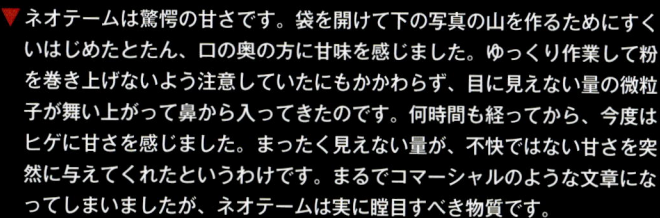

▼ ネオテームは驚愕の甘さです。袋を開けて下の写真の山を作るためにすくいはじめたとたん、口の奥の方に甘味を感じました。ゆっくり作業して粉を巻き上げないよう注意していたにもかかわらず、目に見えない量の微粒子が舞い上がって鼻から入ってきたのです。何時間も経ってから、今度はヒゲに甘さを感じました。まったく見えない量が、不快ではない甘さを突然に与えてくれたというわけです。まるでコマーシャルのような文章になってしまいましたが、ネオテームは実に瞠目すべき物質です。

甘い、甘い、甘いものの話

スクラロース

▶ 化学構造の点ではスクラロースはスクロースとほぼ同じで、ヒドロキシ基〈-OH〉のかわりに塩素原子が付いている点だけが違います。この変化により、スクロースの600倍の甘さと、消化されない性質が生み出されます。つまり、ごく少量で甘い味になり、カロリーはゼロということです。

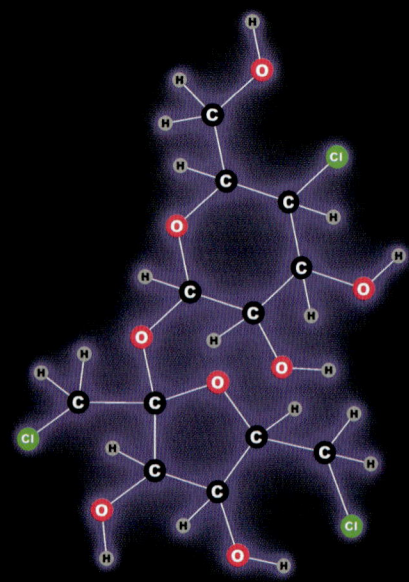

▶ スクラロースは高温でも安定で味も良いので、砂糖を使わずに甘い焼き菓子を作るためには理想に近い甘味料です。

▼ スクラロースを含むスプレンダ（Splenda）という甘味料と、よく似た色づかいの後発類似品。中身の大部分は増量剤のグルコース（デキストリン）とマルトデキストリンなので4kcalほどあるはずですが、FDA〔米国食品医薬品局〕はカロリーゼロの範疇に含めることを許しています。

ステビア

▶ ステビアという植物の葉の抽出物は、ステビオールグリコシドと総称される数種類の化合物を含んでいます。そのうちいくつかは合成甘味料並みに強い甘味を持っています（砂糖の約300倍です）。特に貢献度の高い2つの成分が、ステビオシド（右の図）とレバウディオシド-Aです。

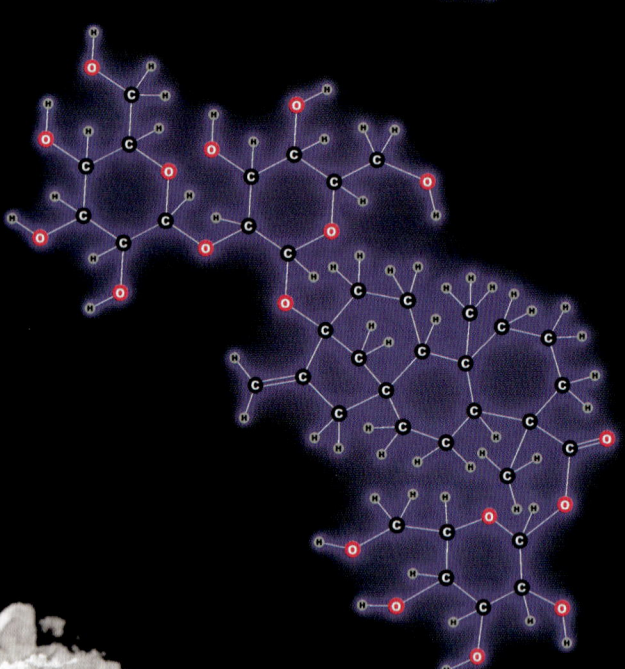

▼ ステビアの葉。ステビア甘味料はこの葉から抽出されます。カロリーがゼロで天然由来なのでステビアは完璧な甘味料だと思っている人はたくさんいます。一方で、慣れ親しんだ砂糖の味とかなり違うという理由で嫌う人たちもいます。

▲ ステビアの葉の抽出物は、近縁性のある数種類の分子の混合物です。それらの化合物は、他の化合物と何ら変わることのない、本来的に安全とも危険ともいえない物質です。たまたま出自が天然なだけです。評価が確立された合成甘味料ほどは研究されていないものの、今のところは安全なように見えます。

▶ ステビアは超強力な合成甘味料と同様に、しばしば液状にして販売されています。ほんの少量だけ使うには、1滴ずつ滴下する方法が簡単だからです。このタイプの容器は濃縮液を入れることができ、多数の製品をコンパクトなスペースに詰めることを可能にします。粉末ではそうはいきません。

▶ ステビアは植物抽出物のため、「100％天然成分」とラベルに書くことや、なんとなく身体によさそうな「栄養補助食品」と謳うことすらできます。しかしこの1g入りの袋の中身の96％はグルコースです（表示にはまったく同義のデキストロースと書かれています）。残りの4％がステビア抽出物で、風味の大部分はこれが生み出しています。砂糖の代用品がほとんど純粋な糖だけで構成されているのは、あきれるほどよくあることです。通常の1回の使用量あたりで5kcal未満であればゼロと表示していいとFDAが認めているため、ゼロカロリーと謳うことが可能です〔日本の厚労省基準は食品100g／飲料100mlあたり5kcal未満でゼロカロリーと表示可能〕。この製品に含まれるグルコース1g弱は4kcal。1袋はティースプーン2杯の砂糖（約32kcal）に相当します。ですから、これを1袋使うと、摂取カロリーは砂糖を使った時の8分の1になります。決してゼロではありません。

▶ ステビアをベースにしたこのふたつの甘味料は、増量剤にグルコースではなくエリトリトールを使っています。エリトリトールの方がグルコースよりカロリーが少なく、血糖値も上げません。ともに、太りすぎの人や糖尿病の人やその両方の人が使う砂糖代用品として、多くの場合期待される特徴です。ただし、「100%天然成分」と表示することはできません。ステピアは植物から直接抽出されますが、エリトリトールはトウモロコシを人為的に発酵させて作られるため、一部の人には「十分に天然」だとは認められていないのです。

羅漢果
らかんか

▶ 植物から抽出される複雑な多環型化合物のうちで、ステビアと並んで有名なのがモグロシドで、いくつかの種類があります（図はモグロシドVです）。

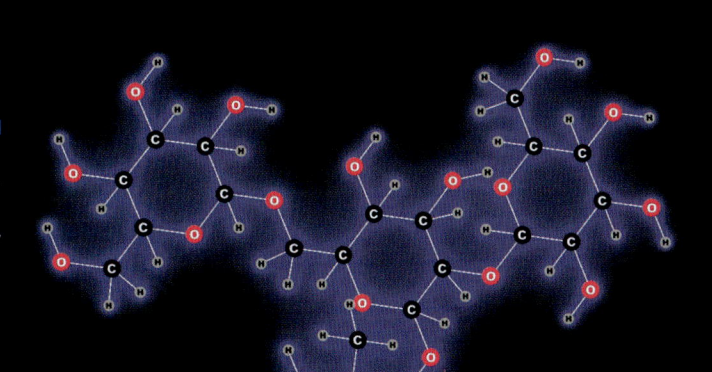

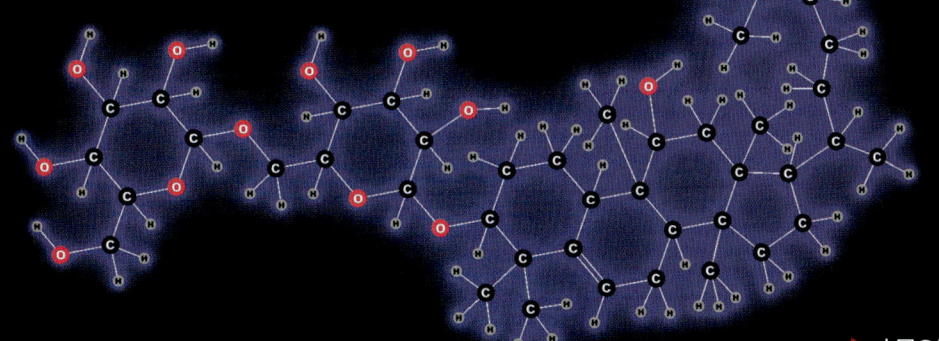

▶ 中国の伝統医学である漢方を強く連想させる羅漢果甘味料は、ラベルがこの例のような中国趣味のデザインになっていることがよくあります。

▶ モグロシドは、中国原産の羅漢果という植物の果実から抽出されます。

◀ モグロシドだけの粉は砂糖の300倍甘く、強力な合成甘味料といい勝負です。果実からの抽出物をそのまま粉末にしたものはモグロシドを7%ほど含むとされ、その状態でも砂糖の何倍もの甘さがあります。では残りの93%は？ 詳細な化学分析結果がなく、よくわかりません。

甘い、甘い、甘いものの話　**171**

混ぜると単品よりも良い製品に

　本質的に、砂糖以外のすべての甘味料は、砂糖に比べると味が劣る――多くの人がそう判定しています。生物学的な理由によるのか、心理的なものなのかはなんとも言いがたいところです。私はかれこれ10年以上も普通のソーダよりダイエットソーダの味を好きになろうと訓練してきましたが、あまり成果は上がっていません。訓練法は、味の違いを思い出さないように、本物のソーダを決して飲まないことです。

　人工甘味料の味を改善するためにメーカーが編み出した手法のひとつは、何種類かの甘味料を混ぜることです。ある1種類の甘味料の味の悪さや嫌な後味が、別の甘味料の風味の特徴によっていくらか打ち消される場合があるからです。

▶ この小袋の甘味成分はアスパルテームとアセスルファムカリウムです。例によって中身の大部分は増量剤のグルコースですが、全体のカロリーが5kcal未満なので、切り捨ててゼロカロリーと書くことが認められています。

▶ 食料品店で手に入る砂糖代用甘味料の種類といったら！　あなたが名前を知っている天然・合成甘味料を混ぜて作られた製品の数だけでも目を丸くするほどです。たとえば、この製品は砂糖（スクロース）、エリトリトール、ステビアの混合です。

▼ 小さなボトル入りの高濃縮風味甘味料というカテゴリーが存在するのは、超高甘味分子の強大なパワーがあればこそです（これらのボトルの高さは10cm足らずです）。もし甘味をつけるのに砂糖を使えば、このボトルの容量なら1～2杯の飲み物を作るだけで空になってしまうでしょう。ところが実際は、この小さなボトルでフレーバーウォーターを何ガロンも作れます。どの製品も、天然や合成の甘味料が独自の配合でミックスされています。

▲ スクラロース、ショ糖酢酸イソ酪酸エステル

▲ サトウキビ糖、ステビア抽出物

▲ エリトリトール、ステビア抽出物

▲ 羅漢果抽出物

▲ カフェイン、スクラロース、アセスルファムカリウム、ショ糖酢酸イソ酪酸エステル

▶ スクラロース、アセスルファムカリウム

▶ 砂糖代用品にとって、焼き菓子は難関です。長時間高温に耐えられる物質しか使えません。そうなると選択肢はかなり限られます。

▼ イソマルト、ソルビトール、アセスルファムカリウム、スクラロース

▶ マルチトール、ラクチトール、ソルビトール、アセスルファムカリウム、スクラロース

甘い、甘い、甘いものの話　173

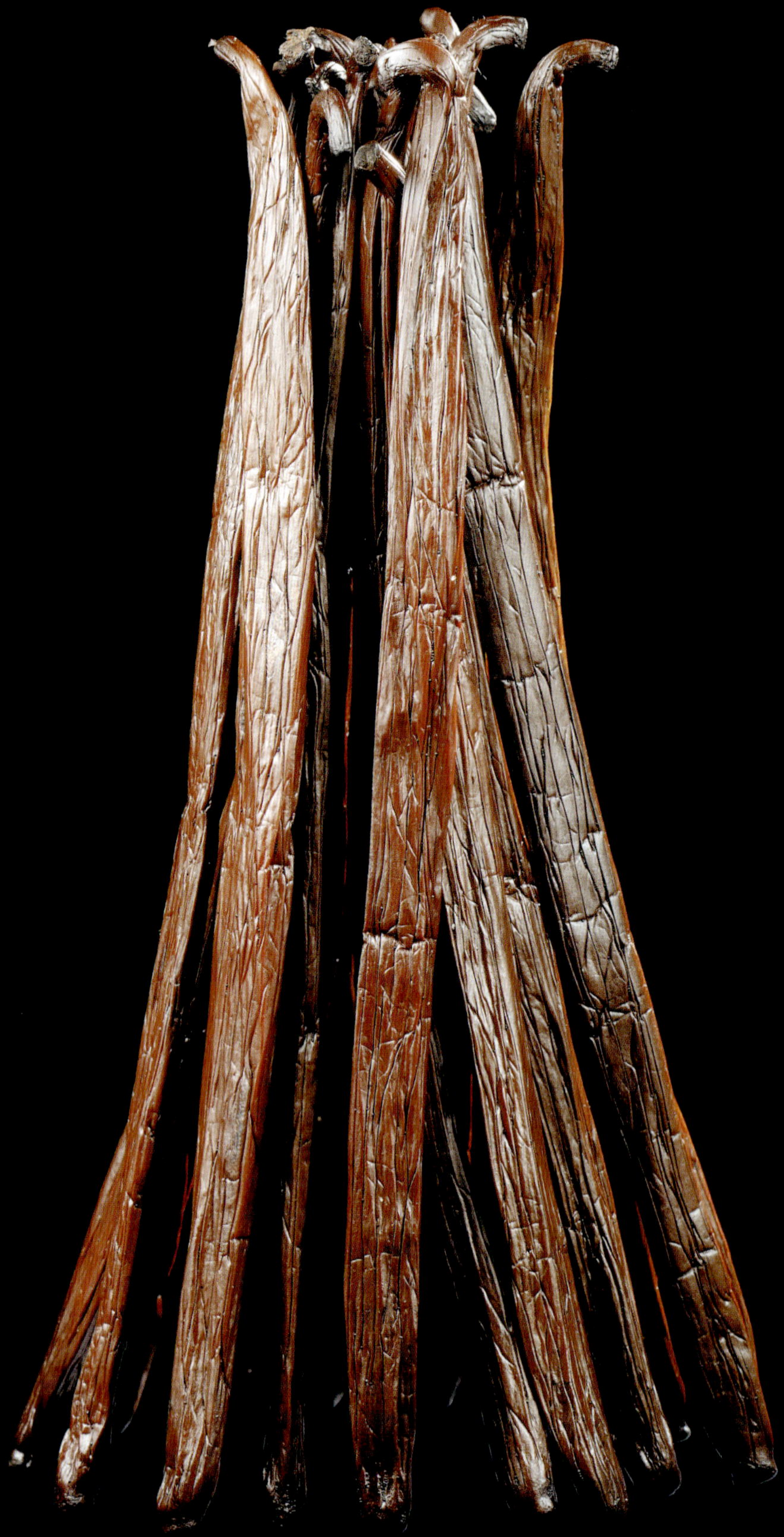

第10章 天然のものと人工のもの
Natural and Artificial

前の章では、天然甘味料と合成甘味料についてお話ししました。サッカリンやアスパルテームのような化合物は、扱いの難しいテーマです。そうした甘味料を信用していない人はたくさんいますし、主な合成甘味料はどれも科学、規制、世論の攻撃を受けた歴史を持っています。ところが、ステビアのような天然の植物からの抽出物は、しばしば無条件で受け入れられます。人々は有害性が証明されない限り「天然だから大丈夫」と考えますし、規制当局の吟味もあまり厳しくありません。

私が概して化学に対して好意的なのをご存じのみなさんは、私が新しい合成甘味料をいちはやく試すだろうと考えるかもしれません。それは違います。政府と業界が最善の努力を払って（時には杜撰な仕事ぶりや腐敗した姿勢で）化合物安全性試験を行っても、新しく作られた分子の微妙な問題点が、数百万人が長年にわたって使った後で初めて明らかになることはあります。新しいものの見極めには数十年かけるのが一番だと私は考えています。

その一方で、私は森で見つけた知らないキノコは食べませんし、「有機栽培月桂樹」を主力商品とする怪しげな自然食品メーカーのハーブ系サプリメントは飲みません。新たに発見された合成化合物への不安感は、見慣れないキノコや規制外のサプリへの不安感と全く同じで、不確実性によるものです。合成品が本来的に天然品よりも危険だということはまったくありません。

たしかに、実験室で作られた健康に有害な化合物もあります。でも、ちょっと待って下さい。毒物なら自然界にあふれています！ 特に植物は、太古以来、食べにくる生物を殺したり遠ざけたりするための化合物を合成しながら進化してきました（その場から動けない植物には、化学兵器以外にあまり選択肢がないのです）。

分子は自らの出自を知りません。自分が天然なのか人工なのか、善なのか悪なのか、ヒトの健康にいいのか毒なのかを知りません。分子はただ存在するだけです。生み出された場所が実験室だろうが、海の貝の毒腺だろうが、工場だろうが、植物の葉だろうが、関係ありません。

◀ 発酵させたバニラビーンズ。これから抽出されるのが天然バニラ香料ですが、その主成分のバニリンは、合成バニリンと区別がつきません。

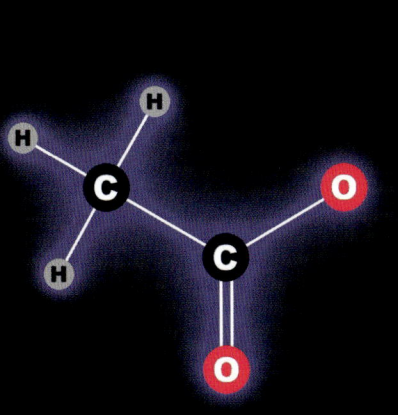

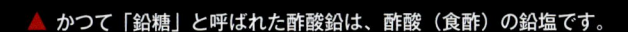

▲ かつて「鉛糖」と呼ばれた酢酸鉛は、酢酸（食酢）の鉛塩です。

▲ 誤解しないで最後まで読んで下さい。一部の人工甘味料は間違いなく毒です。錬金術で「鉛糖」の名を持つ酢酸鉛は、約2000年前の古代ローマ帝国以来、人工甘味料として使われていました。鉛は油断のならない物質——長期にわたって蓄積する神経毒です（微量でも長い間食べ続けると頭がいかれるということです）。何世紀もの間、誰もこのことに気付きませんでした。精神障害の真の原因を究明するより、魔女や悪魔呼ばわりする方がずっと簡単ですからね。

▶ 酢酸鉛は、重金属中毒という問題があったにもかかわらず、今も合法物質で一般に使われています。ただし食品ではなく、白髪を隠したい男性のための、染めるたびに少しずつ髪色が濃くなるタイプの染髪料に使われています。鉛は色素として髪の毛の繊維に恒久的にもぐりこむのですが、染める際に頭皮からも吸収されます。鉛への曝露の許容限度がどのくらいかはいまだにわかっていないことを考えると、これは非常にまずいように思えます。

▲ 2013年のある調査によれば、米国で販売されているハーブ系サプリメントの68％には、ラベルの成分表示に書かれていない種類の植物が混じっていました（ラベルに書かれた魅力的なハーブの他に雑草が足されていたという意味です）。さらにショッキングなことに、32％の製品はラベルに書かれた成分をまったく含んでいませんでした。人工食品添加物メーカーも本質的に正直さの度合いはこれと似たり寄ったりですが、少なくとも人工食品添加物は（制度上は）規制され検査されています。しかし天然の食品やハーブ系サプリメントには規制がありません。誰もチェックしないのです。（たとえば、私はこの写真を撮影するために、庭から適当に枯れ葉を取ってきてカプセルに詰めました。言い換えれば、米国で出回っているハーブ系サプリメントの3分の1の製造業者たちと同じことをしたわけです。）

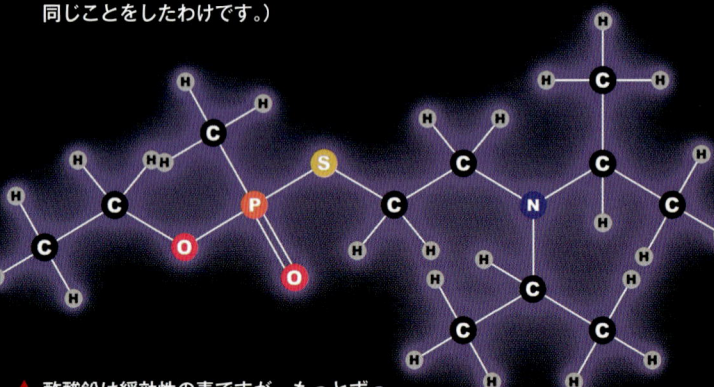

▲ 酢酸鉛は緩効性の毒ですが、もっとずっと速効性の合成化合物もあります。VX神経ガスは現在知られている合成化合物の中では最も強毒性の物質で、目に見えないくらいの量で人を死に追いやります。ところが、そのVXガスも「最強の毒物」競争では第4位に過ぎません。以下のページで、金メダルから銅メダルまでの毒をご紹介しましょう。ボツリヌストキシン、マイトトキシン、バトラコトキシンといいます。いずれも天然の化合物で、人工の着色料とも、香料とも、添加物とも無縁です。

▶ 酢酸鉛のような一部の毒はこっそり働き、人体に忍び込んで、気づかれずに多くの人を殺します。毒ガスはそれとは違って激烈で、これまでに何百万人も殺してきました——誰も有害だと知らなかったからではなく、たいていは意図的に使われたことによって。

▲ 非常に毒性の強い合成化合物もありますが、それでも一部の天然化合物の方がはるかに猛毒です。ボツリヌス菌（*Clostridium botulinum*）という細菌が作るボツリヌストキシンは、現在知られているなかで最強の毒です。その毒性は、最も強毒性の合成化合物（VX神経ガス）の2000倍です。

天然のものと人工のもの

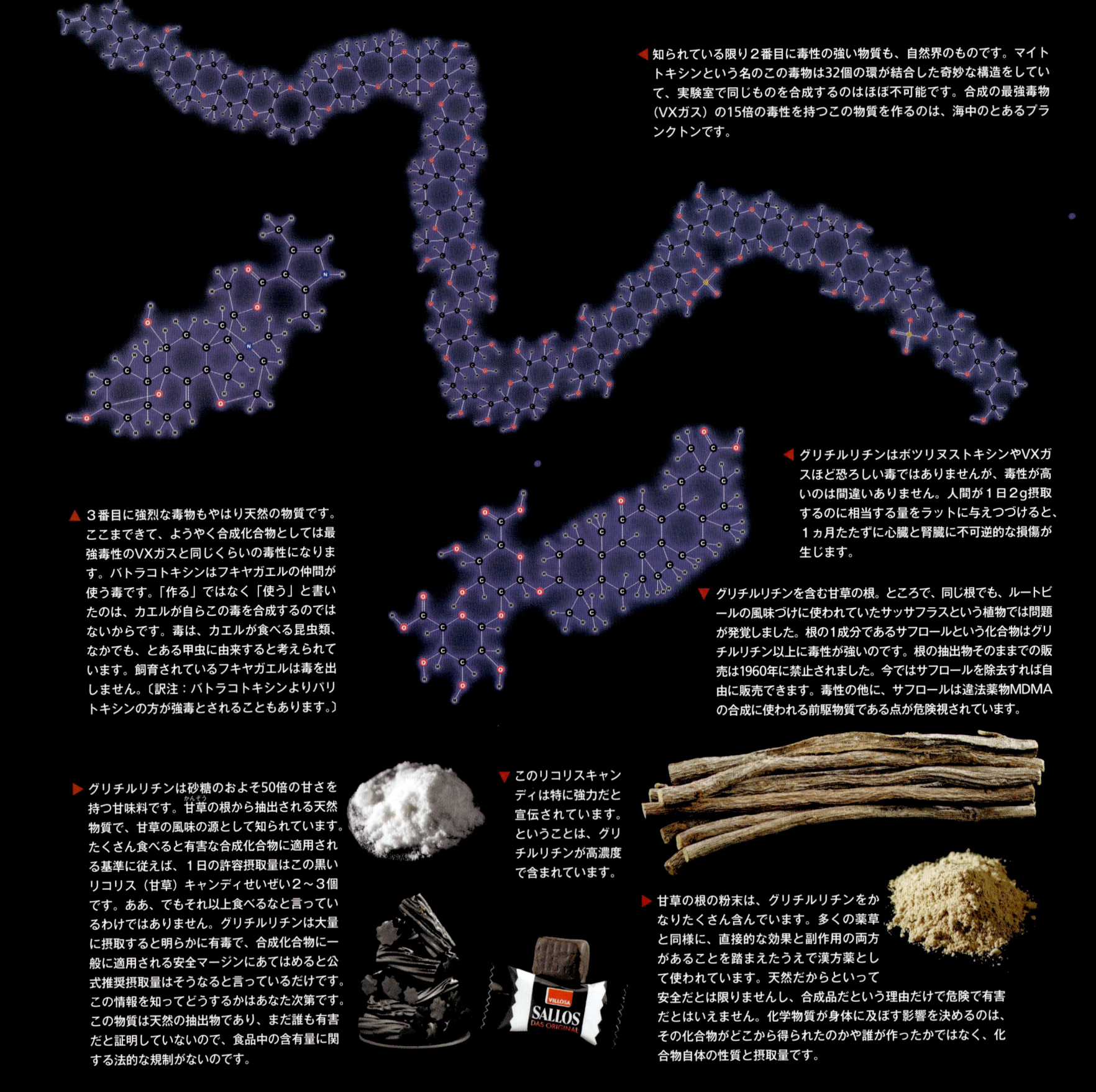

▶ 知られている限り2番目に毒性の強い物質も、自然界のものです。マイトトキシンという名のこの毒物は32個の環が結合した奇妙な構造をしていて、実験室で同じものを合成するのはほぼ不可能です。合成の最強毒物（VXガス）の15倍の毒性を持つこの物質を作るのは、海中のとあるプランクトンです。

▲ 3番目に強烈な毒物もやはり天然の物質です。ここまできて、ようやく合成化合物としては最強毒性のVXガスと同じくらいの毒性になります。バトラコトキシンはフキヤガエルの仲間が使う毒です。「作る」ではなく「使う」と書いたのは、カエルが自らこの毒を合成するのではないからです。毒は、カエルが食べる昆虫類、なかでも、とある甲虫に由来すると考えられています。飼育されているフキヤガエルは毒を出しません。〔訳注：バトラコトキシンよりパリトキシンの方が強毒とされることもあります。〕

▶ グリチルリチンはボツリヌストキシンやVXガスほど恐ろしい毒ではありませんが、毒性が高いのは間違いありません。人間が1日2g摂取するのに相当する量をラットに与えつづけると、1ヵ月たたずに心臓と腎臓に不可逆的な損傷が生じます。

▼ グリチルリチンを含む甘草の根。ところで、同じ根でも、ルートビールの風味づけに使われていたサッサフラスという植物では問題が発覚しました。根の1成分であるサフロールという化合物はグリチルリチン以上に毒性が強いのです。根の抽出物そのままでの販売は1960年に禁止されました。今ではサフロールを除去すれば自由に販売できます。毒性の他に、サフロールは違法薬物MDMAの合成に使われる前駆物質である点が危険視されています。

▶ グリチルリチンは砂糖のおよそ50倍の甘さを持つ甘味料です。甘草（かんぞう）の根から抽出される天然物質で、甘草の風味の源として知られています。たくさん食べると有害な合成化合物に適用される基準に従えば、1日の許容摂取量はこの黒いリコリス（甘草）キャンディせいぜい2～3個です。ああ、でもそれ以上食べるなと言っているわけではありません。グリチルリチンは大量に摂取すると明らかに有毒で、合成化合物に一般に適用される安全マージンにあてはめると公式推奨摂取量はそうなると言っているだけです。この情報を知ってどうするかはあなた次第です。この物質は天然の抽出物であり、まだ誰も有害だと証明していないので、食品中の含有量に関する法的な規制がないのです。

▼ このリコリスキャンディは特に強力だと宣伝されています。ということは、グリチルリチンが高濃度で含まれています。

▶ 甘草の根の粉末は、グリチルリチンをかなりたくさん含んでいます。多くの薬草と同様に、直接的な効果と副作用の両方があることを踏まえたうえで漢方薬として使われています。天然だからといって安全だとは限りませんし、合成品だという理由だけで危険で有害だとはいえません。化学物質が身体に及ぼす影響を決めるのは、その化合物がどこから得られたのかや誰が作ったかではなく、化合物自体の性質と摂取量です。

▼「レッド・リコリス」キャンディはただのマーケティング用ネーミングで、実際は甘草は使われていません。人工的なイチゴ味は、黒いリコリスキャンディのグリチルリチンとは無関係ですから、好きなだけ食べて大丈夫です。

天然のものと人工のもの　　**179**

ふたつのバニラの物語

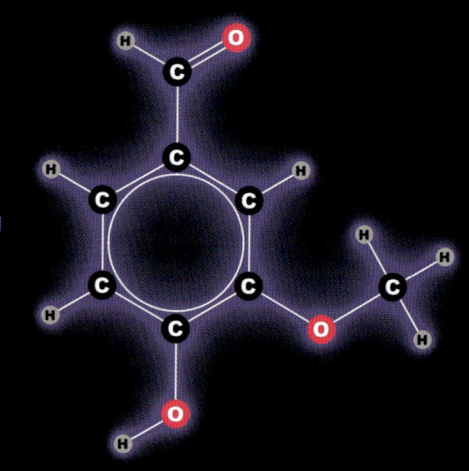

　天然物質と合成物質の違いは、面白いことに、特定の主要化合物に付随することの多い微量成分の種類の面にあります。（こうした微量成分は、それが何であるかと、人間がそれをどう思っているかに応じて、「不純物」「アロマ」「汚染物質」「複合的風味成分」などと呼ばれます。）

　合成化合物はしばしば鉱物や石油を前駆体として作られますから、注意深く目を光らせて、鉛や発がん性の石油蒸留物などが望ましからぬ汚染物質として紛れ込まないようにしなければなりません。また、目的の化合物を作るための反応の際に、それと似た、あまり望ましくない化合物も一緒にできてしまうことがよくあります。

　逆に、植物が原料の場合には、植物が自己防衛のために作る多くの有毒な化合物に気をつけなければいけません。杜撰な扱い方や土壌中の有害物質による汚染もよく問題になっています。また、自然の素材に手を加えること（たとえば発酵や調理）は、化学反応を起こさせているのですから、天然に存在する有毒化合物を無害化することもあれば、新たに望ましくない化合物を生み出してしまうこともあります。

　こうした相違のケーススタディとして興味深い例が、バニラです。

▲ バニリンと呼ばれる分子──体系名は4-ヒドロキシ-3-メトキシベンズアルデヒド──は、文句なしに世界で最も重要な香料成分です。バニラ香料の香りのほとんどを生み出しているのはこの分子で、天然ものでも合成品でも分子はまったく同じです。天然品と合成品は、バニリンに混じっている微量の化学物質だけ違います。料理人は、天然バニラはものによって香りが大きく違うと言います。そのとおり。でもそれはバニリン分子が異なるからではなく、バニラビーンズの産地や加工方法によって微量成分が違うことから生じる差です。

天然バニラ抽出物

▶ バニラの香り成分であるバニリンは、まだ発酵させていない緑色のバニラビーンズの中にある時は、バニリン分子1個とグルコース分子1個が結合したグルコバニリンの形をしています。発酵（人間の介在によって生じる一連の化学反応でありながら、天然の反応だとみなされている現象）の過程で酵素がこのふたつを分離させ、バニリンを解放します。

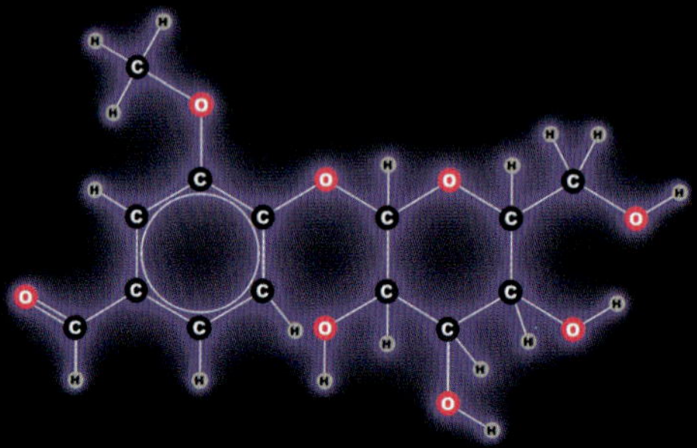

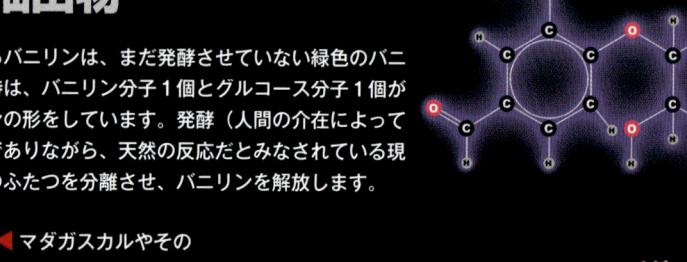

◀ マダガスカルやその他の私がぜひ行ってみたい場所に生育するバニラという植物の種子鞘（バニラビーンズ）が、天然バニラ香料の原料です。鞘は最初は緑色をしていますが、数週間にわたって太陽と水の作用を交互に受けることで褐色になります（私もマダガスカルで数週間のあいだ太陽と水の間を往復して褐色になりたいものです）。

▼ 市販の「ピュア・バニラ・エキストラクト」（純バニラ抽出物）の成分は、大部分がアルコールと水です。商業規格では、アルコール度数が35％以上で、液体1リットルあたり発酵バニラビーンズ（乾燥状態）100g分の抽出成分を含んでいること、と定められています。つまり、市販の液体中のバニリン濃度はもとの種子鞘の濃度の10分の1以下で、乾燥させた抽出物粉末よりもはるかに低いということになります。この液体のおよそ0.2％が、主な香り成分のバニリンです。

▲ 発酵の済んだバニラビーンズを粗く挽いた粉は、バニリンを2％ほど含んでいます。バニリンはこのような粉から、アルコールと水の混合液によって、他の100種類以上の微量成分と一緒に抽出されます。

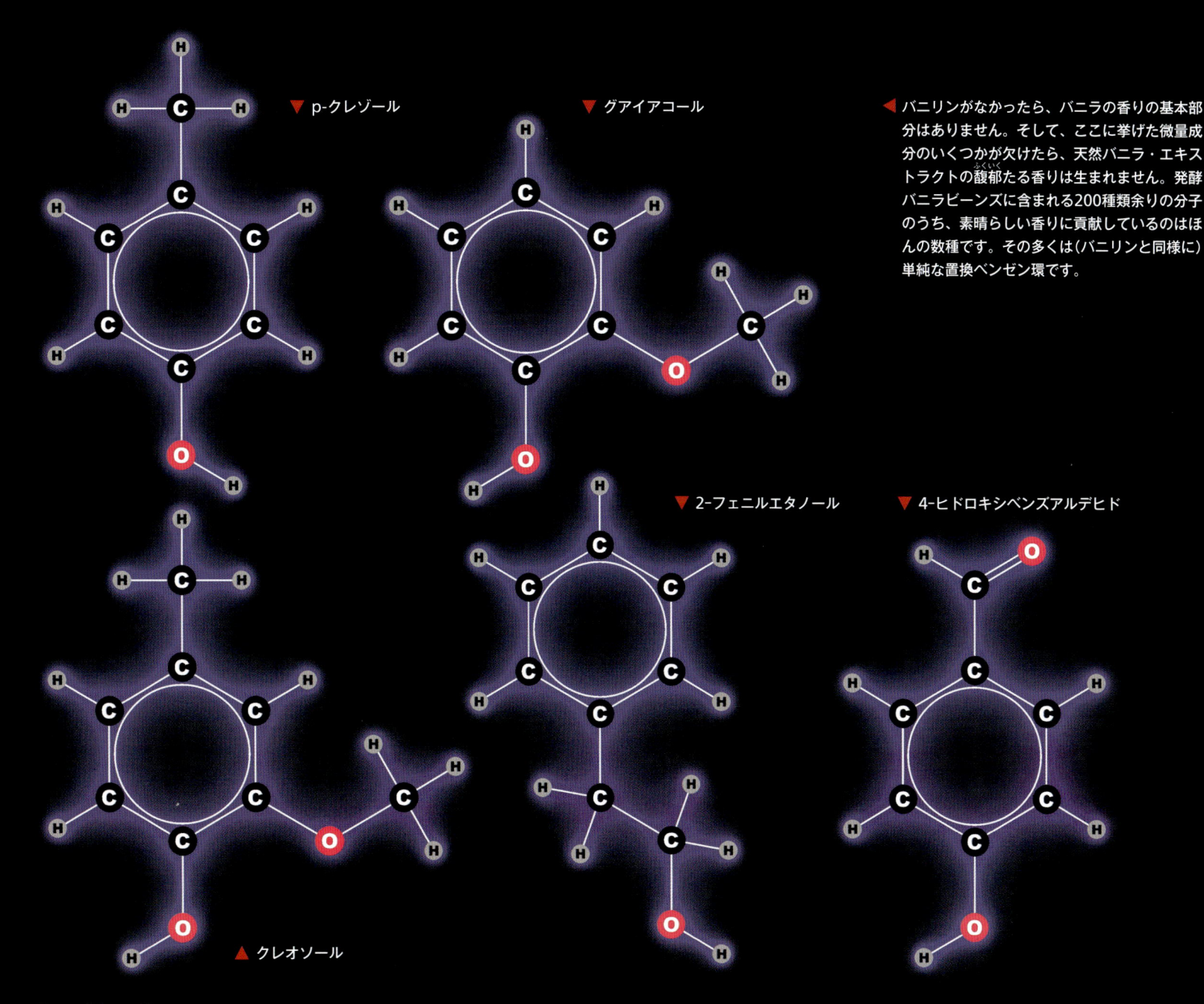

▼ p-クレゾール　　　　▼ グアイアコール

▶ バニリンがなかったら、バニラの香りの基本部分はありません。そして、ここに挙げた微量成分のいくつかが欠けたら、天然バニラ・エキストラクトの馥郁たる香りは生まれません。発酵バニラビーンズに含まれる200種類余りの分子のうち、素晴らしい香りに貢献しているのはほんの数種です。その多くは（バニリンと同様に）単純な置換ベンゼン環です。

▼ 2-フェニルエタノール　　▼ 4-ヒドロキシベンズアルデヒド

▲ クレオソール

合成バニラ

▶ 1930年代、製紙用木材パルプ生産で出る廃液中のリグニンからバニリンを合成する実用的な手法が開発されました。その結果、たちまち世界中でバニラの価格が大幅に下落しました。

▶ 現在、大部分の合成バニリンは石油か石炭の抽出物を原料にして作られています。合成バニラが天然バニラと称して売られていないかどうかをこの角度から調べる、非常に面白い方法があります（天然ものは格段に高く売れるうえ、化学的な試験では天然と合成が識別できないので、メーカーがつい詐称したくなってもおかしくありません）。実は、天然のバニラ抽出物には放射能があり、合成のバニラにはありません。驚かれるかもしれませんが、理屈はこうです──生きた植物から作られた物質はすべて、その植物と大体同じ比率（約1兆分の1）で、炭素14という放射性同位体を持っています。植物の炭素14は、光合成のために大気から吸収した二酸化炭素に由来します。年月とともに炭素14は崩壊して放射性元素ではなくなります（その減り具合から年代を推定するのが放射性炭素年代測定法です）。太古の植物からできている原油や石炭は炭素14を全く含みませんし、それに由来する化合物にも炭素14は含まれていないのです。

天然のものと人工のもの

合成バニラ

▶ イミテーションバニラとも呼ばれる合成バニラ香料は、主成分であるバニリンについていえば、化学的に天然バニラとまったく同じです。一部の国では、食品添加物として「イミテーション」ではなく「天然と同一」という表示を認めています。これには大きな意味があります。化学の知識を持つ人々なら、「これは工場で作られてはいても"本物"なんだ」と理解できるからです。米国の場合、成分表示欄を見なければ、製品名の「イミテーション」が実際はイミテーションの意味ではないことは——本物と全く同じ化学物質を合成したものだということは——わかりません。

▶ 天然バニラは受粉と収穫を手作業でしなければいけないため、とても高価です。しかし合成バニラは1ポンドあたり数ドル（1kgあたり10ドル程度）と安価です。1ドル分の合成バニリンで、市販のバニラ香料が13ガロン（50リットル）ばかり作れます！ 合成バニリンは天然バニラ抽出物に比べて微量成分が少ないので、香りの奥深さは劣りますが、そのぶん予想の範囲内の香りが保証されます。それがいいことか悪いことかは使用目的次第です。自宅の料理に天然バニラ抽出物を使えば、多種多様な化学物質を同時に食品に添加することができます。それらの化学物質の味（多くの人に好まれています）が好きだったら、すばらしいことです。たとえば私は液体窒素でアイスクリームを作る際には天然バニラを使います。けれども、商売として食品生産を行い、念入りに制御されて安定した味の商品を販売したい時には、合成バニリンの方が適しているかもしれません。安いからだけでなく、いつでも同じ風味を出すためには、バッチ〔1回分の生産〕ごとに成分の構成が違う天然バニラ香料よりも、決まった量で正確に決まった味になる合成品の方が適しているからです。一流シェフが楽しむ天然バニラの香りのバラエティーは、大量生産にとっては厄介ごとでしかありません。

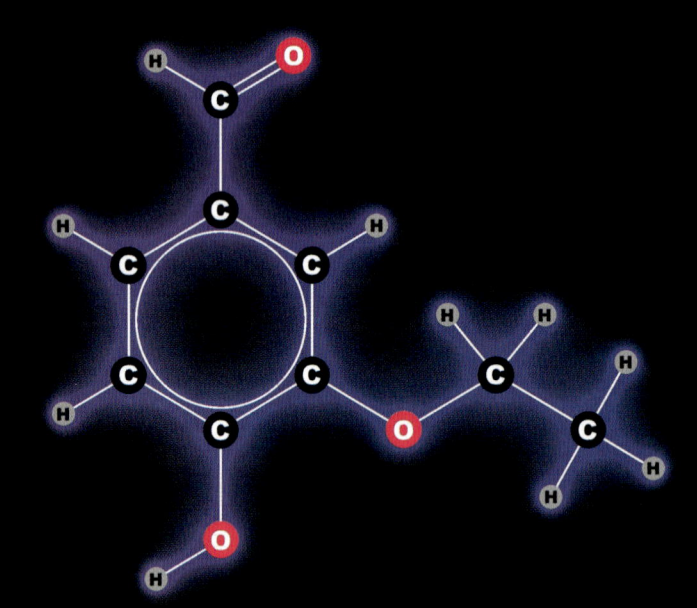

▼ エチルバニリンはバニリンと似た味がし、香りが2～3倍強いのが特徴で、バニリンよりもこちらを好む人もいます。天然には存在せず、合成バニリンの一部に微量成分として生成します。純粋にエチルバニリンだけでも販売され、高価なうえに香りの制御が難しい天然バニラを使う代わりに、バニラ風味のバランスを取ったり調節したりする目的で使われます。私は純粋なエチルバニリンの粉末1kgを60ドルで買いました（販売の最小単位が1kgだったからです）。おかげで撮影スタジオ中にバニラの香りが漂っています。たぶん永遠にこのままでしょう——もしくは、少なくとも同じスタジオでわが膨大な動物尿コレクション（196ページ参照）を撮影する時までは。

▲ エチルバニリンはバニリンとよく似ており、右端のメチル基（炭素1個）のかわりにエチル基（炭素2個）が付いている点だけが違います。天然には存在せず、バニリンの人工合成の際にたまたまできてしまいます。その意味では合成バニリンの不純物です。しかし、天然バニラに含まれる不純物のいくつかと同様に、とてもおいしいのです。

意図を持った食品

　パッケージ入りの食品に印刷された成分リストは、嫌になるくらい長いですね。なぜそんなに多様な化学物質を食品に入れる必要があるのでしょう？　しかし、本当に問題なのはなぜリストがそんなに長いかではなく、なぜそんなに短いかです。

　未加工の天然食品の含有成分を書き並べたら、概してもっと長くなります。あなたがそれを目にしたことがないのは、天然の食品には成分の化学物質を表示する義務がないからです。アップルパイには成分として「リンゴ」とだけ書けばよく、リンゴを構成する200種類かそこらの化学物質は書かなくてよいのです。

　非常に長い成分リストが付されている人工の食品は、自然がさまざまな成分を組み合わせてリンゴを作るのと全く同じことをしようとして作られています。リンゴに含まれる化学物質のほとんどすべては、リンゴをリンゴたらしめるために何らかの働きをしています。糖類は動物を引き寄せて実を食べさせ、種子を運んでもらうための報酬です。セルロースはリンゴをひとつにまとめています。酸と有毒物質は、昆虫やカビの侵略を防ぎます。色素と香り成分は、種子を運んでくれそうな動物や鳥に果実をアピールする役を果たします。

　食品デザイナーが人工的な食品を作る場合も、似た理由で化学物質を添加します。糖は味と栄養のため、デンプンやセルロースやタンパク質は食品の形を作り保つためや、明るい色を出すためや、舌触りの良さを生むため、防腐剤はカビや腐敗を防ぐため、着色料と香料は消費者を引き寄せるためです。

　加工食品は人間に食べてもらう目的で作られているのだから、一般的にはより健康に良いはずだと考えている人がいるかもしれません。でも、私たちが食べている自然の食物は、母乳を唯一の例外として、人間のために作られてはいません。そもそも食べられる植物は植物全体のほんの一部です（多くの果実は食べられたがっていますが、そこには「植物のために種子を運ばせる」という計略があるだけで、あなたの長期的な健康など知ったことではありません）。

　残念ながら、たいていの場合加工食品作りにそそがれる知力や労力は、食べた人の健康を増進することではなく、味を良くしてよく売れるようにすることを目指しています。しかし、中には例外もありますし、現代の西洋の食生活がいかに不健康かに人々が気付きはじめるにつれ、人工的食品の分野では、ものごとが少しずつ良くなってきています。

◀ 水、セルロース、糖類、チオフェン、チアゾール、ノニリン、アスパラガス酸、クェルセチン、ルチン、ヒペロシド、ジオスゲニン、クェルセチン-3-グルクロニド、アスパラギン、アルギニン、チロシン、ケンペロール、サルササポゲニン、シャタバリンI-IV、アスパラゴシドA-I、スクロース：スクロース 1-フルクトシルトランスフェラーゼ、スピロスタノール配糖体、1-O-[α-L-ラムノピラノシル-(1→2)-α-L-ラムノピラノシル-(1→4)-β-D-グルコピラノシル]-(25S)-スピロスト-5-エン-3β-オル、2-ヒドロキシアスパレニン4'-トランス-2-ヒドロキシ-1-メトキシ-4-5(4-メトキシフェノキシ)-3-ペンテン-1-イニルベンゼン、アドセンジンA、アドセンジンB、アスパラニンA-C、クリリンG、エピピノレシノール、1,3-O-ジフェロイルグリセロール、1,2-O-ジフェロイルグリセロール、リノール酸、ブルメノールC、アスパラガス酸酸化物メチルエステル、2-ヒドロキシアスパレニン、アスパレニン、アスパレニオール、モノパルミチン、フェルラ酸、1,3-O-ジ-p-クマロイルグリセロール、1-O-フェロロイル-3-O-p-クマロイルグリセロール、イヌリン、オフィシナリシンIおよびII、ベータシトステロール、ジヒドロアスパラガス酸、S-アセチルジヒドロアスパラガス酸、α-アミノジメチル-γ-ブチロセチン、コハク酸、ダイゼイン、p-ヒドロキシ安息香酸、p-クマル酸、ゲンチジン酸、アスパラガス酸レダクターゼIおよびII、リポイルデヒドロゲナーゼ

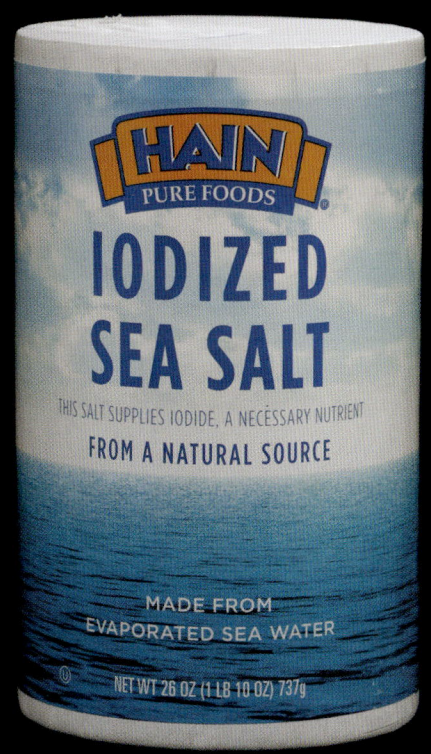

◀ ヨウ素添加塩は、天然の食べ物を改変して人間にとってより良いものにした製品のなかで、早い時期に普遍的な成功を収めた例です。人間が健康に暮らすには一定量のヨウ素を食事から摂らねばなりません。世界の多くの地域では通常の食事でヨウ素を摂取できますが、土壌中のヨウ素が非常に少なく、食事だけではヨウ素が不十分な場所もあります。そこで、天然でもヨウ素の運び手である塩に少量のヨウ素を添加すればよいというアイディアが出されました。このアイディアが広く実行された結果、ヨウ素欠乏症は実質的に撲滅されたのです。

▶〔米国で〕ほぼすべての牛乳にビタミンDが添加されているのは、塩にヨウ素が入っているのと同じ理由で、公衆衛生政策によるものです。おかげで、かつてはビタミンD不足の子供が多かったのに、今ではほとんど見かけません。

天然のものと人工のもの

意図を持った食品

　成分表示リストの中でも、添加ビタミンの部分には多くの人が好意的です。化学物質が大嫌いな人もビタミンなしでは生きられません。ここにあるのは各種の純粋なビタミン約2gの写真です（ビタミンB_{12}は高価なので1gのみ）。ビタミン名の隣に記されているのは、一日の公式推奨所要量をあなたが摂取した場合に2gを使い切る期間です。22日のビタミンCから2280年のビタミンB_{12}まで、ものすごく幅があります。ビタミンB_{12}の一日の所要量はわずか2.4マイクログラム、塵1粒ほどです。必要量が少ないのは、ビタミンが多くの場合触媒の役割を果たしているからです。ビタミンは体内である化学物質を別の物質に変える酵素とともに働いていますが、ビタミン自体が消費されるわけではありません。ですから、ビタミンB_{12}を一度身体に供給すれば、かなりの期間長持ちするのです。

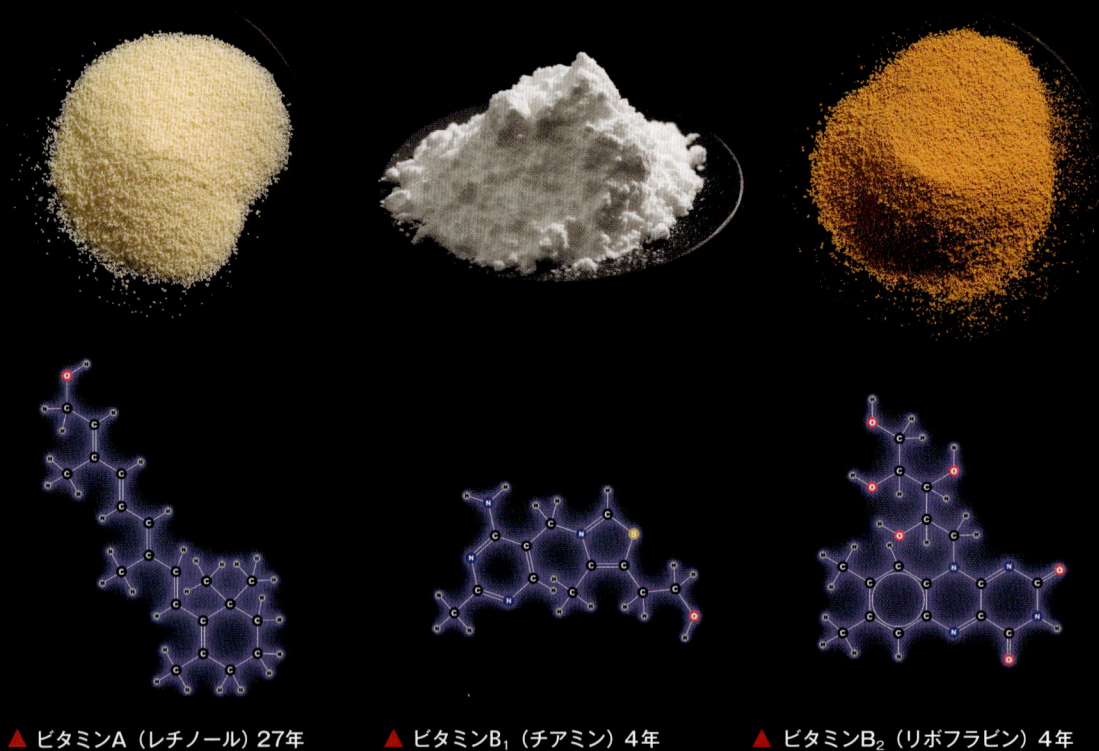

▲ ビタミンA（レチノール）27年　　▲ ビタミンB_1（チアミン）4年　　▲ ビタミンB_2（リボフラビン）4年

▲ ビタミンB_9（葉酸）14年 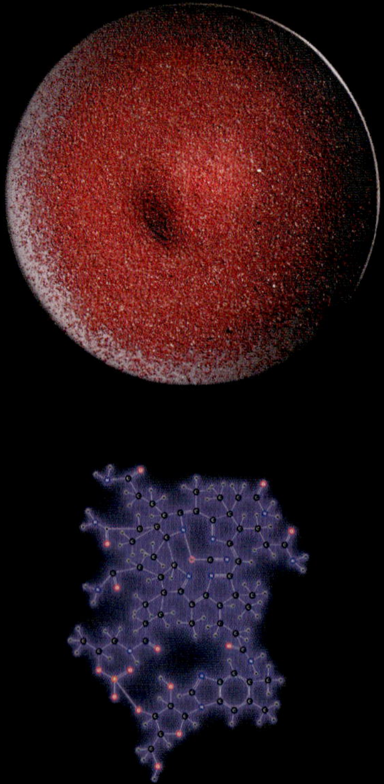　　▲ ビタミンB_{12}（シアノコバラミン）2280年（2gの場合の年数。写真の量は1g） 　　▲ ビタミンC（アスコルビン酸）22日 　　▲ ビタミンD_3（コレカルシフェロール）548年

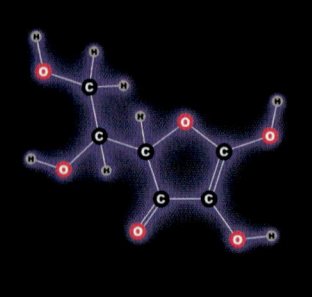

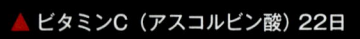

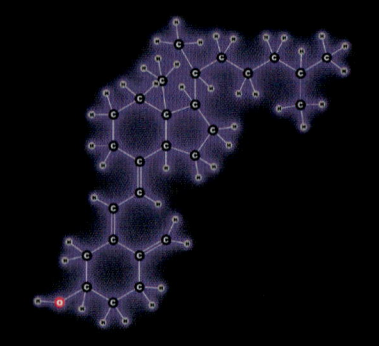

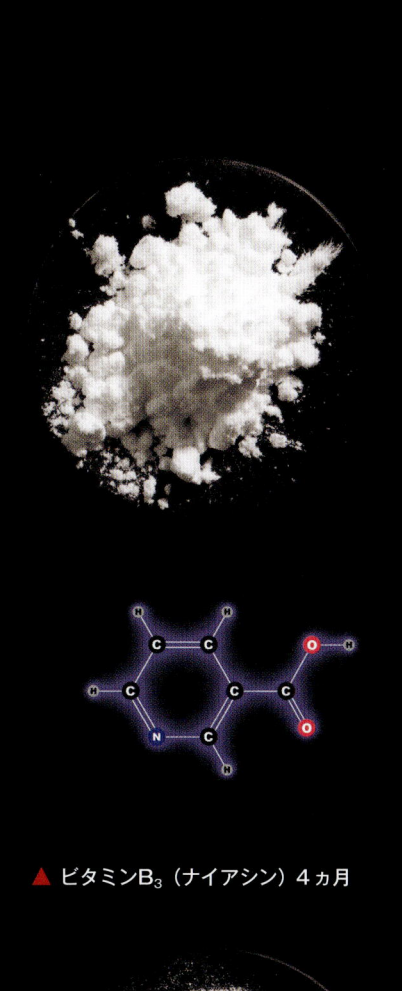

▲ ビタミンB₃（ナイアシン）4ヵ月  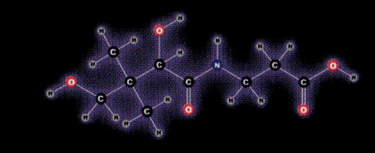   ▲ ビタミンB₅（パントテン酸）1年  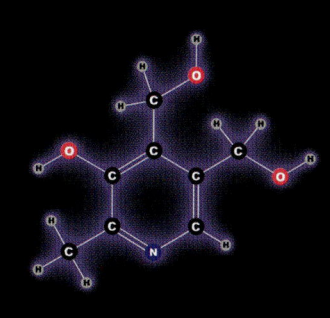   ▲ ビタミンB₆（ピリドキシン）3年  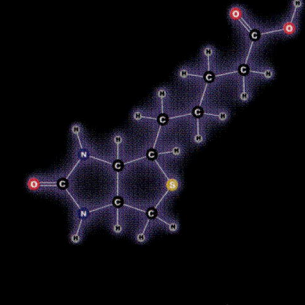   ▲ ビタミンB₇（ビオチン）183年

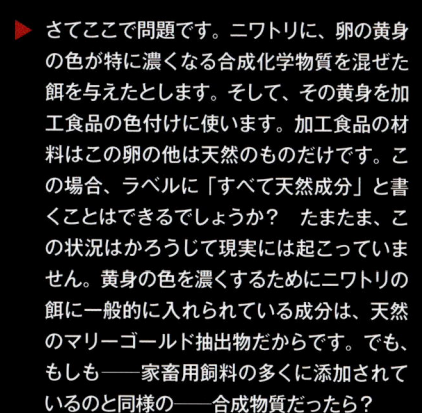

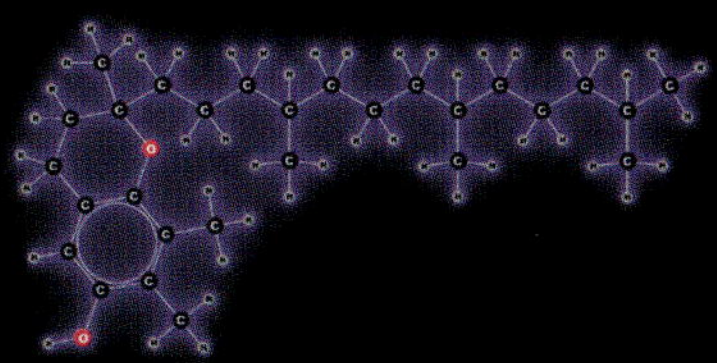

▶ さてここで問題です。ニワトリに、卵の黄身の色が特に濃くなる合成化学物質を混ぜた餌を与えたとします。そして、その黄身を加工食品の色付けに使います。加工食品の材料はこの卵の他は天然のものだけです。この場合、ラベルに「すべて天然成分」と書くことはできるでしょうか？　たまたま、この状況はかろうじて現実には起こっていません。黄身の色を濃くするためにニワトリの餌に一般的に入れられている成分は、天然のマリーゴールド抽出物だからです。でも、もしも──家畜用飼料の多くに添加されているのと同様の──合成物質だったら？

▶ マリーゴールドの花の抽出物は、卵の黄身を黄色くするためだけでなく、熱帯産の鳥の飼い主が愛鳥の身体を真っ黄色にするため（少なくとも、もとの黄色い色をより濃くするため）にも使われています。もちろん鳥の全身に塗るのではなく、餌に混ぜるのです。食べ物と色素が身体を作るというわけです。

▶ マリーゴールド抽出物の黄色の主成分、ルテイン。

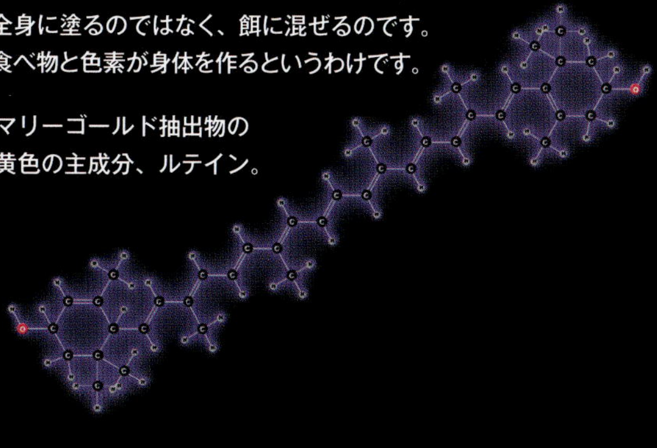

▼ 娘のエマが飼っているニワトリの卵。マリーゴールドを含む餌をやっているかどうかわかりますか？

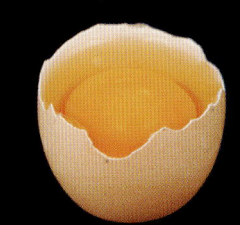

▲ ビタミンE（トコフェロール）4ヵ月   ▲ ビタミンK（フィロキノン）46年

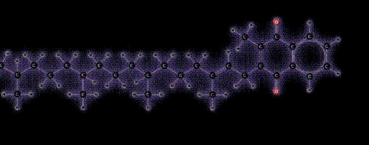

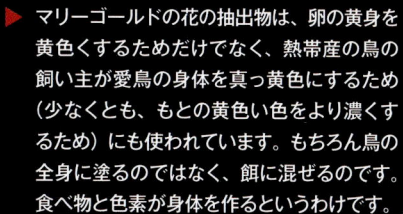

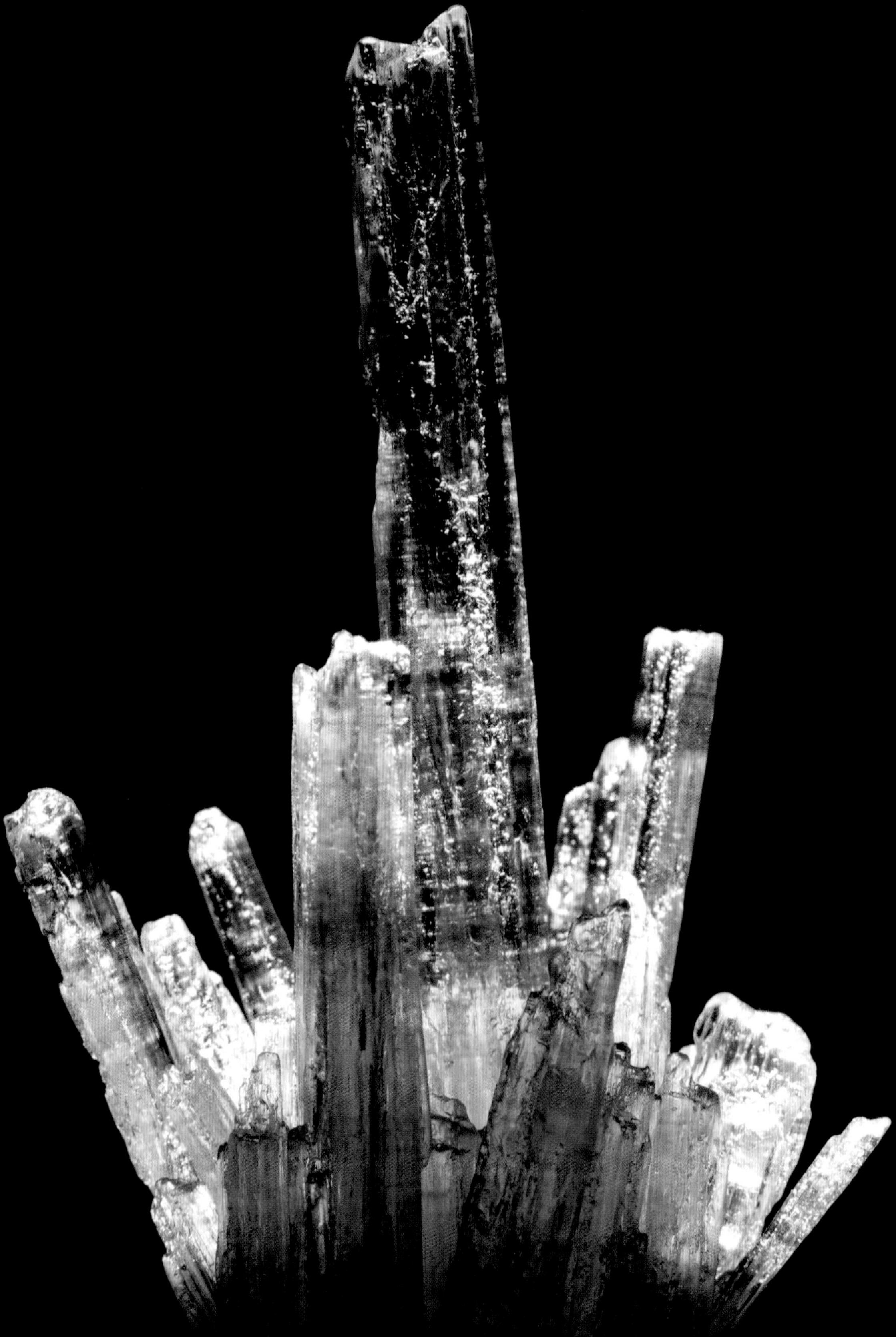

第11章 | バラとスカンク
Rose and Skunk

においの分子はメッセンジャーとして働きます。鼻に入り、嗅覚の受容体に少しの時間結合し、次に吸った息で洗い流されます。なんの目的もないにおいもありますが、多くのにおいは特定の情報を伝えるために存在します。

におい分子に共通する事実がひとつあります。相当に小さく単純でなければならないという点です。なぜでしょう？　においとして感知されるためには、分子は鼻に到達しなければいけません。鼻に届くには気化しなければいけません。一般則として、分子が大きいほど沸点が高く、沸点より下の温度での蒸発量も少なくなります。

けれども、その限られた範囲内に、面白い分子がそれはもうたくさん存在しています。

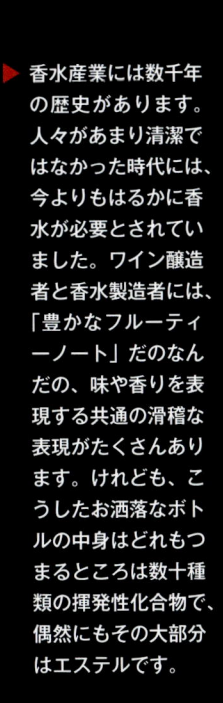

◀ 鼻をすっきりさせるメントール。植物から抽出された揮発性物質にもかかわらず、室温で大きく美しい結晶を形成します。

▶ 香水産業には数千年の歴史があります。人々があまり清潔ではなかった時代には、今よりもはるかに香水が必要とされていました。ワイン醸造者と香水製造者には、「豊かなフルーティーノート」だのなんだの、味や香りを表現する共通の滑稽な表現がたくさんあります。けれども、こうしたお洒落なボトルの中身はどれもつまるところは数十種類の揮発性化合物で、偶然にもその大部分はエステルです。

▶ 酢酸2-メチルプロピル

▼ プロパン酸エチル（熟したリンゴの香りの主成分）

▶ 酢酸ブチル

▲ 香水業者は香りを表現するために「フルーティーノート」などの表現を使います。フルーティーノート（果物のような香り）とは何でしょう？　ここでは、熟したリンゴ（ゴールデンデリシャス種）の香りの中身を紹介しましょう。分子はサイズ順に並んでいます。これらはそれぞれが別個に香るわけではなく、さまざまな分子が特定の比率で合わさって、リンゴの香りが生まれます。熟すにつれて化学物質の比率が徐々に変わります。95%は単純なエステル類で、そこに数種類のアルコールが加わっています。（最後の4つを除いて、どの分子もまん中に炭素原子1個と酸素原子2個の基があるのがわかりますね。これは43ページで説明したエステル結合です。最後の4つは、OH基を持つアルコールです。）

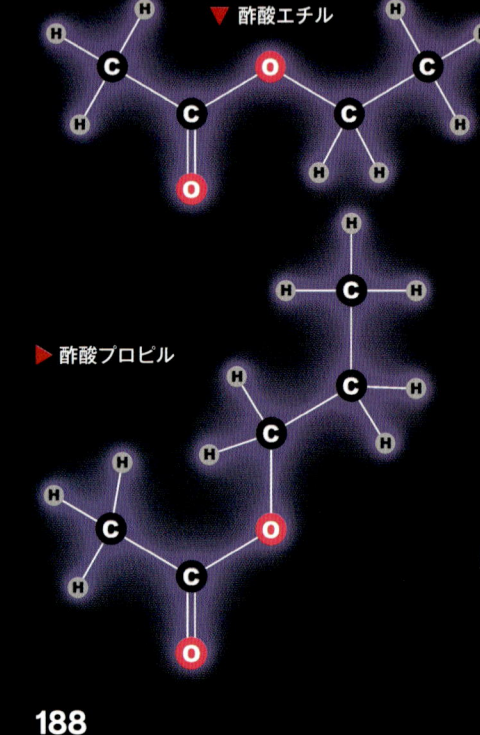

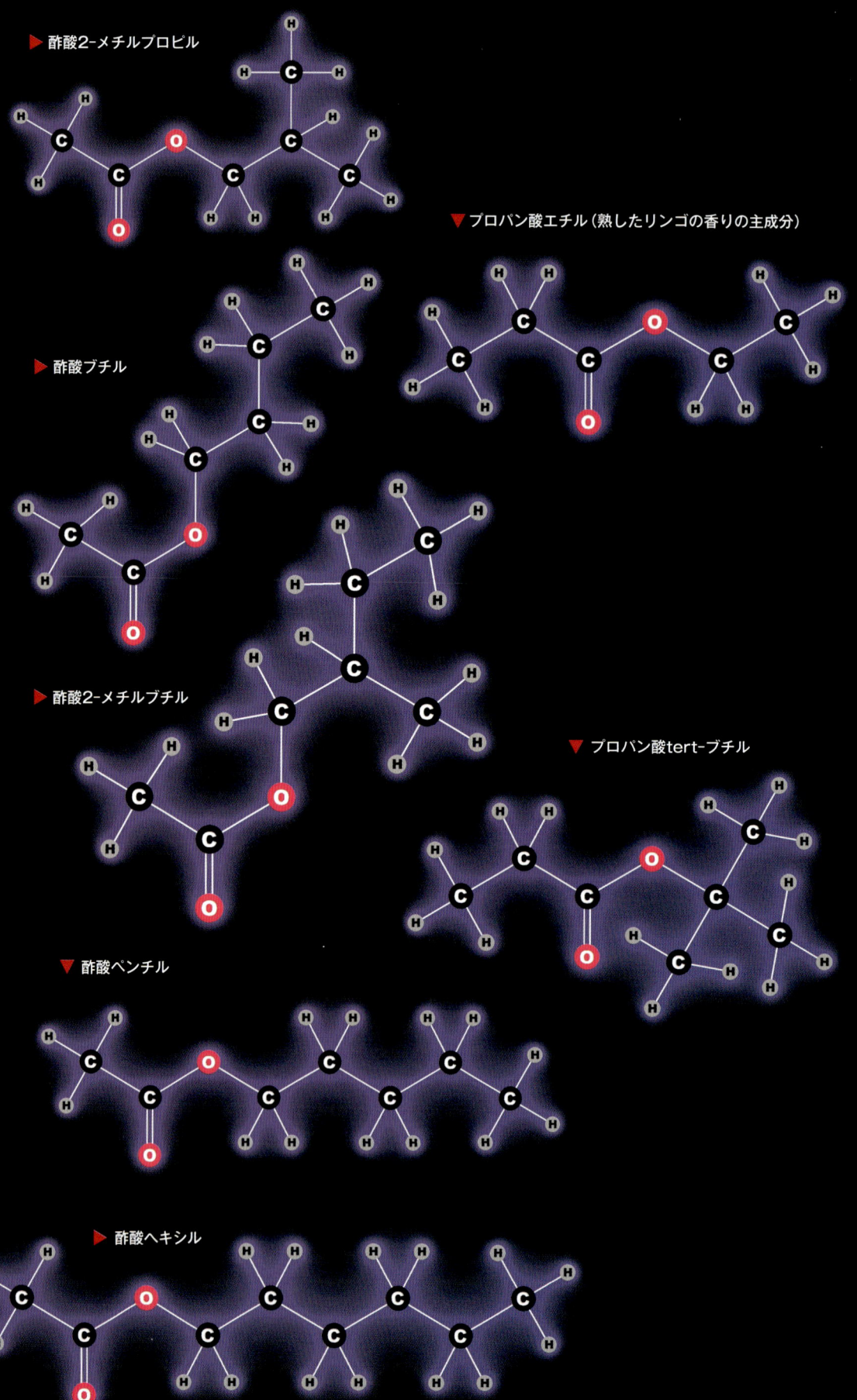

▶ 酢酸2-メチルブチル

▼ プロパン酸tert-ブチル

▼ 酢酸エチル

▼ 酢酸ペンチル

▶ 酢酸プロピル

▶ 酢酸ヘキシル

▲ 2-メチルブタン酸ヘキシル

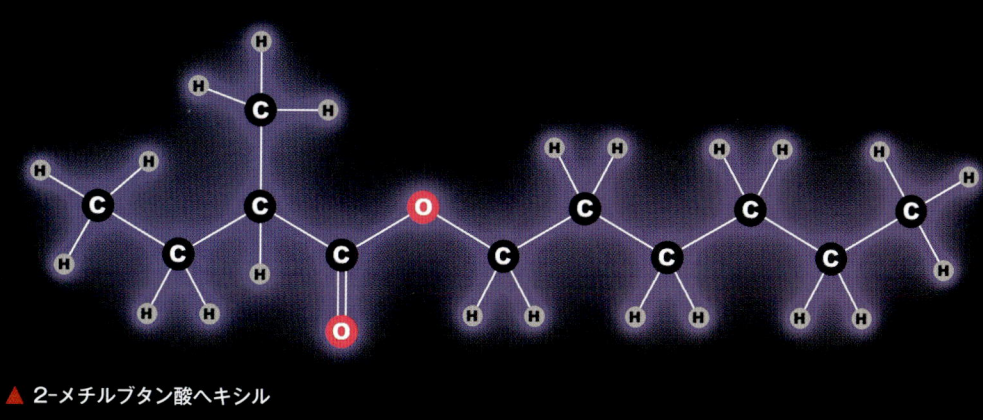

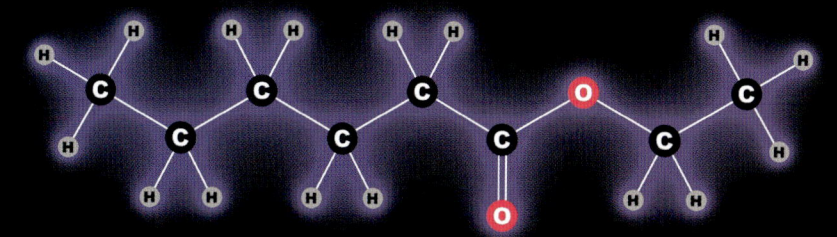

▲ ヘキサン酸エチル

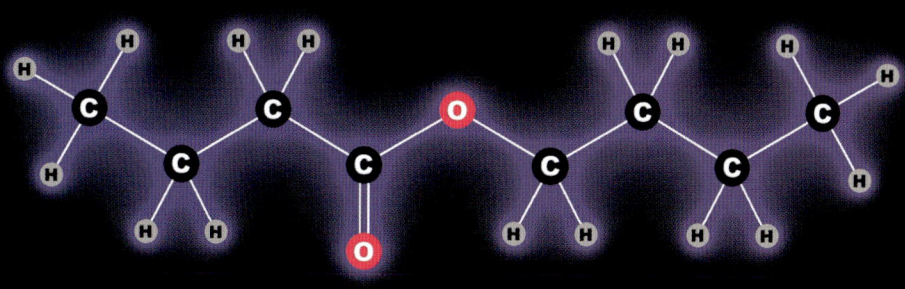

▶ ブタン酸エチル

▶ ブタン酸ブチル
（腐ったリンゴの
においの主成分）

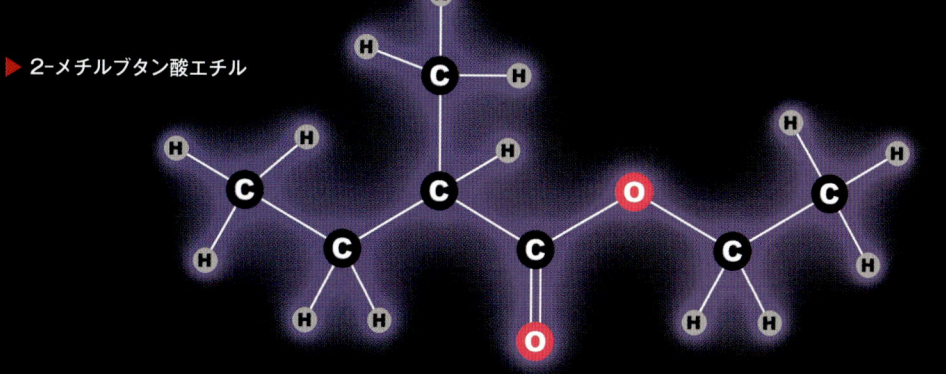

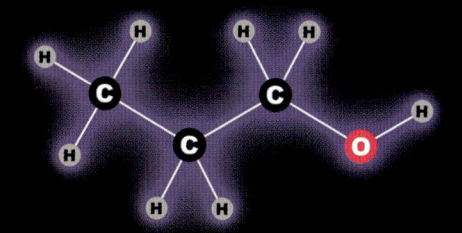

▶ 2-メチルブタン酸エチル

▲ 1-プロパノール

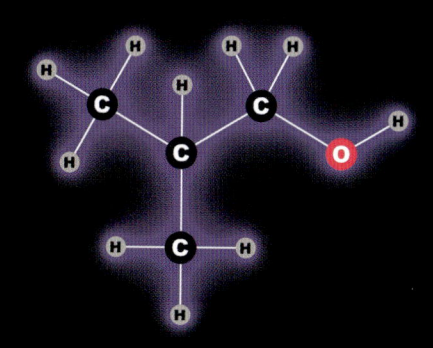

▲ 2-メチル-1-プロパノール

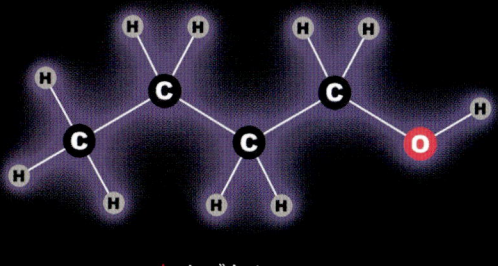

▲ 1-ブタノール

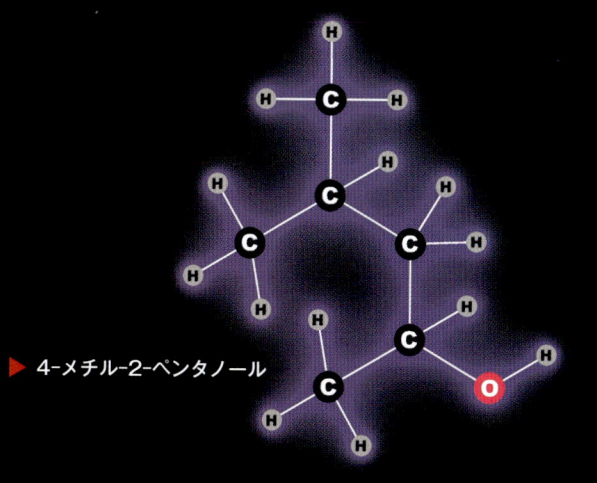

▶ 4-メチル-2-ペンタノール

バラとスカンク　189

▼ 実際のところ、香水の役割の90%は"誘引"です。香水産業は、香水の香りをあまりに強くしたことで、ヒトのフェロモン（異性を誘引するにおい）の領域にいささかのイカサマを持ち込みました。それでも、人間が動物や植物と同様ににおいの分子で仲間に信号を送っているのは事実です。度を過ぎて香水を付けた相手を前にした人はジャガイモのように押し黙るほかありませんが、適度な香水の艶めく香りは、時にはどんなに賢明な人をもジャガイモのように思慮のない存在へと変えてしまいます。

◀ フェロモン業界は、疑わしい話をいろいろ宣伝しています。この商品は、アンドロスタジエノンとそれに関連する数種の化合物を豊富に含むと謳っています。たしかにそれらの物質が人間同士の誘引に関係している可能性を示す研究はいくつかあるのですが。

▼ アンドロスタジエノン

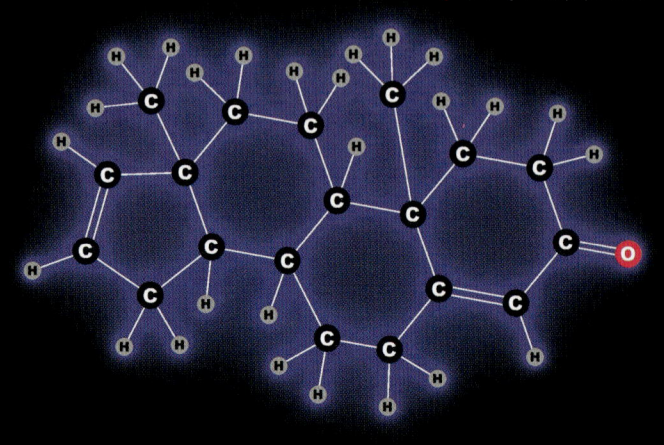

▶ 昆虫についていえば、化学物質のフェロモンが彼らの生活に大きくかかわっているのは疑いない事実です。たとえば、ボンビコールという強力なフェロモンがあります。カイコガが使うこのフェロモンは長い炭化水素の鎖を持つアルコールで、ほんの微量でも数百メートル先の異性を誘引します。（実を言うと、右ページの蛾はボンビコールを出すカイコガではありません。巨大で強そうなヨナグニサンという蛾で、だいたい実物大です。）

▼ ボンビコール

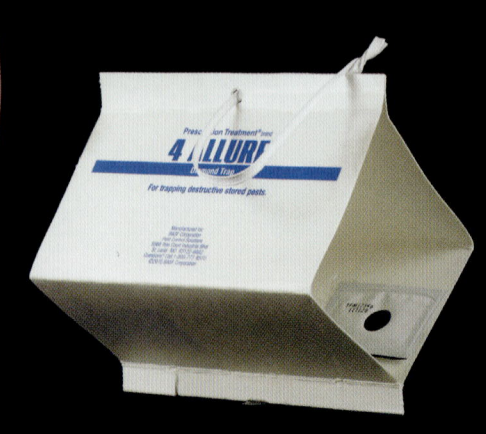

◀ 人間は、少なくとも時々は、魅力的な異性の香りが誘う危険なシチュエーションへ踏み込みたくなる衝動を抑えることができます。昆虫は賢明さの点で人間よりやや劣るので、衝動に逆らえず、フェロモンを餌とするこうした捕虫罠にはまります。要はハニートラップです。

THE FEMALE GIANT ATLAS MOTH

▶ アリは、炭素原子が23個から31個までの直鎖炭化水素をにおいマーカーとして使います。巣ごとに分子の組み合わせが違い、アリは餌を探しに遠出しても迷子にならずに自分の巣に戻ることができます。アリにはノスタルジーを感じるほど発達した神経系はありませんが、もしあったなら、これらの化合物こそ「心安らぐわが家」の象徴となることでしょう。私たちが懐かしい安全な場所に帰った時に、複雑で多様な分子によって理屈抜きで心地よさや安心感を感じるのと同じで、アリにとってはこれらの分子が「わが家の匂い」なのです。

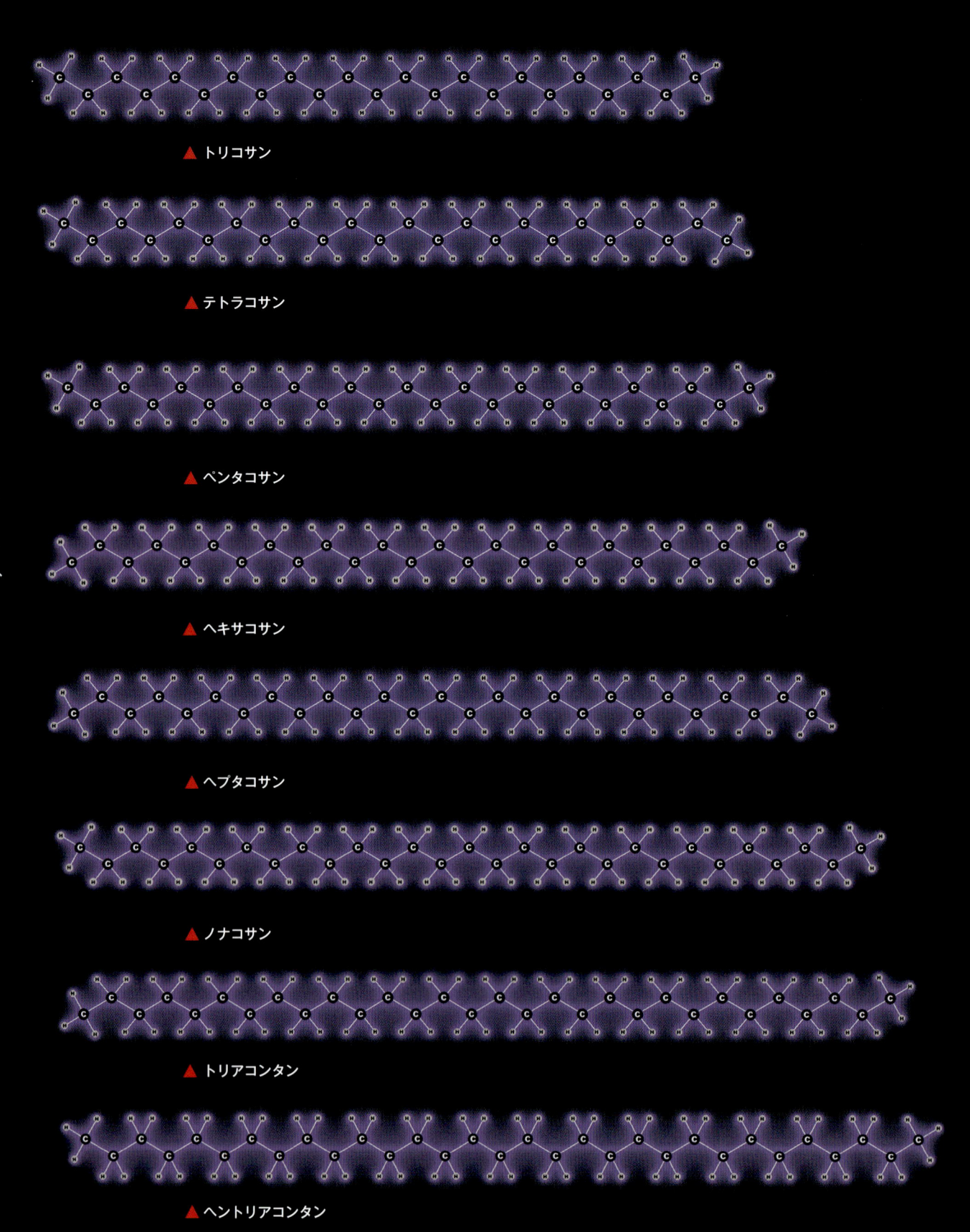

▲ トリコサン

▲ テトラコサン

▲ ペンタコサン

▲ ヘキサコサン

▲ ヘプタコサン

▲ ノナコサン

▲ トリアコンタン

▲ ヘントリアコンタン

▼ 人間の体内の細胞同士は、無数の化学物質信号で情報を伝え合っています。それらの信号は昆虫のフェロモンやにおいマーカーとよく似た目的を果たしています。たとえばこれは線維芽細胞増殖因子といい、近くの細胞に対して、成長し積み重なるよう命じます（傷を治す際などに重要です）。生命の進化の早い段階で、個々の単細胞生物の集合体の中から、ひとまとまりの統一された多細胞生物として生きていくことを学んだものが現れました。化学的な信号は、かつては別々の微小な個体同士がやりとりしたにおいでした。今では体内の細胞同士の間の信号になっています。アリやハチなどの社会性昆虫は、この現象が目に見えるサイズで起きているものともいえます。いろいろな面において、社会性昆虫はひとつの巣がひとつの生命体であるかのように機能し、1匹1匹はその生命体の1個の細胞のようです。彼らがやりとりする化学的な信号は、私たちの体内の細胞間でやりとりされる化学信号と類似しています。異なる個体の間で空気中を漂って伝わる場合にはにおいと呼ばれるだけで、やっていることは同じです。

▶ 香水やロウソクやお香、その他いい香りのする製品の多くは、香りの元として「精油（エッセンシャルオイル）」を使っています。精油は花や種子や葉や植物全体など、多様な揮発性有機化合物を含む材料から抽出されます。たとえばビサボレンという化合物はベルガモット、ジンジャー、レモンの精油の香りの一部を担っていますし、ユーカリプトールはラベンダーやペパーミントやユーカリの香りの1成分です。精油を抽出するには、花やその他の原料素材を溶媒の混合物（たいていはアルコールを含みます）に漬けて、可溶性の成分を取り出します。次にその溶媒を蒸留したり、蒸発させたりして、目的の分子の濃度を高めます。違う植物から抽出した精油でも、同じ複数の化合物が若干異なる比率で含まれることがよくあります。

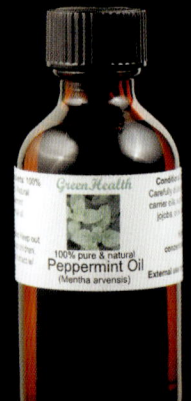

▼ 植物エキスの抽出はデリケートな作業で、趣味としてこうした蒸留装置を使って行っている人もいます。蒸留は蒸発と凝縮をコントロールして行う作業で、それによって、混合物から沸点の異なる成分を分離して取り出すことができます。空気中を漂うにおいの分子は必然的に揮発性ですから、ほとんどつねに蒸留で分離することが可能です。

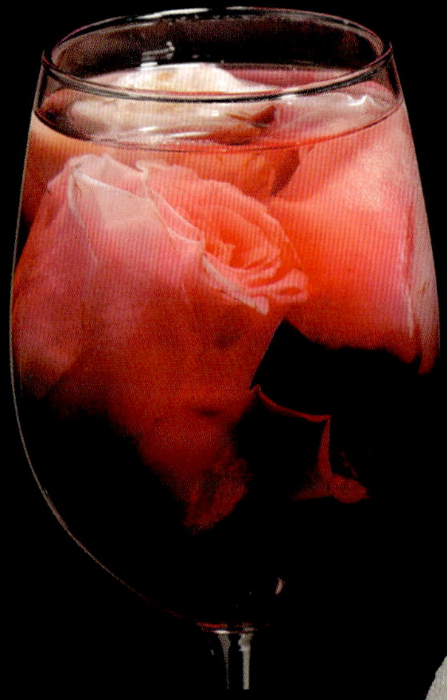

▼ ラベンダーやローズマリーの精油にも含まれる樟脳（しょうのう）。

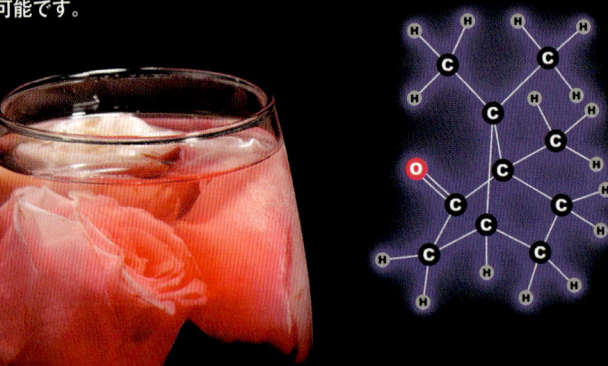

▼ ユーカリプトールは樟脳と同様に二環式化合物で、樟脳と似た構造ですが、構造のわずかな違いから室温では液体です。樟脳と同様に鼻詰まりを改善する効果があります。

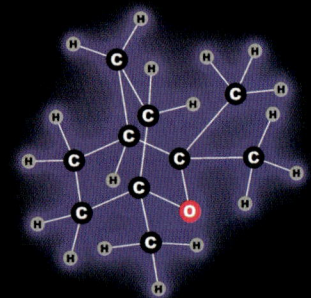

▶ ユーカリプトールはラベンダー精油、ペパーミント精油、そしてもちろんユーカリ精油に含まれています。

▶ ビサボレンはベルガモット精油、ジンジャー精油、レモン精油に含まれ、その香りに貢献しています。どの精油も、他に十数種以上の香り成分が混ざっています。特定の精油にしかない成分もあれば、多くの精油に共通する成分もあります。

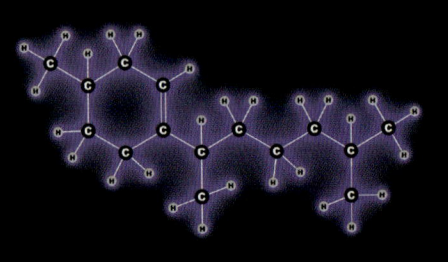

◀ 精油は一般に、活性の香り分子を数パーセント含んでいます。残りは、非揮発性あるいは低揮発性の油です。しかし、香りのもとになる化合物が純粋な形で見られる例もあります。たとえば樟脳（カンフル）は強いにおいを放つ固体で、鼻詰まりを改善させる優れた力があり、胸部に塗るタイプの風邪薬によく入っています。〔日本では防虫剤として有名です。〕この樟脳の塊は数カ月かけて徐々に昇華し、後には何も残りません。

▶ メントールはペパーミントの精油やメントール煙草に入っている成分です。

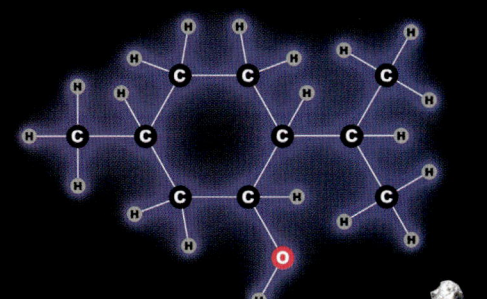

▶ 純粋なメントールは、愛らしい結晶の形をしています。結晶の長さは数インチ（10 cm程度）までで、まぎれもないメントールの強い香りがします。とても心地よい香りですし、通常はこれくらい大きな単結晶はにおいがしないものなので、非常に珍しい例です。

▶ チモールは、香辛料のタイムの独特の香りを生み出します。

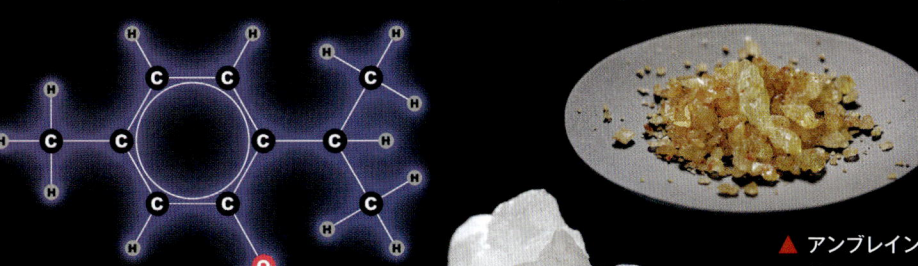

▶ この塊は非常に強い植物性の香りを放ちます。香辛料のタイムに含まれるチモールという香り物質を抽出し、蒸留して結晶化させたものですから、当然です。

▼ においの分子は鼻に到達して感知されなければ話にならないので、必然的に揮発性を持っています（つまり分子は小さめです）。下はその限界を突破した例のひとつで、全部で42個の原子が例外的に大きな環構造を作っています。（有機環の大部分は6個の原子の環で、5個と7個の環もそれなりにありますが、それより原子が少ない環や多い環はわずかです。この分子は17個の原子が環をなしています。）私はこの分子がどんなにおいか知りません。専門家が書くにおいの解説はいつもピンとこないものですが、この分子も、ジボダン社（香料メーカー）の「極めて定着力があり高度に実質的。並はずれた形で芳香のトップノートを高める」という説明からはにおいが想像できません。

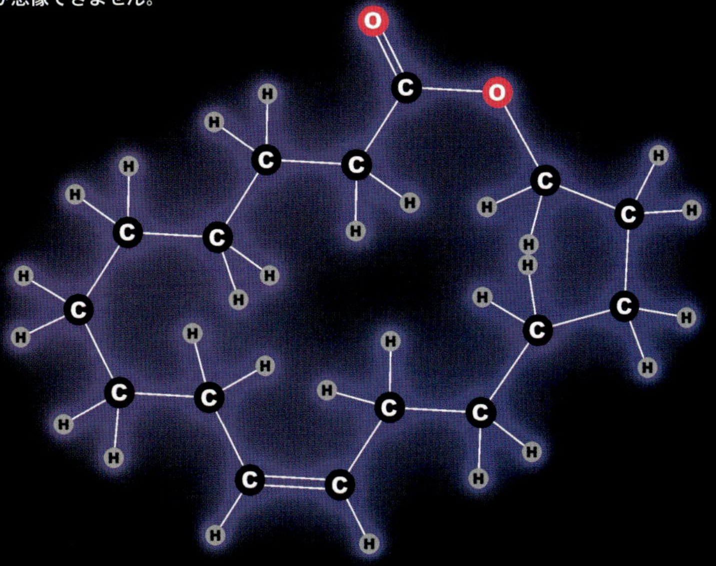

▶ アンブレインという複雑なアルコールは、香水業界によれば最高にうっとりする香りがするそうです。龍涎香（アンバーグリス）という稀少な物質の匂いの主成分です。

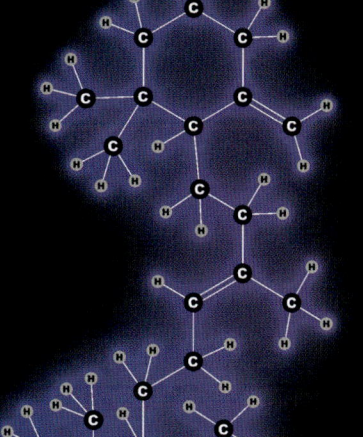

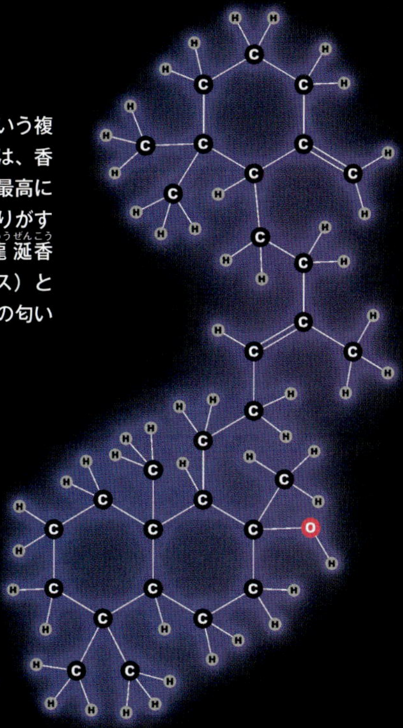

▲ アンブレインはマッコウクジラの消化管で作られる龍涎香から抽出されます。高価な品で、私はその匂いを特にどうとも思いませんが、他の高価な香水成分と組み合わせると素晴らしい効果があるようです。有名な古典的香水の多くにアンブレインが含まれています。

▼ 龍涎香はマッコウクジラの胃腸で作られる蠟質の塊で、イカの嘴（くちばし）（120ページの写真）のような鋭利な不消化物を排出するためのものと考えられています。クジラの口または肛門から出された後に何年も海に浮かんでいた龍涎香が最高級品です。稀に海岸に打ち上げられて拾われ、香水会社に1ポンド数千ドルで買い取られます（写真は1gぶんで、150ドルしました）。人工的には作れません。

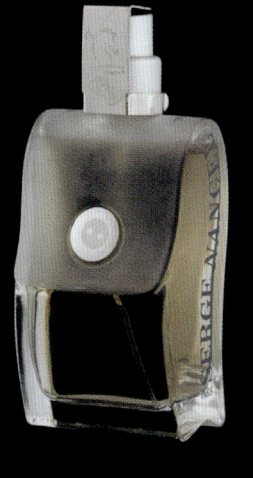

▶ 香水業界が喜ぶのはクジラの結石だけではありません。彼らはビーバーのお尻にも——正確に言えば、ビーバーの肛門近くの香嚢に含まれる海狸香（かいりこう）という物質にも——目をつけました。ビーバーは縄張りの印として海狸香を使います。

バラとスカンク　195

▼ 多くの動物が、自分の尿を香水として——人間が香水を使うのと同じ目的で——使っています。他の動物に自分の存在や関心を誇示し、相手の行動に影響を与えるためのにおいです。人間も時には他の動物の行動に影響を及ぼしたいという欲求を持つので、驚くほど多様な「ボトル入り動物尿」が売られています。お勧めはしません。（動物尿は、ハンターが獲物をおびき寄せたり、庭に害獣が入ってこないよう怖がらせたり、飼っている動物に交尾を促したりするために使われます。たとえば、スポーツマンシップに欠けるハンターが牡鹿を仕留めたい時には、牝鹿の尿を熱してオスを呼びます。庭の植物を荒らすウサギに悩む人は、ウサギの天敵の尿を使ってウサギが近寄らないようにします。）

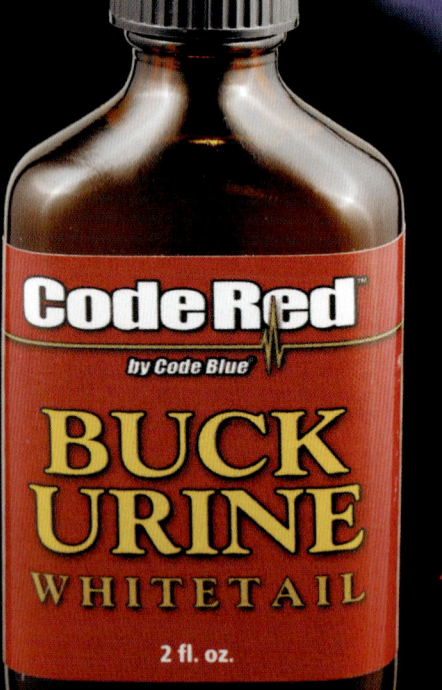

◀ 私は動物尿コレクションを収納するために、軍の放出物資店でこの金属製・ゴムシーリング仕様の弾薬ケースを買わねばなりませんでした。プラスチックのボトルの口をしっかり締めても悪臭が漏れ出してくるからです。動物尿製品を瓶詰めしている工場がどんなにおいか、想像もつきません。

▲ 硫化水素は、硫黄を含む他の多くの化合物と同様に悪臭がします。腐った卵や火山の近くの臭いです。

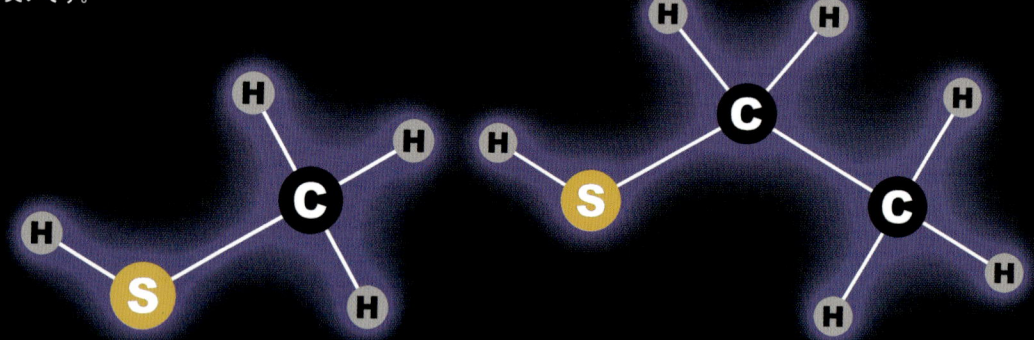

▲ ひどい臭いも、時には重要な目的を持って使われ、人の役に立ちます。たとえば上の構造図のメチルメルカプタン（メタンチオール）（左）とエチルメルカプタン（エタンチオール）（右）は有機硫黄化合物で、その悪臭により有機硫黄化合物全体の評判を著しく落としている元凶です。メチルメルカプタンは基本的におならの臭いです。エチルメルカプタンは20億分の1に薄めても人間の嗅覚に感じられる嫌な臭いで、まさにそれゆえに、都市ガスやプロパンガスに添加されています（ガスそのものは無臭です）。「臭いでガス漏れを知らせる」という方法が存在するのは、エチルメルカプタンの悪臭があればこそです。臭いがしなければ、大爆発が起こるまで誰もガス漏れに気づきません。それでもガス爆発は時々起きていますが、通常は家に誰もいない時です。エチルメルカプタンの臭いを感じた人は、ガス漏れの元を止めるか、さもなければ逃げ出しますから。

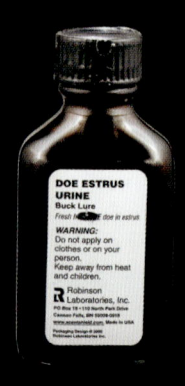

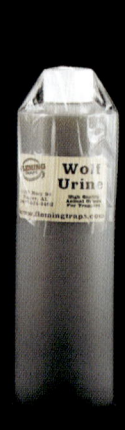

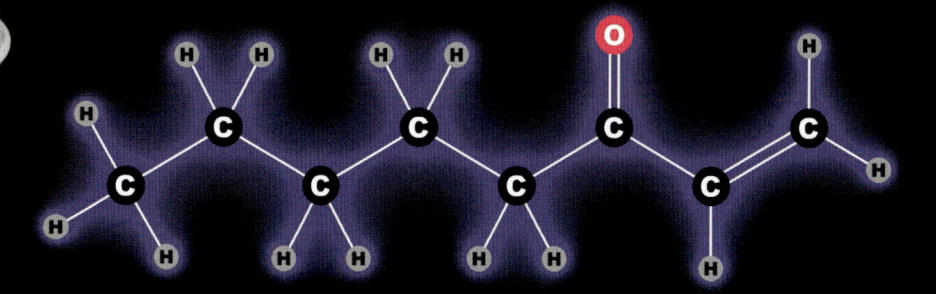

▲ アミルビニルケトンという名のこの分子は、お金のにおいのもとです。においはお金から来るのではなく、お金に触った人間の皮膚に由来します。

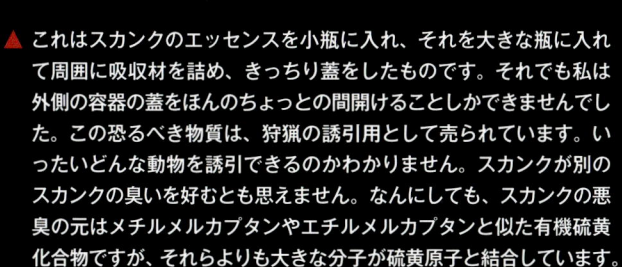

◀ これはスカンクのエッセンスを小瓶に入れ、それを大きな瓶に入れて周囲に吸収材を詰め、きっちり蓋をしたものです。それでも私は外側の容器の蓋をほんのちょっとの間開けることしかできませんでした。この恐るべき物質は、狩猟の誘引用として売られています。いったいどんな動物を誘引できるのかわかりません。スカンクが別のスカンクの臭いを好むとも思えません。なんにしても、スカンクの悪臭の元はメチルメルカプタンやエチルメルカプタンと似た有機硫黄化合物ですが、それらよりも大きな分子が硫黄原子と結合しています。

◀ アスパラガスを食べた後に出る尿が変な臭いになる原因についてはまだ定説がありません。もしあなたがアスパラガスを食べた後の尿に別に変な臭いを感じないなら、それは尿中に微量に存在するアスパラガス代謝物の臭いを感知できる人とできない人がいるせいです。328人の被験者の研究からそれが明らかになりました。

▲ 「お金のにおい」（硬貨のにおい）が、お金そのものから出ているはずはありません。金属は完全に非揮発性ですから、においが鼻に届くことはありえません。長年の研究の結果、硬貨やその他の金属表面から感じられる独特のにおいは、皮脂が分解されて何種類かの揮発性化合物ができることによるものだと判明しました。ほとんどの金属は単体では自然界に存在しないことを考えると、動物がなぜ金属特有のにおいを識別する能力を進化させたのか、興味をそそられます。ある説は、血中のイオンが金属と似たにおいを出すからだとしています。それが本当なら、お金への欲望はまさに血に飢えることと同じと言えますね。

バラとスカンク　**197**

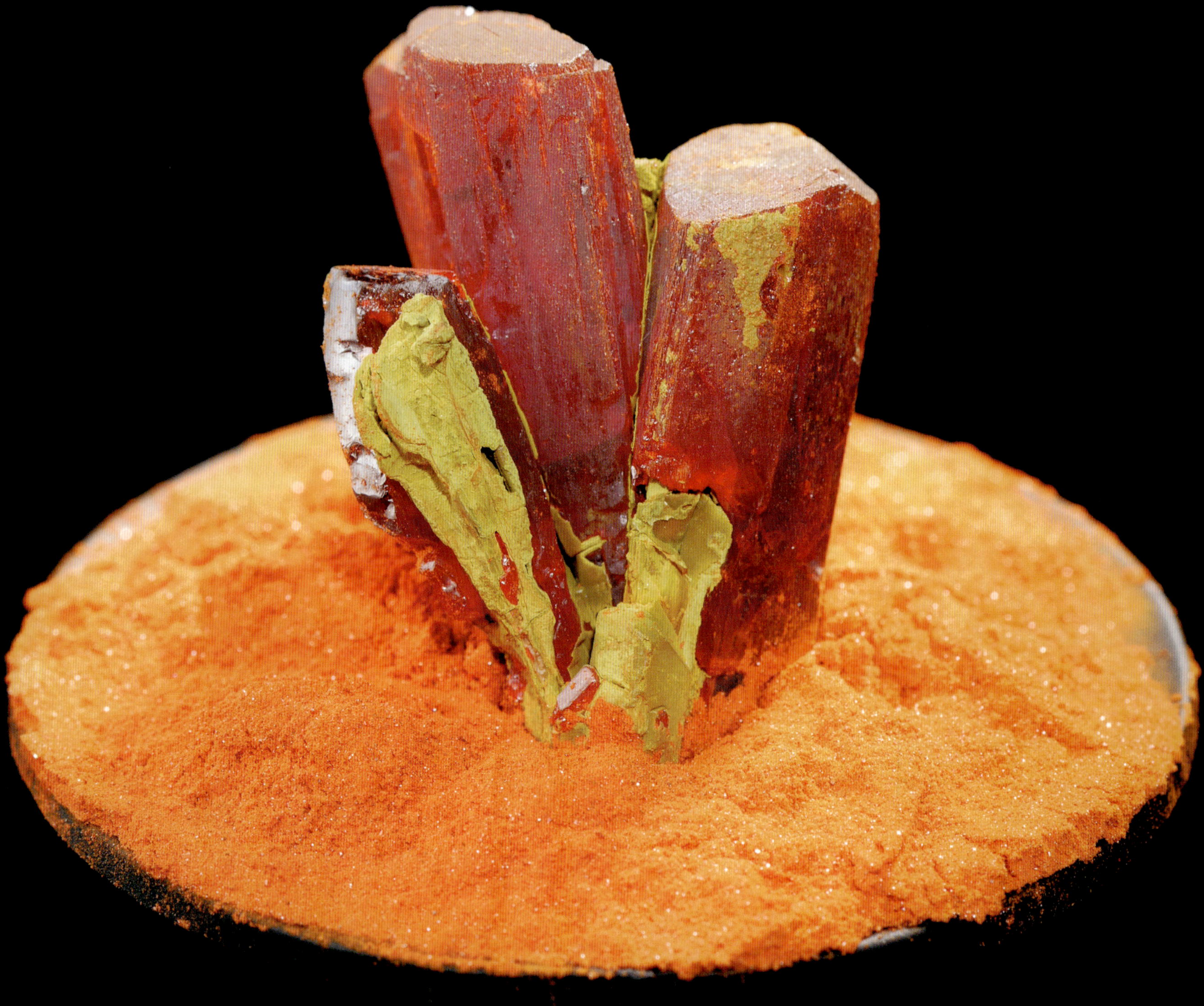

第12章 いろいろな色の化学物質
Color Me Chemical

みなさんは、「この本は白い粉の写真ばっかりだ」とお思いかもしれません。これでも私は本書に白い粉ではない写真を載せようと最善の努力を尽くしたのですが、悲しいかな、ほとんどすべての純粋な有機化合物は白いのです。ある物質に色があるためには何が必要なのかを考えると、なるほどとうなずけるはずです。

白色光はすべての色の光が合わさったものです。私たちが化合物に「色がある」と言う時、それは、その物質が特定の色の光（特定の波長の範囲の光子）だけを、他の色の光よりも強く反射しているという意味です。

たとえば、ある分子が青い光を大部分吸収すると、黄色に見えます。青が吸収された後は黄色の光が多く反射されるからです。

可視光線の範囲は、可能な波長領域全体の中のほんの一部にすぎません。電波から硬X線まで、電磁スペクトルの全範囲のどの波長の光子も、分子に吸収される可能性があります。とはいえ、色がついて見えるのは、可視光線のどこかの波長が他の波長よりも多く吸収される時だけです。

そうした分子はかなり少数です。大部分の分子は可視光線よりも波長が短い紫外線領域の光だけを吸収します。私たちの周りの世界が色とりどりに見えるのは、いろいろな色の化合物があるからではなく、少数の色つき化合物がとても大きな働きをしているからです。色があるのは、特殊な分子です。色つきの化合物では特定の数種類の分子構造が繰り返し現れます。それに、当然ながら私たちの目は周囲の自然界にたくさんあるものを見られるように進化してきています。

◀ 鶏冠石は硫化ヒ素で、古くから画家が使う「わずかに毒性のある顔料」の一例です。

▼ 電磁スペクトルは非常に幅が広く、電波から高エネルギーのガンマ線まで、波長が15桁（1000兆倍）も異なる範囲に広がっています。下のような図を描くなら、対数目盛りを使わない限り、可視光線が占める部分は目に見える幅になりません。私たちはスペクトルの可視光線の部分にだけ目を向けがちですが、分子は違います。分子はもっとずっと広範囲の光子を吸収できます。分子がマイクロ波を吸収するから電子レンジで加熱ができ、X線を吸収するからレントゲン写真が撮れるのです。それ以上の高エネルギー領域の光子を吸収できるほど高密度なのは、原子核だけです。

▶ 紫外線（UV）を写せるカメラで花を撮影すると、可視光線で見る時と劇的に違うことがあります。ハナバチは人間と違って紫外線の領域まで見ることができるので、花はハチのために色と模様を工夫しています。多くの有機化合物が、ハチが見ることのできる範囲の紫外線を吸収できることがわかっています。ですから私たちにはどれも白く見える有機化合物も、その多くがハチには色つきに見えているはずです。どんな色に？　人間の言語にはその色をあらわす言葉がありません。その色の名前を表現できるのは、花を見つけたミツバチが巣に戻って仲間の前で踊るダンス言語だけです。

電波 | マイクロ波 | テラヘルツ波 | 赤外線 | 可視光線 | 紫外線 | X線 | ガンマ線

カラフル分子

一番鮮やかで豊かで多彩な着色剤は、色のスペシャリストと言える有機化合物（天然も合成も両方あります）を使っています。多くの有機染料は驚くほど強力です。私の所有地に大きな池があり、水の量はおよそ400万ガロン（1万5000立方メートル）ですが、毎年、藻の発生を抑える特殊な青緑色の混合染料が5ポンド（2.25kg）ほど含まれた液剤を投入しています（入れないと池が藻でドロドロになってしまいます）。池の水を美しいアクアブルーに変えるために必要な濃度は、たった1億分の15程度です！

有機分子が光を吸収するのは、分子をひとつにまとめている電子に光子が作用し、電子1個がもといた場所から別の場所へ一時的にジャンプさせられる時です。電子を動かすにはエネルギーが必要です。光子が持つエネルギーは光の色に応じて違い、電子が分子内でどれくらいしっかり結合しているかの度合いも分子によって違いますから、異なる色の光はそれぞれ異なる電子をジャンプさせます。赤い光の光子が一番エネルギーが低く、以下緑、青、紫の順に上がっていきます。可視光線のうちで最もエネルギーが高いのは紫です。紫外線の光子はさらに高いエネルギーを持っています。X線の光子はあまりに高エネルギーなので、もはや光とは呼ばれません。

非常に強く結合した電子は、高エネルギーの紫外線やX線でなければ動かせません。たいていの化合物の中の大部分の電子はそのくらいしっかり結合しているので、化合物は白く見えます。けれども、人間が望むどんな結合強度の電子を持つ分子でも組み立てることは可能です。特定の色の光だけを吸収するように分子を作れるのです。

電子の結合の強さがちょうど人間が欲しがる範囲になっていて、それほど珍しくはない（つまり、かなりよく見られる）分子構造がいくつかあります。それらはまとめて色素と呼ばれます。活性中心の周囲に配置する原子を変えることによって、結合の強さ──すなわち色──を可視光の範囲内全域で調整することができます。

▶ 藍（インジゴ）は世界各地で伝統文化の一翼を担い、何世紀もの間世界の重要な交易品でした。これは藍染めを使った日本の着物です。

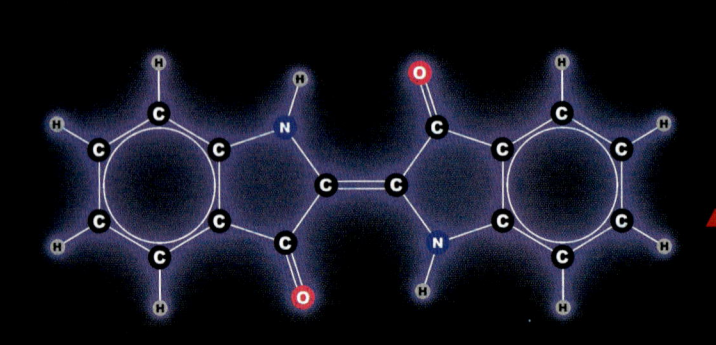

▲ 古くからある天然染料の藍（インジゴ）の色を出しているのは、この愛らしい対称構造の中心にある3つの二重結合です。中心付近でお互いにお辞儀をするように向かい合っている水素原子と酸素原子は、強く結合してはいませんが（間に線が引かれていませんね）、両者の間には「水素結合」という弱い結合力が働いていて、それが分子を平らに保ち、3つの二重結合がすべて同じ平面上にくるようにしています。これにより、わずかなエネルギーの上昇だけでこれらの間を電子が行ったり来たりできます。その際に必要なエネルギーはちょうどオレンジ色の光に相当します。オレンジ色の光が吸収され、残りの反射光が藍色に見えるというわけです。

▲ 歴史的には、藍（インジゴ）は熱帯に生えるナンバンアイ（Indigofera tinctoria）やその近縁のいくつかの植物から採られていました。帆船の時代、ヨーロッパの人々はこの珍しい深い藍色をとても欲しがったので、藍は交易品として高い価値を誇りました。今でも、天然のナンバンアイの葉の粉末をインドから取り寄せることができます（もちろん注文はイーベイで行い、高いマストに何枚もの帆をかけたクリッパー船ではなく飛行機で届けられます）。葉の粉末は緑色で、ここに含まれているのは藍ではなくインジカンという配糖体（グリコシド）です。粉を水と混ぜて加熱すると、インジカンはインドキシルという無色の水溶性化合物に変わります。布を入れると、インドキシルを含む水がいくらか吸収されます。その布が空気に触れると、インドキシルが酸化されて水に溶けないインジゴになり、生地に定着します。

▲ 現在使われているインジゴはほぼすべて合成品です。こんにち工業的に生産されている合成インジゴの量は、合成品の登場で天然藍市場が崩壊する直前の1897年に植物から採られていた量とだいたい同じです（現代の方がはるかに人口が多いのだから生産量も格段に増えているのではないかと考える人もいるでしょうが、今はインジゴの他にも染料がよりどりみどりです。昔は青い色が出せるのはインジゴだけでした）。19世紀後半に有機化学産業が発達した主な要因は、インジゴやその他の新しい染料を合成する経済的な方法を開発したいという動機があったからです。その努力は実を結びました。1897年に商業的に利用可能な合成品が生まれてから15年で、植物を原料とするインジゴの経済的地位は瓦解しました。

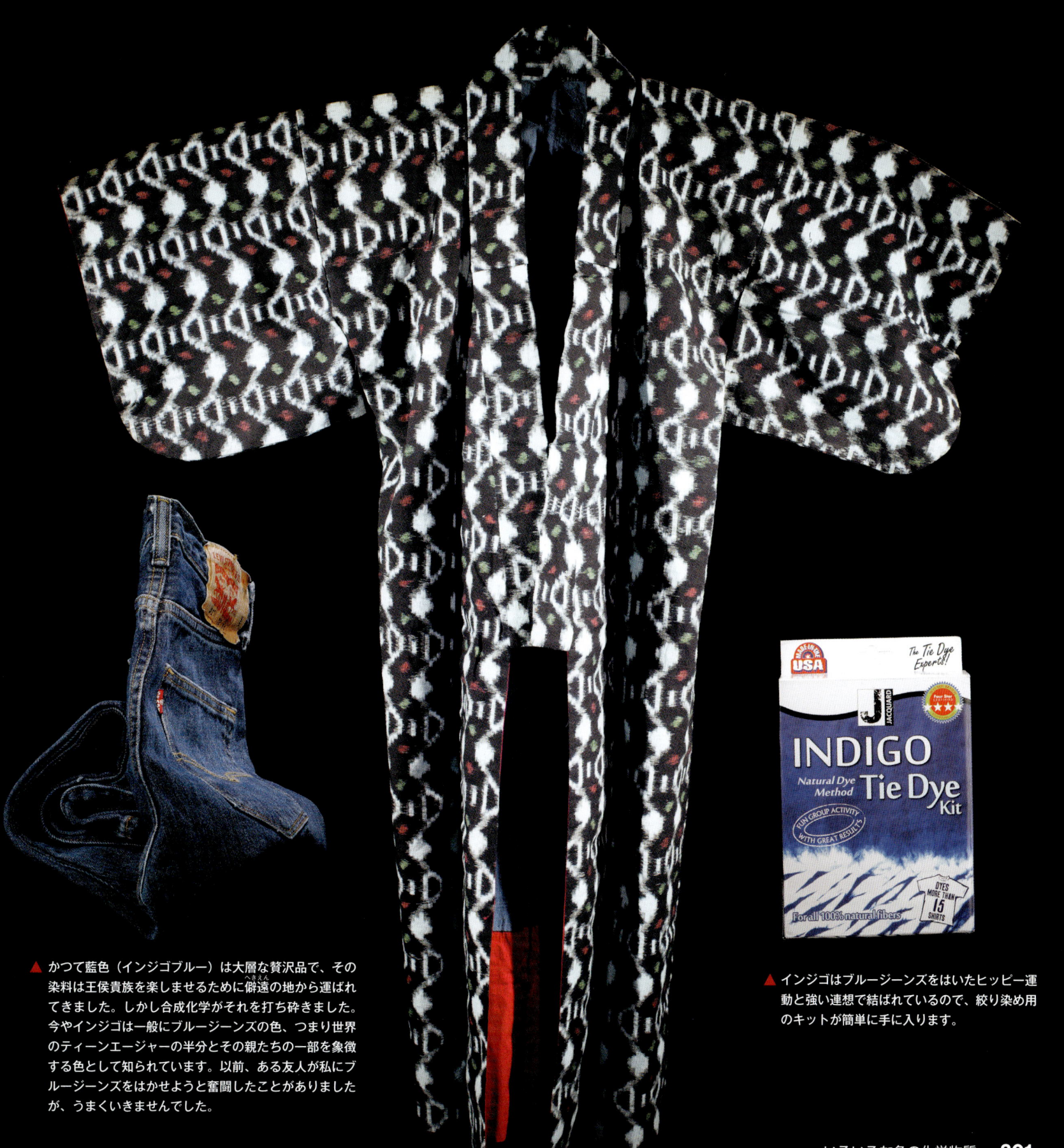

▲ かつて藍色（インジゴブルー）は大層な贅沢品で、その染料は王侯貴族を楽しませるために僻遠の地から運ばれてきました。しかし合成化学がそれを打ち砕きました。今やインジゴは一般にブルージーンズの色、つまり世界のティーンエージャーの半分とその親たちの一部を象徴する色として知られています。以前、ある友人が私にブルージーンズをはかせようと奮闘したことがありましたが、うまくいきませんでした。

▲ インジゴはブルージーンズをはいたヒッピー運動と強い連想で結ばれているので、絞り染め用のキットが簡単に手に入ります。

いろいろな色の化学物質　　**201**

ドイツが作ったカラフル分子

▼ モーブ（モーベイン）は史上初の合成有機染料で、下の構造図の分子の他に、それと非常によく似た3種類の分子があります。モーブの合成はアニリンという化学物質から出発するので、アニリン染料のひとつです。1856年に英国で偶然発見されたこの染料を見て、ドイツでは有機化学の研究開発が（学術面でも産業面でも）急速に発展し、ドイツは化学工業の世界で圧倒的な存在感を占める存在になりました。それは今も変わっていません。

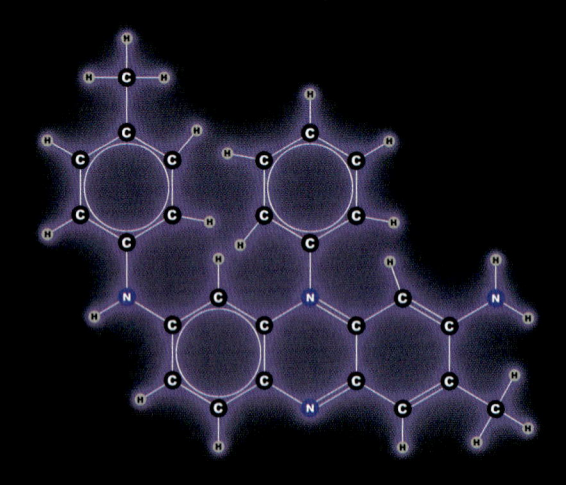

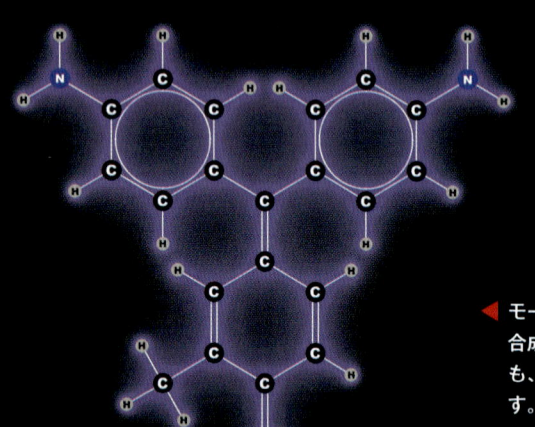

◀ モーブというファッショナブルな新色で染めたドレスを他ならぬヴィクトリア女王陛下がお召しになったことから、この染料はヴィクトリア朝イングランドで大評判になりました。

◀ モーブに少し遅れて合成されたフクシンも、アニリン染料です。アニリンがコールタールから効率的に製造できたことをきっかけに、さまざまな合成方法による多種多様な化学物質が安く利用できるようになりました。

◀ 現在、世界最大の化学メーカーはドイツのBASF社ですが、フクシンはBASFの創業者フリードリヒ・エンゲルホーンが最初に生産した合成染料です。1860年代のドイツの有機化学工業はちょうど現代のシリコンバレーのIT産業のようなものでしたから、彼はもちろんキッチンでフクシンを合成しました（自動車が発明されていなかったので、シリコンバレーの起業家のようにガレージを作業場にはできませんでした）。フクシンは濃いピンク色の染料として知られていますが、乾燥した状態では緑色で、溶かすとはじめて赤くなります。

▶ フクシンは絹の染色に特に役立ちます。絹はネクタイ作りに特に役立ちます。ネクタイは……特に役に立ちません。

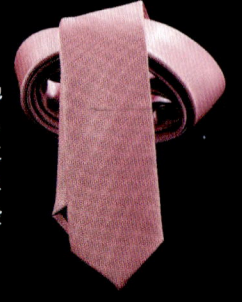

▶ アニリン自体は染料ではありませんが、多くの有機染料を作る際の出発点になります。BASFの社名（バーディッシェ・アニリン・ウント・ゾーダ・ファブリーク）にも入っています。バーディッシェはドイツのバーデン・ヴュルテンベルク州に由来し、アニリンはこの分子、ゾーダは重曹（重炭酸ソーダ）、ファブリークは工場という意味です。今のBASFは極めて多様な製品を作っていますが、150年前に何が重要だったかが、この社名からわかるでしょう。

▶「アクアシェード」という商品名の液体を4ガロン（約15リットル）入れるだけで、うちの池の水400万ガロン（1万5000立方メートル）がきれいな青緑色になります。染料成分はアクアシェード液の15%（重量比）にすぎません。この製品に含まれる2種類の染料の組み合わせは、藻が光合成に使うのとまったく同じ波長の光を吸収して、藻の成長を阻害します。藻を毒で殺すのではなく、水で陰を作って、藻のエネルギー源の太陽光を遮断するのです。

▼ エリオグラウシン（ブリリアントブルー、青色1号）はたくさんの環を持つごちゃごちゃした分子で、青いアイスクリームなどで人気の食用青色着色料です。私は池の水の着色に使っています。

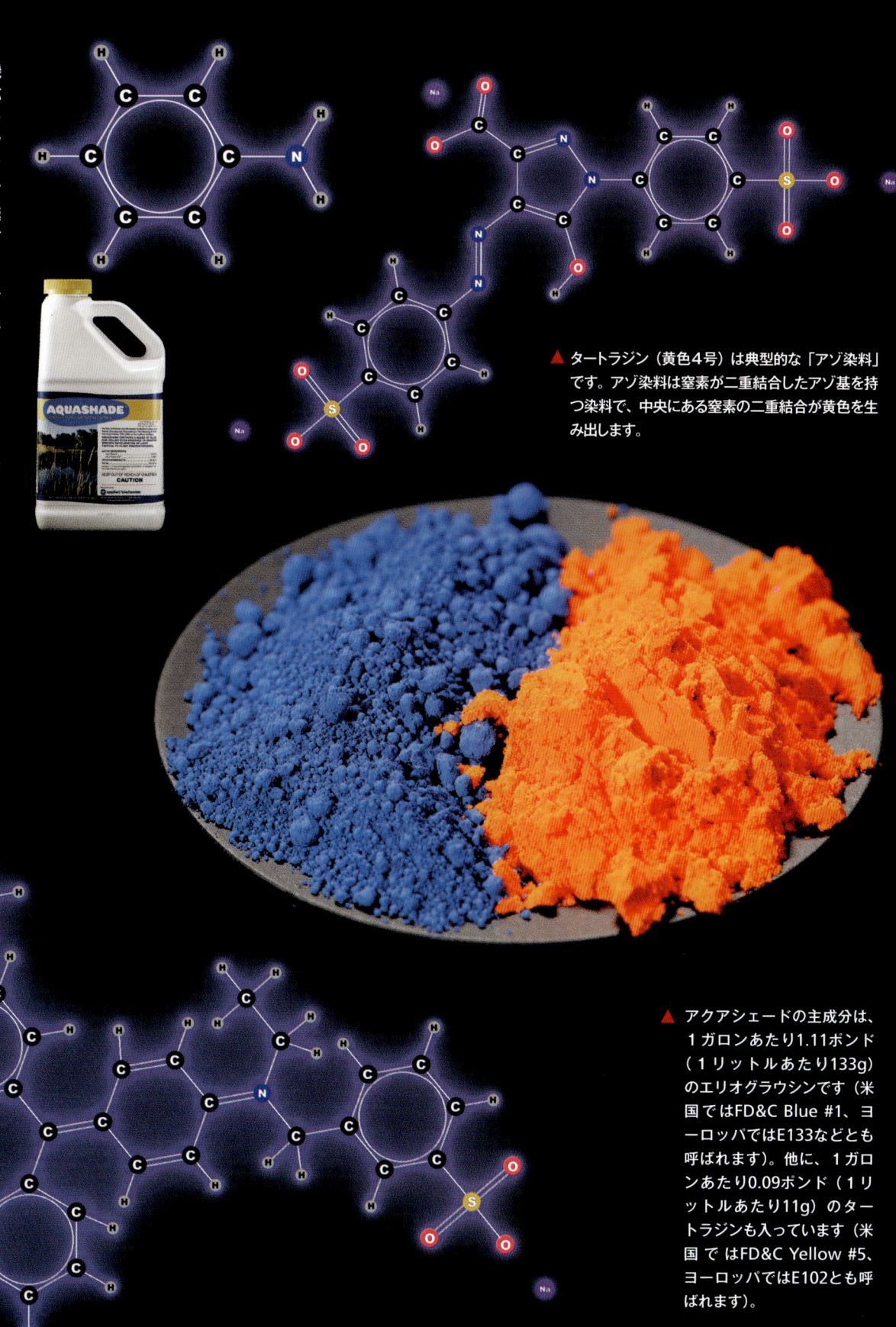

▲ タートラジン（黄色4号）は典型的な「アゾ染料」です。アゾ染料は窒素が二重結合したアゾ基を持つ染料で、中央にある窒素の二重結合が黄色を生み出します。

▲ アクアシェードの主成分は、1ガロンあたり1.11ポンド（1リットルあたり133g）のエリオグラウシンです（米国ではFD&C Blue #1、ヨーロッパではE133などとも呼ばれます）。他に、1ガロンあたり0.09ポンド（1リットルあたり11g）のタートラジンも入っています（米国ではFD&C Yellow #5、ヨーロッパではE102とも呼ばれます）。

いろいろな色の化学物質　**203**

ドイツが作ったカラフル分子

▶ この見開きで紹介する有機染料の大部分は、グラスに垂らす前に、あらかじめ原液をかなり薄めてあります。そうしないとグラスの水がたちまち真っ黒になってしまうからです。

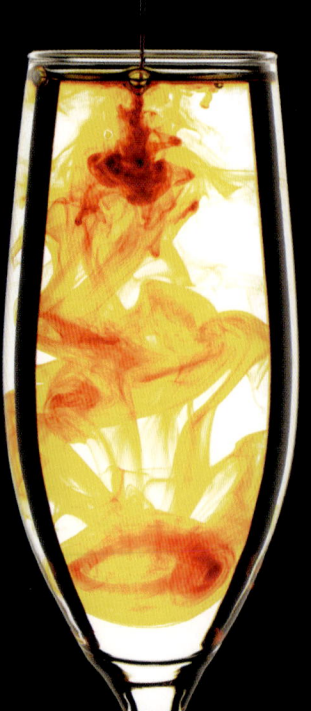

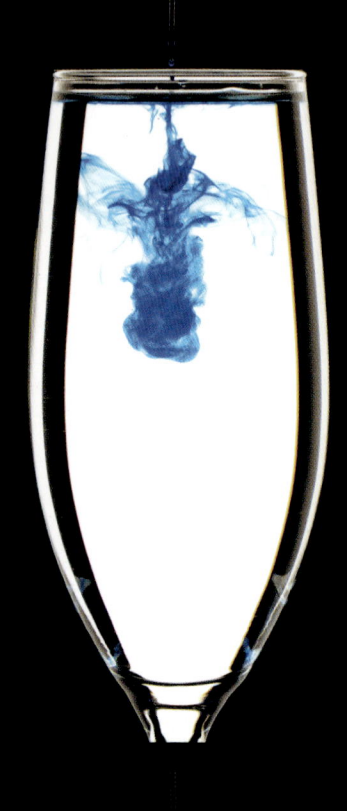

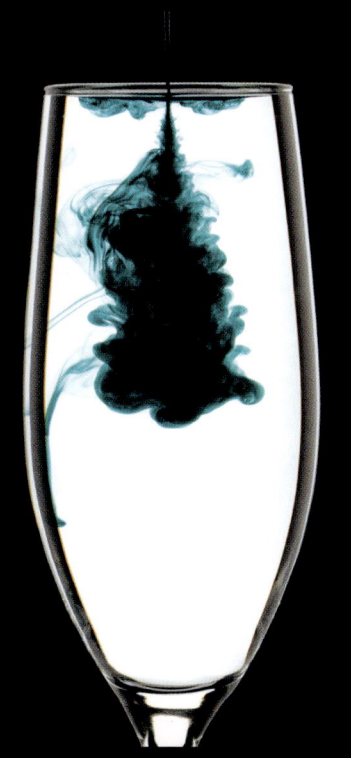

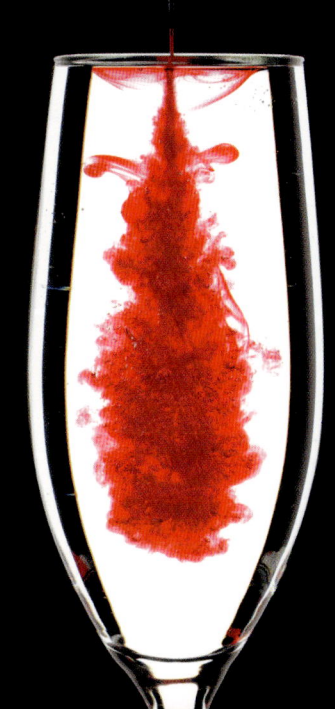

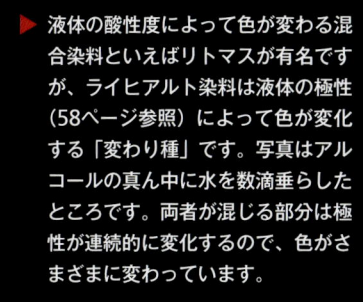

▶ 液体の酸性度によって色が変わる混合染料といえばリトマスが有名ですが、ライヒアルト染料は液体の極性（58ページ参照）によって色が変化する「変わり種」です。写真はアルコールの真ん中に水を数滴垂らしたところです。両者が混じる部分は極性が連続的に変化するので、色がさまざまに変わっています。

▼ ライヒアルト染料の分子は最初わずかに極性を持っていますが、光子を吸収すると1個の電子が分子のプラス側へ向かって移動して、全体の極性が下がります。そのために必要なエネルギー（すなわち必要な光の色）は、分子が溶けている溶媒の極性が高いか低いかに左右されます。私はこのことを利用してきれいな色の写真を撮りましたが、この分子は科学研究の世界でもっとずっと重要な仕事をしています。これを使えば、生きた細胞のどの部分の極性が高い（あるいは低い）かを顕微鏡レベルで知ることができるのです。ほとんど不可能に思えるような測定です。細胞を構成する分子のなかへ分け入って、その極性を測り、色で測定結果を通信してくれるライヒアルト染料は、まるでナノロボット探査マシンのようです。

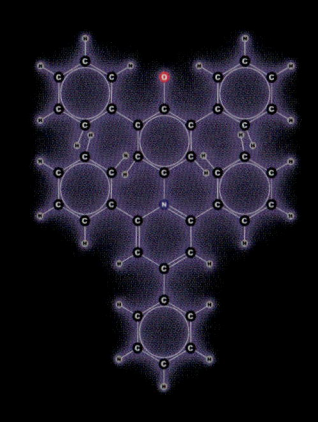

▲ なんとあさはかな私。天然有機色素の例にしようとこのアカシアの根の粉を注文した時には、これが色素というよりも皮なめし剤だとは知りませんでした。もっと愚かなのは、この粉には正規の用途以外に違法薬物の前駆物質という使い方があるのを知らなかったことです。私の名前は当局のブラックリストに載ったに違いありません。

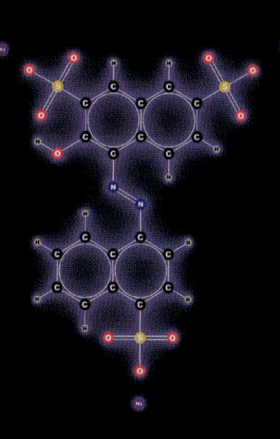

▲ アマランスという着色料は、詩的な名に反して、人工食品着色料の評判を大きく傷つけました。別名を赤色2号といい、騒動と非難の集中砲火を受けて1976年に〔米国では〕禁止されました。非難の少なくとも一部は事実を語っていたのでしょうが、どれが当たっていたのかはわかりません。〔日本では今も使用されています。〕

いろいろな色の化学物質

食べても大丈夫な色素

　食品への着色はあまり評判が良くありません。もしかしたら有害かもしれない化学物質を恣意的に食べ物に添加する行為のように見えるからです。1976年に米国で赤色2号が禁止された後も、着色料一般への疑念は晴れませんでした。けれども、多くの「食品着色料」は、実は「ある食べものに由来する色を他の食べ物に入れている」のです。害があるかもしれませんがそれはもともとそうなのであり、元の食べ物に入っている時と有害性は同じです。元の食べ物にそれが入っている点に文句を言う人はいません。

　食品用の着色料には、合成着色料もあれば、天然に鉱物として存在する着色料もありますが、関心の対象になる性質は比較的限られています。着色料は食品の味に影響を及ぼしてはいけません。味覚は非常に敏感な感覚ですから、一般に、食品に添加できるのは微量でも極めて強烈に色のつく化合物だけです。何かの物質を100万分の1～3くらい添加する程度なら、たとえ有害物だったとしても問題になるような影響は出ません。食品には、合成と天然とを問わずもっと別のものが多種類・大量に含まれていますから、たぶん害をなす可能性はそれらの方が高いでしょう。

　とはいえ、口に入れたり皮膚に塗ったりするものの安全性試験に特別な力を入れるのは当然です（皮膚に塗る方は食べ物に比べると安全基準がいくらか緩いのですが）。

▶ 家庭で作る料理やケーキのデコレーション用として消費者が手にする食用着色料は、希釈した溶液または増量剤を加えた粉末です（そうやって薄めてあっても極めて強力です）。純粋な形態の食用色素はほとんどすべて粉末です。

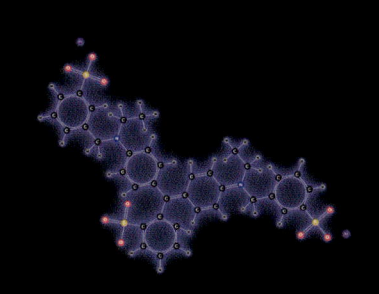

▲ エリオグラウシン（青色1号） 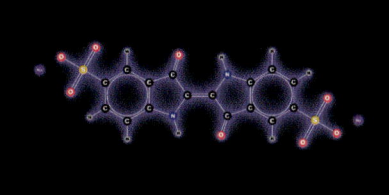　　▲ インジゴカルミン（青色2号） 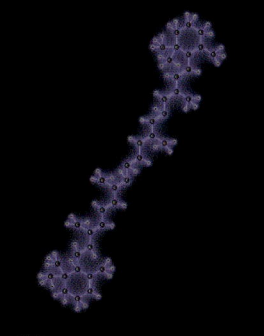　　▲ α-カロテン 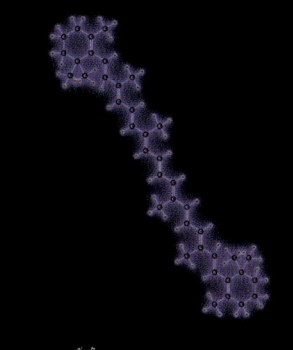　　▲ β-カロテン

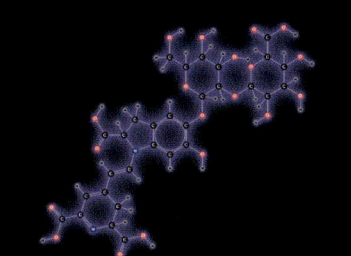

▲ ベタシアニン　　▲ ベタキサンチン　　▲ 二酸化チタン

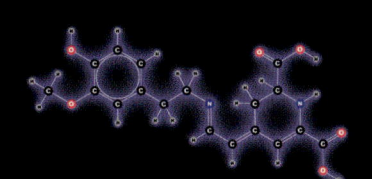

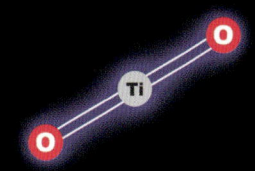

◀ ここに挙げた加工食品用の着色料には一部に合成品もありますが、多くはニンジンやビーツなどから採った天然物質です。合成品も天然品も基本的に使い方は同じ、使用目的も同じです。二酸化チタンは毛色が違い、まったくの無機化合物で、色を付けるためではなく不透過性を買われて使われています。二酸化チタンを添加するとどの色も"白を混ぜた状態"になります。ですから、食品だけでなく塗料にも広く使われています。

◀ 通常のマニキュア液のベースは、ニトロセルロースラッカーをアセトンで希釈したものです（マニキュア除光液としてアセトンを使うのも、アセトンがニトロセルロースを溶かすからです）。面白いことにニトロセルロースの別名は綿火薬といい、純粋な形では火薬並みの爆発性があります。また、アセトンは最も引火性が高い溶媒のひとつです。マニキュアを塗る時、あなたは自らの命運を文字通り自分の手に握っているわけです。

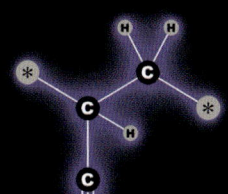

◀ アクリルのモノマー

▼ アクリルのポリマーはニス、接着剤、光重合のジェルネイルなどに広く使われています。

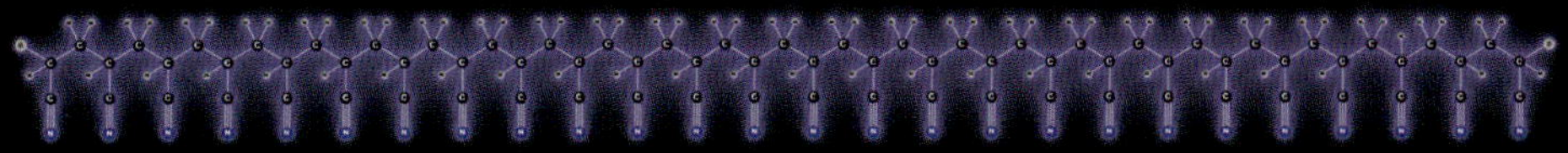

▲ 化粧品への色素の使用基準は食品用よりはいくらか緩いのですが、化粧品用色素もおおむね毒性なしと判定されていなければ使えません。微量でも身体に吸収される可能性があるからです。

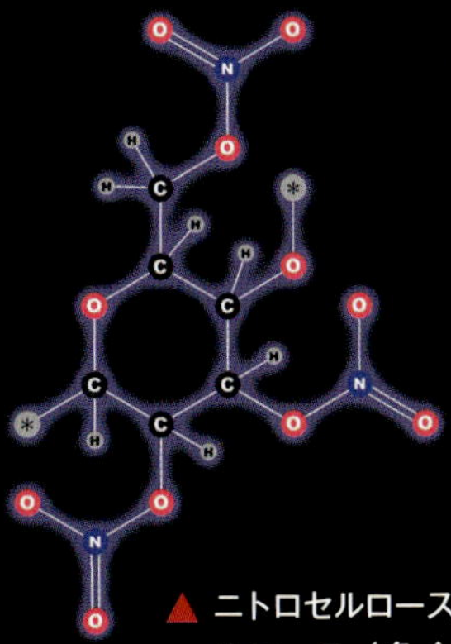

▶ ニトロセルロースのモノマー

▼ ニトロセルロースのポリマー

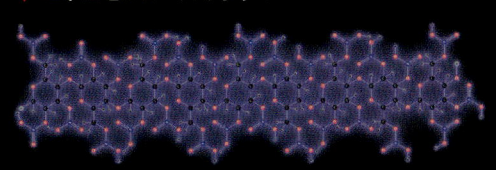

◀ ニトロセルロースはセルロース（多くの植物繊維の基本となるポリマー）に似ていますが、セルロースのOH基の部分が硝酸エステル〈-ONO₂〉になっている点が違い、この相違によって爆発性が生じます。

▶ ジェルネイルと呼ばれるタイプのマニキュアは、メタクリル酸のニス（アクリルの一種）を塗って紫外線（時には青色光）で硬化させます。ネイルサロンでは強力な光照射装置、家庭ではLEDランプが使われます。この反応は、なぜ有機染料がなかなか高い色堅牢度を実現できないか（色あせるか）の格好の見本になります。太陽光には紫外線がたくさん含まれていて、紫外線の光子が持つ高いエネルギーは多くの有機分子に化学変化を起こさせるのです。ポリマーになるべき分子が紫外線の光子の作用で結合してジェルが固まるのはよいことです。染料の色を形成している結合を光子が壊して色があせてしまうのは困ったことです。

いろいろな色の化学物質　**207**

食べても大丈夫な色素

α-およびβ-カロテン
リコペン
ルテイン

シアニジン-3-グルコシド
ペラルゴニジン-3-グルコシド

シアニジン-3-ソホロシド
シアニジン-3-(2-グルコシルルチノシド)

ルテイン、ゼアキサンチン
β-クリプトキサンチン
α-およびβ-カロテン

ルテイン
クロロフィルaおよびb

リコペン、フィテン
β-およびζ-カロテン

β-カロテン
ζ-カロテン

クロロフィルaおよびb、β-カロテン
ルテイン、ビオラキサンチン

フィトフルエン
ζ-カロテン、β-クリプトフラビン
ムタトキサンチン

ブルガキサンチン

カプサンチン
β-カロテン
ビオラキサンチン
クリプトキサンチン

β-カロテン
β-アポカロテナール

α-およびβ-カロテン、ルテイン

β-カロテン
ζ-カロテン

ベタニン

ビオラキサンチン
ゼアキサンチン
ルテイン
β-クリプトキサンチン

シアニジン-3-ガラクトシド

シアニジン-3-(シナポイルキシロシルグルコシル)ガラクトシド

クロロフィルa
クロロフィルb

ルテイン、β-カロテン
クロロフィルaおよびb、ゼアキサンチン

クロロフィルaおよびb
ルテイン
ビオラキサンチン
ルテオキサンチン

β-クリプトキサンチン
β-カロテン

リコペン
α-およびβ-カロテン
β-クリプトキサンチン

β-カロテン、リコペン

ルテイン
β-カロテン

デルフィニジン-3-グルコシド
ペラルゴニジン-3-グルコシド

シアニジン-3-グルコシド
シアニジン-3-ルチノシド

ルテイン
β-カロテン
クロロフィルaおよびb

シアニジン-3-O-マロニルグルコシド

▲ 自然の食べ物にはあらゆる種類の色があります。鮮やかな色の果物や野菜は可視光スペクトルのほぼすべての色に広がっています。クロロフィルの明るい緑、シアニジンの深く強い赤、デルフィニジングルコシドとペラルゴニジングルコシドの紫がかった青、そしてそれらの中間のさまざまな色合い。おそらく果実の色として見られないのは真っ青な色だけです。(話のついでに書き添えるなら、真冬にイリノイ州中部の店でこの写真の野菜や果物すべてをそこそこの値段で買い揃えられるのは、現代の流通業の力の証明にほかなりません。)

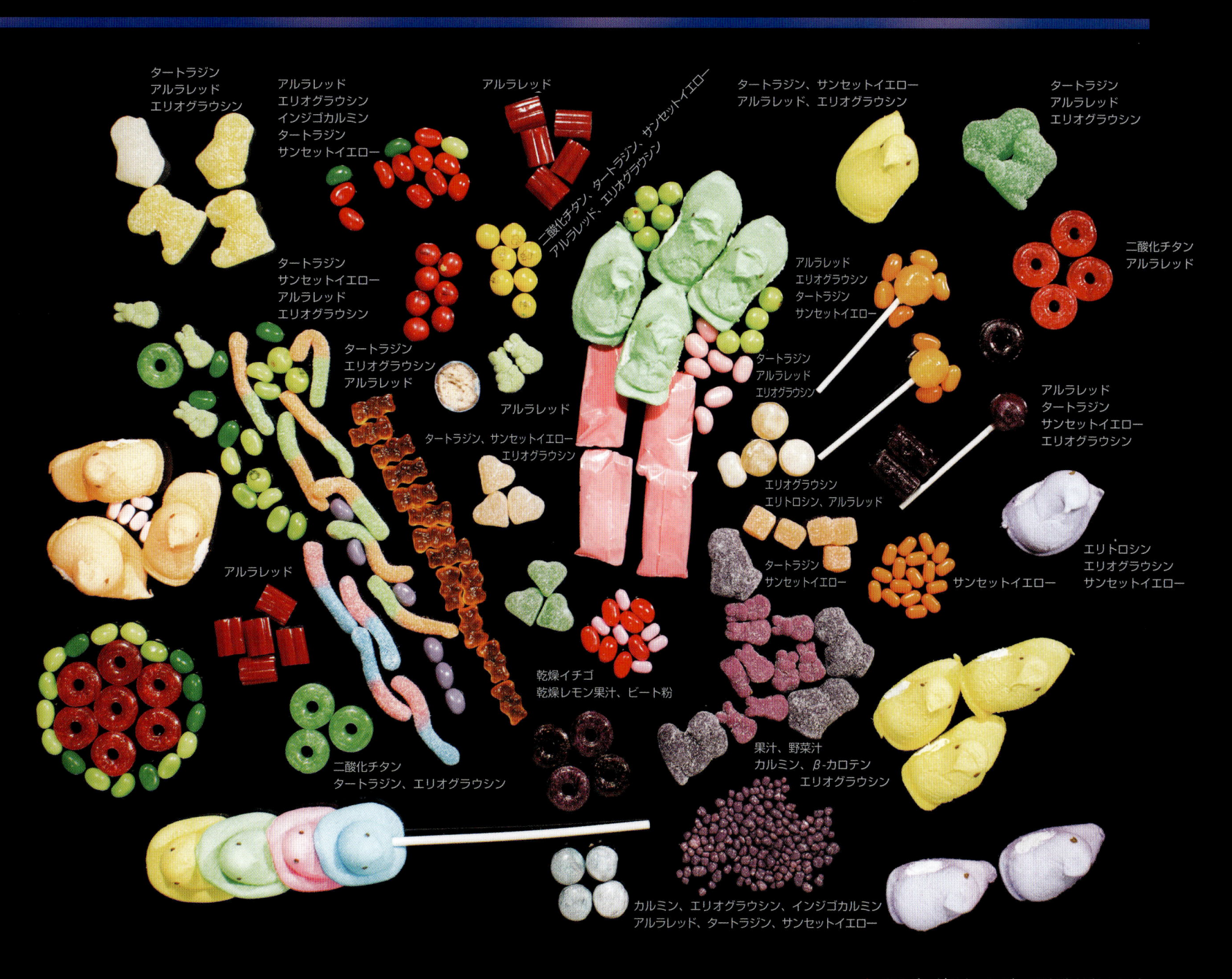

タートラジン
アルラレッド
エリオグラウシン

アルラレッド
エリオグラウシン
インジゴカルミン
タートラジン
サンセットイエロー

アルラレッド

二酸化チタン、タートラジン、サンセットイエロー
アルラレッド、エリオグラウシン

タートラジン、サンセットイエロー
アルラレッド、エリオグラウシン

タートラジン
アルラレッド
エリオグラウシン

タートラジン
サンセットイエロー
アルラレッド
エリオグラウシン

アルラレッド
エリオグラウシン
タートラジン
サンセットイエロー

二酸化チタン
アルラレッド

タートラジン
エリオグラウシン
アルラレッド

タートラジン
アルラレッド
エリオグラウシン

アルラレッド
タートラジン
サンセットイエロー
エリオグラウシン

アルラレッド

タートラジン、サンセットイエロー
エリオグラウシン

エリオグラウシン
エリトロシン、アルラレッド

アルラレッド

タートラジン
サンセットイエロー

エリトロシン
エリオグラウシン
サンセットイエロー

サンセットイエロー

乾燥イチゴ
乾燥レモン果汁、ビート粉

果汁、野菜汁
カルミン、β-カロテン
エリオグラウシン

二酸化チタン
タートラジン、エリオグラウシン

カルミン、エリオグラウシン、インジゴカルミン
アルラレッド、タートラジン、サンセットイエロー

▲ このページのキャンディのけばけばしい不自然な色は自然への冒瀆のように思えますが、同様の色の多くは自然の果物でも見られます。果物にないのはピープス〔ヒヨコ型のマシュマロ菓子〕の紫色だけです。

いろいろな色の化学物質 **209**

食べても大丈夫な色素

▶ 天然の食品の色素は、合成着色料よりも分子が大きいのが普通です。天然の色素の中には、単に色を付ける以外に重要な役割を果たしているものがいくつかあります（たとえばクロロフィル〔葉緑素〕は光のエネルギーから化学エネルギーを生み出します）。体内でビタミンAに変わる β-カロテンのように、健康に良い色素もあります。一方、ベタニン（ビートの赤色）のように、大量に摂取すると害をなす可能性を持つものもあります。

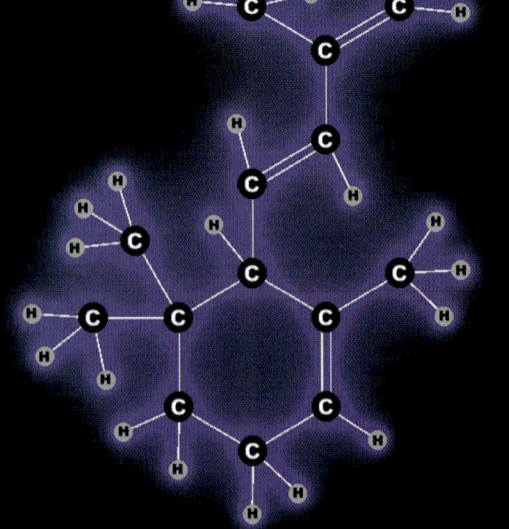

▶ α-カロテン

▲ エリトロシン（赤色3号）

▲ β-カロテン

▲ アルラレッド（赤色40号）

▲ タートラジン（黄色4号）

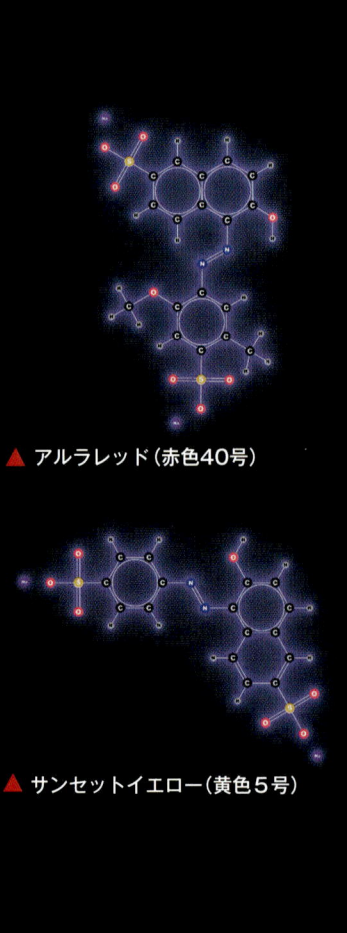

▲ サンセットイエロー（黄色5号）

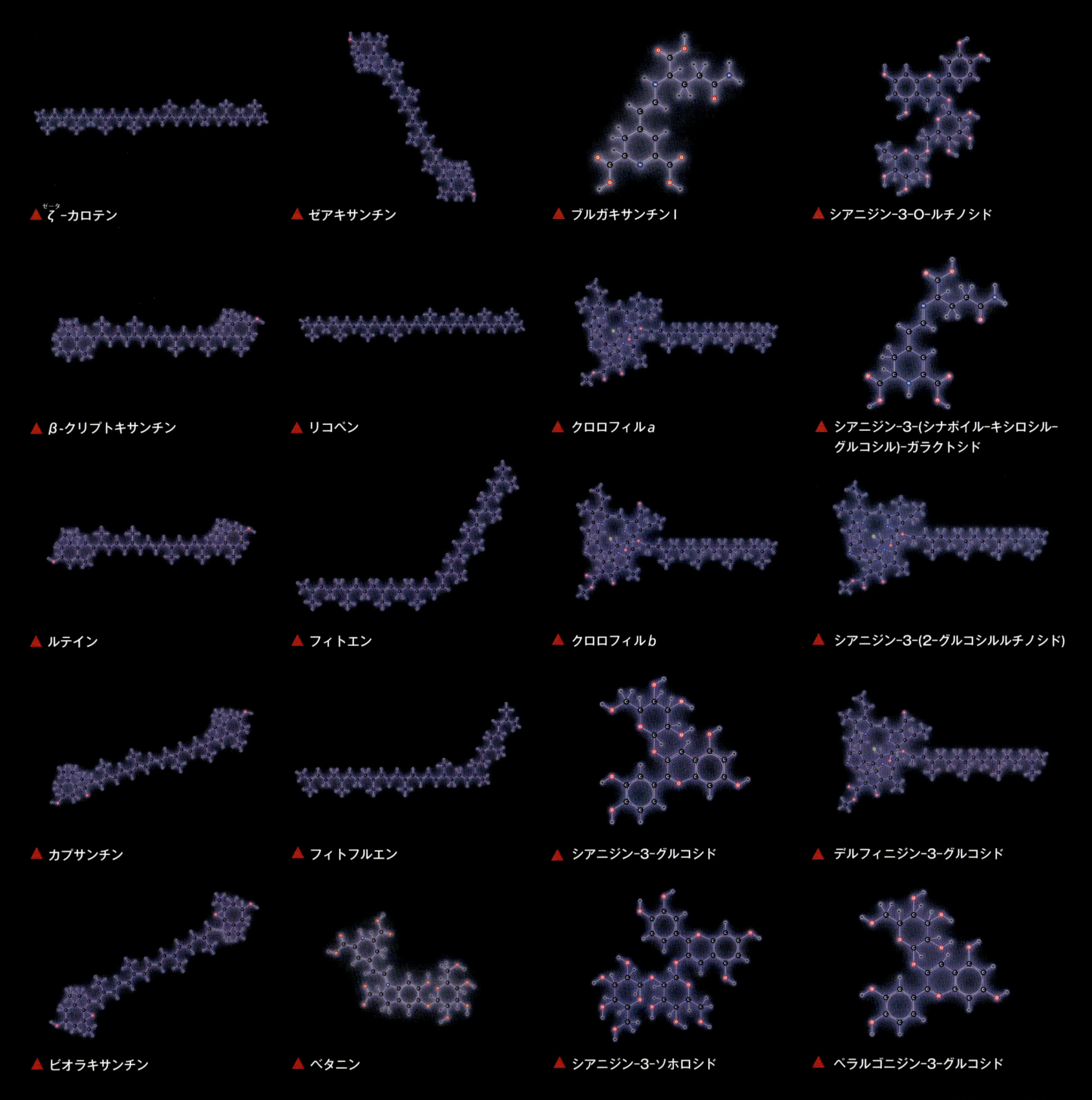

▲ ζ(ゼータ)-カロテン   ▲ ゼアキサンチン   ▲ ブルガキサンチン I   ▲ シアニジン-3-O-ルチノシド

▲ β-クリプトキサンチン   ▲ リコペン   ▲ クロロフィル a   ▲ シアニジン-3-(シナポイル-キシロシル-グルコシル)-ガラクトシド

▲ ルテイン   ▲ フィトエン   ▲ クロロフィル b   ▲ シアニジン-3-(2-グルコシルルチノシド)

▲ カプサンチン   ▲ フィトフルエン   ▲ シアニジン-3-グルコシド   ▲ デルフィニジン-3-グルコシド

▲ ビオラキサンチン   ▲ ベタニン   ▲ シアニジン-3-ソホロシド   ▲ ペラルゴニジン-3-グルコシド

いろいろな色の化学物質

芸術家の色

　有機染料の多くに共通する昔からの問題点は、光で色があせることです。有機染料は可視光のエネルギーを反射させたり屈折させたり素通りさせたりするよりも、むしろ吸収します。そして、まさにその光によってダメージを受け、歳月とともに変色します。天然の色はデリケートな構造から生み出されており、その構造が壊れたら色が失われるのです。

　しかし、選択的に光を吸収することは、別の方法でも可能です。無機化合物の結晶構造を通じて生まれるエネルギーレベルを利用する方法です。結晶は決まった形に配列されていますから、その色素は、光によって受けるダメージがほとんどゼロです。たとえ光が原子をもとあった場所から移動させたとしても、原子はそんなに遠くへは行けません。結晶の論理に従い、原子はもとの場所に戻らざるを得ないのです。

　画家が油絵やフレスコ画などの永続的な芸術作品を生み出そうとして使う古典的な顔料は、しばしば単純な無機化合物でできています。それらは、化合物の基本的な組成が固定されている限り、決して変色せず色あせません。

　問題は、無機顔料からは限られた範囲の色しか作れないという点です。特に、明るくて強い色はあまりありません。数少ない鮮やかな無機顔料は、美しい色の石を微粉末にしたものです。そして、色のきれいな石は、別名を「宝石」か「半貴石」といいます。ですから、鮮やかな色の顔料には、たとえばラピスラズリのように非常に高価で金持ちでなければ使えないものもあったのです――可視光の全領域の色が出せる各種の合成有機染料が開発されるまでは。

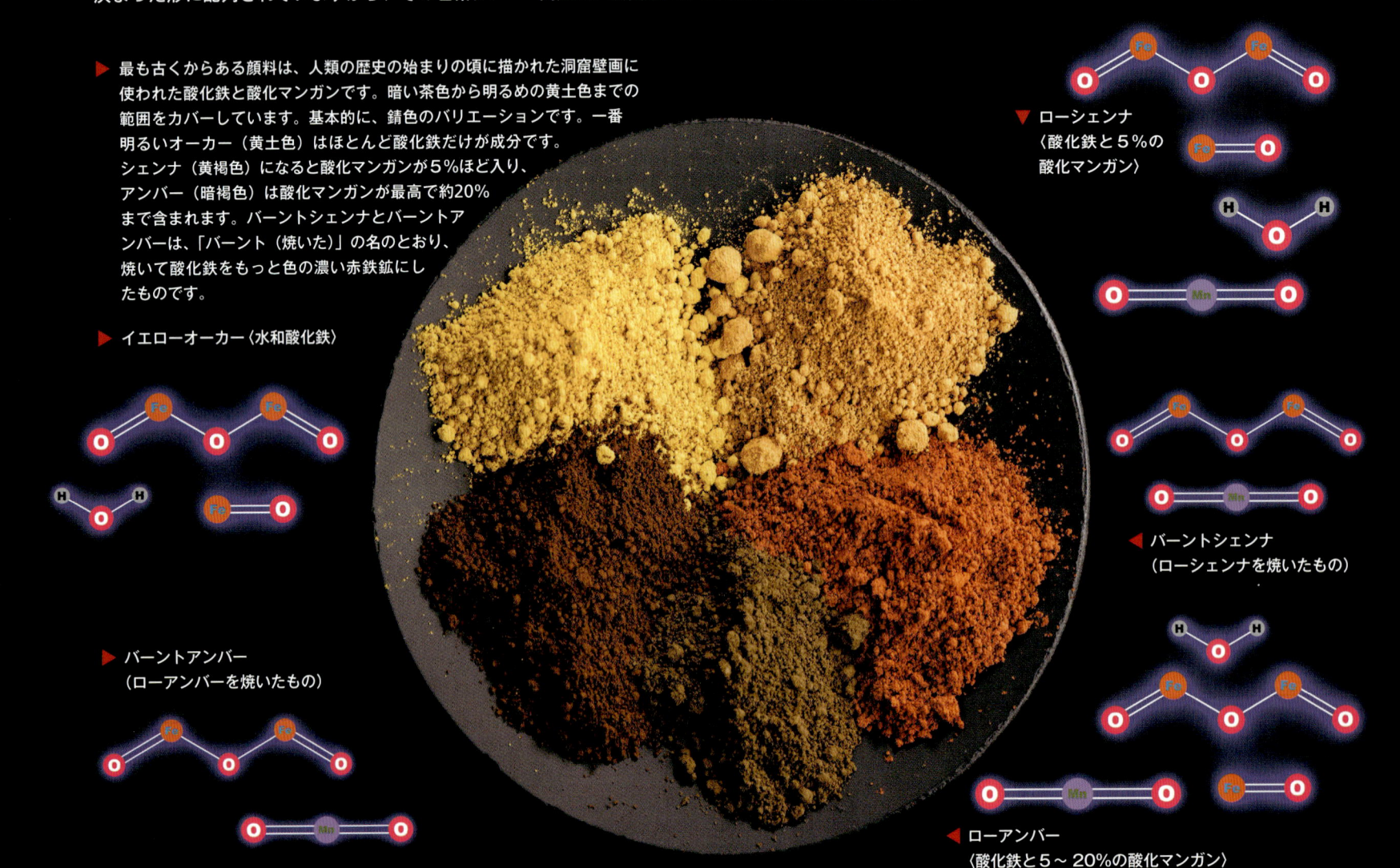

▶ 最も古くからある顔料は、人類の歴史の始まりの頃に描かれた洞窟壁画に使われた酸化鉄と酸化マンガンです。暗い茶色から明るめの黄土色までの範囲をカバーしています。基本的に、錆色のバリエーションです。一番明るいオーカー（黄土色）はほとんど酸化鉄だけが成分です。シェンナ（黄褐色）になると酸化マンガンが5％ほど入り、アンバー（暗褐色）は酸化マンガンが最高で約20％まで含まれます。バーントシェンナとバーントアンバーは、「バーント（焼いた）」の名のとおり、焼いて酸化鉄をもっと色の濃い赤鉄鉱にしたものです。

▶ イエローオーカー〈水和酸化鉄〉

▶ バーントアンバー（ローアンバーを焼いたもの）

▼ ローシェンナ〈酸化鉄と5％の酸化マンガン〉

◀ バーントシェンナ（ローシェンナを焼いたもの）

◀ ローアンバー〈酸化鉄と5～20％の酸化マンガン〉

▼ 無機物のパレットに入っている数少ない鮮やかな色の中には、金属塩と金属酸化物がいくつかあります。ゴッホが黄色い花の絵をたくさん描いたのは、黄色い花が好きだったことの他に、彼が利用できた鮮やかな色の絵の具がカドミウムイエローくらいだったのも理由かもしれません。カドミウムイエローは毒性が強いのですが、芸術というものは……。

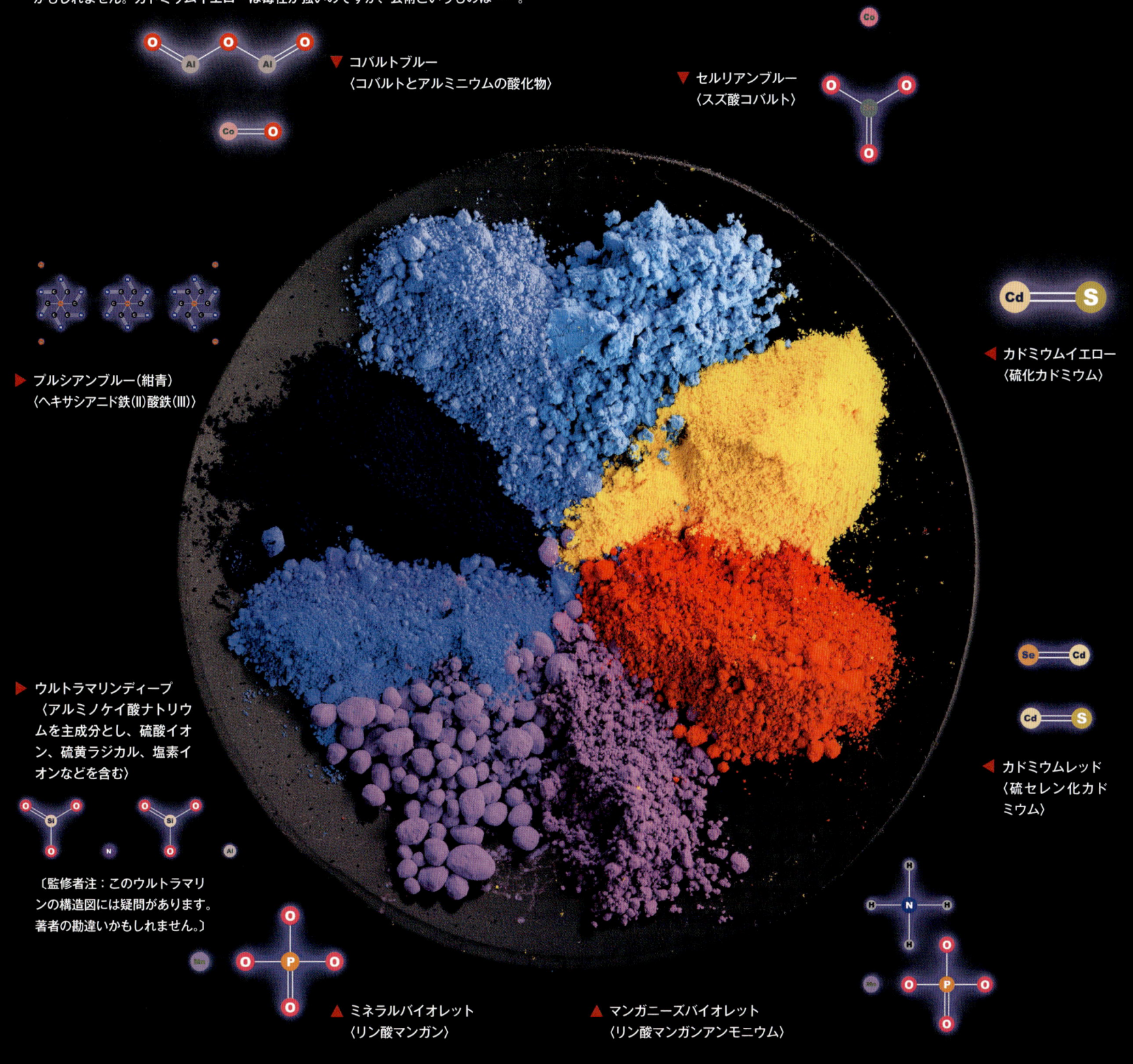

▼ コバルトブルー
〈コバルトとアルミニウムの酸化物〉

▼ セルリアンブルー
〈スズ酸コバルト〉

▶ プルシアンブルー（紺青）
〈ヘキサシアニド鉄(Ⅱ)酸鉄(Ⅲ)〉

◀ カドミウムイエロー
〈硫化カドミウム〉

▶ ウルトラマリンディープ
〈アルミノケイ酸ナトリウムを主成分とし、硫酸イオン、硫黄ラジカル、塩素イオンなどを含む〉

◀ カドミウムレッド
〈硫セレン化カドミウム〉

〔監修者注：このウルトラマリンの構造図には疑問があります。著者の勘違いかもしれません。〕

▲ ミネラルバイオレット
〈リン酸マンガン〉

▲ マンガニーズバイオレット
〈リン酸マンガンアンモニウム〉

いろいろな色の化学物質　213

芸術家の色

▶ かつては、鮮やかな色の主な原料は半貴石でした。ラピスラズリなど一部の半貴石は非常に高価でしたから、それを使った絵の具は絵の中で最も重要な人物にだけ使われました。方鉛鉱、辰砂、鶏冠石はそれぞれ鉛塩、水銀塩、ヒ素塩が成分なので、絵の具に美しい色と毒性の両方を与えました。

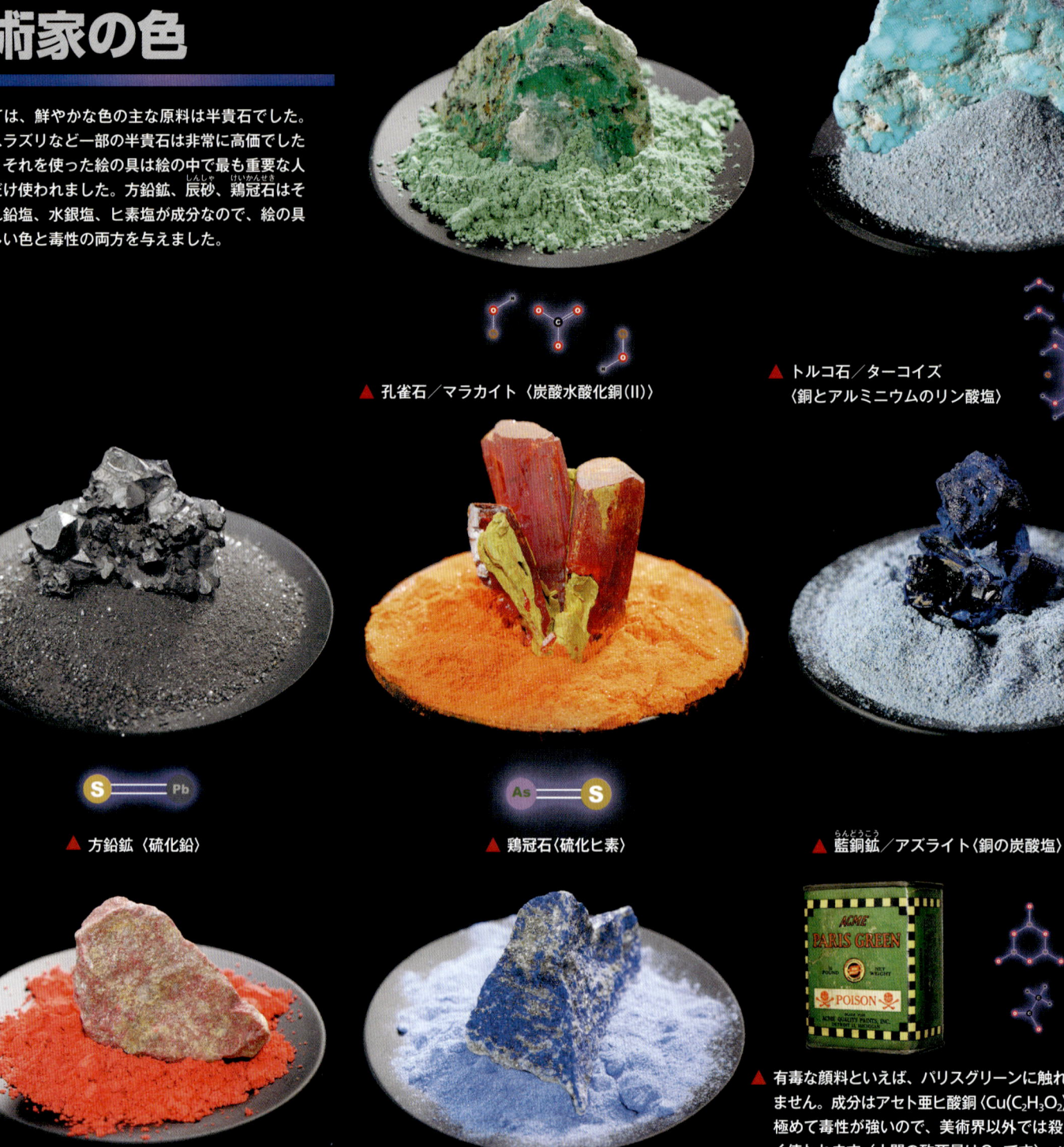

▲ 孔雀石／マラカイト〈炭酸水酸化銅(II)〉

▲ トルコ石／ターコイズ〈銅とアルミニウムのリン酸塩〉

▲ 方鉛鉱〈硫化鉛〉

▲ 鶏冠石〈硫化ヒ素〉

▲ 藍銅鉱／アズライト〈銅の炭酸塩〉

▲ 辰砂〈硫化水銀〉。顔料としては朱色やバーミリオンと呼ばれます。

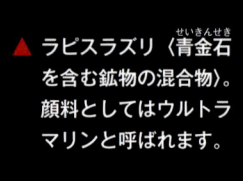

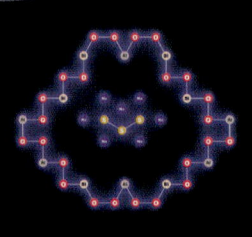

▲ ラピスラズリ〈青金石を含む鉱物の混合物〉。顔料としてはウルトラマリンと呼ばれます。

▶ 有毒な顔料といえば、パリスグリーンに触れないわけにはいきません。成分はアセト亜ヒ酸銅〈$Cu(C_2H_3O_2)_2 \cdot 3Cu(AsO_2)_2$〉で、極めて毒性が強いので、美術界以外では殺虫剤や殺鼠剤によく使われます（人間の致死量は2gです）。パリスグリーンとその親戚であるシェーレグリーンはヴィクトリア時代のイギリスで壁紙に使われ、多くの人を病気や死に追いやりました。流行の緑色の壁紙は、湿気とカビによって成分が分解されて空気中に毒を放出したのです。治療法？　壁紙から毒が出る部屋を出て、空気の乾燥した保養地へ行くことです。

▶ 黒檀（エボニー）と象牙（アイボリー）はピアノの黒鍵と白鍵として並んでいますが、顔料の世界には黒いアイボリーもあります。アイボリーブラックといっても、本物の象牙を焼いて漆黒になるまで炭化させて作られたものは今も昔もめったにありません。現在、ほとんどのアイボリーブラックは骨を炭化させて作られ、しかも象の骨ですらありません。よく似た顔料は黒鉛や煤からも作られますが、このふたつはほぼ純粋な炭素です（骨炭と象牙炭にはリン酸塩も含まれています）。白色顔料にはいくつかの選択肢があり、群を抜いて一般的なのは二酸化チタンです。二酸化チタンは多くの塗料に使われています。白いからではなく、塗料を不透明にする役に立つからです。「カバー力（りょく）が高い」と謳っているペンキは、どんな色であれ、二酸化チタンをたくさん含んでいる可能性があります。

▼ 二酸化チタン

▼ アイボリーブラック〈炭素〉黒鉛

▼ 伝統的な中国の水彩絵の具（顔彩（がんさい））は、天然のさまざまな有機・無機顔料と、紙への定着を助ける固着剤を練り混ぜて固めたものです。この様式の芸術表現が2000年以上の伝統にのっとっていることを考えれば、顔料とは本来の定義では古代に源を持つものと言えます。それだけに、幅広い鮮やかな色が並ぶこのパレットは一層印象的です。

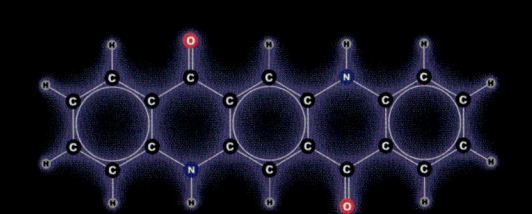

▲ 酸化亜鉛　　▲ 炭酸カルシウム

▲ キナクリドンの分子構造は安定して見えますし、実際に安定です。こうした環構造はどれも、分子の世界の頑丈な構成員です。環は強く結合しており、他のものと反応しにくく、たとえ紫外線が相手でも光との相互作用を起こしません。それなのに、この分子は顔料のひとつです。

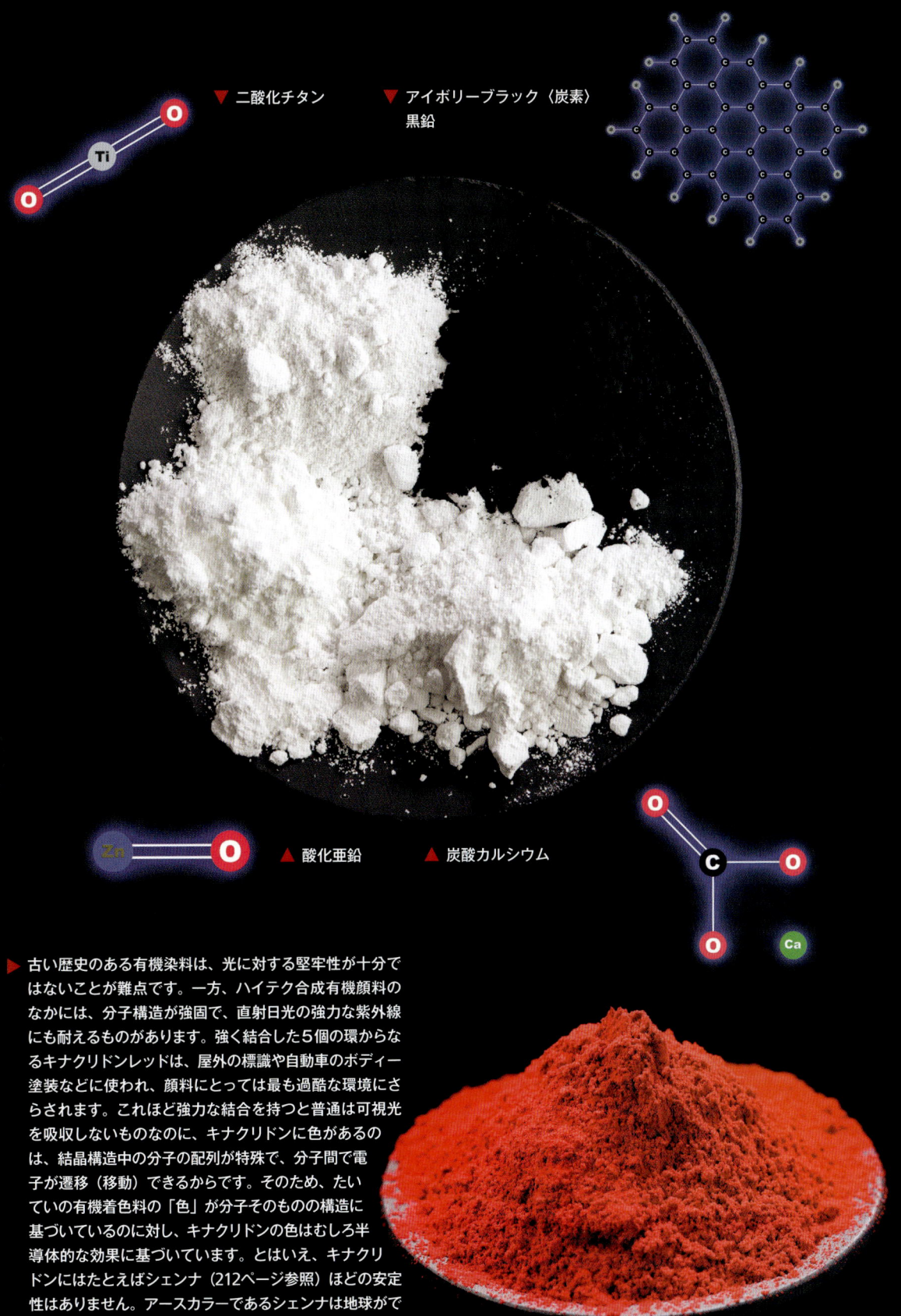

▶ 古い歴史のある有機染料は、光に対する堅牢性が十分ではないことが難点です。一方、ハイテク合成有機顔料のなかには、分子構造が強固で、直射日光の強力な紫外線にも耐えるものがあります。強く結合した5個の環からなるキナクリドンレッドは、屋外の標識や自動車のボディー塗装などに使われ、顔料にとっては最も過酷な環境にさらされます。これほど強力な結合を持つと普通は可視光を吸収しないものなのに、キナクリドンに色があるのは、結晶構造中の分子の配列が特殊で、分子間で電子が遷移（移動）できるからです。そのため、たいていの有機着色料の「色」が分子そのものの構造に基づいているのに対し、キナクリドンの色はむしろ半導体的な効果に基づいています。とはいえ、キナクリドンにはたとえばシェンナ（212ページ参照）ほどの安定性はありません。アースカラーであるシェンナは地球ができた時から存在した色であり、地球がある限り存在し続けるでしょうから。

いろいろな色の化学物質　**215**

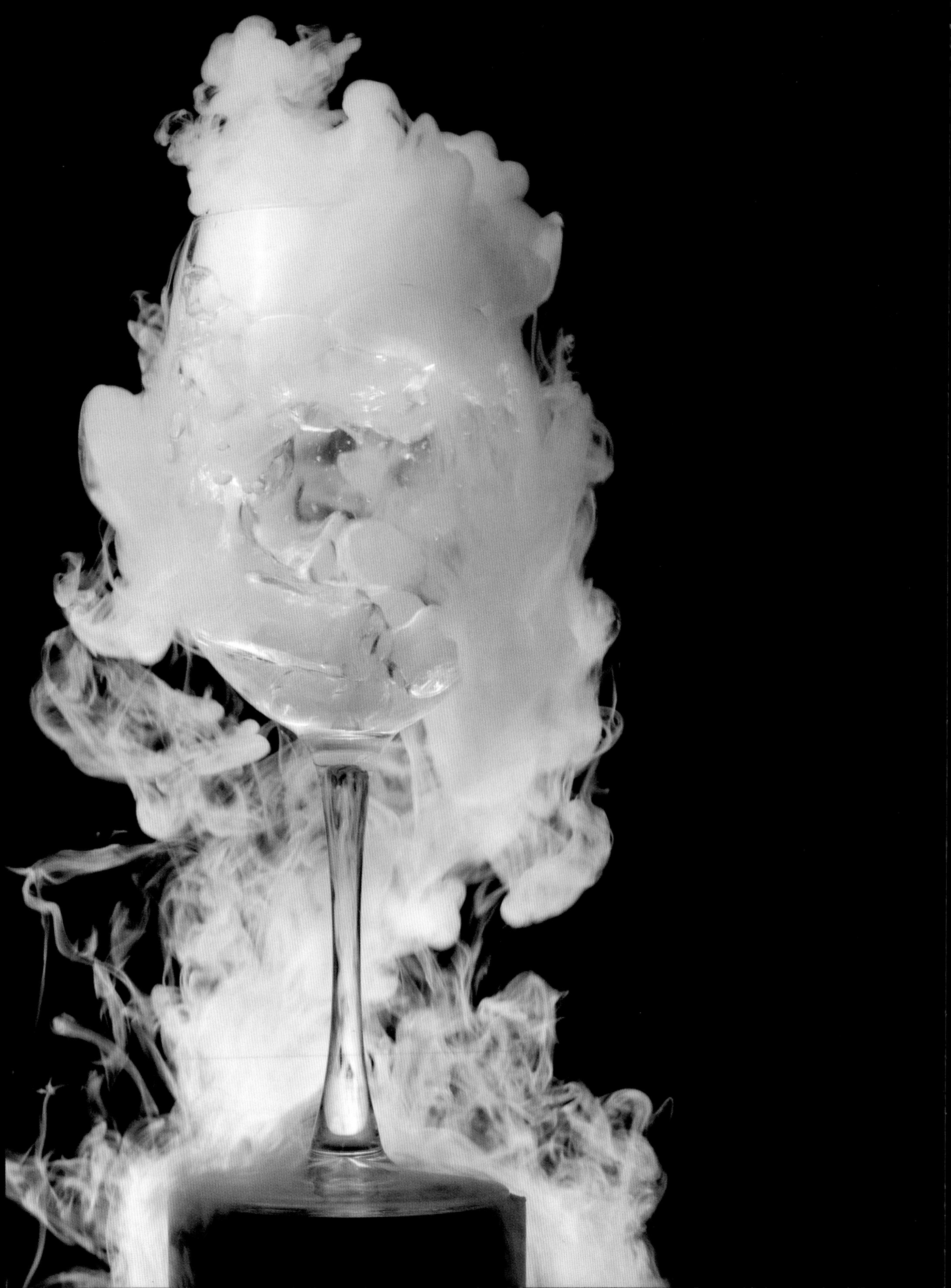

第13章 嫌われ者の分子

I Hate That Molecule

この章では、人々の大いなる怒りを買っている化合物をいくつか取り上げます。明らかに有害だから嫌われている化合物という意味ではありません。政治の駆け引きに巻き込まれ、その愚行のツケが何世代も残っていく化合物や、人間の本性の最悪の側面——強欲と目先のことしか考えない姿勢によって不正義や悲劇を招くこと——の見本のような化合物のことです。

21世紀初めに受難した分子の代表は、チメロサールです。ある種のワクチンに防腐・抗菌剤として添加されている分子です。問題の発端は、1998年に発表されたある研究が、幼少時のワクチン接種と自閉症に関係があると主張したことでした。この研究は信憑性が低く、当初から各方面で批判されていました。12年後に論文は掲載誌から撤回されましたが、親が乳幼児へのワクチン接種を控えようとする動きを止めるには遅すぎました。この騒動のせいで予防接種を受けず、そのために病気にかかって亡くなった子供の数がどれくらいだったかはわかりませんが、数百人、あるいは千人を超えるかもしれません。

チメロサールを含むワクチンを接種したために自閉症になった子供の数は、算出がずっと簡単です。ゼロであることがはっきり知られています。

◀ 水に入れたドライアイスから雲のような白煙とともにあふれ出す二酸化炭素。地球温暖化に関する議論を包むもやのようです。ドライアイスは、二酸化炭素が冷えて固まった固体です。

▶ あるとき、とある人々が自閉症児の増加原因の説明を探して、チメロサールに目を付けました。チメロサールは実際、とても怖そうな分子に見えます。中央にHgという原子がありますね。これは水銀です。もっと悪いことに、この水銀には有機基がいくつか結合しています。右側に付いているのはチオサリチル酸で、要するに硫黄原子を持つアスピリンです。本当に怖いのは左側で、これはエチル基（炭素2個）です。水銀と硫黄の結合を切ってしまえば、残るのはエチル水銀イオンです。こう聞いて特に何も感じないのなら、あなたは事態を十分理解していません。

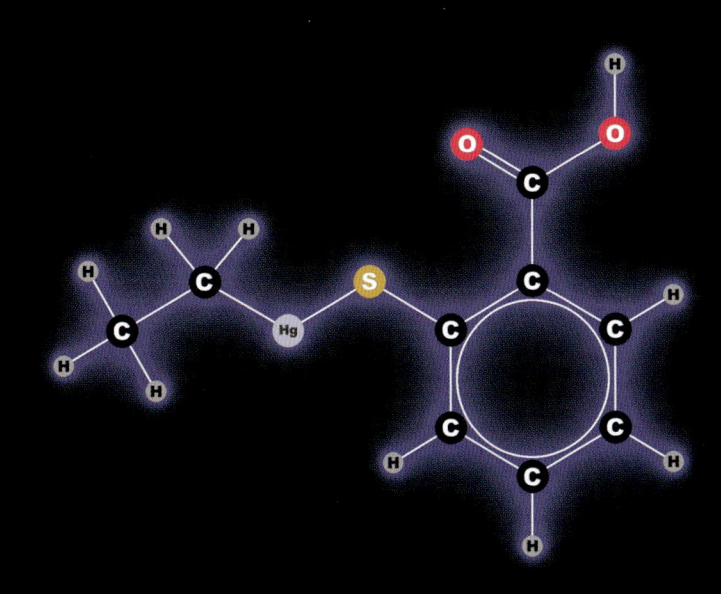

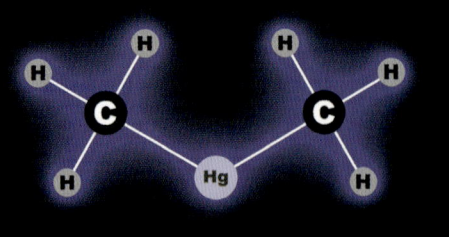

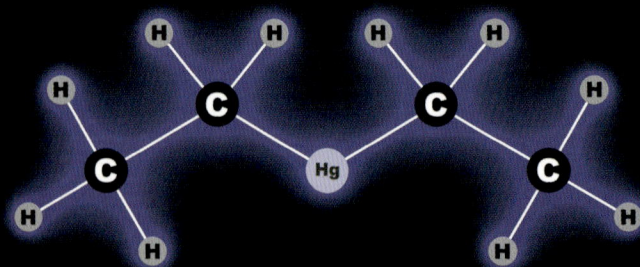

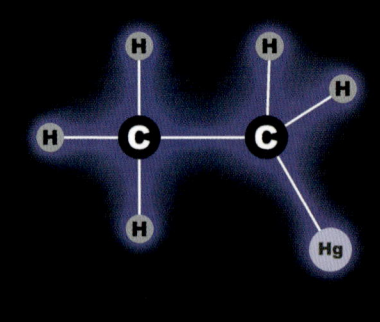

▲ ジメチル水銀とジエチル水銀は脳に蓄積し、低濃度でも神経系に重大な障害を引き起こします。ともに、知られている限り最も強力な神経毒性物質にランクされています。長い間体内にとどまって蓄積しますから、どんなにわずかな曝露でも問題です。また、動物の脂肪や筋肉組織にもたまります。石炭火力発電所などから排出される水銀の一部はこの種の化合物に変化し、食物連鎖の末に、たとえばマグロに入って人間のもとへ帰ってきます。ですから、環境への水銀の放出を規制するために大きな努力が払われるべきです。ただし、このどちらの物質もチメロサールからはできません。なんとなくできそうに見えるだけです。

▲ チメロサールが体内で分解されてできる物質のひとつがエチル水銀イオンです。これは恐ろしいことのように思えます。もしもこれがジエチル水銀やそれに類する有機水銀化合物に変化したら大変です。しかし、あらゆる研究が「そうはならない」ことを示しています。非常に詳細な調査研究が行われてきましたが、このイオンは数週間で体外に排出されることがかなり確実視されています。その程度の期間では、何年も環境中にとどまっている水銀と同様の変化を起こすには短すぎます。もちろん、長期にわたって大量のエチル水銀イオンを摂取し続けたいとは誰も思いません。一定量がずっと残って害を及ぼすかもしれないからです。けれども、一生に数回、ワクチンに含まれる少量だけが体内に入るなら？ 問題にはなりません。

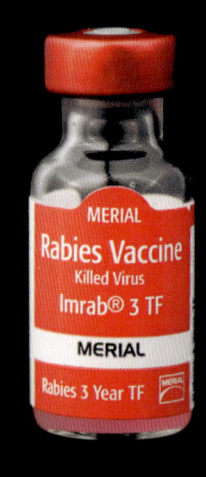

▲ まったく害がなさそうに見えるチメロサールですが、そもそもどうしてワクチンに入っているのでしょう？ なぜ、チメロサールを入れるのをやめて問題を片付けるわけにいかないのでしょう？ 1928年に、ジフテリアワクチン（チメロサール無添加）の接種を受けた子供21人のうち12人が細菌感染症で死亡しました。こうした事件には注目が集まります。チメロサールは、多人数分を1本のバイアルに入れたワクチンの活性を保ちつつ、開封後に危険な感染性微生物が混入して増殖するのを防げる、知られている限り唯一の物質でした（今でもそうです）。世界中の多くの人にコスト効率良くワクチン接種をしようとする際に、チメロサールを入れるか、入れないかの選択肢があるとします。後者を選べば、接種を受けた子供たちの中から、細菌感染による死者が出ることになります。チメロサールが入っていれば防げた死です。反ワクチン派の人々は予防接種自体をやめようと叫んでいますが、予防接種制度ができたのにはちゃんと理由があります。ワクチンができる前に、今なら予防が可能なジフテリアなどの病気でいったい何人が死んだことか。数えることは不可能ですが、近代だけでも何億人という単位です。

▲ チメロサールを使わずにすむ簡単な方法があります。すべてのワクチンを1回分使い切りのバイアルに入れれば、開封後の細菌繁殖の問題はなくなります。すばらしい！ ただし、お金がたいそうかかります。実際に、1回使い切りのバイアルを全員分用意できるくらい裕福な国々では、反ワクチン派の圧力に過敏に反応して、子供用ワクチンにはもはや基本的にチメロサールは使われていません。しかし、ワクチンがあれば予防できる病気で毎年多くの子供が死んでいるような貧しい国々では、チメロサール入りの多人数用バイアルが唯一の現実的な選択肢です（チメロサールはどのみち子供への害にはなりません）。

▶ チメロサールは今も数種類のワクチンや、その他の特殊な用途に使われています。これは昔のボーイスカウトの「ヘビ咬傷対策キット」で、0.1％チメロサール溶液が入っています。

楽しみや利益とひきかえに汚染される大気

　チメロサールの歴史を見て憤りを覚えるのは、それが多くの人を助けた物質であり、もっとずっと良い評価を受けるに値するからです。しかし、次に紹介する化合物は、まったく逆の理由で人を憤慨させます。多大な害を及ぼしたのに、ある人々により保護され奨励されたのです——彼らはその害について知っていてしかるべき立場にあっただけでなく、実際によく知っていながら、知らん顔を決め込み、それどころか自分の利益を守るために法を破ることすらしたのでした。

◀ 無鉛ガソリン用に設計された自動車に有鉛ガソリンを入れることは、世に害をなす行為です。有鉛ガソリンは触媒コンバーターをダメにし、鉛が排ガスに含まれるのはもちろんのこと、他の汚染物質の排出量も増やします。そのため、無鉛ガソリン車は給油口が小さく、有鉛ガソリンの標準的なノズルは入らないように設計されています。もちろん無鉛ガソリンの小径ノズルはどちらの車の給油口にも差し込めます。有鉛ガソリン用の車に無鉛ガソリンを入れるとノッキングとエンジン損傷のリスクが高まりますが、環境への害はありませんから、車の持ち主が個人的に困るだけで、社会全体にかかわる問題にはなりません。

▼ 有鉛燃料でないと走れないクラシックカーのオーナーは、有鉛ガソリンの禁止に怒り狂いました。彼らのご機嫌を取るためと、ある種のトラクターと飛行機のエンジンにも有鉛ガソリンが必要だったことから、有鉛燃料は今でも利用可能です。下左のボトルは、無鉛ガソリンに鉛を足して古いエンジンや特殊なエンジンでも使えるようにする添加剤です。ただし公道上での使用は違法なので、見つかったら捕まります。

鉛を駆逐する

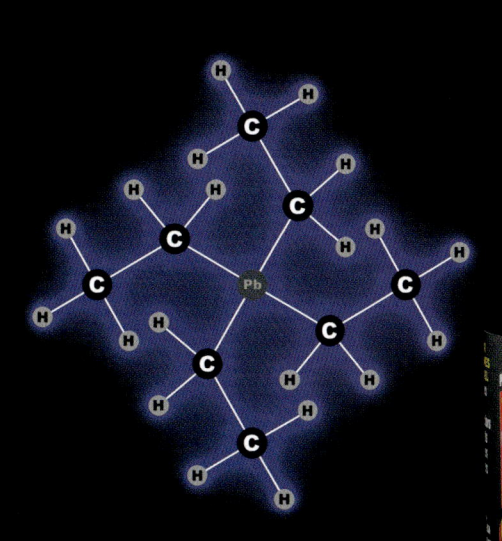

▲ 何十年もの間、自動車用ガソリンにはテトラエチル鉛が添加されていました。テトラエチル鉛はノッキングを防止する化合物で、ある種のエンジンの動きをよくします（74ページ参照）。なぜこの化合物を使うのか？　安価で役に立つからです。なぜこれを使ってはいけないのか？　鉛はほぼどんな形でも緩効性の神経毒だからです。鉛には、脳に害を与えない限度値というものはないとされています。鉛は——テトラエチル鉛は特に——有鉛ガソリンが発明されるはるか以前から毒物として知られていましたし、ガソリンへの鉛添加はよくないという警告の声もありました。有鉛ガソリン製造工場の従業員が何十人も死亡しましたが、鉛は極めて有害だという議論の余地なき事実にもかかわらず、業界は安くて効果的なこの化学物質を使い続けられるよう、悪質に立ち回りました。死ぬのが従業員だけなら、代わりを雇えばいい。しかし1970年代になると、一般大衆も鉛の被害者であることが明らかになってきました。現在では世界のほとんどの国が公道での有鉛ガソリンによる走行を禁止しています。

▲ 新しい燃料は、高いオクタン価を達成するために鉛ではなくエタノールや本物のイソオクタンなどの添加物を使っています。高圧縮・高性能のレース用エンジンなどに入れるガソリンのオクタン価をさらに上げるために、上の黄色い缶のような添加剤も売られています。この製品はスルホン酸ナトリウム、ノナン（オクタンが炭素8個であるのに対し、ノナンは炭素9個）、そして他の炭化水素の独自の配合比によって目的を果たします。

オゾン層を守れ！

▼ フロンガス類（CFCやHCFC*）は素晴らしく便利でした。不燃性で、無毒で、適度の圧力で液化させることができ、気化熱が高く（つまり優秀な冷媒で）、その他いろいろ。ですからフロンが地球のオゾン層を実に効率的に破壊していることが判明したのは、なんとも恥さらしな話でした。ところが世界各国の政府は、この物質の流通をやめさせる必要が明白になった後も何十年かの間、ロビイストの圧力に負けてぐずぐず対応をしぶっていました。この戦いの中で、気候変動に関する誤った情報を広めることに専心する一派は爪を研ぎ、次のもっと大きな戦い──二酸化炭素をめぐる戦い──に向けた戦術を練っていました。〔*CFCは特定フロンで、すでに全廃。HCFCは指定フロンで、先進国では2020年までに全廃と定められています。〕

▲ オゾンホールはこのところ年ごとに大きくなっています。しかし、私たちがオゾン層を破壊する化学物質を大気中に大量放出するのをやめれば、その数十年後には穴が縮みはじめるでしょう。図の青い部分が、毎年南極上

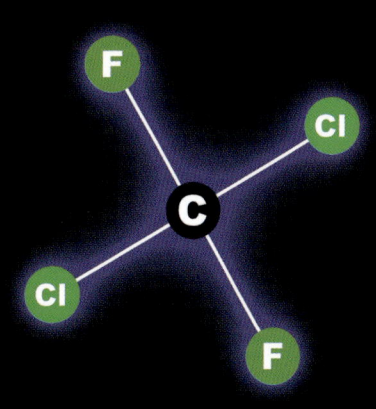

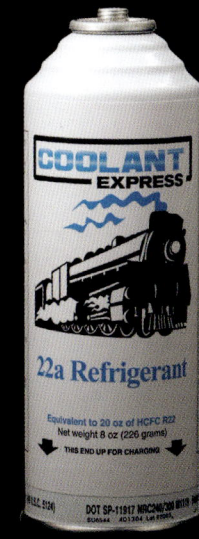

◀ R-22aは、指定フロンであるR-22の代替物を思わせる名称です。けれども右の分子構造図を見ると、塩素もフッ素もなく水素だけが炭素に付いているのがわかるでしょう。R-22aはプロパン──家庭用燃料のプロパンガスと同じもの──です。これを冷媒として冷蔵庫に入れるなんて正気の沙汰ではありません。悲劇が起こる可能性は高いと言わざるを得ません。

◀ かつてはスプレー缶に入っている高圧ガスはほぼすべてフロン類でした（ガスの圧力で薬剤を噴射します）。缶の中のフロンの役割は大気中に放出されることだけですから、真っ先にこの用途でのフロンが禁止されました。

▼ フロンの使用が禁止された今、スプレー缶は前よりずっと（引火するという点で）エキサイティングになりました！　不燃性のフロンに代わって現在一般的に使われているのはプロパンです。プロパンはフロンと同様にそこそこの圧力で液化させることができ、噴射用ガスとしてかなりの量を封入しても缶内部の圧力が過度に高くはなりません。下の写真のヘアスプレーに使われているのはプロパンではなくジメチルエーテルですが、これもプロパンと同じくらいエキサイティングです。

▲ 特定フロンと指定フロンはほとんどのタイプのエアコンと冷蔵庫での使用が禁止ないし規制されているため、グレーマーケットが成立し、メーカー出荷価格とはかけ離れた金額で取引されています。指定フロンであるR-22（クロロジフルオロメタン）のこの10ポンド（4.5kg）入りタンクを買うのに、私は200ドル近く払わねばなりませんでした。フロンガスは回収できるとか、そもそもそんなに有害ではないと言う人々もいますが、有害性は明らかなように見えますし、数百万台の自動車のエアコンに入っている以上、いずれは大気中に放出されてしまうでしょう。

▲ R134aはクロロフルオロカーボン（特定フロン）ではなくハイドロフルオロカーボン（代替フロン）のひとつです。炭素に結合しているのが塩素とフッ素ではなく、フッ素と水素だという意味です。地球への害はずっと小さいのですが、この物質はそれ専用に設計された冷却システムでしか使えません。R-22仕様の製品には入れられないのです。

嫌われ者の分子　**221**

地球を守れ！

▼ 有鉛ガソリンとフロンをめぐる戦いは、大気化学大戦の本丸である「二酸化炭素」から見れば、ただの外堀にすぎません。鉛もフロンも、ある意味ではこの戦争の辺縁部分です。オクタン価さえ高ければ、ガソリンの添加物が別のものになっても誰も本当には気にしません。土曜の夜に髪型が決まるなら、ヘアスプレーの噴射剤が変わっても誰も本当には困りません。しかし二酸化炭素は違います。われわれが運輸や電気や暖房のために燃やす燃料という、生活に欠かせない、膨大な量の物質から排出されるからです。二酸化炭素は、人間の活動によって他のどんな化学物質よりも大量に（ただし水は除いて）大気中に放出されています。排出を止める唯一の方法は、地球規模でエネルギーの経済構造を根底から組み立てなおし、化石燃料を何か別のもので代替することです。その変化は莫大な数の勝者と莫大な数の敗者を生みます。敗者になるのは誰か——それは当人たちがよく知っています。

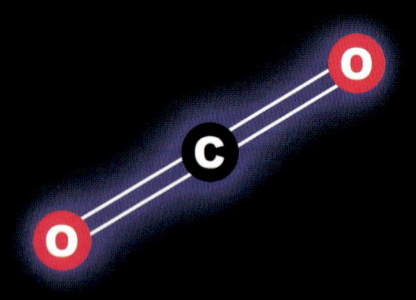

▶ ドライアイスは、凍った二酸化炭素です。今から2〜3世代後には、二酸化炭素をあまり排出しない方が賢明だったと誰もが理解するでしょう。子供たちの世代は、われわれが生み出した大問題の解決に力を合わせて取り組むことでしょう。彼らは、人類はもっと事態を知るべきだったと言うでしょうし、自分たちだけでなくわれわれをも俎上に乗せるでしょう。さて、世界には、この問題の存在を否定し、人々を惑わせようとやっきになっている人たちがいます。高い報酬で、依頼主が気兼ねなく利益追求できる期間を何年か延ばしてやるのを仕事にする人たちです。私がこれを書いている今、彼らは、問題はもはや自分が論戦で勝者と敗者のどちらの側になるかではないという事実に直面しつつあります。唯一の問題は、彼らが歴史の中で光の側と闇の側のどちらに行くかなのです。

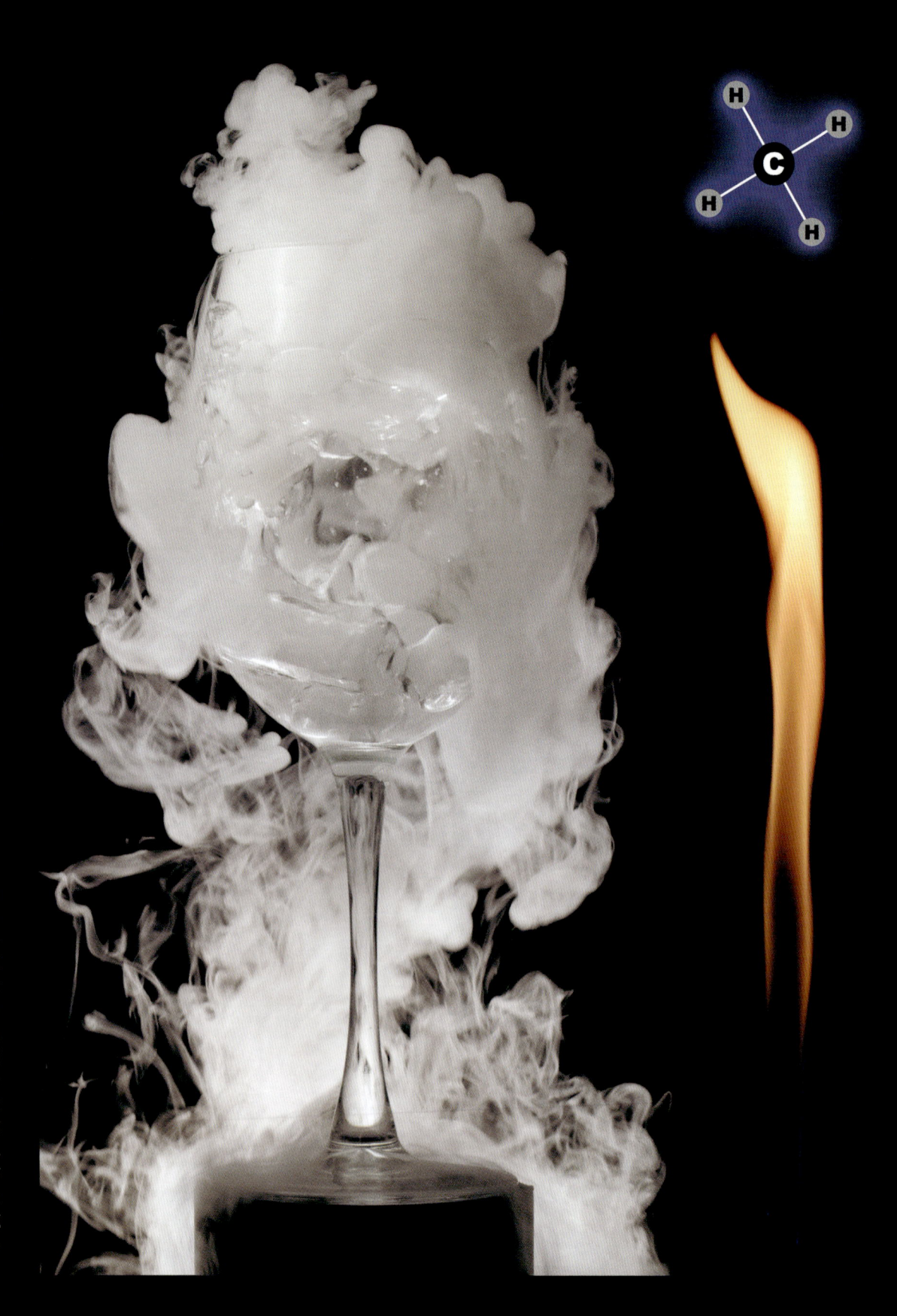

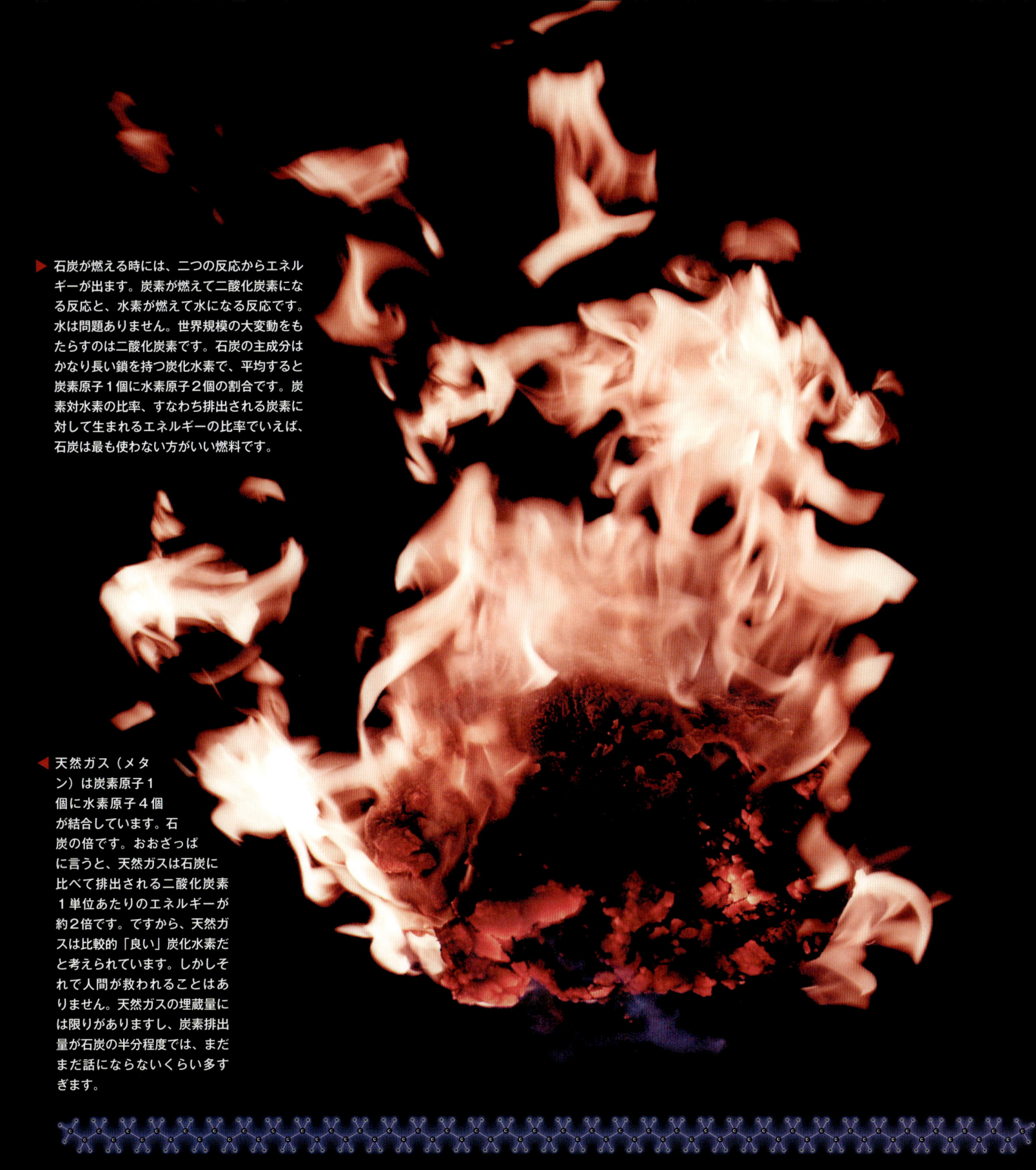

▶ 石炭が燃える時には、二つの反応からエネルギーが出ます。炭素が燃えて二酸化炭素になる反応と、水素が燃えて水になる反応です。水は問題ありません。世界規模の大変動をもたらすのは二酸化炭素です。石炭の主成分はかなり長い鎖を持つ炭化水素で、平均すると炭素原子1個に水素原子2個の割合です。炭素対水素の比率、すなわち排出される炭素に対して生まれるエネルギーの比率でいえば、石炭は最も使わない方がいい燃料です。

◀ 天然ガス（メタン）は炭素原子1個に水素原子4個が結合しています。石炭の倍です。おおざっぱに言うと、天然ガスは石炭に比べて排出される二酸化炭素1単位あたりのエネルギーが約2倍です。ですから、天然ガスは比較的「良い」炭化水素だと考えられています。しかしそれで人間が救われることはありません。天然ガスの埋蔵量には限りがありますし、炭素排出量が石炭の半分程度では、まだまだ話にならないくらい多すぎます。

嫌われ者の分子

ゴム靴の製造にも使われる化学物質

次は、私を激怒させるまた別の化合物を見ていきましょう。私の怒りは、この化合物の善悪には関係ありません。実際、この化合物が有害かどうかを私は知りません。頭に来るのは、人々がこれについて語る際にさらけだす無知さ加減です。

最近、アゾジカルボンアミドという物質のパンへの使用を問題視するキャンペーンが始まり、それを受けて、全国展開する飲食店チェーンがこの物質の使用をやめると発表しました。これを報じた記事の見出しの多くが、この化学物質はゴム靴やヨガマット製造にも使われている点を取り上げました。反対署名運動の文面に並ぶ有害性のリストには、この物質を満載したトラックが横転したら有毒化学物質の漏出として処理されるという項目もありました。そんな怖い物質が入ったものを食べたいと思いますか、ということです。

アゾジカルボンアミドは実際に食品成分としては疑問のある物質かもしれません。しかしその理由は、靴に使われるとか純粋形態では有毒だという点ではありません。この2点は他に隠れている可能性がある問題よりも重要度が低い――どころか、問題にはまったく関係ないからです。

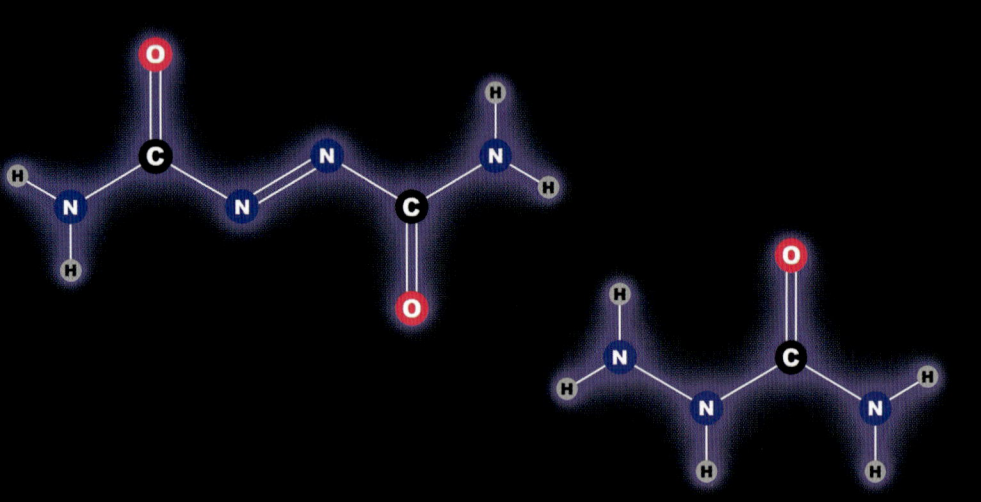

▲ アゾジカルボンアミドは加熱すると一部が分解して、セミカルバジドという（動物に高用量で与えた場合に）発がん性が指摘されたことのある物質になります。食品に添加すると有害でしょうか？ これは重要かつ興味深い問題です。識者の間でも意見が分かれ、詳しい研究が待たれます。しかし、アゾジカルボンアミドが、それ自体で、別の理由から、ゴム靴の製造に使われているという事実は、発がん性の問題とは何の関連もありません。「水は化学工業で酸の希釈に使われる強力な溶媒だから、水を飲んではいけない」というのと同じことになってしまいます。

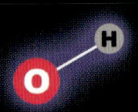

▲ 純粋でナチュラルで健康的な製品の製造に、強力で危険な化学物質が使われていることはよくあります。たとえば水酸化ナトリウム（苛性ソーダ）は、ナチュラルでオーガニックな石鹸すべてや、ラウゲンゲベックと呼ばれるドイツのパンやプレッツェル、挽き割りトウモロコシ、その他古くから親しまれてきたさまざまな食品の製造に使われています。小規模な石鹸メーカーのほとんどは、商業的に生産された食品グレードの苛性ソーダを使っています。（木灰から得た灰汁だけを使って石鹸を作ることも可能ですが、手作り石鹸の世界でも稀にしか行われません。そのうえ、灰汁に入っているのも結局は同じような化学物質で、そこに他の物質が混ざっているだけです。）

▲ 水酸化ナトリウムは腐食性化学物質に分類されています。郵送は不可、運輸業者による輸送の場合は危険物として扱われ、規定量以下の量を特殊な認証を受けた容器に入れて陸送する方法のみが認められています。水酸化ナトリウムを運ぶタンクローリーから中身がこぼれたら緊急事態対応部局が総動員され、1面トップのニュースになることでしょう。でも、これがないと正式なプレッツェルは作れません。

▲ これは最も古くからある形の石鹸です。動物性あるいは植物性の脂肪と苛性ソーダで作られています。石鹸として使えるものを作るために、それ以外は必要ありません。有毒で腐食性のある苛性ソーダは、石鹸の中ではナトリウムイオンが脂肪酸と結合し、水酸化物イオンが酸の水素と結合して水になっています（水の一部は最終仕上げの前に除去されていることもあります）。苛性ソーダと脂肪の反応は、右のページの写真の水酸化ナトリウムと鶏の足の脂肪、皮膚、筋肉の反応と何ら変わるところがありません。化学物質は完全に変化して、元の姿の痕跡すら留めないことがありうるという事実は、極めて重要です。何かの化学物質が製造工程で使われているからその製品を使うのをやめるようにと誰かに言われたら、天然原料の石鹸と合成洗剤のどっちが好きかと聞き返してみましょう。彼らは間違いなくひっかかるはずです。

▶ 私の子供の頃の一番懐かしい思い出。そのいくつかの場面には、ゾンネンベルク通りの端のパン屋さんのラウゲンゲベック（苛性ソーダパン）が見えます。美しい緑の木々、遠い記憶。もしも誰かが苛性ソーダが世界で最も強力な腐食性化学物質のひとつだからラウゲンゲベックを禁止しようというキャンペーンを張ったら、私は猛烈に憤慨します。

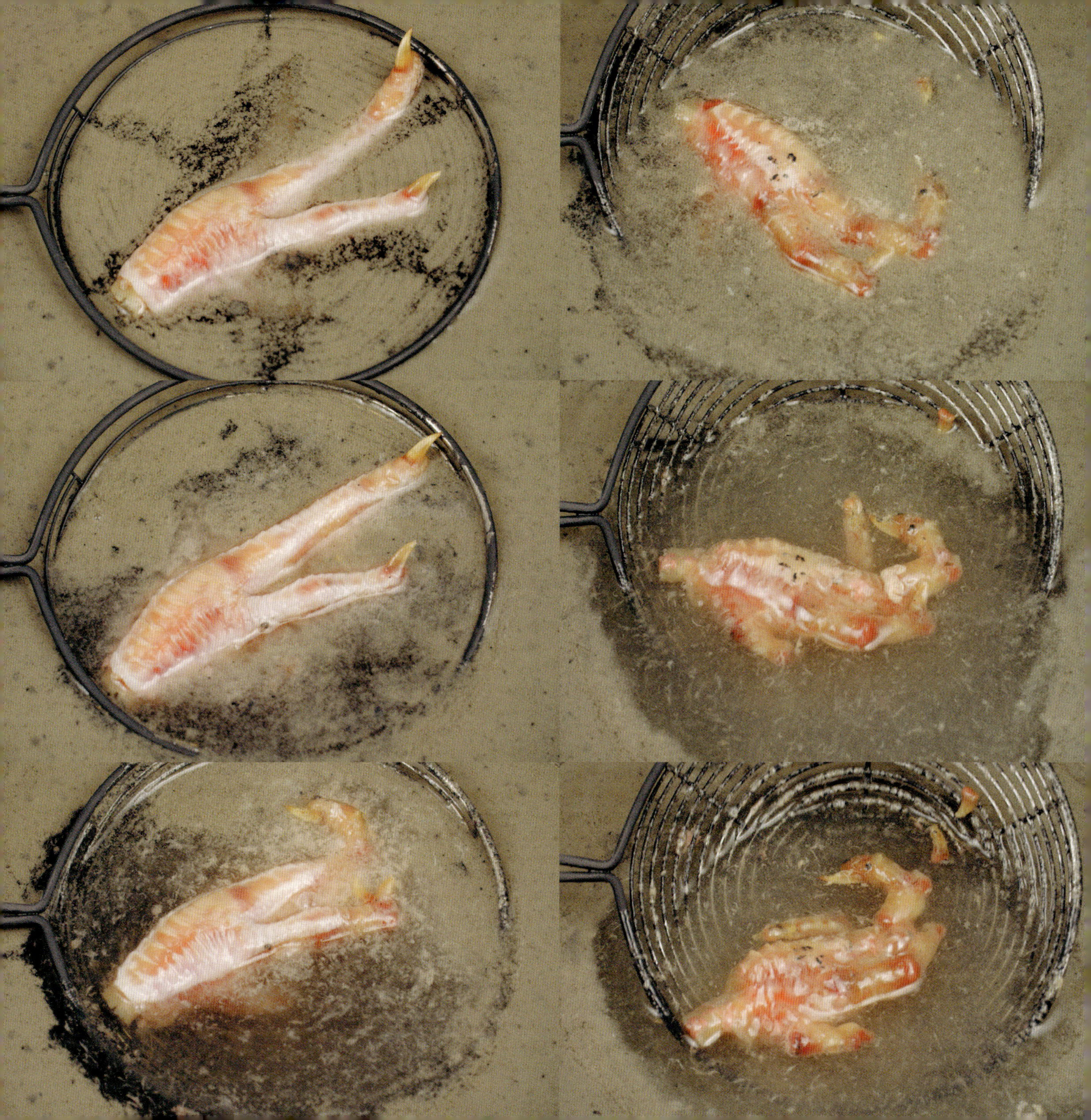

歴史上で最も恐ろしく、ものすごくたちの悪い無機化合物

とうとう、悪い化合物にたどり着きました。誰もが悪と認め、公に論じられ、ほとんどの場合は理にかなった議論で正しい知識が周知されている物質。それなのに今もなお、これをダシにして何が行われているかを知る人々の間に大きな義憤をわき起こらせている物質。

アスベスト（石綿）はかつて、素晴らしい素材、望みうる最高の断熱材として、どこでも絶賛されていました。安定で、化学物質に耐性があり、熱に強く、強靭で、安価で、用途が広い、と。しかしここ30年ほどは、毎年世界で最も多く訴訟原因になっている物質のひとつに数えられています。最初はそれらの訴訟には正当な理由がありました。アスベストは非常に便利な物質でしたが、疑いようもなく肺がんや中皮腫などの原因になるのです。アスベスト工場の従業員は、扱っていたアスベストに起因することが明白な肺の病気で死んでいきました。一部の企業は、不都合な証拠をせっせと隠滅しました。彼らは目をそむけただけでなく、積極的に事実を隠蔽しました。

健康被害を扱う弁護士が立ち上がるべき崇高な動機があるとしたら、まさにこれはぴったりです。そして何年もの間、弁護士たちは実際にそうしてきました。卑劣な企業によって故意に虐げられた人々のために、補償金を勝ち取ったのです。

そのうちに被害者が尽きてきました。会社は過去の行為を清算し、世界的にアスベストは日常生活の中から除去されました。企業の悪意でアスベストに触れさせられていた人々は年を取り、世を去っていきました。しかし訴訟は、自らネタを掘り起しながら続きました。

弁護士は悪性のがん患者を集めて消費財がいっぱいの部屋に案内し、それらの商品の中で以前使ったことがあるもの、見たことがあるものはあるかと聞きます。患者がイエスと答えると、その製品のメーカーに対して訴訟が起こされます。時には弁護士は、製品と患者のがんに関連があると考えられる理由が何もなくても訴えを起こしましたし、訴えられた会社が過去にどんな不正行為の疑いもかけられたことがない場合もしばしばでした。

もちろん私たちはがんを患って死期が近い人々を気の毒だと思いますし、彼らが人生の最後の日々に誰かから世話をされ、心の慰めになるお金を受け取れるのは悪いことではないと思いますが、そのために誰をも傷つけない製品を作ってきた罪のない企業が新たな犠牲者にされるのは、正義でも公正でもありません。その反対です。

◀ アスベストのうち最も毒性の強い青石綿は、ケイ素、酸素、水素、鉄、マグネシウム、カルシウム、ナトリウムからなる無機化合物で、鉄とマグネシウムとカルシウムはどれかが入っていない場合もあります。左の構造図は白石綿〈$Mg_3Si_2O_5(OH)_4$〉です。

▶ アスベストの繊維は顕微鏡レベルの細さと鋭さで、細胞のDNAにまで到達して傷をつけ、変異を起こさせます。そのなかから、腫瘍細胞になるものが出てきます。アスベストは化学的に極めて不活性ですから、肺に吸い込まれた繊維はほぼ永遠にそのまま残り、何十年もずっと悪さをし続けます。

◀ 昔を知らない人には、アスベストがかつてどれほど愛され、どこにでもあったかを想像するのは難しいでしょう。これは、私のような人間が大喜びで使ったであろうロール紙です。完全に不燃性なので、もしこれを敷いてあれば、私のテーブルには焦げ跡が一切できなかったはずです。悲しいかな、今ではロールを広げるどころか、写真撮影のためにそっと台に乗せることにさえ極めて神経質にならざるをえません。撮影後はプラスチックラップできっちり包んで保管してあります。

▶ この小さな布片は、あらゆる種類の悪を体現しています。アスベスト製で、もとは第二次大戦中に機関銃の銃身交換の際に使われた一種の鍋つかみでした（長時間撃ちつづけた機関銃の銃身は非常に熱くなります）。肺がんや中皮腫での死と、鉛の弾での死が、すべてこの一片の布によって象徴されています。そんな真似ができるのはアスベストだけです。

嫌われ者の分子　227

	T	C	A	G	
T	TTT=フェニルアラニン(F)	TCT=セリン(S)	TAT=チロシン(Y)	TGT=システイン(C)	T
	TTC=フェニルアラニン(F)	TCC=セリン(S)	TAC=チロシン(Y)	TGC=システイン(C)	C
	TTA=ロイシン(L)	TCA=セリン(S)	TAA=終止	TGA=終止	A
	TTG=ロイシン(L)	TCG=セリン(S)	TAG=終止	TGG=トリプトファン(W)	G
C	CTT=ロイシン(L)	CCT=プロリン(P)	CAT=ヒスチジン(H)	CGT=アルギニン(R)	T
	CTC=ロイシン(L)	CCC=プロリン(P)	CAC=ヒスチジン(H)	CGC=アルギニン(R)	C
	CTA=ロイシン(L)	CCA=プロリン(P)	CAA=グルタミン(Q)	CGA=アルギニン(R)	A
	CTG=ロイシン(L)	CCG=プロリン(P)	CAG=グルタミン(Q)	CGG=アルギニン(R)	G
A	ATT=イソロイシン(I)	ACT=トレオニン(T)	AAT=アスパラギン(N)	AGT=セリン(S)	T
	ATC=イソロイシン(I)	ACC=トレオニン(T)	AAC=アスパラギン(N)	AGC=セリン(S)	C
	ATA=イソロイシン(I)	ACA=トレオニン(T)	AAA=リシン(K)	AGA=アルギニン(R)	A
	ATG=メチオニン(M)	ACG=トレオニン(T)	AAG=リシン(K)	AGG=アルギニン(R)	G
G	GTT=バリン(V)	GCT=アラニン(A)	GAT=アスパラギン酸(D)	GGT=グリシン(G)	T
	GTC=バリン(V)	GCC=アラニン(A)	GAC=アスパラギン酸(D)	GGC=グリシン(G)	C
	GTA=バリン(V)	GCA=アラニン(A)	GAA=グルタミン酸(E)	GGA=グリシン(G)	A
	GTG=バリン(V)	GCG=アラニン(A)	GAG=グルタミン酸(E)	GGG=グリシン(G)	G

第14章 生命の分子

Machines of Life

読者のなかには、私がある重要な分子のグループについて触れてこなかったことに気付いた方もいるかもしれません。生命という仕組みを動かしている巨大分子のことです。DNA、RNA、タンパク質はみな分子ですが、これまでに見てきた他の分子とは性質が大きく異なります。それらは他の分子に似ているというよりも、むしろ本やロボットに似ています。

DNA、RNA、タンパク質はいずれも、あまり多くない種類の単純なユニットが集まって長い鎖になった構造を持っており、その点では103ページのポリマーに似ています。しかしポリマーは同じユニットを同じパターンで、あるいはいくらかランダムなパターンでひたすら繰り返しているだけで、そのユニットの順序には意味のある情報は含まれていません。これから取り上げる分子はそこが違います。

DNAは情報です。4種類のヌクレオチドの配列で構成され、その順序によって生物の成長、活動、繁殖に必要なほとんどすべての情報をコード化(暗号化)することができます。DNAには、書かれている情報をコピーさせて使わせる以外の機能はありません。よく、個々のヌクレオチドがアルファベットの文字で、DNA分子はその文字で書かれた本のようなものだ、というたとえが使われます。

このたとえは便利なだけでなく、文字通りの真実に非常に近い表現です。個々のヌクレオチドはG、A、T、Cの4文字であらわされます(グアニン、アデニン、チミン、シトシンという分子の頭文字です)。これらの文字が並んでポリマーになる際の配列を書けば、DNAの鎖を描写することができます。ヒトのDNA鎖1本の長さは数千万字から数億字までいろいろです。

文字は集まって「単語」を形成します。どの単語も3文字でできています。単語が集まると「文」ができます。ひとつの文には1個のタンパク質を作るのに必要な情報が含まれています。単語はコドンと呼ばれ、文は遺伝子と呼ばれます。ひとつの遺伝子は、1000字未満から100万字以上までどんな長さもありえます。

ヒトの全ゲノム(ヒトを形作り機能させるために必要なDNAひとそろい)は、これらの文章が書かれた23冊の本(染色体)からなっています。本に書かれている文字の数は全部でおよそ30億個です(ちなみに『ハリー・ポッター』シリーズは全7作で約500万字です)。

同様に、タンパク質も単純なユニットが決まった順序でつながった鎖ですが、こちらはコピーされるべき情報をコード化した書物ではなく、体を機能させる仕事をする機械や伝令や構造部分にたとえられます。それぞれのタンパク質は、21種類*のアミノ酸が特定の種類と数と順番で結合してできています。タンパク質を作るアミノ酸の配列が、タンパク質の形状を——したがってその機能を——決めます。アミノ酸の配列を指示するのが、DNAの文字なのです。〔*標準アミノ酸を何種類とするかはいくつかの考え方があり、日本では一般に20種類(左ページにあるもの)とされています。〕

ある細胞でタンパク質を作る必要が生じると、作り方を書いたDNAがRNAポリメラーゼという機構(これもタンパク質です)によって転写されて、RNA鎖が作られます(RNA鎖はDNAと似たようなものですが、構成ユニットがわずかに違います)。RNAはリボソームという別の機構(やはりタンパク質)のところへ行き、リボソームがRNAの文字を読み取って、それに従った順番でタンパク質を組み立てます。DNAの各単語(3文字のコドン)は、タンパク質を構成するアミノ酸ひとつに対応しています。

この表は、DNAの3文字の単語のそれぞれが何というアミノ酸に翻訳されるかを示しています。たとえばCAAとCAG(それぞれ、シトシン-アデニン-アデニンとシトシン-アデニン-グアニンという分子の並び)はどちらもグルタミン分子に翻訳されます。グルタミンはタンパク質のアミノ酸配列ではQという字であらわされます。コンピューターにそっくりです!可能な64通りの単語のうち3つは「終止コドン」で、タンパク質を合成する機構に対して、作業を終了してタンパク質を放出するように指令を出します。

他の分子とは大きく違う

この章にはこれまでの章でおなじみの分子構造図がありません。なぜなら、DNAとRNAとタンパク質はたしかに原子からできている分子ですが、その考え方で捉えるのはふさわしくないからです。この3つは化学の言語で考えるより、コンピューター科学の言語で考える方が理解が容易です。実際、「コンピューテーショナル・バイオロジー（計算生物学）」は今最も注目される研究分野です。コンピューターのコードを書くのが大好きなハッカーたちは、ゲノムのハッキングと、シリコンチップの言語ではなく生命の言語をプログラムすることに興味を示しはじめています。

このページの表は、疑いなく、あなたが生涯で出会うなかで最も驚きに満ちたもののひとつでしょう。これは、DNAの3文字単語がどのアミノ酸に翻訳されるかを示すコード（暗号）表です。この暗号を使えば、まるで本を読むようにDNAを読めます。その「読書」は、生きた細胞のタンパク質合成メカニズムがやっているのと同じことです。本には書き込みもできます。それが遺伝子工学です。遺伝子工学はあらゆる点で電子工学や機械工学と同じです——考え方も、いじくって調節して発明したいという本能も、そっくりです。恐ろしくもあり、エキサイティングでもあり、そして未来がそこにあります。

将来振り返ってみれば、今の時代は間違いなく「DNAの時代」とみなされることでしょう。生命の土台への扉を開き、それを理解し、その利用へ——あるいは破滅へ——向かった時代。私はコンピューター関連の仕事をしてきましたが、そこで学んだのは、単純なアイディアやマシンのプログラムの組み方の理解から、信じられないほどの力が生み出されるということです。新しい世代は、このプログラミング・パラダイムを生命の世界へ持ち込むでしょう。ゼロから新しい生物が作られたり、（人間も含めて）既存の生物のプログラムが書き換えられたりするでしょう。

生命のプログラムを書き換えて人類が生き延びられるかどうかは、核兵器発明後の時代を生き延びられるかどうかと同じく、わかりません。これまでと同じく正しい直観が働くことを、そして生命工学が善のために使われることを期待しましょう。（ところで、もしあなたが遺伝子操作の研究者なら、私が髪を増やしたがっていることを覚えておいて下さい。）

```
ATG GCC CGT ACT AAG CAG ACT GCT CGC AAG
TCG ACC GGC GGC AAG GCC CCG AGG AAG CAG
CTG GCC ACC AAG GCG GCC CGC AAG AGC GCG
CCG GCC ACG GGC GGG GTG AAG AAG CCG CAC
CGC TAC CGG CCC GGC ACC GTA GCC CTG CGG
GAG ATC CGG CGC TAC CAG AAG TCC ACG GAG
CTG CTG ATC CGC AAG CTG CCC TTC CAG CGG
CTG GTA CGC GAG ATC GCG CAG GAC TTT AAG
ACG GAC CTG CGC TTC CAG AGC TCG GCC GTG
ATG GCG CTG CAG GAG GCC AGC GAG GCC TAC
CTG GTG GGG CTG TTC GAA GAC ACG AAC CTG
TGC GCC ATC CAC GCC AAG CGC GTG ACC ATT
ATG CCC AAG GAC ATC CAG CTG GCC CGC CGC
ATC CGT GGA GAG CGG GCT TAA
```

```
MARTKQTARK
STGGKAPRKQ
LATKAARKSA
PATGGVKKPH
RYRPGTVALR
EIRRYQKSTE
LLIRKLPFQR
LVREIAQDFK
TDLRFQSSAV
MALQEASEAY
LVGLFEDTNL
CAIHAKRVTI
MPKDIQLARR
IRGERA
```

▲ これは、ヒトのヒストンH3.2という非常に小さなタンパク質のDNAコード配列です。1番染色体のDNAの「＋鎖」（プラスさ）（DNAの2重らせんのうち遺伝コードを保持している方の鎖）の控えめなメンバーで、1億4982万4217文字目から1億4982万4627文字目までの位置にあります。それをわれわれが知っているという事実がまず驚きです。数字はでたらめではなく、ヒトゲノム・データベースが出典です。そこ

▲ 左と同様の配列に見えますが、文字が違い、短いですね。これは、左のDNA配列によってコードされたタンパク質のアミノ酸の配列を示しています。どのアミノ酸もDNAの3文字でコードされていますから、配列の長さはちょうど3分の1です。（どの文字が何のアミノ酸かは、

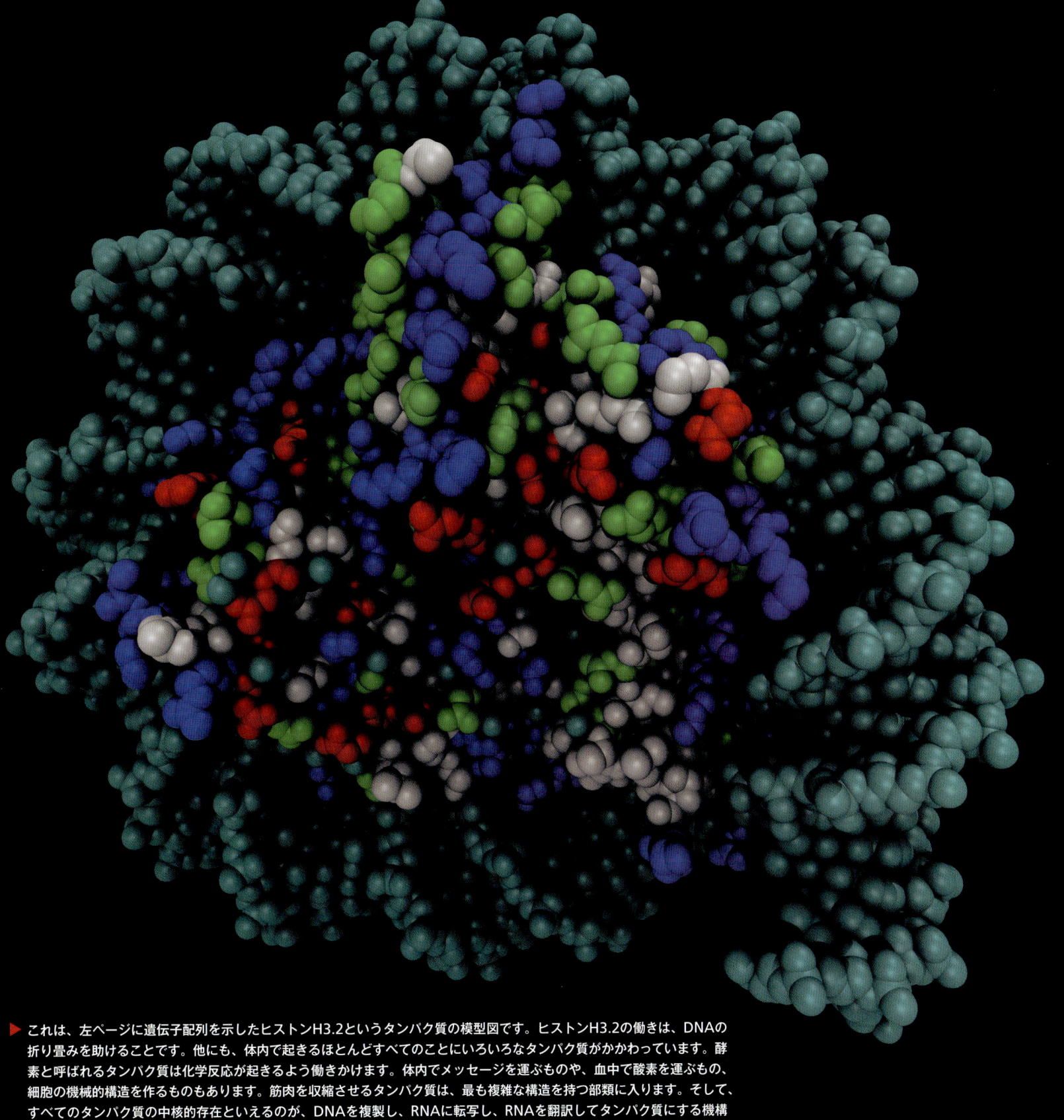

▶ これは、左ページに遺伝子配列を示したヒストンH3.2というタンパク質の模型図です。ヒストンH3.2の働きは、DNAの折り畳みを助けることです。他にも、体内で起きるほとんどすべてのことにいろいろなタンパク質がかかわっています。酵素と呼ばれるタンパク質は化学反応が起きるよう働きかけます。体内でメッセージを運ぶものや、血中で酸素を運ぶもの、細胞の機械的構造を作るものもあります。筋肉を収縮させるタンパク質は、最も複雑な構造を持つ部類に入ります。そして、すべてのタンパク質の中核的存在といえるのが、DNAを複製し、RNAに転写し、RNAを翻訳してタンパク質にする機構の中で働く一連のタンパク質です。もちろん、それらのタンパク質もすべて、特定のDNA配列にコードされています。

生命の分子

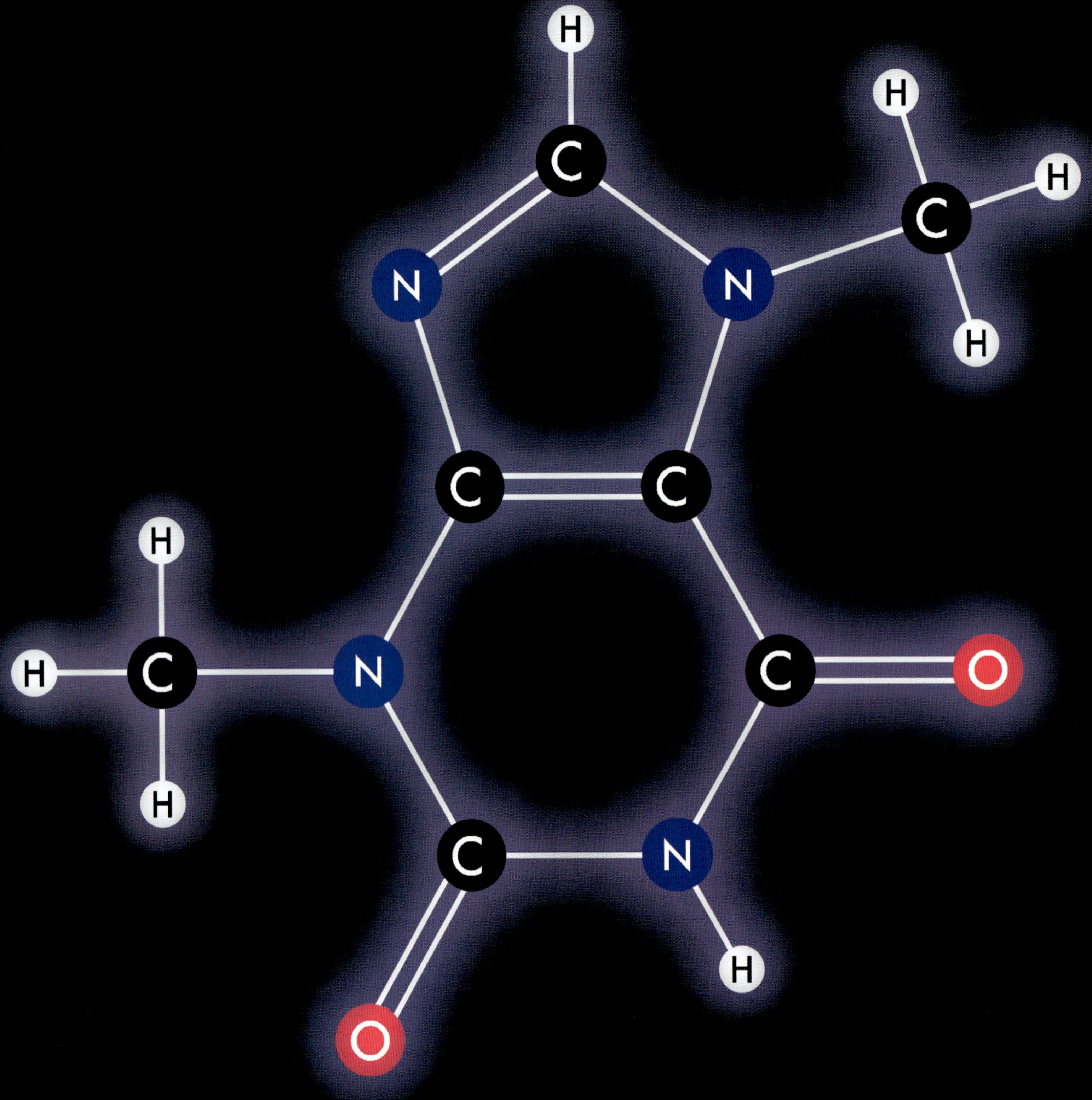

H
C
H
H
C
H
N
N
C
C
H
H
C
N
C
O
H
C
N
H
O

謝辞 ACKNOWLEDGMENTS

どんな本でもそうですが、この本を作る過程ではいろいろな人に迷惑をかけました。リストの最初はわが子供たちと、私のガールフレンドです。家出もせず、別れ話も2度までに抑えてくれたことに感謝しています。次は編集者のベッキー・コー。最高の合成モーターオイルを潤滑油として塗りたくった線路の上を爆走してくる貨物列車さながらの締め切りが近づくにつれ、彼女もきっと逃げ出したくなったことがあったでしょう。

そしてもちろん、本書の写真のほとんどすべてを撮影してくれた、協力者で写真家のニック・マンにありがとうと言わなければいけません。彼の名前が上記の人たちより後回しになったのは、彼には迷惑がかかっていないからです。私が本書の品々を楽しみながら集めたのと同様に、彼は撮影を大いに楽しんでいたように思います。何カ月間も、スタジオの中は毎日がクリスマスみたいでした。被写体になる珍しくてすてきな品物の入った箱が、時には1日に10箱くらい次々に届きました。われわれがこのプロジェクトのために撮影した品物は500点以上にのぼります。

その他の写真や、励ましや、道徳上あるいはその他の面での支援を与えてくれたのは、長年の協力者であるマックス・ホイットビーです。彼はわれわれの元素や化学に関係した企画の中心人物です。マックスがいなければ、私はとっくの昔に全部投げ出していたでしょう。

ディアナ・グリブはリサーチ面での計り知れない助力と、無数の分子構造ファイルを提供してくれました。私の電子配置図にダメ出しをし、どうにか許容できる図に仕上がるよう力を貸してくれたのも彼女です。大型分子の3Dレンダリングを担当してくれたバリー・スラエレウィッツ、私の草稿を読んで編集し、いくつかの奇抜すぎるアイディアに「アウト」宣告をしてくれたデイヴィッド・アイゼンマンにも謝意を表します。コーティー・ペイスリーもリサーチ助手を務めてくれました。

私はここで、現代の子供たちのために史上最も見事な化学実験セットを作ったH. M. S. ビーグル・サイエンスショップのジョン・ファレル・クーンズに賛辞を贈りたいと思います。彼のような人々のおかげで、次の世代の人たちは（そしてわれわれの世代も）科学の生き生きとした夢を抱き続けることができます。最後に、ヘビの糞（51ページ）を持ってきてくれたレイチェルに感謝。あれがなければこの本は完成しませんでしたよ。

写真提供 ADDITIONAL PHOTOGRAPHY CREDITS

25ページ：図版 *The Alchemist*, 1937. Newell Convers Wyeth. Used with kind permission of the Chemical Heritage Foundation Collections, Philadelphia, PA
35ページ：銅葺きの屋根 ©2014 Shutterstock
38ページ：急流 ©2014 Max Whitby. Used with permission.
51ページ：シアン化銀 ©2014 Max Whitby. Used with permission.
65ページ：木材パルプ廃液の泡 © 2005 Jocelyn Saurini. Creative Commons Attribution License.
72ページ：エタン入り風船の爆発 © 2014 Max Whitby. Used with permission.
91ページ：高炉 ©2012 Jamie Cabreza. Used with permission；アルミ精錬工場 ©2014 Street Crane Co. Ltd. Used with permission.
143ページ：ケシ ©2012 Pierre-Arnaud Chouvy. Used with permission.
160ページ：テンサイ ©2012 Free photos and Art. Creative Commons Attribution License.
185ページ：マリーゴールド抽出物 ©2014 Max Whitby. Used with permission.
199ページ：紫外線撮影した花 ©2011 Dr. Klaus Schmitt. Used with permission.
220ページ：オゾンホールの視覚化データ ©2012 NASA. Used with permission.

分子構造の2D球棒モデルのレンダリングは著者による。その際、Wolfram Chemical Dataおよびchemspider.comその他の構造図ファイルを利用した。

薄紫色にぼーっと光っているような効果は、Mathematicaで人工静電場モデルを使って計算した。それぞれの原子が点電荷を持ち、結合の線に沿って帯電した線があるとした場合の電場をあらわしている。（この光は物理的には何も意味を持たないが、原子のあいまいな性質についてある種の主観的な印象を与えるし、見た目が美しい）。

マニュアル修正が必要な分子構造図は、Marvin 6.2.2, 2014, ChemAxon (http://www.chemaxon.com) で編集した。分子ファイルを集めてくれたディアナ・グリブに謝意を表する。

あまりに複雑で立体構造でなければうまく視覚化できない分子がいくつかあった。それらの3Dレンダリングには、VMD分子視覚化ソフトウェア©2014 University of Illinoisを使用した。Humphrey, W., Dalke, A. and Schulten, K., "VMD - Visual Molecular Dynamics," J. Molec. Graphics, 1996, vol. 14, pp. 33-38.

索引 INDEX

イタリック体の数字は写真または図

ABC

BASF 202–203
CO_2 →二酸化炭素
DNA 21, 229–231, *230*, *231*
LSD（リゼルグ酸ジエチルアミド） 36, *36*
NSAIDs →非ステロイド性抗炎症薬
R134a 221
R-22（クロロジフルオロメタン） 221, *221*
R-22a 221, *221*
RNA 229
UHMW →超高分子量ポリエチレン
UV →紫外線

ア行

藍 *200*, 200–201, *201*
　→インジゴも参照
アイダーダウン 46, *46*, 126, *126*
アイボリーブラック 215, *215*
アインシュタイン、アルベルト 13, 139
亜鉛鉱石 97, *97*
アガベ →竜舌蘭
灰汁 68, 224
アクリル 110
アクリルのポリマー 207, *207*
麻（リネン） 119, *119*
アスパルテーム 169, *169*
アスピリン 138, 140, *141*
アスベスト 47, *47*, 133–134, *134*, *226*, *227*
アセスルファムカリウム 168, *168*
アセチルサリチル酸 140, *140*
アセトアミノフェン 140–141, *140*, *141*
アセトン 41, *41*, 207

アゾジカルボンアミド 224, *224*
アニリン 202–203, *203*
油 47, *47*, 56
　魚油 81, *81*
　原油 78, *78*, 98, *98*
　鉱物油 71, 76, *76*
　ココナッツオイル 66, 83, *83*
　植物油 71, 82, *82*
　食用油 79–83
　精油 194, *194*
　パーム油 82, *82*
　ベビーオイル 76, *76*, 83, *83*
　モーターオイル 77, *77*
　緑礬甘油 25, 27, *27*–28
アフリカンブラックソープ 68, *68*
アヘン 142–145
アミノ酸 121, 229
アミルビニルケトン 197, *197*
アメリカ先住民 140
アモンの塩 51, *51*
アリ 192
　ヒアリ 147, *147*
アルコール 31, *38*, *39*, 138, 164
　穀物〜 28, *28*, 38
　コニフェリル〜 116, *116*
　シナピル〜 116, *116*
　糖〜 157, *164*, 164–165
　パラクマリル〜 116, *116*
　（ある）酸の塩を作る 61
アルデヒド 40
アルミニウム 91, *91*
アンブレイン 195, *195*
イエローオーカー 212, *212*
イオン 16, 58
　水素〜 36
　硫酸〜 30
イオン結合 18, 56
イオン性化合物 16

石綿 →アスベスト
異性化糖 163, *163*
イソオクタン 74, *74*
イソブタン 73
イソマルト 165, *165*
依存性（薬剤） 142, 144, 145, 149
痛み 139
1価不飽和脂肪 80
一酸化窒素 49
一般名 28–29
犬の毛 125, *125*
イブプロフェン 138, 140–141, *141*
イミテーションバニラ 182, *182*
イモガイ 154, *154*
イリジウム 94
色 199
　食品と〜 206–211
　無機化合物と〜 212–215
　有機化合物と〜 200–205
インジゴ 53, *53*, 200, *200*, 201
インデライト 100, *100*
引力 190
　極の〜 58
ウール 125, *125*
　スチールウール 134, *134*
　〜の燃焼 129, *129*
ヴェーラー、フリードリヒ 50
ウッドアルコール 38
馬の毛の毛布 122, *122*
海貝 35, *35*
ウミノサカエイモ（貝） 154, *154*
ウルトラマリンディープ 213, *213*
ウンデカン 74, *74*
エーテル 28–30, *29*, 39, *39*
液体ゴム 109, *109*
エステル 43–45, 69, 79, *79*, 84, 187-188
エタノール 30, 38

エタン 72, *72*
エチルバニリン 182, *182*
エチルメルカプタン 196
エチレン 103, *103*
エフェドリン 52, *52*
エメラルド 97, *97*
エリオグラウシン（青色1号） 203
エリオット、T. S. 25
エリトリトール 164, *164*
塩 16, 32–35
　（ある）酸の塩を作る 61
　食塩 56, *56*, 58
　ヨウ素添加塩 183, *183*
塩化ナトリウム 10
エンゲルホーン、フリードリヒ 202
塩酸 36, *36*, 151
塩酸コカイン →コカイン塩酸塩
塩素 9, *10*, 15, 15–16, *16*
鉛糖 175, *175*
黄鉄鉱 87, 90, *90*
黄銅鉱 94, *94*
オクタデカン 60, *60*
オクタン 74, *74*
オスミウム 94
オゾン層 220, *220*
オピオイド 138
オピオイド拮抗剤 145, *145*
オメガ−3脂肪酸 80, 80–81
オメガ−6脂肪酸 82, *82*
オリーブオイル石鹸 68, *68*

カ行

カーン石 100, *100*
カイコガ 127, 190
海綿 123, *123*
海狸香 140, *140*, 195, *195*
カオウール 134, *134*
香り 187–197

カオリン粘土	134, *134*	岩石繊維	133	クラックコカイン	151, *151*	アクリル	110, *110*
化学実験セット	6, 7	甘草	*178*, 178–179, *179*	グリセリン	79, *79*	ザイロン	113, *113*
化学信号	193	漢方	122, 171, 178	グリセリンソープ	64, *64*	ナイロン	*110*, 110–111, *111*
化学的依存性	142	甘味料	157–158	グリチルリチン	178, *178*	〜の燃焼	128–131
架橋	108, *108*	スーパー〜	166–171	クリック、フランシス	21	ポリエステル	115, *115*
化合物	7, 9, 16	糖	159–163	グルコース	158, *158*	ポリグリコライド	115, *115*
極性〜	56	糖アルコール	164–165	グルコバニリン	180	ポリジオキサノン	115, *115*
合成〜	175–185	〜の混合	172–173	クルナコフ石	100, *100*	ポリプロピレン	114, *114*
親水性〜	67, *67*	木	117, *117*	クロロジフルオロメタン	→R-22	ケブラー	*112*, 112–113, *113*
疎水性〜	67, *67*	キシリトール	164, *164*	毛	122, *122*, 124–125, *125*,	合成洗剤	65–66
天然〜	175–185	キチン	120, *120*		129, *129*	合成バニラ	*181*, 181–182, *182*
毒性〜	177, *177*	キックスターター・プロジェクト	7	鶏冠石	*198*, 199, 214, *214*	合成モーターオイル	77, *77*
非極性〜	56, 67, *67*	キナクリドン	215, *215*	軽機械油	76, *76*	鉱石	87–101
無機〜	47, 212–215	絹	127, *127*	珪孔雀石	95, *95*	金〜	94, *94*
有機〜	47, 48–55, 200–205	カイコガ	127, 190	芸術	212–213	スズ〜	96, *96*
可視光	199	〜の燃焼	128, *128*	ケシ	143, *143*	製錬	91–93
仮晶	89	ギブス石	92–93, *93*	化粧品		ダイアスポア	92–93, *93*
苛性ソーダ	61, *61*, 64, *64*, 224, *224*	牛脂	64, *64*, 83	顔料	207, *207*	鉄〜	87
ガソリン	73, *73*	牛乳	183, *183*	ブラシ	124, *124*	鉛〜	95, *95*
ガッタパーチャ	109, *109*	球棒モデル	*21*, 57, *57*	ケトン	41	ベリリウム〜	97, *97*
褐鉄鉱	90, *90*	共有結合	16, 18, 56	ケブラー	110, *112*, 112–113, *113*,	酵素	230
ガット（腸線）	132, *132*	局所麻酔	138		129, *129*	鉱物塩	32–35
カドミウムイエロー	213, *213*	局所麻酔薬	138, 152, *152*	ケラチン	46, *122*, 122–123, 126	鉱物油	71, 76, *76*
カドミウムレッド	213, *213*	極性化合物	56	ケロシン	74, *74*	コークス	91
ガバペンチン	138, 153	極性溶媒	58	弦楽器型の棹秤	144, *144*	コールマン石	100, *100*

コニイン	146, 146	硫酸	30-31, 30-31, 36, 36	色と〜	206–211	セーブル（黒貂）	124, 124
コニフェリルアルコール	116, 116	→脂肪酸も参照		植物性繊維	116–120	石英結晶	47
コバルトブルー	213, 213	酸化亜鉛	215, 215	植物抽出物	139	石炭	47, 47, 223, 223
ゴム		酸化鉄	31	〜の蒸留	194, 194	赤鉄鉱	87, 87–88, 88
ニトリルゴム	109, 109	酸化マンガン	96, 96, 212, 212	植物油	71, 82, 82	石灰岩	35–36, 48–49, 49, 98, 98
ラテックス	108, 108	酸素	18	蔗糖　→スクロース		石鹸	57, 57, 60–69, 62, 68
コラーゲン	123, 123, 132, 132	ジアセチルモルフィン	145, 145	人工の化合物	175–179	合成洗剤	65–66
コンクリート	98	ジアモルフィン	145	食品	183–185	生命の起源と〜	67
昆虫フェロモン	190	シアン酸銀	51, 51	バニラ	180–182	〜の製造	64
コンピューター・レンダリング	21	シェーレグリーン	214	辰砂	214, 214	〜のバリエーション	68–69
コンピュテーショナル・バイオロジー（計算生物学）	230	ジエチル水銀	218, 218	親水性化合物	67, 67	〜の力学	62
		紫外線（UV）	199	人毛のブレスレットとネックレス	122, 122	ゼテックス	135
サ行		シクロプロパン	72, 72	水彩絵の具	215, 215	セミカルバジド	224
		ジクロロメタン	75	水酸化ナトリウム	61, 61, 224, 224	セメント	98, 98
サイザルアサ	118, 118	ジコノチド	138, 153	水素	8, 9, 11, 18, 18	セラミックウール	134, 134
サイザル繊維	118, 118	シス-オメガ-3脂肪酸	80, 80–81	〜イオン	36	セルリアンブルー	213, 213
犀の角	122, 122	シスチン	122	気体	38, 38	セルロース繊維	116, 116
ザイロン	113, 113	磁鉄鉱	86, 87–88, 88	吸い取り紙（LSD）	36, 36	セレナイト	99, 99
酢酸鉛	175, 175–176, 176	シナピルアルコール	116, 116	水硼酸石	101, 101	閃亜鉛鉱	97, 97
サッカリン	166, 166–167, 167	師部	119	スーパー甘味料	166–171	繊維	103
サッサフラス	178	ジフェンヒドラミン	141, 141	頭蓋骨	47, 47	合成〜	110–115
サトウキビ	160, 160	自閉症	217	スカンクのエッセンス	197, 197	ココナッツ〜	98, 118, 118
錆	87	脂肪酸	64, 69, 79, 79	スクラロース	170, 170	静電力と〜	137
サリシン	5, 140, 140	オメガ-3脂肪酸	80, 80–81	スクロース（蔗糖）	157, 159–161	炭素〜	110, 136, 136
酸	36–37	オメガ-6脂肪酸	82, 82	スズ石	96, 96	天然〜	116–120, 128–131
アセチルサリチル酸	140, 140	飽和脂肪酸	83	スズ鉱石	96, 96	動物性〜	121–132
アミノ酸	121, 229	ジメチル水銀	218, 218	スダフェッド	52	〜の燃焼	128–131
（ある）酸の塩を作る	61	ジャガリー	160, 160	スタンダード・オイル	74	無機〜	133–136
塩酸	36, 36, 151	周期表	6, 9, 9	スチールウール	134, 134	木綿〜	106, 106–107, 107, 130, 130
カルボキシ基	42, 60	ジュート	119, 119	ステアリン酸	60, 60–61, 61	線維芽細胞増殖因子	193, 193
クエン酸	37, 37	酒精	25–26, 26, 28, 30, 38–39	ステアリン酸ナトリウム	61, 61, 62	洗剤	62, 62, 65
ドデシルベンゼンスルホン酸	65, 65	純コカイン	151, 151	ステビア	170, 170–171	染色体	229
尿酸	50, 50–51, 51	樟脳	194, 194	ストッキング	110, 110–111, 111	染料	53, 53, 200–205, 215, 215
バッテリー液	28, 28–29, 29	蒸留（植物抽出物の）	194, 194	スプレー缶	221, 221	曹灰硼鉱	100, 100
パルミチン酸	82, 82	食塩	56, 56, 58	生化学	22	象牙	215
ホウ酸	101, 101	食品		静電力	12, 16, 137	ソーダ石灰ガラス	135, 135
有機酸	42	油と〜	79–83	精油	194, 194	側鎖	121
ラウリン酸	66, 66	意図を持った〜	183–185	製錬（鉄の）	91	足糸	123, 123

ソクラテス	146	コカイン	150–152	動物尿	196, *196*	ナロキソン	145, *145*
疎水性化合物	67, *67*	胡椒	146–149	毒	146, 176	ナロルフィン	145, *145*
ソルビトール	164, *164*	柳の樹皮	140, *140*	特殊な用途のワックス	85	におい	187–197
ソレノプシン	147, *147*	爪	122, *123*	特定フロン（CFC） →フロンガス類		二酸化炭素（CO_2）	222
夕行		ディーゼル燃料	74, *74*	ドクニンジン	146, 146–147, *147*	二酸化チタン	215, *215*
		テオブロミン	2, 5, *232*	ドデシルベンゼンスルホン酸	65, *65*	二糖	159
タートラジン（黄色4号）	203, *203*, 210	デカン	74, *74*	ドデシルベンゼンスルホン酸ナトリウム		ニトリルゴム	109, *109*
ダイアスポア	92–93, *93*	鉄鉱石	87		65, *65*	ニトログリセリン錠	49, *49*
体系名	30–31	鉄の製錬	91	ド・ドロミュー、デオダ・グラーテ	96	ニトロセルロース	207, *207*
ダイニーマ	104, *104*	テトラエチル鉛	219	ドライアイス	216, 217, 222, *222*	乳糖 →ラクトース	
第2次大戦	127, 144, 226	テバイン	142	トランス-オメガ-3脂肪酸	80, *80*	ニューロンチン	153, *153*
耐熱手袋	135, *135*	テフロン	48, *48*	鳥		尿	196, *196*
ダイヤモンド	15, *15*	電荷	12	嘴（くちばし）	123, *123*	尿酸	50, 50–51, *51*
ダウン	126, *126*	転化糖	163, *163*	羽根	126, *126*, 130, *130*	尿素	50, *50*
多価不飽和脂肪	80	テンサイ	160, 160–161, *161*	トリグリセリド	81	ニワトリの卵	185, *185*
竹	119, *119*	電子	13, *14*, 15, 200	トルコ石	214, *214*	ヌクレオチド	229
ダチョウの羽根	126, *126*	電子殻	14-18	ドロミーティ山塊	96	ネオテーム	169, *169*
タネル石	100, *100*	原子価殻	14	トロンボーンオイル	76, *76*	ネオンガス	15, *15*
炭化水素	8, 9, *11*, 71	電磁スペクトル	199, *199*	**ナ行**		燃焼（繊維の）	128–131
炭酸カルシウム	35, 48, *49*, 215	天然化合物	175–179			ノボカイン	152, *152*
炭酸鉄	32, 34, *34*	食品	183–185	ナイロン	110, 110–111, *111*		
炭酸銅	32, 35, *35*	バニラと~	180–182	~の燃焼	128, *128*	**ハ行**	
炭素	8, 9, 11, 18, 18–19, 22, 54	天然ガス	223	ナトリウム	9, *10*, 16, *16*	ハーカー石	100, *100*
炭素繊維	110, 136, *136*	天然甘味料	157	ナプロキセンナトリウム	140, 141, *141*	ハーブ系サプリメント	176, *176*
単糖類の割合	159	天然ゴムラテックス	108, *108*	ナポレオン・ボナパルト	96	パーム核油	83, *83*
断熱材	134, 135, *135*	天然石鹸の製法	64	名前	25	パーム油	82, *82*
タンパク質	121, 132, 153, 229	天然繊維	116–120	アルデヒドと~	40	バーントアンバー	212, *212*
チクロ	168, *168*	~の燃焼	128–131	一般名	28–29	バーントシェンナ	212, *212*
地熱発電	91	天然バニラ抽出物	180, 180–181, *181*	エステルと~	43–45	バイコディン	144, *144*
チメロサール	217–218, *218*	デンプン	163, *163*	塩と~	32–35	ハウライト	101, *101*
チモール	195, *195*	糖	9, *159*, 159–163, *163*	ケトンと~	41	麦芽糖 →マルトース	
超高分子量ポリエチレン（UHMW）		天然繊維と~	116–120	酸と~	36–37	白色光	199
	104, *104*	糖アルコール	157, *164*, 164–165	酒精と~	38–39	刷毛	124, *124*
チンカルコナイト	101, *101*	銅鉱石	95, *95*	体系名	30–31	ハチミツ	156, 157, 163, *163*
鎮静剤	149	銅線	133, *133*	有機酸と~	42	白金族中のマイナー金属	94
鎮痛剤	138–139, 141	動物		錬金術の~	26–27	発酵バニラビーンズ	174, 175
アヘン	142–145	動物性繊維	121–132, *122-127*, *132*	鉛	219	バッテリー液	28, 28–29, *29*
毛色の変わった~	153–155	動物性油脂	60, 64, 79, 83, *83*, 164	鉛鉱石	95, *95*	バトラコトキシン	178, *178*

花	199, *199*	羊の毛	125, *125*	ベーカー石	100, *100*	マイトトキシン	178, *178*
パナドール	140, *141*	引っ張り強度	110	ベーム石	92, *93*	マイドル・コンプリート	141, *141*
バニラ		ヒトゲノム	229	ヘキサン	57, 57–59, *58*, *59*, 74, *74*	マイナスの電荷	12–13, 56
合成バニラ	181, *181–182*, *182*	ヒドロキシ基	38, 42, 79, 164	ヘチマタワシ	123, *123*	マグネサイト（菱苦土石）	96, *96*
天然バニラ抽出物	180, *180–181*, *181*	ヒドロコドン	144	ペッパースプレー	147, *147*	マグネシウム	14
発酵バニラビーンズ	174, *175*	ピペリジン	146, *146*, 148–149	ベビーオイル	76, *76*, 83, *83*	麻酔薬	29, 39, 72, 138, 150, 152, *152*
バニリン	180, *180–181*, *181*	氷晶石	91, *91*	ヘプタン	74, *74*	松脂石鹸	68, *68*
エチルバニリン	182, *182*	表面麻酔剤	150, 151	ベリリウム鉱石	97, *97*	マニキュア	207
羽根	126, *126*	ピリラミンマレイン酸塩	141, *141*	ヘロイン	142, 145, *145*	マニラ麻	120, *120*
〜の燃焼	130, *130*	ファン・ゴッホ、フィンセント	213	ベンゾカイン	138, 152, *152*	マリーゴールド抽出物	185, *185*
パピルス	120, *120*	ファンデルワールス力	12, 104, 106	ペンタン	73, *73*	マルチトール	165, *165*
パラクマリルアルコール	116, *116*	フィールド博物館（シカゴ）	122	ヘンプ	119, *119*	マルトース	159, 162, *162*
パラセタモール	140	フィブロイン	127	ホイットビー、マックス	57	マルトトリオース	163, *163*
パラフィン蝋	78, *78*, 84	フェロモン	190	方位磁石	88	マンガニーズバイオレット	213, *213*
パリスグリーン	214, *214*	フェンシクリジン	147, *147*	方鉛鉱	95, *95*, 214, *214*	マンガン	96, *96*, 212, *212*
パルミチン酸	82, *82*	フェンタニル	149, *149*	防護チョッキのパネル	112, *112*	マンニトール	164, *164*
半貴石	214, *214*	フクシン	202, *202*	ホウ酸	5, 101, *101*	水	38, *38*, 56, *56*, 59
バンデグラフ起電機	12	プソイドエフェドリン	52, *52*	ホウ砂	101, *101*	ミセル	62, *62*
ハンドソープ	69, *69*	ブタン	73, *73*	飽和脂肪酸	83	蜜蝋	44, 69, 84, *84*
ヒアリ	147, *147*	筆	124, *124*	ボーキサイト	92, *92*, 94	ミネラルスピリット	75, *75*
非極性化合物	56, 67, *67*	ブドウ糖果糖液糖　→異性化糖		ボツリヌス菌	177	ミネラルバイオレット	213, *213*
非極性溶媒	59	負の電荷　→マイナスの電荷		ボツリヌストキシン	55, 177, *177*	ミラフレックス	135
ピサポレン	194, *194*	ブラシ	124, *124*	骨	47, 215	無機化合物	47, 212–215
非ステロイド性抗炎症薬（NSAIDs）	140	プラスの電荷	12–13, 56	「ポピュラー・サイエンス」誌	112	無機繊維	133–136
ヒストンH3.2	230, *230–231*, *231*	ブラックペッパー（黒胡椒）	146, *146*	ポリエステル	115, *115*	無酸紙	117, *117*
ビタミンA	184, *184*	プリアルト	153, *153*	ポリエチレン	103, 104–105	メープルシュガー	160, *160*
ビタミンB_1	184, *184*	フルクトース（果糖）	157, 158, *158*	プラスチック	11, 78, *78*	メタドン	145, *145*
ビタミンB_2	184, *184*	プルシアンブルー	213, *213*	ポリグリコライド	115, *115*	メタノール	75
ビタミンB_3	185, *185*	フロイト、ジークムント	150	ポリジオキサノン	115, *115*	メタン	70, 71, 222, 223
ビタミンB_5	185, *185*	プロスタグランジン	138	ポリプロピレン	114, *114*	メタンフェタミン	52, *52*
ビタミンB_6	185, *185*	プロバータイト	101, *101*	〜の燃焼	129, *129*	メチルメルカプタン	196
ビタミンB_7	185, *185*	プロパン	72, *72*, 221, *221*	ポリマー	103	綿火薬	207
ビタミンB_9	184, *184*	ブロマドール	153, *153*	アクリルの〜	207, *207*	メントール	47, *186*, 187, 195, *195*
ビタミンB_{12}	184, *184*	フロンガス類	220–221, *221*	ポルトランドセメント	98, *98*	モーターオイル	77, *77*
ビタミンC	37, 184, *184*	分子	6, 18–20	ボンピコール	190, *190*	モーブ	202, *202*
ビタミンD_3	184, *184*	分子構造図	21, *21*			モグロシド	171
ビタミンE	185, *185*	粉末コカイン	151, *151*	**マ行**		モデル（模型）	21, *21*
ビタミンK	185, *185*	ペイント用ブラシ	124, *124*	マータイト	89, *89*	球棒モデル	57, *57*

索引　**239**

木綿（ワタ）		リキッドソープ	62, *62*	ケブラー〜	113, *113*
コットン紙	117, *117*	リグニン	116, 117, 123, 130, 181	ココナッツ繊維の〜	118, *118*
繊維	*106*, 106–107, *107*, 130, *130*	リゼルグ酸ジエチルアミド →LSD		ワイヤー〜	133, *133*
モルヒネ	142, 144, *144*	立体的模型	21, *21*	ロジウム	94
		リドカイン	138, 152, *152*	ロックフェラー、ジョン・D.	74

ヤ行

ワ行

焼き菓子	173, *173*	リトマス	205		
山羊の毛	125, *125*	リノール酸	82, *82*	ワイヤーロープ	133, *133*
野菜の色	*208*, 208–209, *209*	硫化水素	196, *196*	ワクチン	217–218
柳の樹皮	140, *140*	硫化鉛	95, *95*	ワタ →木綿	
ユーカリプトール	194, *194*	硫酸	36, *36*	綿あめ	120, *120*
有機化合物	47, 48–55	硫酸イオン	30	ワックス →蠟	
色と〜	200–205	硫酸カルシウム	33, *33*	ワトソン、ジェイムズ	21
有機酸	42	硫酸第一鉄	32, *32*		
有機溶媒	75, *75*	硫酸第二鉄	32, *32*		
有毒化合物	177, *177*	硫酸鉄	30, 32, *32*, 36		
陽子	13	硫酸銅	32–33, *33*		
ヨウ素添加塩	183, *183*	竜舌蘭（アガベ）	118, *118*, 163, *163*		
溶媒		龍涎香（アンバーグリス）	195, *195*		
極性〜	58	菱鉄鉱	34, *34*, 90, *90*		
非極性〜	59	緑青	35, *35*		
有機〜	75, *75*	緑礬	26, *26*, 28, 30, 32, *32*		
羊皮紙	132, *132*	緑礬甘油	25, *27*, 27–28		
ヨナグニサン	190, *191*	緑礬油	25–27, *26*, *27*, 30		
		ルイスの点電子構造	18, *18*		

ラ行

		ルテイン	185, *185*		
		ルテニウム	94		
ライヒアルト染料	205, *205*	レーヨン	98, 119, *119*		
ラウリル硫酸ナトリウム	66, *66*	レッドリコリス	179, *179*		
ラウリン酸	66, *66*	レニウム	94		
ラウレス硫酸ナトリウム	66, *66*	錬金術の名前	26–27		
羅漢果	171, *171*	蠟	44, 71, 84–85		
ラクダの毛	125, *125*	パラフィン蠟	78, *78*, 84		
ラクトース	159, 162, *162*	蜜蠟	44, 69, 84, *84*		
羅針盤	88, *88*	ローアンバー	212, *212*		
ラテックス	*108*, 108–109, *109*	ローシエンナ	212, *212*		
ラピスラズリ	212, 214, *214*	ローゼン石	28, *28*, 32, *32*		
ラミー	119, *119*	ロープ	*102*, 103		
藍銅鉱／アズライト	214, *214*	絹の〜	127, *127*